D1643528

Published by the University of Manchester
at the University Press
8 to 10 Wright Street,
Manchester, 15

First published, 1920
Reprinted, 1951

I. PORTRAIT OF PASCAL BY QUESNEL, ENGRAVED BY EDELINCK

Frontispiece.

LES PROVINCIALES

DE

BLAISE PASCAL,

EDITED BY

H. F. STEWART, D.D.

MANCHESTER UNIVERSITY PRESS

VIRO
ERVDITISSIMO
E . JOVY
DE . BLASII . PASCALIS
MEMORIA
OPTIME . MERENTI
HOC . OPVS
AMICVS . AMICO
D . D . D.
EDITOR

PREFACE

The work of an editor of the *Lettres Provinciales* has been rendered at once easy and difficult by the labours of his predecessors—Maynard, Michel, De Soyres, Havet, Molinier, and the triumvirate, MM. Brunschvicg, P. Boutroux, and F. Gazier,[1] to whom we owe the monumental edition of all Pascal in the collection of *Les Grands Écrivains de la France*. They have left little to glean. I hope I have not missed the few stray ears that remained on the field after their harvesting.

The one claim to novelty which I would venture to make for the present edition is that it starts from the fresh standpoint indicated—to be accurate, a former standpoint recovered—by the patience, erudition, and acumen of M. Ernest Jovy. *Laudatus a laudatis viris*,[2] he needs no praise from me. Only I desire to express my gratitude to him for allowing his name to be associated with this book. His view, which with a slight reservation I sincerely endorse, is, briefly, that Pascal, who began the Letters as an ardent member of the Jansenist sect, was drawing away from that sect even before he finished writing, and that he ended his life in opposition to it. Those who read and perpend M. Jovy's *Pascal inédit* with unbiassed mind will, I am convinced, accept both the evidence and the main conclusion.

Another question upon which, I believe, I differ from most English students of Pascal, of those, at least, who have expressed their mind in writing, is that of Pascal's fairness

[1] M. F. Gazier, since fallen in battle.

[2] See F. Strowski, *Pascal et son temps*, t. ii., p. 16, and H. Bremond, *L'Humanisme dévot* (1916), t. i., p. xiii.

towards his opponents. Here I follow M. Strowski who, while maintaining Pascal's absolute honesty of quotation (and no one who takes the trouble to verify his references will doubt it), convicts him of mistaking the motive of the Jesuits. I have dealt with this point elsewhere.[1]

Again, Protestant writers are generally agreed in condemning Probabilism out of hand. That I am unable to do. It is not Probabilism, as it seems to me, that is to blame for the lax morality which shocked Pascal and must shock all right-thinking men, but its unscrupulous application in a corrupt age to the system of universal and compulsory confession. The point is controversial and important, and I have devoted a good deal of space to it in the Introduction. In dealing with it I have drawn freely on the learning and sound judgment of my friend Mr. E. J. Thomas, of Emmanuel College, as on the question of Grace I have benefited from hints given me by a master of doctrinal theology, Dr. J. F. Bethune-Baker, Lady Margaret Professor of Divinity. I desire gratefully to declare these and all my borrowings. For the use made of them I am alone responsible.

The text of the eighteen Letters is that of a set of the original pamphlets now in my possession and formerly belonging to Mr. Huth. The old orthography has been kept except the *i's* and *u's* which seventeenth century printers used for *j's* and *v's*. The punctuation on the other hand is modernized, for it seems certain that the value of the points was different then from what it is to-day.

H. F. STEWART.

TRINITY COLLEGE, CAMBRIDGE,
August, 1919.

[1] Cf. *The Holiness of Pascal*, Cambridge, 1915.

TABLE OF CONTENTS

LIST OF ILLUSTRATIONS

This is a reproduction of the engraving by G. Edelinck (1640-1707) of a portrait by Quesnel, whose cipher (QVL) appears in the left-hand corner of the border. The artist was a brother of the Oratorian, Pasquier Quesnel, author of the *Réflexions morales* (1693), which were the cause of the Bull "Unigenitus". The Jansenist tradition concerning the picture is as follows: Pascal's death gave his friends the opportunity of procuring a portrait which his personal humility denied to them during his life. Accordingly, a death mask was taken, which is reproduced in Michaut's edition of the *Pensées* (Fribourg, 1896) and elsewhere. Quesnel, who had not known Pascal, worked on this mask, and in order to be sure that his work was successful, it was submitted to sundry parishioners of Saint-Etienne du Mont who had known him. One of these, a watchmaker, declared that it was certainly the gentleman who wore a wrist-watch which he used to have repaired at his shop.

Quesnel's portrait belonged in 1845 to M. Guerrier de Romagnat in Auvergne, and is now apparently in the possession of the Marquis Doria.

(Cf. Jovy, *Pascal inédit*, t. i., 426, t.v., 305; *Aesculape, revue mensuelle illustrée latéro-médicale*, No. 11, Nov., 1913.)

INTRODUCTION

I. PASCAL AND JANSENISM.

PASCAL is, by common consent, one of the most perplexing figures in history. He appears to be a bundle of contradictions. A man of science and of society, and an extreme ascetic; charitable in daily life, and savage in controversy; fiercely intolerant of opposition, yet a patient sufferer of intolerable ills in his own person; a champion of truth, and an adroit special pleader; a humble Christian, and a dauntless sceptic; a defender of the Faith, and a defiant heretic. A case can be made out for every one of these conditions separately. Is it possible to combine them into a self-consistent character? I believe it is, and that by the simple process of watching the man, appraising his circumstances, and taking proper account of the evidence. "D'où apprendrons-nous la vérité des faits? Ce sera des yeux, qui en sont les légitimes juges, comme la raison l'est des choses naturelles et intelligibles" (Letter XVIII).

Given a greatly gifted and highly sensitive youth, bring him at the flash-point of his religious development, and at the crisis of his manhood, into touch with an imperious system of theology and an uncompromising code of morals; let that system be assailed maliciously, as it appears; let that morality be undermined; let an appeal for help be made to his genius and his loyalty, and you get the Pascal of the *Provincial Letters.* Let time, reflexion, and suffering play their part, and you get the Pascal of the *Pensées.* We are here concerned with the former figure only, and have neither time nor space to complete the portrait, nor to trace the steps by which he reached the stage at which our story opens. It must suffice to say that in 1656, the year of the *Provinciales* and the thirty-third of his own short life, Blaise Pascal had tasted the best that the world can give. He had made scientific discoveries of first-rate and permanent importance. He was already, in virtue of them, "le grand Monsieur Pascal". He had wealth and position which secured to him valuable friendships and the right of entry into a brilliant society. But for the last two years he had been walking in a more excellent way.

A midnight vision of the Saviour (23 November, 1654), a first-hand conviction of Reality, was confirmed by close companionship with a band of heroic spirits who, as he believed, possessed the key of knowledge and the secret of salvation. No wonder that when these saints and their cause were cruelly attacked, he should put himself and his talents at their disposal, and fling himself eagerly into the fight for right thinking and pure living. If, as we shall have occasion to note, he sometimes made mistakes and let zeal outstrip discretion, it was for the sake of those to whom, under God, he owed his soul. Whatever judgment we may pass upon the wisdom and fairness of his intervention in the great Jansenist debate, Pascal, the Jansenist champion, stands free from blame of any petty personal motive. Whatever opinion we may form of the ultimate rights in that debate, we must be grateful to the side which at one time he so fervently supported, for being the means of converting a worldling into a man of God, and for the opportunity which it afforded him of setting forth the real issues, not only with the clarity that comes of scientific training and the genius of his race, but with the passion and conviction of deep personal religion.

The quarrel between the Jansenists and the Jesuits, of which the *Lettres Provinciales* mark the climax, if they did not procure the final settlement, centred in two principal topics, one theological, and the other moral. There were also subsidiary elements; patriotic feeling (the Jesuits were generally regarded in France as foreign intruders[1] and emissaries of Rome); professional jealousy (they were notable schoolmasters, and Port-Royal challenged them on their own ground); personal animosity (the Arnauld family were hereditary foes of the Company). But the theological question of Grace and the moral question of Casuistry form the nerve of the debate, as they are the matter of Pascal's attack, and an understanding of them is essential to a proper understanding of the "Little Letters". No doubt the two topics run into one another and in a last analysis are not separable. But for the sake of clearness we must treat them apart, and we will take the theological topic first.

[1] Evidence of this prejudice is seen in the praise of St. Ignatius and his company as "vrai français," "compagnie française," to which Camus, Bishop of Belley, in a burst of rhetoric, commits himself. Cf. Bremond, *op. cit.*, t. i., p. 163.

II. THE PROBLEM OF GRACE.

The theory of divine Grace, as developed in the Western Church and the form in which it presented itself to Pascal and his contemporaries and is indeed prevalent to-day, goes back to St. Augustine of Hippo (A.D. 354-430). He made a brave attempt to preserve man's freedom of will and consequent capacity to work out his own salvation, without prejudice to the predestinating decree by which Almighty God decides beforehand who those are that shall be saved. St. Augustine was the first Christian teacher to face the problem seriously, and he fully deserves the title of "Master of Grace" bestowed upon him by St. Prosper of Aquitaine.

Earlier Christian teaching was generally agreed that man was created free, with power to choose good or evil, but that he needed, and was granted, Grace, i.e. divine help, in order to fulfil his true destiny, win the vision of God, and recover conformity to His likeness. But man abused his gift of free will, chose the wrong, disobeyed God, rejected His Grace, and forfeited his original innocence in a Fall which greatly enfeebled his natural powers and brought upon him physical and moral death. God, however, would not abandon him to the misery which he deserved, but granted him a means of recovery in the Person of His Son, Jesus Christ, who brings to the world which He died to save, His liberating Grace. The Fall had indeed impaired, but it had not destroyed, man's freedom, upon which depends his acceptance of this new Grace, this medicinal power.[1]

So far there was practical unanimity of doctrine. But the manner and degree in which this Grace acts upon man, and man's capacity to receive it, were differently envisaged by the Eastern and the Western Church. The Greek fathers, who inherited from the pagan philosophers a conception of human nature in which freedom was assumed as a matter of course, and a view of moral evil which reduced it to ignorance or discord with the Divine, rather than to rebellion against God,

[1] This view of Grace is the one which perhaps best commends itself to the ordinary religious consciousness; but it implies principles which, if carried out to their logical issue, involve certain contradictions. On the one hand, there is the omnipotence of God and His prescience, and, arising therefrom, the doctrine of Predestination. On the other hand, there is the principle of free will, leading to the question of moral evil and the problem of its origin. The logical conclusion of the idea of God's omnipotence and prescience is Calvinism and a conception of the action of God which contradicts the Bible view of His nature; the logical conclusion of arguing back from God's goodness and the facts of human nature is Pelagianism, which contradicts the Bible view of salvation.

regarded Grace as something which came to strengthen man's will, weakened indeed by the Fall, but neither crippled nor incapable of still choosing good. Grace, they thought, was of saving value in so far as it illuminates the intellect through external means—the Gospel, the example of Christ and of the Saints—which serve to confirm and enlarge powers already resident in the soul.

The Western fathers, on the other hand, who had little direct knowledge of Greek thought, and who took their doctrine of man as well as their doctrine of God chiefly from the Old Testament, were more conscious of His sovereignty than of man's freedom, although they by no means denied to man, even fallen, some power to choose and to work good. Like Hebrew prophet and psalmist they looked on sin as rebellion against God, and on man's deliverance from sin as the gift of His free Spirit. Roman imperial ideas may also have helped them to emphasize the unconditioned character of this boon. Under the Empire Roman citizenship could be granted unconditionally by the Emperor; and so to men who looked to Rome as head in all things, there would be nothing anomalous in arbitrary bestowal of privilege. If the Emperor could by simple fiat create Roman citizens, why should not God save souls according to His pleasure and the dictates of His inscrutable Wisdom? Moreover, the fact and experience of universal sin must have deeply impressed the Roman mind, which was essentially practical, and have driven it to seek a cause for the phenomenon elsewhere than in mere weakness of will and want of instruction. Above all it was the mind of St. Augustine that brought these questions to a focus and determined in what way they should be answered in the West.

The circumstances of his intervention were as follows: Pelagius (A.D. *c.* 360-*c.* 420), an Irish monk, penetrated with what may be called orthodox notions of freedom, was moved to protest against St. Augustine's revolutionary teaching concerning it. The prayer in the *Confessions*, "da quod iubes et iube quod vis" (Give what Thou commandest and command what Thou willest), drew Pelagius to reassert the liberty and personal responsibility which this utterance seemed to threaten. He was a Greek scholar and in touch with Greek theologians. He now carried their tradition respecting human nature, its powers and its needs, far beyond the somewhat vague limits with which they had been content. He argued against St. Augustine that free will was man's inalienable prerogative; that God had given him the power to save himself; that supernatural Grace was not necessary for this purpose, but only an external instrument, guiding the will, but not in any sense renewing it. "Nature," he said, "was created so good that it needs no help."

Now Pelagius was a monk, albeit a learned and a travelled one; into his sheltered life the fierce struggle with sin and temptation can have entered little. But St. Augustine had in his own experience bitter evidence of the power of temptation and of human weakness. The very phrase which shocked Pelagius had its exact illustration in his own conversion. He could not have turned from sin without God's help. He felt man's nature to be, not essentially sound, as Pelagius thought, but hopelessly corrupt. Adam's sin had involved the whole race in ruin, and brought not only death to man's body, but paralysis to his will. The recovery of life and the quickening of the will depend, he said, entirely on God's drawing of men to Christ the Saviour, and man is passive under the process. But when once the Grace has been bestowed, the will, renewed by it, becomes capable of choosing good. It is indeed incapable of choosing otherwise; for this Grace is irresistible, because the will which it renews is "under bondage to righteousness".

But further conclusions may be drawn, and St. Augustine drew them. Grace, he taught, is irresistible, but all are not led by Grace. Hence God withholds Grace from some. Hence God does not will all men to be saved. But God is just. There would be no violation of strict justice if all the saved were to be lost. As things are, mankind is divided into two classes; those whom God wills to be saved (vessels of mercy) and to whom He vouchsafes His Grace; and those whom He leaves to their fate (vessels of wrath). "Why He wills to convert some and to punish others for being unconverted, let none presume to ask . . . the law of His secret justice rests with Him alone." The Grace which God gives to the elect predisposes the will to seek Him prior to any motion on man's part, influences the will which it has thus predisposed, and enables it to co-operate in the work of salvation. That is to say, in theological language of a later period, it is "prevenient," "operant," and "co-operant".

Now it need hardly be remarked that the view of free will involved in this doctrine of Grace is not the ordinary view of free will, viz., as a will, which is free to determine itself. According to St. Augustine the will is determined by Grace; the co-operation which he postulates is of Grace with Grace, rather than of human will with Grace. But the Western

Church, with true religious instinct if not with profound philosophy, preferred a scheme which started, like St. Augustine's, from an abstract idea of divine power, to one which started from an abstract idea of free will. Pelagianism sinned alike against true religious instinct—the sense of man's feebleness and of God's greatness—and against doctrinal teaching. For if man can, unaided, win salvation, what need is there of a Saviour and an Atonement? Pelagius was accordingly condemned by Councils in Africa and at Rome in 418, and finally anathematized at the General Council of Ephesus in 431. Yet this condemnation by no means stifled his heresy, nor extirpated the belief in the freedom of the will for which he stood. Attempts were soon made to mediate between the two extremes represented by Pelagius and St. Augustine, and to frame a theory which should safeguard both man's freedom and God's Grace. The mediators were known as Semi-Pelagians—they might with as much right be called Semi-Augustinians, for they resisted equally the denial of man's absolute need of Grace and the denial of his freedom of choice. The Church condemned Semi-Pelagianism as it had condemned Pelagianism, but nevertheless Semi-Pelagianism lived on, with its doctrine of compromise, viz. a belief in inherited evil and the need of prevenient Grace (Augustine), and a belief in man's power to co-operate with Grace (Pelagius).

Early in the middle ages there appeared further tendencies to modify St. Augustine's teaching. The attempt to revive his strict theory of Predestination was rejected, and Gottschalk, the ninth century Saxon, who made it, spent twenty years in prison for his pains, and was branded as an heresiarch. As time went on, human merit and human freedom were increasingly emphasized. The notion of supreme and unconditioned Grace was qualified by the association therewith of the Aristotelian notion of God as the goal to which all things are bent, rather than as the source from which they spring. This notion did not oust the other, but combined with it to give reality and spontaneity to the movements of the will. To St. Thomas, the great Dominican and the greatest of the Schoolmen, God is the First Cause and Prime Mover from whom all secondary causes and all movement spring, whether they be natural laws or actions determined by man's will. Having thus provided a divine background, upon which all nature moves, St. Thomas proceeds to elaborate his special doctrine of man and of Grace. Man was created "in Grace," i.e. besides the elements of his human nature and an inclination towards virtue, with which the Creator equipped him, he had bestowed on him a super-added, supernatural gift of Grace which held his whole being in harmony—his body subject to his reason, and his reason subject to God. This harmony constituted his "original righteousness". Sin, begotten of self-love and pride, broke the harmony;[1] the inclination to virtue waned, original righteousness vanished, and, with it, the Grace from which it sprang. The harmony, however, is restored by a new gift of Grace, merited by Jesus Christ, which is the source of a new movement towards God, just as the first Grace bestowed at Creation was the source of original righteousness.

This Grace is either a divine help, moving us to will and to do the good (subsequently termed *gratia actualis* "active or actual Grace"), or it is an indwelling gift, *gratia habitualis*. In either case it may be regarded as "operant" and "co-operant"—operant, because God by it moves the soul to act; co-operant, because by it He strengthens the will to perform the act. It is further to be regarded as "prevenient" and "subsequent," according as its various effects precede or follow one another. By this system, which is plainly a modified Augustinianism, St. Thomas secures freedom of will through an infusion of Grace.

Duns Scotus, the Franciscan, who was born a few years before St. Thomas's death and was the persistent opponent of his teaching, laid far more stress on the co-operation of the human agent, and openly taught what was nothing more nor less than Semi-Pelagianism. The long quarrel between his followers, the Scotists, and the Thomists, need not detain us here. The Thomists won the day, and established themselves as the foremost theological authority in the Church. But the vanquished party was very strong; and when, in the sixteenth century, the Council of Trent formulated decrees on Grace which were primarily directed against the Protestant reformers, it compromised between the two parties and spoke in terms which were Thomistic in general character, but which admitted a Scotist interpretation.[2] But the most striking feature of these

[1] Cf. . . . disproportioned sin
Jarred against nature's chime, and with harsh din
Broke the fair music that all creatures made
To their great Lord.
—Milton, *At a Solemn Musick.*

[2] E.g. Adam is said to have been "constituted" in righteousness. The Thomists held that he had been *created* so, the Scotists that he received his righteousness subsequently. Again, the Scotist view of original sin as absence of righteousness is sanctioned. Cf. *Council of Trent*, Sess. V, *Decr. de pecc. or.*

decrees is the frankness with which at least one dominant tenet of St. Augustine is surrendered. So far from the Grace of God being irresistible, man's will, although weakened by the Fall, is still capable of choosing or rejecting the gift, according to his own determination. This is Semi-Pelagianism.

Soon after the close of the long sessions of Trent, something like simple Pelagianism was preached by a Spaniard, Luis Molina, of the Company of Jesus, and the Thomists found themselves engaged in contest with that formidable Order. In 1588 Molina published *The Concord of Free Will with the Gifts of Grace* (*De liberi arbitrii cum gratiae donis concordia*) promulgating the theory of a "sufficient" Grace (*gratia sufficiens*) by which God gives to man all that he needs in order to work a meritorious action. This Grace is rendered "efficacious" (*efficax*, i.e. productive of the right result) by man's own effort —God contributing to the determination of man's will nothing but a simultaneous concourse.

The book was immediately attacked by the Dominicans on the score of its Pelagian tendency. They protested in the name of St. Thomas against the notion of an efficacity which depends on man, and of a Grace which is not determining but concurrent. The Jesuits stood by their companion, and after six years' fierce fighting in Spain, the battle was transferred by command of the Pope to Rome, where it raged for ten years more under three successive Pontiffs in the Congregation *De Auxiliis*. At length in 1607 Paul V suddenly closed the discussion, and forebade either side to re-open it or to indulge in recriminations, but allowed each to hold and teach its own opinion.

Pascal is within his rights in making the most of the legacy of rancour left by the long debate (cf. Letter II, *infra*, p. 12). The Thomists freely accused the Jesuits of Pelagianism; the Jesuits retorted by calling them Calvinists—and Calvinism was, according to one of their writers, a *religio bestiarum*.[1] It was indeed in fear of Calvinism that the coalition between the two orders was ultimately formed, which Pascal does his best to dissolve. And there can be no doubt that the new party against which they combined had close affinities with that detested heresy. To this point reference will be made in the notes to the Eighteenth Letter. It is time now to give some account of the new party and its leaders, and of their attitude towards the vexed question of Grace.

Cornelius Jansen, the Fleming (1585-1638), and Jean Duvergier de Hauranne, Abbé de Saint-Cyran (1581-1643), were

[1] Cf. *Calvinismus religio bestiarum*, by Th. Rainaud, 1630.

friends and fellow-students at Louvain. They believed that in St. Augustine was to be found the antidote to what they regarded as the perils of false teaching and of lax morality which threatened the Church. They accordingly devoted themselves to the study of that Master, all of whose works Jansen read through ten times, and the anti-Pelagian treatises thirty times. The literary result of this labour was the *Augustinus, seu doctrina sancti Augustini de humanae naturae sanitate, aegritudine, medicina adversus Pelagianos et Massilienses*, published at Louvain two years after its author, Jansen, had died at Ypres, where he had been bishop since 1636. Saint-Cyran (to give him his familiar title), whose genius was practical rather than speculative, became spiritual director to the Cistercian convent of Port-Royal in the same year that his friend was made bishop. At this date the nuns who, eleven years earlier, had been compelled for reasons of health to leave their home, Port-Royal des Champs, eighteen miles west of Paris, were settled near the Val-de-Grâce in buildings which now serve as a maternity hospital. The abbess was Jacqueline Arnauld, a saintly lady, known in religion as "la mère Angélique" who, with a short break, ruled the convent for thirty-four years, during which she raised it from sloth and obscurity to a high degree of piety and fame.

Saint-Cyran's influence on Port-Royal was deep and lasting. He planted there the doctrine of St. Augustine (as interpreted by Jansen) and the discipline which his own austere character favoured. He induced two of the abbess's nephews to embrace a religious life and become the nucleus of the informal brotherhood known as the Solitaries. He instituted the boys' school, which left so strong a mark upon its greatest pupil, Jean Racine. His spirit lived on after his death in the person of la mère Angélique's youngest brother, Antoine Arnauld, the redoubtable theologian and controversialist, whose mind he himself had formed, and in whose defence the *Lettres Provinciales* were undertaken. With brothers, sisters, nephews, and nieces, the Arnauld family completely dominated Port-Royal. Twelve of them were nuns within the convent, and six, Solitaries at its gates. Saint-Cyran, whose heart and viscera were treasured in the chapel, received all the honours of a patron saint.

We must now return to the *Augustinus*. Frankly directed against the Jesuits, as its sub-title indicates, it was marked out for attack even before publication, and its fortunes are the thread which hold our later story together. Its theory, which was supported at every step by copious quotations from St. Augustine, may be summarized as follows: In man's state of innocence his will had been sound, always directed Godwards, drawn to Him by an irresistible attraction. With man's Fall his will was radically changed. To the invariable attraction towards good there succeed two opposite and conflicting "delectations," a terrestrial, *i.q.* concupiscence, and a celestial, *i.q.* Grace. The mass of men are swayed by concupiscence; the elect few, the predestinate, by Grace, which, when it comes, is irresistible. But it may be withdrawn at God's pleasure, when the last state of the man who had it is no better than if he had never enjoyed it.

In this scheme there is no sign of a Grace which is merely "sufficient," as the Molinists taught, which depends for its efficacy on the response and co-operation of the human will. Indeed there is no room for free will at all. The process is almost mechanical: the will answers to the pull of the "delectation" which is strongest at the moment; it has no power to choose between good and evil; all that can be said is that it is free from external compulsion.

The Jesuits declared that the theory was pure Baianism (a form of Lutheranism condemned by Rome in 1567 and 1579), and they denounced the book containing it to the Pope. His reply came in 1642, prohibiting the *Augustinus* not so much for its own sake as because it broke the truce imposed by Paul V (*vide supra*, p. xx). France was always jealous of Roman interference, and the Bull with its prohibition was not received by the Sorbonne. But controversy was lively, and the pulpits of Paris rang with denunciations and defence of the dead Jansen and his living disciples. Among these last, Antoine Arnauld, now Doctor of the Sorbonne, wrote against the reception of the Bull *Observations, Considerations, Difficulties*, and finally two *Apologies for Jansen*—all in 1643. Then there was a pause, but he resumed his pen in 1649 when Nicolas Cornet, Syndic of the Sorbonne, presented for censure by that body seven heretical propositions drawn from Jansen's work. Arnauld's counterstrokes in the Sorbonne were effective; so Cornet and his friends appealed to Rome, and sent thither for examination the first five of the peccant propositions. In May, 1653, the five propositions were condemned by a Bull of Innocent X. This is a convenient place to state them:

(*a*) "Some commandments of God are impossible to good men, though they desire and strive to observe them. The power they have at the moment is insufficient, and they further lack the Grace which would render these commandments possible."

(*b*) "In the state of fallen nature, resistance to interior Grace is impossible."

(*c*) "In order to deserve merit or the reverse, in the state of fallen nature, it is not necessary for man to possess inward freedom: it is enough that he be free from external compulsion."

(*d*) "The Semi-Pelagians admitted the need of Grace, interior and prevenient, for every action, even in the act of initial faith; but they were heretics because they claimed this Grace to be such that the human will had power to resist or to obey it."

(*e*) "It is a renewal of Semi-Pelagian heresy to say that Christ died for all men without exception."

In condemning these propositions Innocent clearly meant to condemn Jansen. But his intention was not so clearly stated in his Bull that subtle theologians could not find a way round. All that the Bull said was that the Pope, having been asked by some French bishops to pronounce on certain passages of the *Augustinus*, had done so—without, of course, approving the rest of the book, which very possibly he had not read.

It was certain that the propositions presented to the Pope were heretical; also that they closely resembled passages of the *Augustinus*. But not one of them was an accurate quotation of any single passage—except the first, and that was torn from a context which could be interpreted as giving it a different colour.

Port-Royal had no desire to defend heresy: they only wished to protect from that charge Jansen and the Teacher from whom he fetched all his doctrine of Grace. It must be allowed that they were in a delicate position. Prompted by Arnauld, they invented the famous distinction of "fait" and "droit". That is, while allowing the Pope's right to settle a point of orthodoxy (the heresy of the propositions), they begged leave to question his accurate knowledge of the point of fact (the authorship of Jansen), and this they did with vehemence, urging a counter-charge of deliberate invention of the propositions on the part of the Jesuits for the express purpose of overthrowing St. Augustine's doctrine of Grace. This was a false move. It is not in the least probable that the Syndic Cornet and his supporters intended anything of the kind. They really believed that the propositions were a fair summary of Jansen's teaching, and a Calvinistic distortion of St. Augustine. Neither side saw, or, if they saw it, allowed, what Pierre Bayle, a generation later, pointed out with glee, that the Calvinism which they both abhorred is the logical outcome of Augustinianism.

The charge of forgery thus formulated by the Jansenists was fantastic, and convinced no one but its authors. And it had no effect. Innocent's Bull was received in France; the Assembly of Clergy drew up a Formulary of submission to it, dotting the i's, and expressly attributing to Jansen the first proposition, which was a gross perversion of St. Augustine. In the same year (October, 1656), Alexander VII, who had just succeeded Innocent at the Vatican, confirmed his predecessor's decree by a Bull which in its turn was received in France and to which the Formulary was appended.

Meanwhile Arnauld, provoked by his opponents, who in the flush of coming victory permitted themselves a series of petty persecutions, broke a three years' silence. The occasion was the following: The Duc de Liancourt, a friend of Port-Royal, was refused absolution and hence the right to communion, by his parish priest of the Church of St. Sulpice. The grounds were his Jansenist leanings. Had he not a grand-daughter *en pension* at the convent? Did he not harbour in his own house two notorious Jansenists? Arnauld sat down and wrote a "Letter to a Person of Condition" (*Première Lettre*), which drew nine answers from the other side. He wrote again, this time at greater length, a "Second Letter, to a Duke and Peer" (*Seconde Lettre*). This, which was a document of two hundred pages, raised once more the whole question of "droit" and "fait," which had been slumbering uneasily since the Bulls. He justified Jansen and denied that his book contained the five propositions (*question de fait*); he asserted that Grace, the Grace necessary for action, had once at least failed a saint in the person of St. Peter. He reaped the whirlwind. In vain he shewed that his account of St. Peter's defection was borrowed from St. Augustine; that the Pope himself had approved of his Letter. The matter was referred to the Faculty of Theology, which set out to degrade Arnauld and so deprive itself of one of its brightest ornaments. In spite of Arnauld's subtlety and apparent readiness to compromise there was no chance of his winning. The case was debated in long and noisy sessions from 1 December, 1655, to 29 January, 1656. Arnauld defended himself in Latin pamphlets with infinite courage and persistency; but it was evident from the outset that his foes were bent on his censure and that his cause was already lost in the Sorbonne. Was there any hope of reaching a wider and less prejudiced audience? "You cannot let yourself be condemned like a child without telling the facts to the public," urged his friends. Arnauld made the attempt; but his style was not popular, and when he read the pamphlet which he had prepared in the ears of the assembled Solitaries, the silence with which they received it was eloquent corroboration of his own misgivings. "I see you do not think this letter any good," he said sadly, "and I believe you are right." Then, turning to Pascal who was present, and giving him a nudge with his elbow, he added, "You are a young man; you ought to do something". It was a happy inspiration. Young as Pascal was, his mere name would command attention. And he was learned, not perhaps with the massive and unwieldy erudition of Arnauld, but still a thinker, and a theologian.[1] He was fresh to the fold, and fresh from the world, full of ardour for Arnauld, Augustine, and Grace; knowing he had been won and knowing the way to win others. He felt his strength and saw his opportunity. What was needed was a clear, short statement of the real facts about Arnauld and the Sorbonne, separating the deep theological issues from the petty human motives. The petty human motives were the real basis of the attack upon Arnauld, and with these he deals faithfully. The ultimate issue of the theological principles Pascal never pursued to the end. In the first three Letters, which followed each other in rapid succession, he exposes the methods and the mind of Arnauld's opponents. What the ultimate result of carrying out the arguments of St. Augustine would be, we have already seen. But Pascal, having pilloried his adversaries, with the instinct of the true polemical writer turns and directs his attack upon the most vulnerable part of the Jesuit system—their ethical teaching as displayed in their casuistry.

Before passing to a consideration of this, the second topic of our inquiry, the reader has a right to ask whether the ancient controversy about Grace has anything more than a historical interest, and whether the ordinary Christian to-day is bound to take a side in it? The answer is that the contradictory conclusions issuing, on the one hand in Calvinism and Jansenism, and on the other hand in Pelagianism and Molinism cannot both be valid and need not, either of them, compel allegiance. The ordinary religious conscience is not bound to draw these conclusions, still less to assume that they are inevitable. We cannot assume that we possess a sufficiently adequate conception of the divine nature, or of the meaning of the terms as applied to the working of God, to infer that

[1] For his philosophy see the *Entretien* with M. de Saci; for his theology see the *Écrits sur la Grâce*.

these conclusions are as inevitable and fundamental as the theological truths upon which they are founded. But there appear from time to time upon the stage of history mighty figures—an Augustine, a Calvin, a Pascal—men who are so overwhelmingly convinced of the majesty of God and the misery of man, that they do not hesitate to press these conclusions; and, facing them, are others who are repelled by the appalling contradictions with the ordinary instincts of justice which this stern logic reveals. The practical result is that it is possible for us to watch the development of the drama without taking an active part. We are neither compelled to call ourselves Semi-Pelagians nor to accept Calvinistic inferences. If we look for a clue to guide our thought through the tangle, it is to be found in St. Thomas's postulate that God is the Mover in everything that is good as well as the Cause of it (*vide*, p. xiv). All human movement towards good is but a part of the great divine movement which is initiated and ceaselessly and infallibly directed towards good. And as our movement is in His, so we are in Him. We cannot really exist apart from Him. Sin is death, because it separates us from Him. But God would not have us die. He counters sin and death by the gift of His Son. So from the beginning and always, man's weakness is surrounded and supported by divine help, i.e. Grace. It is when men begin to think of themselves as apart from God, outside God, that they go astray, and, human passions aiding, find themselves involved in tragic and unchristian controversy.

III. CASUISTRY AND PROBABILISM.

A casuist is one who studies and resolves cases of conscience, i.e. questions of conduct and duty, concerning which the conscience is in doubt. Such questions arise in any system of ethics founded on universal rules. It becomes necessary to decide with reference to any particular act whether, when all the circumstances are taken into consideration, it is a "case" which really falls under the general rule. The old name "casuistic" (French "casuistique") for the art or science exercised by the casuist, has been replaced in English by the somewhat contemptuous term "casuistry".[1]

[1] "Casuistic" is used in early days with no sinister meaning. The touch of contempt, even if not inherent in the termination "-try" (see *Oxford Dictionary*, s.v. "casuistry") was inevitable in a word that arose in eighteenth century Protestantism.

It is a branch of practical ethics with a very long history; for although the Stoics, who were the great moralists of antiquity, did not lay much stress on the consideration of conflicting duties, they did not entirely neglect it, and Cicero devotes to it a whole book of his *De officiis*, handling the theme upon lines indicated by Stoic teachers. The Jews, who were greatly occupied with reducing the details of daily life to conformity with the Law, evolved an elaborate casuistry, of which many examples may be found in the *Apocrypha*, and still more in the vast encyclopædia of the *Talmud*.

The teaching of Christ, by its appeal to first principles, cut across the Jewish tradition, and replaced the observance of the letter of the Law, which forbade the sinful act, by obedience to its spirit, which stifled the sinful thought. The ideal effect of such obedience, if loyally discharged, would be that the individual conscience, illuminated by the precepts and example of the Gospel, would find out for itself the solution of all its difficult cases. But at a very early date deflective influences came into play, of which the most powerful was the legal conception that actions, apart from the spirit which prompts them, can be meritorious in themselves, and that certain good actions may be regarded as cancelling the wrong of bad actions. By degrees a new law grew up, springing from a genuine desire to save souls and keep them from evil, but tending to obscure the great and salutary principles under a mass of minutely regulated observances and requirements.

One of the chief instruments employed by the Church for keeping men from wrong-doing was the discipline of penance, which began to take shape with Tertullian at the beginning of the third century and was formulated into a system by Pope Gregory the Great (A.D. 544-604). As the result of his teaching the act of penitence was regarded as containing three elements: *conversio mentis*, *confessio oris*, and *vindicta peccati*, which are the early equivalents of the *contritio cordis*, *confessio oris*, and *satisfactio operis* of the Schoolmen. Of these three the last, even in Gregory's eyes, was not the least important. It consisted in the imposition of a penalty corresponding to the offence, whether almsgiving, prayer, or some form of self-mortification, which in process of time came to be generally commutable for money-payment. With regard to confession, it seems to have been left, in the early middle ages, very much to the discretion of the penitent whether it should be made to God alone, or in the ear of a priest—the ancient and humiliating discipline of public confession (*exomologesis*) having long since fallen into desuetude. Confession to the priest had a special advantage attaching to it in that it showed "in what manner sins are purged" (Council of Châlons, A.D. 813). In order to discover that manner and to decide the amount of the penalty, the priest had the Penitential Books to guide him. These, which began to appear in the fifth century, contained lists of sins and penalties, derived from the sentences of bishops and doctors of the Church, and they formed a sort of ready reckoner for apportioning the punishment to the offence. But they were, in the nature of the case, incomplete and sometimes contradictory, each compilation deriving most of its value from the personal authority of the compiler; and so a good deal was left to the individual authority of the confessor. His independence is shown by the emergence, in the twelfth century, of a new feature in his business. Hitherto absolution was postponed until compensation had been made. Now, it could be bestowed as soon as ever the penitent, in the judgment of the priest, was fit to receive it.

With the growth of the Scholastic theology, Penance was advanced to a new dignity, and towards the end of the thirteenth century it was definitely classed as one of the seven sacraments (Council of Lyons, 1274). But the most important step in the history of Penance had been taken half a century earlier, when the fourth Lateran Council (1215) imposed upon all baptized persons confession to the parish priest at least once a year. With this obligation Christian casuistry received its sanction and its charter.

The same canon of the Council which makes auricular confession compulsory lays special obligations on the confessor. "He must be prudent and careful, in order that, like a skilful physician he may pour wine and oil into the hurt of the wounded; diligently enquiring into the circumstances both of the sinner and of his sin, so that he may carefully learn what counsel to offer and what remedy to apply, making use of diverse experiments to heal the sick." At the same time awful penalties are threatened against violation of the seal of secrecy.

But the confessor is more than a physician; he is also a judge, having to decide what sins are mortal and soul-destroying violations of the law of God, and what are venial and medicinable.[1] He must be able to ply the silver key of dis-

[1] From the close of the second century the term "mortal" was confined to idolatry, murder, and adultery. In the fifth century it began to be extended to all crimes which the Roman law visited with death, banishment, or grave

crimination before he can use the golden key of absolution (cf. Dante, *Purgatorio*, ix. 118). And as judge he must have a body of precedent, more full and satisfying than the promiscuity of the *Penitentials*. Books of casuistry became a necessity, and the supply was soon equal to the demand. The thirteenth and following centuries are rich in *Summæ de casibus*, *Summæ conscientiæ*, from Raimundo de Peñafort (1235) to Cardinal Cajetanus (1534), which provided the material and opened the way for Escobar and all the rest to whom Pascal's satire has given an unenviable and often unmerited notoriety.

Now, with compulsory confession, in which an official decision must be given on every doubtful action, some system for determining doubtful cases becomes imperative. The priest, as we have seen, "must diligently enquire into the circumstances". The law against theft cannot in equity be applied against a starving man in the same way as it must against a millionaire. But if it is admitted that there may be differences in applying the law, it is of the first importance that the modifications should be honestly applied, purely to resolve doubts, and not to provide an excuse for justifying a sin. One such method of resolving doubt is the system of Probabilism. It may be as well to state precisely what the thing is before discussing its history and terminology.

A confessor may not know whether the action referred to him for judgment is forbidden by the moral law or not. There may be a law restricting freedom in the particular case before him, but he is not aware of it. And upon inquiry he finds that there is a difference of opinion about the existence of a restrictive law. According to some there is such a law; according to others there is none. Both these opinions are probable, plausible, i.e. each has something to be said for it.

If he shrinks from taking risk, and invariably follows the opinion which favours law, he is in theological parlance, a "Tutiorist," because he prefers the *opinio tutior*, even when the *opinio minus tuta* is *probabilior* or *probabilissima*. If he follows the less safe opinion only when it has more probability on its side, he is a "Probabiliorist". If he follows the less safe opinion, even when it has less probability than the other, he is a simple "Probabilist". But he must be sure that the less probable opinion has really something solid to be said for it, even though it has less to be said for it than the other, and that

corporal penalty. In the sixteenth century it came to be applied to all sins, even sins of thought, which separate the soul from God. Other sins are venial. Cf. *Council of Trent* Sess. xiv, cap. 5.

this something is said by authors of weight and reputation. To catch at any opinion, just because it gives the penitent an excuse for following his bent, and the confessor an excuse for absolving him, is an extreme of Probabilism which has, and deserves, the stigma of laxity. Finally, if he follows the opinion which commends itself to personal taste when the balance of argument is equal, he is an "Equiprobabilist".

Of course all these elaborate distinctions took time to form, and when Pascal wrote, Equiprobabilism, which has the sanction of the great eighteenth century doctor St. Alphonso, and now appears to be the current tenet of the Roman Catholic Church, had not come into being. In the seventeenth century there were only "Tutiorists," "Probabiliorists," and "Probabilists," and of these the latter were the most numerous and influential.

It is quite clear that "Tutiorism" allows no escape for a lax conscience. But it leads to harsh decisions. It condemns the starving thief of a deadly sin, just as much as a plutocrat. On the other hand, Probabilism, which allows a choice among conflicting decisions, opens a way for finding excuses for actions which the moral conscience would condemn. Hence the odium which sometimes attaches to the term. But it must be borne in mind that the problems which came to have these awkward technical names attached to their solution must always present themselves to everyone whose conscience is unformed, and who is anxious, if not to do the very best, at least to save himself from doing wrong; and lastly that "Probabilism" does not pretend to give rules for saints, but only guidance for those who wish to avoid sin.

To return to our historical survey. St. Thomas, in the thirteenth century, speaks with unmistakable severity and rigour when he treats of doubtful opinion. Thus, in one place he says that there are of necessity only two opinions, the one true and the other false, and that he who follows the false, sins, even though his conscience forbid him not. In another place he says that where faith and morals are concerned no one can be pardoned who follows the false lead of any master.[1] But it must be repeated that a probable opinion is by its definition not a doubtful opinion, and that "Probabilism" is a means for forming the doubting conscience. And St. Thomas tacitly admits the necessity of "Probabilism" when he declares that the conscience cannot be bound by a law of whose existence it

[1] *Quodlib.*, viii. art. 13; iii. art. 10.

is unaware.[1] Again, amid the widespread uncertainty caused by many contradictory and conflicting opinions, he regards some as more probable, and others as too harsh, without, however, himself definitely deciding which in each particular case is right and to be adopted.

Moreover, his whole treatment of the virtue which he calls *epieikeia*, and our old writers call "epiky"—a development of the Aristotelian virtue of ἐπιείκεια, "reasonableness"—and which is in moral theology what equity is in law, invited a codification of decisions in hard cases for which no general sets of principles were provided. Thus he writes: "Inasmuch as human actions governed by laws consist of contingencies which may vary infinitely, it is impossible to lay down a law which should be in no case defective. Lawgivers observe what happens most frequently and frame their law accordingly" (*Summa*, IIª IIæ, q. cxx. art. 1). This codification was the work of the subsequent centuries, and it is possible to follow the process in the recorded judgments of successive theologians. Thus Albert the Great († 1280) declares that a man may safely follow whatever opinion he chooses, provided that he has the authority for it of some great doctor; Pierre de la Palu, patriarch of Jerusalem, who died in Paris in 1342, says that a confessor may grant his penitent the right to follow the opinion of those whose life and learning render it probable that they would not advise anything wrong: while Niccolo Tedeschi, "Panormitanus" († 1485) holds that a man may, without sinning, neglect the *jus praecepti* and embrace an opinion which denies the existence of the *jus*, so long as the opinion followed by him does not appear to be false and the contrary opinion true—in other words, so long as it is probable.[2] Finally, towards the close of the fifteenth century we have clear evidence of the balance of opinions among doctors of the Church, and of freedom to follow a less secure opinion, in the writings of St. Antonino [Forciglioni]. The question before him is whether mortal sin needs to be confessed at once. He states the divergent teaching on the point—St. Thomas and Richard of St. Victor on the one hand, Hugh of St. Victor and St. Bonaventura on the other—adding, "The sanctity and learning of all these teachers is known to the whole Church; and the opinion of neither party is condemned. Yet that of St. Thomas is more commonly followed, although it seems to be the less secure."[3] Here is "Probabilism" in substance if not in name. It only required a scholastic formula to complete it.

[1] iv. *Sent. Dist.*, xvii. q. iii. art. 1.
[2] Cf. C. La Croix, *Theologia moralis* (1756), *s.v.* opinio.
[3] *Summa*, P. I. tit. iii. c. 10, § 10.

This was provided a century later by the Spanish Benedictine Bartolomé de Medina, who in his *Exposition* of St. Thomas IIa IIæ (1577) propounds the theory in set terms. "If an opinion is probable, it may be followed, although the opposite opinion be more probable; for as in speculation a probable opinion is one which we can follow without risk of error and deception, so in practice a probable opinion is one which we can follow without risk of sin."

It will thus be seen that "Probabilism" is not an application of the rule that "probability is the guide of life". The moral rules are certain, but the application may not be so. The circumstances in each particular case must be taken into account, and if in doing so, we have some recognized authority—not necessarily the majority of the authorities—we shall be guarded against arbitrary attempts to annul the rule; we shall be likely to reach a *bona fide* solution of the case. The problem is not to find the most probable general interpretation, but that which best fits the particular case, and this may conceivably be found in some exceptional interpretation.

Confessors, perplexed by the variety and difficulty of the cases presented to them, welcomed Medina's ruling, and by 1600 it was the accepted view of the majority. But there were voices raised against it and among them, be it noted, that of the very Order which in Pascal's eyes was responsible for its invention. Anti-probabilist utterances may be found in the pages of Molina, Bellarmin, Rebello, Comitolo, and Bianchi—all Jesuits. The *Constitutions* of the Order command the doctrine which is safer and most approved; the fifth General Congregation of 1595 strictly prohibited the teaching of novelties or of anything contrary to the common opinion of the schools and the axioms of theologians; three years later Aquaviva, General of the Order, bade confessors labour to extirpate the lax opinions which blurred the distinction of mortal and venial sin; in 1617 his successor Vitelleschi wrote against the maxim, "It is probable, for it has an author to support it," and in favour of following only those opinions which are safe and have weighty support. These protests and warnings would not have been issued if they had not been needed, and as a fact, from the end of the sixteenth till the middle of the seventeenth century, "Probabilism," though neither the invention or the monopoly of the Jesuits, became the watchword of the Company.[1] Suarez,

[1] Other Orders supplied notable exponents of the theory, e.g. Caramuel (1606-1682), whom St. Alphonso describes as "princeps laxistarum," was a Cistercian; Diana, who was blasphemously styled *Agnus Dei qui tollit peccata mundi*, was a Theatin.

Vasquez, Molina, and Valentia, the four Living Creatures and the four-and-twenty Elders of Escobar's title-page (see Letters V and VIII), were all Jesuits and almost without exception convinced "Probabilists". It is noteworthy that none of the Creatures and only two of the Elders were Frenchmen.

The truth is that while "Probabilism" and "Probabilists," who were carrying all before them elsewhere, met with an early check in France. There, for one reason or another the Jesuits, the chief champions of the theory, were, as we have seen, not popular. The Parliament, the Sorbonne, the parish clergy were all jealous of any encroachment on the privileges and rights of the Gallican Church. And from the first appearance in Paris of Jesuits, as a small body of students, following the University course and living together in a college for which they aspired to win independent recognition, they were regarded with the gravest suspicion. They were neither seculars nor regulars; they were armed with Papal Bulls; they were ambitious of usurping control of the school and the confessional, to the prejudice of both University and parochial clergy. The former fought them step by step. The Jesuit's willingness to take pupils for nothing was regarded as an affront to the dignity of the teaching profession. The successful foundation and legalization of the Collège de Clermont in 1562 was the signal for a grand attack. The new college made a demand to be immatriculated; the University resisted it through the mouth of Étienne Pasquier (1565). A generation later, when to the general crimes alleged by Pasquier in his "plaidoyer" could be added that of collusion with Spain in the time of the League, the University returned to the charge with a more redoubtable advocate than Pasquier, Antoine Arnauld. And, as though to clinch his arguments, came in 1594 the attempt on the King's life by Châtel, a former pupil of the Collège de Clermont. The Jesuits were not only traitors, but regicides! The soil was ripe for the sowing of all manner of anti-Jesuit legends—the *Monita secreta*, etc.[1]

Meanwhile the morality of the courtiers, many of whom had Jesuit confessors, had become not only lax but notorious. Antoine Arnauld, son of the great advocate, disciple of Jansen (or rather of Saint-Cyran), took up his parable against laxity in *La Fréquente Communion* (1643). This was a protest against unworthy reception and inevitable profanation of the Sacrament, for which the confessors who encourage too easy

[1] Cf. Brou, *Les Jésuites de la légende*, t. i. ch. 9.

access to the mystery are more to blame than the misguided souls who intrude into it. The Jesuits were touched to the quick and greatly alarmed by the success of the book in all classes of society, and by the consequent spread thereby of Jansenism more rapid and more sure than could be effected by the laborious pages of the *Augustinus*. They wrote a sheaf of answers to it.[1] And when its author, under the circumstances described above (p. xx), laid himself open to the charge of heresy, they were not slow to seize their opportunity. By way of reprisals the Jansenists developed the theme of "la morale relâchée," and pointed to the Jesuits as its prime promoters, and to "Probabilism" as its real cause. They enlisted on Arnauld's side Pascal who, as we have seen, was his recent and therefore his most ardent friend. They supplied him with proof passages; they pencilled for him prurient pages of Escobar and Bauny. Pascal's sense of decency was outraged. His indignation was kindled and he poured it out in the *Provinciales*.

Here two serious questions arise which can only be answered after a perusal of the Letters and upon a close acquaintance with the conditions. Was Pascal fair to his opponents? Was he engaged in a right cause? With regard to the first, we may at once assert the general accuracy of his quotations from the Casuists. Honesty apart, it would have been bad policy to tamper with the texts. The books were easily accessible, and there were a hundred keen and practised eyes ready to note a slip. That he does slip once or twice may be admitted; he had little time to verify all his references. But the number of his lapses is extraordinarily small. On the other hand, no one will deny that he makes the most of every advantage; he never gives his adversary the benefit of the doubt. This, too, was natural. He was writing not as a judge but as an advocate.

But granting the clearness of his controversy, was his mind clear of prejudice? Was his reading of the evidence unbiassed? Was his interpretation of motive true? Was the laxity which he deplored entirely due to the Jesuits and their teaching? Was "Probabilism" the poison which he proclaimed it? History and common sense compel us to answer, "no".

Secondly, was he on the right side? Was the cause which he espoused worthy of his fiery zeal and of his unmatched genius?

[1] I omit the replies to *La Fréquente* and its view of religion, prepared by moralists of other Orders, for which the reader is referred to Bremodn's *L'humanisme dévot*, t. i. pp. 392 ff.

Was he best serving his Master when he thus furiously assailed men, who, with all their shortcomings, were devoted to the same service? Was Jansenism, whose spirit he so perfectly expressed in his Letters, and in his own practice, more apt than the opposing creed—not to win individual souls for Christ, for that it indubitably did but—to regenerate the world? Christian experience compels us once again to a reluctant negative. Jansenism no doubt supplied a much-needed element to the religious life of the century, and to Pascal himself a necessary *point de départ* for his spiritual development. Its exponents were great Christians, true to their principles, gladly suffering persecution in their defence. And their principles were lofty. They exalted the majesty of God, and humbled man before Him. They weaned the heart from the toys and vanities of earth. They cherished the noble dream of a return to primitive purity of life and doctrine. But Jansenism was impossible alike in theory and in practice. Of its doctrine of Grace and its appalling results I have already spoken. Its practice was counter to the most innocent instincts of humanity. Bossuet, who had strong sympathy with its ideals and good friends among its advocates, saw clearly the danger which it was to Christianity, and blamed its harshness as he blamed the laxity of the other extreme. In his funeral sermon on Nicolas Cornet he says of the Jansenists: "Hell is in their train and anathemas are on their lips. They invent new sins and crush mankind by adding to the yoke which God has laid on us." Signs are not wanting that Pascal himself came to doubt the security of the rock from which he was hewn,[1] and perhaps even the justice of his unbending hostility to "Probabilism". He allows that it has sound principles behind it.[2] And an incident at the close of his life must have opened his eyes to the possibility that the opinion of a single mind may have weight against the majority. In February, 1661, the Assembly of Clergy, at the bidding of the King, drew up a Formulary to be signed by all ecclesiastical persons, condemning the Five Propositions and Jansen their real author. The Port-Royalists in their perplexity invented a subterfuge. The Formulary might be signed, with a mental reservation. Pascal would have none of it. He wrote against his friends; he fainted in the vain effort to bring them round to his view. Was he not *ipso facto* on this occasion a Probabilist? Could he have questioned the

[1] See E. Jovy, *Pascal Inédit*, 1900, t. ii. pp. 403-508, and the present writer's summary of the evidence in *The Holiness of Pascal*, 1915, pp. 102 ff.

[2] Cf. *Pensées*, No. 916, ed Brunschvicg.

right to adopt an opinion held by one man against the world? When he wrote the *Lettres Provinciales* he was blinded by enthusiasm, friendship, and a sense of cruel injustice. If he had lived longer we may believe that experience would have cleared his vision and that he would have found better weapons wherewith to fight the "morale relâchée" against which he was pledged almost with his last breath[1] than those which he fetched from the armoury of an extreme and narrow sect.

IV. THE EFFECT OF THE *LETTRES PROVINCIALES.*

A final question remains. What has been the result of the *Lettres Provinciales?* Of their immediate success there was never any doubt, nor of the stunning effect of Pascal's blows. The *Impostures* with which the Jesuits Nouet and Annat sought to parry them fell on empty air. The *Apologie pour les Jésuites,* by the hasty and ill-advised Pirot, was censured at its birth both in Paris and at Rome, and was quickly disowned by his own party. The *Entretiens de Cléandre et d'Eudoxe,* by Père Daniel, appeared a whole generation after the event, and when Pascal's triumph was secured. It is too much to say that the Letters caused the Jesuits to change their policy—that policy has never changed despite what Pascal says in Letter XIII. All that can safely be said is that they were put on their guard against the abuse of their system—that they saw their danger and walked warily. But although the books of casuistry, written or approved by Jesuits and ridiculed by Pascal, were nearly all condemned by the Sorbonne, by the Assembly of Clergy, and by the Popes themselves, yet when the noise and dust of controversy cleared away, the Jesuit flag was still flying. "Probabilism" was restored to credit by St. Alphonso, the great moral theologian of the next century, and it is the instrument by which doubts are laid to rest to-day by confessors and directors.

But if, as now interpreted, "Probabilism" appears to be an innocent thing and a necessary accompaniment of enforced auricular confession, and if Pascal was mistaken in accusing it as the only begetter of lax morality, what, it may be asked, is the permanent moral value of his Letters? The answer is a simple one. Pascal stiffened the moral conscience and armed it against the misuse of casuistry. "Probabilism" can do no harm to a properly enlightened conscience, to a conscience which wants to do right, and which takes for its guidance amid

[1] See the account of his conversation with the Abbé Beurrier in Jovy, *loc. cit.*

all the various voices of human opinion the higher law of God. But among the *honnêtes gens* whom Pascal had frequented, and whom the Jesuits confessed, there were many who sought in "Probabilism" not the solution of their honest doubts but the excuse for continuing in sin. And there is no reason to suppose that the race of such is extinct to-day.

V. THE PLACE OF THE *PROVINCIALES* IN FRENCH LITERATURE.

Voltaire who smiles at the "pieux misanthrope" of the *Pensées* calls the *Provinciales* "le premier livre de génie qu'on vit en France" (*Siècle de Louis XIV*, ch. 32). The epithet appears ill-chosen. Voltaire has forgotten Rabelais and Calvin, Montaigne and Descartes. But there is a sense in which he was right. Never before—and, it may be added, never since—has there been in one book, written by a Frenchman, such a marriage of wit and eloquence, humour and irony, dramatic power and religious conviction, depth of thought and clearness of expression. Pascal is the first to sum up in his own person and in his writings the qualities which have given France her pride of place among the civilizing forces of the world, and have rendered French the most delicate instrument of human speech since Greek. If loyalty and keenness of intelligence, sincerity, and a sense of fitness be the mark of the race, and lucidity and harmony the characteristic of the tongue, then Pascal in his Provincial Letters is a representative figure. He stands outside the classical age. But he is its harbinger. Truth was the quest of the small band of great writers who were the glory of that age—truth to nature, truly expressed. Truth is what Pascal chiefly sought—truth in science, in religion, in life. And the passion with which he sought it kindles every word he wrote. "Le style est de l'homme même." It is, and nothing else is, the individual writer's inalienable possession. The theme which he treats, the ideas which he cherishes are common to a thousand others; the form in which he clothes them is wholly his and his alone. To no writer can Buffon's profound saying be more fitly applied than to Pascal. His style is his own. It has been well said that his secret of its power lies in his freedom from trick or mannerism.[1] He cannot be parodied or imitated. He is not always correct with the microscopic correctness of the nineteenth century; his sequence of tenses

[1] Cf. Tilley, *From Montaigne to Molière*, p. 254.

is sometimes irregular; he multiplies his relative pronouns to a degree that would be intolerable to-day; he does not mind the repetition of a word. But, as Sainte-Beuve remarks,[1] such flecks as Pascal betrays are chiefly to be found in the first three Letters which he left himself no time to polish. Even in his most hurried passages he is never otherwise than clear. And he stands the test by which Flaubert, the great master of style, judged his own writings. He can be read aloud. His, in a word, is the style approved by Montaigne, "simple et naïf, tel sur le papier qu'à la bouche; un parler succulent et nerveux, court et serré; non tant délicat et peigné, comme vehement et brusque; plutost difficile qu'ennuyeux; esloigné d'affectation; descousu et hardy; non pedantesque, non fratesque, non plaideresque, mais plutost soldatesque". Nothing can rob him of his right to be regarded as the founder of French prose.

[1] *Port-Royal*, t. iii. p. 51.

LETTRE
ESCRITTE A VN PROVINCIAL PAR VN DE SES AMIS.

SVR LE SVIET DES DISPVTES preſentes de la Sorbonne.

De Paris ce 23. Ianuier 1656.

MONSIEVR,

Nous eſtions bien abuſez. Ie ne ſuis détrompé que d'hier, juſque-là j'ay penſé que le ſuiet des diſputes de Sorbonne eſtoit bien important, & d'vne extrême conſequence pour la Religiõ. Tant d'aſſemblées d'vne Compagnie auſſi celebre qu'eſt la Faculté de Paris, & où il s'eſt paſſé tant de choſes ſi extraordinaires, & ſi hors d'exemple, en font conceuoir vne ſi haute idée, qu'on ne peut croire qu'il n'y en ait vn ſuiet bien extraordinaire.

Cependant vous ſerez bien ſurpris quand vous apprendrez par ce recit, à quoy ſe termine vn ſi grand éclat; & c'eſt ce que ie vous diray en peu de mots aprés m'en eſtre parfaitement inſtruit.

On examine deux Queſtions; l'vne de Fait, l'autre de Droit.

Celle de Fait conſiſte à ſçauoir ſi Mr Arnauld eſt temeraire, pour auoir dit dans ſa ſeconde Lettre; *Qu'il a leu exactement le Liure de Ianſenius, & qu'il n'y a point trouué les Propoſitions condamnées par le feu Pape; & neantmoins que comme il condamne ces Propoſitions en quelque lieu qu'elles ſe rencontrent, il les condamne dans Ianſenius, ſi elles y ſont.*

La queſtion eſt de ſçauoir, s'il a pû ſans temerité témoigner par là qu'il doute que ces Propoſitions ſoient de Ianſenius, aprés que Meſſieurs les Eueſques ont declaré qu'elles y ſont.

On propoſe l'affaire en Sorbonne. Soixante & onze Docteurs entreprennent ſa defenſe, & ſouſtiennent qu'il n'a pû reſpondre autre choſe à ceux qui par tant d'écrits luy demandoiẽt s'il tenoit que ces Propoſitions fuſſent dans ce liure, ſinon qu'il ne les y a pas veuës, & que neantmoins il les y condamne ſi elles y ſont.

Quelques-vns meſme paſſant plus auant, ont declaré que quel-

II.—REDUCED FACSIMILE OF LETTER I, PAGE 1

LETTRE

ESCRITTE A UN PROVINCIAL

PAR UN DE SES AMIS.

SUR LE SUJET DES DISPUTES

presentes de la Sorbonne.

De Paris, ce 23 Janvier 1656.

MONSIEUR,

Nous estions bien abusez. Je ne suis détrompé que d'hier. Jusque-là, j'ay pensé que le sujet des disputes de Sorbonne estoit bien important et d'une extrême consequence pour la Religion. Tant d'assemblées d'une Compagnie aussi celebre qu'est la Faculté de Paris, et où il s'est passé tant de choses 5 si extraordinaires et si hors d'exemple, en font concevoir une si haute idée, qu'on ne peut croire qu'il n'y en ait un sujet bien extraordinaire.

Cependant vous serez bien surpris quand vous apprendrez par ce recit à quoy se termine un si grand éclat, et 10 c'est ce que je vous diray en peu de mots, aprés m'en estre parfaitement instruit.

On examine deux Questions, l'une de Fait, l'autre de Droit.

Celle de Fait consiste à sçavoir si Monsieur Arnauld est temeraire pour avoir dit dans sa seconde Lettre : *Qu'il a leu* 15 *exactement le Livre de Jansenius, et qu'il n'y a point trouvé les Propositions condamnées par le feu Pape ; et neantmoins que, comme il condamne ces Propositions en quelque lieu*

A = some copies of the original issue.
B = the two 12° editions of 1657 in agreement.
B[1] = 1st edition of 1657, 12°.
B[2] = 2nd edition of 1657 12°.
C = edition of 1659, 8°.
S = copy of original issue in my possession, used for this edition.
Title. Premiere Lettre *C*.
5. la Faculté de Theologie de Paris *B*[2]*C*.

qu'elles se rencontrent, il les condamne dans Jansenius, si elles y sont.

La question est de sçavoir s'il a pû sans temerité tesmoigner par là qu'il doute que ces Propositions soient de 5 Jansenius, apres que Messieurs les Evesques ont declaré qu'elles y sont.

On propose l'affaire en Sorbonne. Soixante et onze Docteurs entreprennent sa defense, et soustiennent qu'il n'a pû respondre autre chose à ceux qui par tant d'escrits luy 10 demandoient s'il tenoit que ces Propositions fussent dans ce livre, sinon qu'il ne les y a pas veuës, et que neantmoins il les y condamne, si elles y sont.

Quelques-uns mesme, passant plus avant, ont declaré que, quelque recherche qu'ils en ayent faite, ils ne les y ont 15 jamais trouvées, et que mesme ils y en ont trouvé de toutes contraires, en demandant avec instance que, s'il y avoit quelque Docteur qui les y eût veuës, il voulût les monstrer; que c'estoit une chose si facile qu'elle ne pouvoit estre refusée, puisque c'estoit un moyen seur de les reduire tous, et 20 Monsieur Arnauld mesme; mais on le leur a tousjours refusé. Voila ce qui se passa de ce costé-là.

De l'autre part se sont trouvez quatre-vingts Docteurs seculiers et quelques quarante Moines mandiants qui ont condamné la Proposition de Monsieur Arnauld, sans vouloir 25 examiner si ce qu'il avoit dit estoit vray ou faux, et ayant mesme declaré qu'il ne s'agissoit pas de la verité, mais seulement de la temerité de sa Proposition.

Il s'en est trouvé de plus quinze qui n'ont point esté pour la censure, et qu'on appelle indifferents.

30 Voila comment s'est terminée la Question de Fait, dont je ne me mets gueres en peine. Car, que Monsieur Arnauld soit temeraire ou non, ma conscience n'y est pas interessée. Et si la curiosité me prenoit de sçavoir si ces Propositions sont dans Jansenius, son livre n'est pas si rare ny si gros 35 que je ne le peusse lire tout entier pour m'en éclaircir sans en consulter la Sorbonne.

Mais si je ne craignois aussi d'estre temeraire, je croy que je suivrois l'avis de la pluspart des gens que je voy, qui, ayant creu jusqu'icy, sur la foy publique, que ces Propositions 40 sont dans Jansenius, commencent à se défier du contraire par

3. La question sur cela est B^2C. 16. contraires. Ils ont demandé en suite B^2C. 17. voulut *C*. 21. s'est passé B^2C. 22. *om.* part *C*. 23. quarante Religieux mand. B^2C. 28. *om.* de plus *C*.

le refus bizarre qu'on fait de les monstrer, qui est tel que je n'ay encore veu personne qui m'ait dit les y avoir veuës. De sorte que je crains que cette censure ne fasse plus de mal que de bien, et qu'elle ne donne à ceux qui en sçauront l'histoire une impression toute opposée à la conclusion. Car, en verité, 5 le monde devient méfiant, et ne croit les choses que quand il les voit. Mais, comme j'ay desja dit, ce point là est peu important, puis qu'il ne s'y agit point de la Foy.

Pour la question de droit, elle semble bien plus considerable en ce qu'elle touche la foy. Aussi j'ay pris un soin par- 10 ticulier de m'en informer. Mais vous serez bien satisfait de voir que c'est une chose aussi peu importante que la premiere.

Il s'agit d'examiner ce que Monsieur Arnauld a dit dans la même Lettre: *Que la grace, sans laquelle on ne peut* 15 *rien, a manqué à S. Pierre dans sa cheute.* Surquoy nous pensions, vous et moy, qu'il estoit question d'examiner les plus grands principes de la Grace, comme si elle n'est pas donnée à tous les hommes, ou bien si elle est efficace; mais nous estions bien trompez. Je suis devenu grand Theo- 20 logien en peu de temps, et vous en allez voir des marques.

Pour sçavoir la chose au vray, je vis Monsieur N., Docteur de Navarre, qui demeure prés de chez moy, qui est, comme vous le sçavez, des plus zelez contre les Jansenistes; et, comme ma curiosité me rendoit presque aussi ardent que 25 luy, je luy demanday s'ils ne decideroient pas formellement *que la grace est donnée à tous les hommes*, afin qu'on n'agitast plus ce doute. Mais il me rebuta rudement et me dit que ce n'estoit pas là le poinct; qu'il y en avoit de ceux de son costé qui tenoient que la grace n'est pas donnée à tous; que les 30 Examinateurs mesmes avoient dit en pleine Sorbonne que cette opinion est *problematique*, et qu'il estoit luy-mesme dans ce sentiment; ce qu'il me confirma par ce passage, qu'il dit estre celebre, de saint Augustin: *Nous sçavons* *que la grace n'est pas donnée à tous les hommes.* 35

Je luy fis excuse d'avoir mal pris son sentiment, et le priay de me dire s'ils ne condamneroient donc pas au moins cette autre opinion des Jansenistes qui fait tant de bruit, *que la grace est efficace, et qu'elle determine nostre volonté à* *faire le bien.* Mais je ne fus pas plus heureux en cette 40 seconde question. Vous n'y entendez rien, me dit-il; ce n'est pas là une heresie, c'est une opinion orthodoxe; tous

26. demanday d'abord *C.* 27. *om.* les hommes B^2C.

les Thomistes la tiennent, et moy-mesme l'ay soustenuë dans ma Sorbonique.

Je n'osay plus luy proposer mes doutes, et mesme je ne sçavois plus où estoit la difficulté, quand, pour m'en éclaircir, 5 je le suppliay de me dire en quoy consistoit l'heresie de la proposition de Monsieur Arnauld : C'est, ce me dit-il, en ce qu'il ne reconnoist pas que les justes ayent le pouvoir d'accomplir les Commandemens de Dieu en la maniere que nous l'entendons.

10 Je le quittay apres cette instruction, et, bien glorieux de sçavoir le nœud de l'affaire, je fus trouver Monsieur N., qui se porte de mieux en mieux, et qui eut assez de santé pour me conduire chez son beaufrere, qui est Janseniste, s'il y en eust jamais, et pourtant fort bon homme. Pour en estre 15 mieux receu, je feignis d'estre fort des siens, et luy dis : Seroit-il bien possible que la Sorbonne introduisit dans l'Eglise cette erreur, *que tous les justes ont toûjours le pouvoir d'accomplir les Commandemens ?* Comment parlez-vous ? me dit mon Docteur ; appellez-vous erreur un senti- 20 ment si Catholique, et que les seuls Lutheriens et Calvinistes combattent ? Et quoy, luy dis-je, n'est-ce pas vostre opinion ? Non, me dit-il ; nous l'anathematisons comme heretique et impie. Surpris de cette response, je connus bien que j'avois trop fait le Janseniste, comme j'avois l'autre fois esté trop 25 Moliniste. Mais, ne pouvant m'asseurer de sa réponse, je le priay de me dire confidemment s'il tenoit *que les justes eussent tousjours un pouvoir veritable d'observer les preceptes.* Mon homme s'échauffa là-dessus, mais d'un zele devot, et dit qu'il ne déguiseroit jamais ses sentimens pour quoy que 30 ce fust, que c'estoit sa creance, et que luy et tous les siens la defendroient jusqu'à la mort comme estant la pure doctrine de saint Thomas et de saint Augustin, leur Maistre.

Il m'en parla si serieusement que je n'en pûs douter. Et sur cette asseurance, je retournay chez mon premier Doc- 35 teur, et luy dis, bien satisfait, que j'estois seur que la paix seroit bien-tost en Sorbonne ; que les Jansenistes estoient d'accord du pouvoir qu'ont les justes d'accomplir les preceptes ; que j'en estois garand, que je leur ferois signer de leur sang. Tout beau, me dit-il, il faut estre Theologien 40 pour en voir le fin. La difference qui est entre nous est si

1. je l'ay *B²C.* 3. *om.* mesme *C.* 5. consistoit donc *B²C.* 6. *om.* ce *C.* 14. eut *B²C.* 16. *om.* bien *A.* 35. j'estois certain *C.* 38. je le leur *AC.* 40. la fin *SC* ; diff. qu'il y a *A.*

subtile qu'à peine pouvons-nous la marquer nous-mesmes : vous auriez trop de difficulté à l'entendre. Contentez-vous donc de sçavoir que les Jansenistes vous diront bien que tous les justes ont tousjours le pouvoir d'accomplir les Commandemens (ce n'est pas de quoy nous disputons) ; mais 5 ils ne vous diront pas que ce pouvoir soit *prochain* : c'est là le poinct.

Ce mot me fut nouveau et inconnu. Jusques-là, j'avois entendu les affaires, mais ce terme me jetta dans l'obscurité, et je croy qu'il n'a esté inventé que pour broüiller. Je 10 luy en demanday donc l'explication, mais il m'en fit un mystere, et me renvoya sans autre satisfaction pour demander aux Jansenistes s'ils admettoient ce pouvoir *prochain*. Je chargeay ma memoire de ce terme ; car mon intelligence n'y avoit aucune part. Et, de peur de l'oublier, je fus prompte- 15 ment retrouver mon Janseniste, à qui je dis, incontinent apres les premieres civilitez : Dites-moy, je vous prie, si vous admettez *le pouvoir prochain*. Il se mit à rire et me dit froidement : Dites-moy vous-mesme en quel sens vous l'entendez, et alors je vous diray ce que j'en croy. Comme 20 ma connoissance n'alloit pas jusques-là, je me vis en terme de ne luy pouvoir répondre, et neantmoins, pour ne pas rendre ma visite inutile, je luy dis au hazard : Je l'entends au sens des Molinistes. A quoy mon homme, sans s'émouvoir : Ausquels des Molinistes, me dit-il, me renvoyez-vous ? 25 Je les luy offris tous ensemble comme ne faisans qu'un mesme corps et n'agissans que par un mesme esprit.

Mais il me dit : Vous estes bien peu instruit. Ils sont si peu dans les mesmes sentimens qu'ils en ont de tout contraires. Mais estans tous unis dans le dessein de perdre 30 Monsieur Arnauld, ils se sont avisez de s'accorder de ce terme de *prochain*, que les uns et les autres diroient ensemble, quoy qu'ils l'entendissent diversement, afin de parler un mesme langage ; et que par cette conformité apparente, ils pussent former un corps considerable, et composer 35 le plus grand nombre pour l'opprimer avec asseurance.

Cette response m'estonna. Mais sans recevoir ces impressions des meschans desseins des Molinistes que je ne veux pas croire sur sa parole, et où je n'ay point d'interest, je m'attachay seulement à sçavoir les divers sens qu'ils donnent 40 à ce mot mysterieux de *prochain*. Mais il me dit : Je vous

1. remarquer *A*. 15. d'oublier *C*. 30. *om.* mais *B*. 36. un plus A^2B. 41. *om.* mais B^2C.

en éclaircirois de bon cœur; mais vous y verriez une repugnance et une contradiction si grossiere que vous auriez peine à me croire: je vous serois suspect. Vous en serez plus seur en l'apprenant d'eux-mesmes, et je vous en don-
5 neray les adresses. Vous n'avez qu'à voir separément Monsieur le Moine et le Pere Nicolai. Je n'en connois pas un, luy dis-je. Voyez donc, me dit-il, si vous ne connoistrez point quelqu'un de ceux que je vous vas nommer; car ils suivent les sentimens de Monsieur le Moine. J'en connus
10 en effet quelques-uns. Et en suite il me dit: Voyez si vous ne connoissez point des Dominicains qu'on appelle nouveaux Thomistes; car ils sont tous comme le Pere Nicolai. J'en connus aussi entre ceux qu'il me nomma; et resolu de profiter de cét avis et de sortir d'affaire, je le quittay, et fus
15 d'abord chez un des disciples de Monsieur le Moine.

Je le suppliay de me dire ce que c'estoit qu'*avoir le pouvoir prochain de faire quelque chose.* Cela est aisé, me dit-il, c'est avoir tout ce qui est necessaire pour la faire, de telle sorte qu'il ne manque rien pour agir. Et ainsi, luy
20 dis-je, avoir le *pouvoir prochain* de passer une riviere, c'est avoir un bateau, des bateliers, des rames, et le reste, en sorte que rien ne manque. Fort bien, me dit-il. Et avoir le pouvoir prochain *de voir*, luy dis-je, c'est avoir bonne veuë, et estre en plein jour. Car qui auroit bonne veuë dans
25 l'obscurité n'auroit pas le pouvoir prochain de voir, selon vous, puis que la lumiere luy manqueroit, sans quoy on ne voit point. Doctement, me dit-il. Et par consequent, continüay-je, quand vous dites que tous les justes ont tousjours le pouvoir prochain d'observer les Commandemens, vous en-
30 tendez qu'ils ont tousjours toute la grace necessaire pour les accomplir; en sorte qu'il ne leur manque rien de la part de Dieu. Attendez, me dit-il, ils ont tousjours tout ce qui est necessaire pour les observer, ou du moins pour prier Dieu. J'entends bien, luy dis-je; ils ont tout ce qui est necessaire
35 pour prier Dieu de les assister, sans qu'il soit necessaire qu'ils ayent aucune nouvelle grace de Dieu pour prier. Vous l'entendez, me dit-il. Mais il n'est donc pas necessaire qu'ils ayent une grace efficace pour prier Dieu? Non, me dit-il, suivant Monsieur le Moine.

40 Pour ne point perdre de temps, j'allay aux Jacobins, et

6. ne connois ny l'un ny l'autre *B²C*. 14. quittay et allay *B²C*. 16. c'est *C*. 33. pour le demander à Dieu *B²*; pour le demander à prier Dieu *C*.

demanday ceux que je sçavois estre des nouveaux Thomistes. Je les priay de me dire ce que c'est que *pouvoir prochain.* N'est-ce pas celuy, leur dis-je, auquel il ne manque rien pour agir? Non, me dirent-ils. Mais quoy, mon Pere, s'il manque quelque chose à ce pouvoir, l'appelez-vous *prochain*, et diriez-vous, par exemple, qu'un homme ait, la nuit, et sans aucune lumiere, le *pouvoir prochain de voir*? Oüy dea, il l'auroit, selon nous, s'il n'est pas aveugle. Je le veux bien, leur dis-je; mais Monsieur le Moine l'entend d'une maniere contraire. Il est vray, me dirent-ils; mais nous l'entendons ainsi. J'y consens, leur dis-je. Car je ne dispute jamais du nom, pourveu qu'on m'avertisse du sens qu'on luy donne; mais je voy par là que, quand vous dites que les justes ont tousjours *le pouvoir prochain* pour prier Dieu, vous entendez qu'ils ont besoin d'un autre secours pour prier, sans quoy ils ne prieront jamais. Voila qui va bien, me respondirent mes Peres en m'embrassant, voila qui va bien; car il leur faut de plus une grace efficace, qui n'est pas donnée à tous, et qui determine leur volonté à prier. Et c'est une heresie de nier la necessité de cette grace efficace pour prier.

Voila qui va bien, leur dis-je à mon tour; mais, selon vous, les Jansenistes sont Catholiques, et Monsieur le Moine heretique. Car les Jansenistes disent que les justes ont le pouvoir de prier, mais qu'il faut pourtant une grace efficace, et c'est ce que vous approuvez. Et Monsieur le Moine dit que les justes prient sans grace efficace; et c'est ce que vous condamnez. Oüy, dirent-ils; mais Monsieur le Moine appelle ce pouvoir *pouvoir prochain.*

Mais quoy, mes Peres, leur dis-je, c'est se joüer des paroles de dire que vous estes d'accord à cause des termes communs dont vous usez, quand vous estes contraires dans le sens. Mes Peres ne répondent rien, et sur cela mon disciple de Monsieur le Moine arriva par un bonheur que je croyois extraordinaire; mais j'ay sceu depuis que leur rencontre n'est pas rare, et qu'ils sont continuellement meslez les uns avec les autres.

Je dis donc à mon disciple de Monsieur le Moine: Je connois un homme qui dit que tous les justes ont tousjours

28. Monsieur le Moine et nous appelons AB^2; nous sommes d'accord avec Monsieur le Moine en ce que nous appelons prochain aussi bien que luy le pouvoir que les justes ont de prier, ce que ne font pas les Jansenistes *C.* 30. *om.* mais B^2C.

le pouvoir de prier Dieu, mais que neantmoins ils ne prieront jamais sans une grace efficace qui les determine, et laquelle Dieu ne donne pas tousjours à tous les justes : Est-il heretique? Attendez! me dit mon Docteur; vous me pour-
5 riez surprendre. Allons donc doucement. *Distinguo :* s'il appelle ce pouvoir *pouvoir prochain*, il sera Thomiste, et partant Catholique ; sinon il sera Janseniste, et partant heretique. Il ne l'appelle, luy dis-je, ny prochain ny non prochain. Il est donc heretique, me dit-il : demandez-le à
10 ces bons Peres. Je ne les pris pas pour juges ; car ils consentoient desja d'un mouvement de teste. Mais je leur dis : Il refuse d'admettre ce mot de *prochain*, parce qu'on ne le veut pas expliquer. A cela un de ces Peres voulut en apporter sa definition ; mais il fut interrompu par le disciple de
15 Monsieur le Moine, qui luy dit : Voulez-vous donc recommencer nos broüilleries? Ne sommes-nous pas demeurez d'accord de ne point expliquer ce mot de *prochain*, et de le dire de part et d'autre sans dire ce qu'il signifie? A quoy le Jacobin consentit.

20 Je penetray par là dans leur dessein, et leur dis en me levant pour les quitter : En verité, mes Peres, j'ay grand peur que tout cecy ne soit une pure chicanerie ; et quoy qu'il arrive de vos assemblées, j'ose vous predire que, quand la Censure seroit faite, la paix ne seroit pas établie. Car, quand
25 on auroit decidé qu'il faut prononcer les syllabes *pro, chain ;* qui ne voit que, n'ayant point esté expliquées, chacun de vous voudra jouïr de la victoire? Les Jacobins diront que ce mot s'entend en leur sens ; Monsieur le Moine dira que c'est au sien; et ainsi il y aura bien plus de disputes pour l'ex-
30 pliquer que pour l'introduire. Car, apres tout, il n'y auroit pas grand peril à le recevoir sans aucun sens, puis qu'il ne peut nuire que par le sens. Mais ce seroit une chose indigne de la Sorbonne et de la Theologie d'user de mots equivoques et captieux sans les expliquer.

35 Car enfin, mes Peres, dites-moy, je vous prie, pour la derniere fois, ce qu'il faut que je croye pour estre Catholique. Il faut, me dirent-ils tous ensemble, dire que tous les justes ont le *pouvoir prochain* en faisant abstraction de tout sens *abstrahendo à sensu Thomistarum et à sensu aliorum Theolo-*
40 *gorum.*

C'est à dire, leur dis-je en les quittant, qu'il faut prononcer ce mot des lévres, de peur d'estre heretique de nom. Car

5. *om.* donc B^2. 29. le sien *A*. 35. *om.* Car *C*.

enfin est-ce que le mot est de l'Escriture ? Non, me dirent-ils. Est-il donc des Peres, ou des Conciles, ou des Papes ? Non. Est-il donc de saint Thomas ? Non. Quelle necessité y a-t-il donc de le dire, puis qu'il n'a ny authorité ny aucun sens de luy-mesme ? Vous estes opiniastre, me dirent-ils, 5 vous le direz, ou vous serez heretique, et Monsieur Arnauld aussi : car nous sommes le plus grand nombre, et, s'il est besoin, nous ferons venir tant de Cordeliers que nous l'emporterons.

Je les viens de quitter sur cette solide raison pour vous 10 écrire ce recit, par où vous voyez qu'il ne s'agit d'aucun des points suivans, et qu'ils ne sont condamnez de part ny d'autre : 1. *Que la grace n'est pas donnée à tous les hommes ;* 2. *Que tous les justes ont le pouvoir d'accomplir les Commandemens de Dieu ;* 3. *Qu'ils ont neantmoins besoin pour* 15 *les accomplir, et mesme pour prier, d'une grace efficace qui determine leur volonté ;* 4. *Que cette grace efficace n'est pas tousjours donnée à tous les justes, et qu'elle dépend de la pure misericorde de Dieu.* De sorte qu'il n'y a plus que le mot de *prochain*, sans aucun sens, qui court risque. 20

Heureux les peuples qui l'ignorent ! heureux ceux qui ont precedé sa naissance ! car je n'y voy plus de remede, si Messieurs de l'Academie ne bannissent par un coup d'authorité ce mot barbare de Sorbonne qui cause tant de divisions. Sans cela, la Censure paroist asseurée ; mais je voy qu'elle 25 ne fera point d'autre mal que de rendre la Sorbonne méprisable par ce procedé, qui luy ostera l'authorité qui luy est necessaire en d'autres rencontres.

Je vous laisse cependant dans la liberté de tenir pour le mot de *prochain*, ou non, car j'aime trop mon prochain pour 30 le persecuter sous ce pretexte. Si ce recit ne vous déplaist pas, je continueray de vous avertir de tout ce qui se passera.

Je suis, etc.

1. *om.* enfin B^2C ; ce mot *AB*. 10. dernière raison B^2. 23. par un coup d'autorité ne banissent de la Sorbonne ce mot barbare qui cause *C*. 26. Sorbonne moins considerable B^2. 27. laquelle luy *AC*. 28. si necessaire B^2C. 30. je vous aime trop pour B^2.

SECONDE LETTRE

ESCRITE A UN PROVINCIAL

PAR UN DE SES AMIS.

De Paris, ce 29 Janvier 1656.

MONSIEUR,

Comme je fermois la lettre que je vous ay écrite, je fus visité par Monsieur N., nostre ancien amy, le plus heureusement du monde pour ma curiosité ; car il est tres informé des questions du temps, et il sçait parfaitement le secret des 5 Jesuites, chez qui il est à toute heure, et avec les principaux. Apres avoir parlé de ce qui l'amenoit chez moy, je le priay de me dire, en un mot, quels sont les poincts debatus entre les deux partis.

Il me satisfit sur l'heure, et me dit qu'il y en avoit deux 10 principaux : le 1. touchant *le pouvoir prochain ;* le 2. touchant *la grace suffisante.* Je vous ay éclaircy du premier par la precedente ; je vous parleray du second dans celle-cy.

Je sceus donc, en un mot, que leur differend touchant *la grace suffisante* est en ce que les Jesuites pretendent qu'il y 15 a une grace, donnée generalement à tous, soûmise de telle sorte au libre arbitre qu'il la rend efficace ou inefficace à son choix sans aucun nouveau secours de Dieu, et sans qu'il manque rien de sa part pour agir effectivement. Et c'est pourquoy ils l'appellent *suffisante*, parce qu'elle seule 20 suffit pour agir. Et que les Jansenistes, au contraire, veulent qu'il n'y ait aucune grace actuellement suffisante qui ne soit aussi efficace, c'est à dire que toutes celles qui ne determinent point la volonté à agir effectivement sont insuffisantes pour agir, parce qu'ils disent qu'on n'agit jamais 25 sans *grace efficace.* Voila leur differend.

Et, m'informant apres de la doctrine des nouveaux Thomistes : Elle est bizarre, me dit-il ; ils sont d'accord avec

Title. *om.* Escrite . . . amis *BC.* Fevrier *A.* 15. à tous les hommes *BC.* 18. Effectivement. Ce qui fait qu'ils B^2C. 20. *om.* que *C.*

les Jesuites d'admettre *une grace suffisante* donnée à tous les hommes ; mais ils veulent neantmoins que les hommes n'agissent jamais avec cette seule grace, et qu'il faille pour les faire agir que Dieu leur donne *une grace efficace* qui détermine reellement leur volonté à l'action, et laquelle Dieu ne donne pas à tous. De sorte que, suivant cette doctrine, luy dis-je, cette grace est *suffisante* sans l'estre. Justement, me dit-il : car, si elle suffit, il n'en faut pas davantage pour agir ; et, si elle ne suffit pas, elle n'est pas *suffisante.*

Mais, luy dis-je, quelle difference y a-t-il donc entr'eux et les Jansenistes ? Ils different, me dit-il, en ce qu'au moins les Dominicains ont cela de bon qu'ils ne laissent pas de dire que tous les hommes ont *la grace suffisante.* J'entends bien, luy dis-je, mais ils le disent sans le penser, puis qu'ils adjoustent qu'il faut necessairement pour agir avoir *une grace efficace qui n'est pas donnée à tous ;* et ainsi, s'ils sont conformes aux Jesuites par un terme qui n'a pas de sens, ils leur sont contraires, et conformes aux Jansenistes, dans la substance de la chose. Cela est vray, dit-il. Comment donc, luy dis-je, les Jesuites sont-ils unis avec eux, et que ne les combattent-ils aussi bien que les Jansenistes, puis qu'ils auront tousjours en eux de puissans adversaires qui, soustenans la necessité de la grace efficace qui détermine, les empescheront d'establir celle que vous dites estre seule suffisante ? Il ne le faut pas, me dit-il. Il faut ménager davantage ceux qui sont puissans dans l'Eglise ; les Jesuites se contentent d'avoir gagné sur eux qu'ils admettent au moins le nom de *grace suffisante,* quoy qu'ils l'entendent comme il leur plaist. Par là, ils ont cét advantage, qu'ils font, quand ils veulent, passer leur opinion pour ridicule et insoustenable. Car, supposé que tous les hommes ayent des graces suffisantes, il n'y a rien si facile que d'en conclure que la grace efficace n'est pas necessaire, puis que cette necessité excluroit la suffisance qu'on suppose. Et il ne

12. *om.* ont cela de bon qu'ils *C.* 14. bien, repondis-je B^2C. 16. *om.* et *A.* 22. lesquels B^2C. 24. qu'ils veulent estre B^2. 25. suffisante ? Les Dominicains sont trop puissans, me dit-il, et la societé [des Jesuites *C*] est trop politique pour les choquer ouvertement [pour agir autrement *C*]. Elle se contente d'avoir *BC.* 28. l'entendent en un autre sens. Par là elle a cet avantage qu'elle fera passer leur opinion pour insoutenable quand elle le jugera à propos, et cela luy sera aisé. Car *BC.* 32. rien de si naturel *BC.* 33. donc pas necessaire pour agir, puis que la suffisance de ces graces generales excluroit la necessité de toutes les autres. Qui dit suffisant marque [dit *C*] ce qui est necessaire pour agir, et il serviroit de peu aux Dominicains de s'ecrier qu'ils donnent un autre sens au [prennent en un autre sens le *C*] mot

serviroit de rien de dire qu'on l'entend autrement : car l'intelligence publique de ce terme ne donne point de lieu à cette explication. Qui dit *suffisant*, dit tout ce qui est necessaire ; c'en est le sens propre et naturel. Or, si vous aviez
5 la connoissance des choses qui se sont passées autresfois, vous sçauriez que les Jesuites ont esté si éloignez de voir leur doctrine establie que vous admireriez de la voir en si bon train. Si vous sçaviez combien les Dominicains y ont apporté d'obstacles sous les Papes Clement VIII et Paul V, vous ne
10 vous estonneriez pas de voir qu'ils ne se broüillent pas avec eux, et qu'ils consentent qu'ils gardent leur opinion, pourveu que la leur soit libre, et principalement quand les Dominicains la favorisent par ces paroles dont ils ont consenty de se servir publiquement.

15 Ils sont bien satisfaits de leur complaisance ; ils n'exigent pas qu'ils nient la necessité de la grace efficace : ce seroit trop les presser ; il ne faut pas tyranniser ses amis : les Jesuites ont assez gagné. Car le monde se paye de paroles : peu approfondissent les choses, et ainsi, le nom *de grace*
20 *suffisante* estant receu des deux costez, quoy que avec divers sens, il n'y a personne, hors les plus fins Theologiens, qui ne pense que la chose que ce mot signifie soit tenuë aussi bien par les Jacobins que par les Jesuites. Et la suite fera voir que ces derniers ne sont pas les plus duppes.

25 Je luy avoüay que c'estoient d'habiles gens ; et, pour profiter de son avis, je m'en allay droit aux Jacobins, où je trouvay à la porte un de mes bons amis, grand Janseniste (car j'en ay de tous les partis), qui demandoit quelqu'autre Pere que celuy que je cherchois. Mais je l'engageay à m'ac-
30 compagner à force de prieres, et demanday un de mes nouveaux Thomistes. Il fut ravy de me revoir. Et bien, mon Pere, luy dis-je, ce n'est pas assez que tous les hommes ayent un *pouvoir prochain*, par lequel pourtant ils n'agissent en effet jamais ; il faut qu'ils ayent encore une *grace suffisante*,

de suffisant : le peuple, accoutumé à l'intelligence commune de ce terme, n'ecouteroit pas seulement leur explication. Ainsi la Societé profite assez de cette expression que les Dominicains reçoivent, sans les pousser davantage ; et si vous aviez la connoissance des choses qui se sont passées sous les Papes Clement VIII et Paul V, et combien la Societé fut traversée dans l'establissement de la grace suffisante par les Dominicains [traversée p. l. D. d. l'e. d. l. g. s. *C*] vous ne vous etonneriez pas qu'elle ne se brouïlle pas [qu'elle evite de s. b. *C*] avec eux, et qu'elle consent qu'ils gardent leur opinion, pourveu que la sienne soit libre, et principalement quand les Dominicains le favorisent par le nom de grace suffisante dont *BC*. 15. Elle [la Societé *C*] est bien satisfaite : elle n'exige *B*[2]*C*. 16. d'eux qu'ils nient *B*[1]. 23. *om.* et . . . dupes *B*[2].

avec laquelle ils agissent aussi peu. N'est-ce pas là l'opinion de vostre Escole? Ouy, dit le bon Pere; et je l'ay bien dit ce matin en Sorbonne. J'y ay parlé toute ma demy-heure, et sans le *sable* j'eusse bien fait changer ce malheureux proverbe qui court desja dans Paris: *Il opine du bonnet comme un moine en Sorbonne.* Et que voulez-vous dire par vostre demy-heure et par vostre sable? luy respondis-je. Taille-t-on vos avis à une certaine mesure? Ouy, me dit-il, depuis quelques jours. Et vous oblige-t-on de parler demy-heure? Non; on parle aussi peu qu'on veut. Mais non pas tant que l'on veut, luy dis-je. O la bonne regle pour les ignorans! ô l'honneste pretexte pour ceux qui n'ont rien de bon à dire! Mais enfin, mon Pere, cette grace donnée à tous les hommes est *suffisante*? Ouy, dit-il. Et neantmoins elle n'a nul effet *sans grace efficace*? Cela est vray, dit-il. Et tous les hommes ont la *suffisante*, continuay-je, et tous n'ont pas *l'efficace*? Il est vray, dit-il. C'est à dire, luy dis-je, que tous ont assez de grace, et que tous n'en ont pas assez; c'est à dire que cette grace suffit, quoy qu'elle ne suffise pas; c'est à dire qu'elle est suffisante de nom et insuffisante en effet. En bonne foy, mon Pere, cette doctrine est bien subtile. Avez-vous oublié en quittant le monde ce que le mot de *suffisant* y signifie? Ne vous souvient-il pas qu'il enferme tout ce qui est necessaire pour agir? Mais vous n'en avez pas perdu la memoire: car, pour me servir d'une comparaison qui vous sera plus sensible, si l'on ne vous servoit à disner que deux onces de pain et un verre d'eau, seriez vous content de vostre Prieur, qui vous diroit que celà seroit suffisant pour vous nourrir, sous pretexte qu'avec autre chose, qu'il ne vous donneroit pas, vous auriez tout ce qui vous seroit necessaire pour bien disner? Comment donc vous laissez-vous aller à dire que tous les hommes ont *la grace suffisante* pour agir, puis que vous confessez qu'il y en a un autre absolument necessaire pour agir, que tous n'ont pas? Est ce que cette creance est peu importante, et que vous abandonnez à la liberté des hommes de croire que la grace efficace est necessaire ou non? Est-ce une chose indifferente de dire qu'avec la *grace suffisante* on agit en effet. Comment! dit ce bon homme, indifferente! C'est *une heresie*, c'est une *heresie* formelle; la necessité de la *grace efficace* pour agir effectivement est *de foy*. Il y a *heresie* à la nier. Où en

26. servir à table B^2C. 27. d'eau par jour B^2C. 31. necessaire pour vous nourrir B^2C. 33. une autre AB^2; un' B^1.

sommes-nous donc? m'escriay-je ; quel party dois-je donc prendre? Si je nie la grace suffisante, je suis *Janseniste*. Si je l'admets, comme les Jesuites, en sorte que la grace efficace ne soit pas necessaire, je seray *heretique*, dites-vous.
5 Et si je l'admets, comme vous, en sorte que la grace efficace soit necessaire, je peche contre le sens commun, et je suis *extravagant*, disent les Jesuites. Que dois-je donc faire dans cette necessité inévitable d'estre ou extravagant, ou heretique, ou Janseniste? Et en quels termes sommes-nous reduits,
10 s'il n'y a que les Jansenistes qui ne se broüillent ny avec la foy ny avec la raison, et qui se sauvent tout ensemble de la folie et de l'erreur?

Mon amy Janseniste prenoit ce discours à bon presage et me croyoit desja gagné. Il ne me dit rien neantmoins,
15 mais, en s'adressant à ce Pere : Dites-moy, je vous prie, mon Pere, en quoy vous estes conformes aux Jesuites. C'est, dit-il, en ce que les Jesuites et nous reconnoissons les *graces suffisantes* données à tous. Mais, luy dit-il, il y a deux choses dans ce mot de *grace suffisante :* il y a le son, qui
20 n'est que du vent, et la chose qu'il signifie, qui est reelle et effective. Et ainsi, quand vous estes d'accord avec les Jesuites touchant le mot de *suffisante*, et contraires dans le sens, il est visible que vous estes contraires pour la substance de ce terme, et que vous n'estes d'accord que du son. Est-ce là
25 agir sincerement et cordialement? Mais quoy, dit le bon homme, dequoy vous plaignez-vous, puisque nous ne trahissons personne par cette maniere de parler? Car, dans nos escoles, nous disons ouvertement que nous l'entendons d'une maniere contraire aux Jesuites. Je me plains, luy dit mon
30 amy, de ce que vous ne publiez pas de toutes parts que vous entendez par *grace suffisante* la grace qui n'est pas suffisante. Vous estes obligez en conscience, en changeant ainsi le sens des termes ordinaires de la Religion, de dire que, quand vous admettez une *grace suffisante* dans tous les hommes, vous
35 entendez qu'ils n'ont pas des graces suffisantes en effet. Tout ce qu'il y a de personnes au monde entendent le mot de *suffisant* en un mesme sens ; les seuls nouveaux Thomistes l'entendent d'un autre. Toutes les femmes, qui font la moitié du monde, tous les gens de la Cour, tous les gens de
40 guerre, tous les Magistrats, tous les gens de Palais, les Marchands, les Artisans, tout le Peuple, enfin toutes sortes

1. Et q. p. dois-je icy *B²C*. 22. et que vous leur estes contraires *B²C*.
23. touchant la subs. *B²C*. 38. d'une autre *A* ; en un *B²C*.

d'hommes, excepté les Dominicains, entendent par le mot de *suffisant* ce qui enferme tout le necessaire. Personne n'est averty de cette singularité. On dit seulement par toute la terre que les Jacobins tiennent que tous les hommes ont des *graces suffisantes*. Que peut-on conclure, sinon qu'ils 5 tiennent que tous les hommes ont toutes les graces qui sont necessaires pour agir, et principalement en les voyant joints et d'interest et d'intrigue avec les Jesuites, qui l'entendent de cette sorte? L'Uniformité de vos expressions, jointe à cette union de party, n'est-elle pas une interpretation mani- 10 feste et une confirmation de l'uniformité de vos sentimens?

Tous les fidelles demandent aux Theologiens quel est le veritable estat de la nature depuis sa corruption. Saint Augustin et ses disciples respondent qu'elle n'a plus de grace suffisante qu'autant qu'il plaist à Dieu de luy en donner. 15 Les Jesuites sont venus ensuite, et disent que tous ont des graces effectivement suffisantes. On consulte les Dominicains sur cette contrarieté. Que font-ils là dessus? Ils s'unissent aux Jesuites. Ils font par cette union le plus grand nombre. Ils se separent de ceux qui nient ces *graces* 20 *suffisantes*. Ils declarent que tous les hommes en ont. Que peut on penser de là, sinon qu'ils autorisent les Jesuites? Et puis ils adjoustent que neantmoins ces *graces suffisantes* sont inutiles sans les *efficaces*, qui ne sont pas données à tous! 25

Voulez-vous voir une peinture de l'Eglise dans ces differens avis? Je la considere comme un homme qui, partant de son païs pour faire un voyage, est rencontré par des voleurs qui le blessent de plusieurs coups, et le laissent à demy mort. Il envoye querir trois Medecins dans les villes 30 voisines. Le premier, ayant sondé ses playes, les juge mortelles, et luy declare qu'il n'y a que Dieu qui luy puisse rendre ses forces perduës. Le second, arrivant ensuitte, voulut le flater, et luy dit qu'il avoit encore des forces suffisantes pour arriver en sa maison, et insulta contre le premier, qui 35 s'opposoit à son avis, et forma le dessein de le perdre. Le malade, en cét estat douteux, apercevant de loin le troisieme, luy tend les mains comme à celuy qui le devoit determiner. Celuy-cy, ayant consideré ses blessures, et sceu l'avis des deux premiers, embrasse le second, s'unit à luy, et tous deux 40 ensemble se liguent contre le premier et le chassent hon

2. Presque personne B^2C. 16. ensuite qui C. 35. insultant . . forma B^2C.

teusement, car ils estoient plus forts en nombre. Le malade juge à ce procedé qu'il est de l'avis du second, et, le luy demandant en effet, il luy declare affirmativement que ses forces sont suffisantes pour faire son voyage. Le blessé
5 neantmoins, ressentant sa foiblesse, luy demande à quoy il les jugeoit telles. C'est, luy dit-il, parce que vous avez encore vos jambes. Or les jambes sont les organes qui suffisent naturellement pour marcher. Mais, luy dit le malade, ay-je toute la force necessaire pour m'en servir, car il me
10 semble qu'elles sont inutiles dans ma langueur? Non certainement, dit le Medecin, et vous ne marcherez jamais effectivement, si Dieu ne vous envoye son secours du ciel pour vous soustenir et vous conduire. Et quoy, dit le malade, je n'ay donc pas en moy les forces suffisantes et
15 ausquelles il ne manque rien pour marcher effectivement? Vous en estes bien éloigné, luy dit-il. Vous estes donc, dit le blessé, d'avis contraire à vostre compagnon touchant mon veritable estat? Je vous l'avouë, luy répondit-il.

Que pensez-vous que dit le malade? Il se plaignit du
20 procedé bizarre et des termes ambigus de ce troisieme medecin. Il le blasma de s'estre uny au second, à qui il estoit contraire de sentiment, et avec lequel il n'avoit qu'une conformité apparente, et d'avoir chassé le premier, auquel il estoit conforme en effet. Et, apres avoir fait essay de ses
25 forces, et reconnu par experience la verité de sa foiblesse, il les renvoya tous deux; et, rappellant le premier, se mit entre ses mains; et, suivant son conseil, il demanda à Dieu les forces qu'il confessoit n'avoir pas; il en receut misericorde, et par son secours arriva heureusement dans
30 sa maison.

Le bon Pere, estonné d'une telle parabole, ne répondoit rien. Et je luy dis doucement pour le rassurer: "Mais apres tout, mon Pere, à quoy avez-vous pensé de donner le nom de *suffisante* à une grace que vous dites qu'il est de foy
35 de croire qu'elle est *insuffisante* en effet? Vous en parlez, dit-il, bien à vostre aise. Vous estes libre et particulier; je suis religieux et en communauté: n'en sçavez-vous pas peser la difference? Nous dépendons des Superieurs. Ils despendent d'ailleurs. Ils ont promis nos suffrages: que voulez-
40 vous que je devienne? Nous l'entendismes à demy mot, et cela nous fit souvenir de son confrere qui a esté relegué à Abbeville pour un sujet semblable.

12. un secours extraordinaire pour *B²C*.

Mais, luy dis-je, pourquoy vostre Communauté s'est-elle engagée à admettre cette grace? C'est un autre discours, me dit-il. Tout ce que je vous en puis dire en un mot est que nostre Ordre a soustenu autant qu'il a peu la doctrine de S. Thomas touchant la grace efficace. Combien s'est-il 5 opposé ardemment à la naissance de la doctrine de Molina. Combien a-t-il travaillé pour l'establissement de la necessité de la grace efficace de J.-C. Ignorez-vous ce qui se fit sous Clement VIII et Paul V, et que, la mort prevenant l'un, et quelques affaires d'Italie empeschant l'autre de publier sa 10 Bulle, nos armes sont demeurées au Vatican? Mais les Jesuites, qui, dés le commencement de l'heresie de Luther et de Calvin, s'estoient prevalus du peu de lumiere qu'a le peuple pour en discerner l'erreur d'avec la verité de la doctrine de S. Thomas, avoient en peu de temps respandu par- 15 tout leur doctrine avec un tel progrez qu'on les vist bien-tost maistres de la creance des peuples, et nous en estat d'estre décriez comme des Calvinistes, et traitez comme les Jansenistes le sont aujourd'huy, si nous ne temperions la verité de la grace efficace par l'aveu au moins apparent d'une 20 *suffisante*. Dans cette extremité, que pouvions-nous mieux faire pour sauver la verité sans perdre nostre credit, sinon d'admettre le nom de grace suffisante, en niant neantmoins qu'elle soit telle en effet? Voila comment la chose est arrivée. 25

Il nous dit cela si tristement qu'il me fit pitié. Mais non pas à mon second, qui luy dit : Ne vous flattez point d'avoir sauvé la verité : si elle n'avoit point eu d'autres protecteurs, elle seroit perie en des mains si foibles. Vous avez receu dans l'Eglise le nom de son ennemy : c'est y avoir receu 30 l'ennemy mesme. Les noms sont inseparables des choses : si le mot de grace *suffisante* est une fois affermy, vous aurez beau dire que vous entendez par là une grace qui est insuffisante, vous ne serez point écoutez. Vostre explication seroit odieuse dans le monde ; on y parle plus sincerement des 35 choses moins importantes. Les Jesuites triompheront : ce sera leur grace suffisante en effet, et non pas la vostre, qui ne l'est que de nom, qui passera pour establie ; et on fera un article de foy du contraire de vostre creance.

3. *om.* en *C.* 13. et Calvin *B.* 14. pour discerner l'erreur de cette heresie *C.* 34. n'y serez par receus B^2C. 37. sera en effet leur grace suffisante qui passera pour établie et non pas la vostre qui ne l'est que de nom *C.*

Nous souffririons tous le martyre, luy dit le Pere, plutost que de consentir à l'establissement de la *grace suffisante au sens des Jesuites*, Saint Thomas, que nous jurons de suivre jusques à la mort, y estant directement contraire. A quoy
5 mon amy, plus serieux que moy, luy dit : Allez, mon Pere, vostre Ordre a receu un honneur qu'il ménage mal. Il abandonne cette grace qui luy avait esté confiée, et qui n'a jamais esté abandonnée depuis la creation du monde. Cette grace victorieuse qui a esté attenduë par les Patriarches,
10 predite par les Prophetes, apportée par Jesus-Christ, preschée par saint Paul, expliquée par saint Augustin, le plus grand des Peres, maintenuë par ceux qui l'ont suivy, confirmée par saint Bernard, le dernier des Peres, soutenuë par saint Thomas, l'ange de l'école, transmise de luy à vostre
15 Ordre, appuyée par tant de vos Peres, et si glorieusement deffenduë par vos Religieux sous les papes Clement et Paul : Cette grace efficace, qui avoit esté mise comme en dépost entre vos mains pour avoir, dans un saint Ordre à jamais durable, des Predicateurs qui la publiassent au monde jus-
20 ques à la fin des temps, se trouve comme delaissée pour des interests si indignes. Il est temps que d'autres mains s'arment pour sa querelle. Il est temps que Dieu suscite des disciples intrepides au Docteur de la grace qui, ignorans les engagements du siecle, servent Dieu pour Dieu. La
25 grace peut bien n'avoir plus les Dominicains pour defenseurs, mais elle ne manquera jamais de defenseurs ; car elle les forme elle-mesme par sa force toute-puissante. Elle demande des cœurs purs et dégagez, et elle-mesme les purifie et les dégage des interests du monde, incompatibles avec
30 les veritez de l'Evangile. Prevenez ces menaces, mon Pere, et prenez garde que Dieu ne change ce flambeau de sa place, et ne vous laisse dans les tenebres et sans couronne.

Il en eust bien dit davantage, car il s'échauffoit de plus en plus. Mais je l'interrompis, et dis en me levant : En verité,
35 mon Pere, si j'avois du credit en France, je ferois publier à son de trompe : ON FAIT A SÇAVOIR *que, quand les Jacobins disent que la grace suffisante est donnée à tous, ils entendent que tous n'ont pas la grace qui suffit effectivement.* Apres quoy, vous le diriez tant qu'il vous plairoit, mais non pas
40 autrement. Ainsi finit nostre visite.

1. souffrirons *A*. 5. *om.* plus . . . moy *C*. 12. embrassée par ceux *C*. 23. S. Docteur *B*. 30. Pensez y bien mon Pere *B²C*. 32. qu'il ne vous *B²C* ; sans couronne, pour punir la froideur que vous avez pour une cause si importante à son Eglise *B²C*.

Vous voyez donc par là que c'est icy une *suffisance* politique pareille au *pouvoir prochain*. Cependant je vous diray qu'il me semble qu'on peut sans peril douter du *pouvoir prochain* et de cette grace *suffisante*, pourveue qu'on ne soit pas Jacobin. 5

En fermant ma lettre, je viens d'aprendre que la censure est faite ; mais, comme je ne sçay pas encore en quels termes, et qu'elle ne sera publiée que le 15 Fevrier, je ne vous en parleray que par le premier ordinaire.

Je suis, etc. 10

RESPONSE DU PROVINCIAL

Aux deux premières lettres de son amy du 2 Février 1656.

MONSIEUR,

Vos deux lettres n'ont pas esté pour moy seul. Tout le monde les voit, tout le monde les entend; tout le monde les croit. Elles ne sont pas seulement estimées par les Theologiens: elles sont encore agreables aux gens du monde, 5 et intelligibles aux femmes mesmes.

Voicy ce que m'en escrit un de Messieurs de l'Academie, des plus illustres entre ces hommes tous illustres, qui n'avoit encore veü que la première: *Je voudrois que la Sorbonne qui doit tant à la memoire de feu Mr le Cardinal, voulust recon-* 10 *noistre la jurisdiction de son Academie françoise. L'auteur de la Lettre seroit content; car en qualité d'Academicien, je condamnerois d'autorité, je bannirois, je proscrirois, peu s'en faut que je ne die j'exterminerois de tout mon pouvoir ce pouvoir prochain, qui fait tant de bruit pour rien, et sans* 15 *sçavoir autrement ce qu'il demande. Le mal est que nostre pouvoir Academique est un pouvoir fort éloigné et borné. J'en suis marry: et je le suis encore beaucoup, de ce que tout mon petit pouvoir ne sçauroit m'acquitter envers vous*, etc.

Et voicy ce qu'une personne, que je ne vous marqueray 20 en aucune sorte, en écrit à une Dame qui luy avoit fait tenir la 1re de vos lettres: *Je vous suis plus obligée que vous ne pouvez vous l'imaginer de la lettre que vous m'avez envoyée; elle est tout à fait ingenieuse, et tout à fait bien écrite. Elle narre sans narrer; elle éclaircit les affaires du monde les* 25 *plus embroüillées; elle raille finement; elle instruit mesme ceux qui ne sçavent pas bien les choses; elle redouble le plaisir de ceux qui les entendent. Elle est encore une excellente apologie, et si l'on veut une delicate et innocente Censure. Et il y a enfin tant d'art, tant d'esprit et tant de*

29. *om.* tant d'art *C.*

jugement en cette lettre que je voudrois bien sçavoir qui l'a faite, etc.

Vous voudriez bien aussi sçavoir qui est la personne qui en escrit de la sorte : mais contentez-vous de l'honorer sans la connoistre, et quand vous la connoistrez vous l'honorerez bien davantage.

Continuez donc vos lettres sur ma parole ; et que la Censure vienne quand il luy plaira ; nous sommes fort bien disposez à la recevoir. Ces mots de pouvoir prochain et de grace suffisante dont on nous menace ne nous feront plus 10 de peur. Nous avons trop appris des Jesuites, des Jacobins, et de M. le Moine en combien de façons on les tourne, et quelle est la solidité de ces mots nouveaux, pour nous en mettre en peine. Cependant je seray tousjours, etc.

13. combien il y a peu de solidité en ces *B²C.*

TROISIÉME LETTRE

ESCRITE A UN PROVINCIAL

POUR SERVIR DE RESPONSE

A LA PRECEDENTE.

De Paris, ce 9 Fevrier 1656.

MONSIEUR,

Je viens de recevoir vostre lettre, et en mesme temps l'on m'a apporté une copie manuscrite de la Censure. Je me suis trouvé aussi bien traité dans l'une que M. Arnauld l'est mal dans l'autre. Je crains qu'il n'y ait de l'excez des deux costez, 5 et que nous ne soyons pas assez connus de nos juges. Je m'assure que, si nous l'estions davantage, M. Arnauld meriteroit l'approbation de la Sorbonne, et moy la censure de l'Academie. Ainsi nos interests sont tout contraires. Il doit se faire connoistre pour deffendre son innocence, au lieu 10 que je dois demeurer dans l'obscurité pour ne pas perdre ma reputation. De sorte que, ne pouvant paroistre, je vous remets le soin de m'acquiter envers mes celebres approbateurs ; et je prens celuy de vous informer des nouvelles de la censure.

15 Je vous avouë, Monsieur, qu'elle m'a extremement surpris. J'y pensois voir condamner les plus horribles heresies du monde ; mais vous admirerez comme moy que tant d'éclatantes preparations se soient aneanties sur le point de produire un si grand effet.

20 Pour l'entendre avec plaisir, ressouvenez-vous, je vous prie, des estranges impressions qu'on nous donne depuis si long-temps des Jansenistes. Rapellez dans votre memoire les cabales, les factions, les erreurs, les schismes, les attentats qu'on leur reproche depuis si long-temps ; de quelle sorte 25 on les a décriez et noircis dans les chaires et dans les livres ; et combien ce torrent, qui a eu tant de violence et de durée, estoit grossi dans ces dernieres années, où on les accusoit ouvertement et publiquement d'estre non seulement hereti-

ques et schismatiques, mais apostats et infidelles, de nier le mystere de la transsubstantiation, et de renoncer à Jesus-Christ et à l'Evangile.

Ensuite de tant d'accusations si atroces, on a pris le dessein d'examiner leurs livres pour en faire le jugement. On 5 a choisi la seconde Lettre de M. Arnauld, qu'on disoit estre remplie des plus detestables erreurs. On luy donne pour examinateurs ses plus declarez ennemis. Ils employent tout leur estude à rechercher ce qu'ils y pourroient reprendre ; et ils en rapportent une proposition touchant la doctrine, qu'ils 10 exposent à la Censure.

Que pouvoit-on penser de tout ce procedé, sinon que cette proposition, choisie avec des circonstances si remarquables, contenoit l'essence des plus noires heresies qui se puissent imaginer ? Cependant elle est telle qu'on n'y voit rien qui 15 ne soit si clairement et si formellement exprimé dans les passages des Peres que M. Arnauld a rapportez en cet endroit que je n'ay veu personne qui en pust comprendre la difference. On s'imaginoit neantmoins qu'il y en avoit une terrible, puis que, les passages des Peres estant sans doute 20 catholiques, il falloit que la proposition de M. Arnauld y fust horriblement contraire pour estre heretique.

C'estoit de la Sorbonne qu'on attendoit cet éclaircissement. Toute la Chrestienté avoit les yeux ouverts pour voir dans la Censure de ces Docteurs ce point imperceptible au commun 25 des hommes.

Cependant M. Arnauld fait ses Apologies, où il donne en plusieurs colonnes sa proposition et les passages des Peres d'où il l'a prise, pour en faire paroistre la conformité aux moins clairvoyans. 30

Il fait voir que S. Augustin dit en un endroit qu'il cite ; *Que Jesus-Christ nous montre un juste en la personne de S. Pierre, qui nous instruit par sa cheute de fuïr la presomption.* Il en rapporte un autre du mesme Pere, qui dit : *Que Dieu, pour monstrer que sans la grace on ne peut rien, a laissé* 35 *S. Pierre sans grace.* Il en donne un autre de S. Chrysostome, qui dit : *que la cheute de S. Pierre n'arriva pas pour avoir esté froid envers Jesus-Christ, mais parce que la grace luy manqua ; et qu'elle n'arriva pas tant par sa negligence que par l'abandon de Dieu, pour apprendre à toute l'Eglise* 40

4. si surprenantes *B²C.* 7. des plus grande erreurs *B²C.* 8. toute *BC.* 12. pourroit *A.* 19. il y avoit beaucoup *B²C.* 22. extremement contraire *B²C.*

que sans Dieu l'on ne peut rien. Ensuite dequoy il raporte sa proposition accusée, qui est celle-cy: *Les Peres nous monstrent un juste en la personne de S. Pierre, à qui la grace sans laquelle on ne peut rien a manqué.*

5 C'est sur cela qu'on essaye en vain de remarquer comment il se peut faire que l'expression de M. Arnauld soit autant differente de celle des Peres que la verité l'est de l'erreur, et la foy de l'heresie. Car où en pourroit-on trouver la difference? seroit-ce en ce qu'il dit: *Que les Peres* 10 *nous monstrent un juste en la personne de S. Pierre?* Mais S. Augustin l'a dit en mots propres. Est-ce en ce qu'il dit: *Que la grace luy a manqué?* Mais le mesme S. Augustin, qui dit *que S. Pierre estoit juste*, dit *qu'il n'avoit pas eu la grace en cette rencontre.* Est-ce en ce qu'il dit: *Que sans* 15 *la grace on ne peut rien?* Mais n'est-ce pas ce que S. Augustin dit au mesme endroit, et ce que S. Chrysostome mesme avoit dit avant luy, avec cette seule difference qu'il l'exprime d'une maniere bien plus forte, comme en ce qu'il dit *que sa cheute n'arriva pas par sa froideur ny par sa negli-* 20 *gence, mais par le defaut de la grace et par l'abandon de Dieu?*

Toutes ces considerations tenoient tout le monde en haleine, pour apprendre en quoy consistoit cette diversité, lors que cette Censure, si celebre et si attenduë, a enfin paru apres tant d'assemblées. Mais helas! elle a bien frustré nos- 25 tre attente. Soit que ces bons Molinistes n'ayent pas daigné s'abaisser jusques à nous en instruire, soit pour quelque autre raison secrette, ils n'ont fait autre chose que prononcer ces paroles: *Cette proposition est temeraire, impie, blasphematoire, frappée d'anatheme, et heretique.*

30 Croiriés-vous, Monsieur, que la pluspart des gens se voyant trompez dans leur esperance, sont entrez en mauvaise humeur, et s'en prennent aux Censeurs mesmes? Ils tirent de leur conduite des consequences admirables pour l'innocence de M. Arnauld. Et quoy, disent-ils, est ce là tout ce 35 qu'ont pû faire durant si long-temps tant de Docteurs si acharnez sur un seul, que de ne trouver dans tous ses ouvrages que trois lignes à reprendre, et qui sont tirées des propres paroles des plus grands Docteurs de l'Eglise grecque et latine? Y a-t-il un autheur qu'on veüille perdre, dont 40 les escrits n'en donnent un plus specieux pretexte? Et quelle

10. *om.* mais *C.* 22. consistoit donc B^2C. 25. les Docteurs Molinistes B^2C.

plus haute marque peut-on produire de la verité de la foi de cét illustre accusé ?

D'où vient, disent-ils, qu'on pousse tant d'imprecations qui se trouvent dans cette Censure, où l'on assemble tous les plus terribles termes *de poison, de peste, d'horreur, de temerité,* 5 *d'impieté, de blaspheme, d'abomination, d'execration, d'anatheme, d'heresie,* qui sont les plus horribles expressions qu'on pourroit former contre Arius, et contre l'Antechrist mesme, pour combattre une heresie imperceptible, et encore sans la découvrir ? Si c'est contre les paroles des Peres qu'on agit 10 de la sorte, où est la foy et la Tradition ? Si c'est contre la proposition de M. Arnauld ? Qu'on nous monstre en quoy elle en est differente, puis qu'il ne nous en paroist autre chose qu'une parfaite conformité. Quand nous en reconnoistrons le mal, nous l'aurons en detestation ; mais, tant 15 que nous ne le verrons point, et que nous n'y verrons que les sentimens des saints Peres conceüs et exprimez en leurs propres termes, comment pourrions nous l'avoir sinon en une sainte veneration ?

Voila de quelle sorte ils s'emportent ; mais ce sont des 20 gens trop penetrans. Pour nous, qui n'approfondissons pas tant les choses, tenons-nous en repos sur le tout. Voulons nous estre plus sçavans que Messieurs nos Maistres ? N'entreprenons pas plus qu'eux. Nous nous égarerions dans cette recherche. Il ne faudroit rien pour rendre cette 25 Censure heretique. La verité est si delicate que, si peu qu'on s'en retire, on tombe dans l'erreur ; mais cette erreur est si deliée que, sans mesme s'en éloigner, on se trouve dans la verité. Il n'y a qu'un point imperceptible entre cette proposition et la foy. La distance en est si insensible que j'ay eu 30 peur, en ne la voyant pas, de me rendre contraire aux Docteurs de l'Eglise pour me rendre trop conforme aux Docteurs de Sorbonne. Et, dans cette crainte, j'ay jugé necessaire de consulter un de ceux qui furent neutres dans la premiere question pour apprendre de luy la chose veritablement. 35 J'en ay donc veu un fort habile, que je priay de me vouloir marquer les circonstances de cette difference, parce que je luy confessay franchement que je n'y en voyois aucune.

A quoy il me répondit en riant : Que vous estes simple de

1. *om.* de la verité *C.* 5. tous ces termes de B^2C. 16. n'y trouvons B^2C. 23. *om.* Messieurs *BC.* 26. pour peu qu'on s'en éloigne B^2 *om.* s. p. q. s. r. *C.* 34. qui par politique furent B^2C. 39. riant comme s'il eust pris plaisir à ma naïveté *ABC.*

croire qu'il y en ait! Et où pourroit-elle estre? Vous
imaginez vous que si l'on en eût trouvé quelqu'une, on ne
l'eust pas marquée hautement, et, qu'on n'eust pas esté ravi
de l'exposer à la veuë de tous les peuples dans l'esprit
5 desquels on veut décrier M. Arnauld? Je reconnus bien à
ce peu de mots que tous ceux qui estoient neutres dans la
premiere question, ne l'eussent pas esté dans la seconde. Je
ne laissay pas d'oüyr ses raisons, et de luy dire : Pourquoy
donc ont-ils attaqué cette proposition? A quoy il me re-
10 partit ; Ignorez-vous que M. Arnauld a toûjours esvité de
dire rien qui ne fust puissamment fondé sur la tradition de
l'Eglise ; et que ses ennemis ont neantmoins resolu de l'en
retrancher à quelque prix que ce soit ; et qu'ainsi, les escrits
de l'un ne donnant aucune prise aux desseins des autres,
15 ils ont esté contraints, pour satisfaire leur passion, de prendre
une proposition telle quelle, et de la condamner sans dire
en quoy ny pourquoy? Car ne sçavez-vous pas comment les
Jansenistes les tiennent en eschec, et les pressent si furieusement que la moindre parole qui leur échape contre les
20 principes des Peres, on les voit incontinent accablez par des
volumes entiers où ils sont forcez de succomber? De sorte
qu'apres tant d'épreuves de leur foiblesse, ils ont jugé plus
à propos et plus facile de censurer que de repartir, parce
qu'il leur est bien plus aisé de trouver des Moines que des
25 raisons.

Mais quoy, luy dis-je, la chose estant ainsi, leur censure
est inutile. Car quelle creance y aura-t-on en la voyant
sans fondement, et ruïnée par les responses qu'on y fera?
Si vous connoissiez l'esprit du peuple, me dit mon Docteur,
30 vous parleriez d'une autre sorte. Leur censure, toute cen-
surable qu'elle est, aura presque tout son effet pour un temps,
et, quoy qu'à force d'en monstrer l'invalidité, il soit certain
qu'on la fera entendre, il est aussi veritable que d'abord la
pluspart des esprits en seront aussi fortement frappez que de
35 la plus juste du monde. Pourveu qu'on crie dans les ruës :
*Voicy la censure de M. Arnauld. Voicy la condamnation
des Jansenistes ;* les Jesuites auront leur compte. Combien
y en aura-t-il peu qui la lisent? Combien peu de ceux qui
la liront, qui l'entendent? Combien peu qui aperçoivent
40 qu'elle ne satisfait point aux Objections? Qui croyez-vous

5. M. Arnauld? Mais, luy dis-je ; Pourquoy *A*. 6. avoient esté *BC*.
8. neanmoins de vouloir oüyr *B²C*. 11. rien dire *C*.

qui prenne les choses à cœur, et qui entreprenne de les examiner à fond ? Voyez donc combien il y a d'utilité en cela pour les ennemis des Jansenistes. Ils sont seurs par là de triompher, quoy que d'un vain triomphe à leur ordinaire au moins durant quelques mois. C'est beaucoup pour eux, 5 ils chercheront ensuite quelque nouveau moyen de subsister. Ils vivent au jour la journée. C'est de cette sorte qu'ils se sont maintenus jusques à present, tantost par un catechisme où un enfant condamne leurs adversaires ; tantost par une procession où la grace suffisante mene l'efficace en triomphe ; 10 tantost par une comedie où les diables emportent Jansenius ; une autrefois par un Almanach, maintenant par cette censure.

En verité, luy dis-je, je trouvois tantost à redire au procedé des Molinistes ; mais apres ce que vous m'avez dit, j'admire 15 leur prudence et leur politique. Je voy bien qu'ils ne pouvoient rien faire de plus judicieux ni de plus seur. Vous l'entendez, me dit-il : leur plus seur parti a toûjours esté de se taire. Et c'est ce qui a fait dire à un sçavant Theologien, Que les plus habiles d'entre eux sont ceux qui intri- 20 guent beaucoup, qui parlent peu, et qui n'escrivent point.

C'est dans cet esprit que, dés le commencement des assemblées, ils avoient prudemment ordonné que, si M. Arnauld venoit en Sorbonne, ce ne fust que pour exposer simplement ce qu'il croyoit, et non pas pour y entrer en lice 25 contre personne. Les examinateurs s'estant voulu un peu écarter de cette méthode, ils ne s'en sont pas bien trouvez. Ils se sont veus trop vertement refutez par le second Apologetique.

C'est dans ce mesme esprit qu'ils ont trouvé cette rare et 30 toute nouvelle invention de la demy-heure et du sable. Ils se sont delivrez par là de l'importunité de ces fascheux Docteurs qui prenoient plaisir à refuter toutes leurs raisons, à produire les livres pour les convaincre de fausseté, à les sommer de respondre, et à les reduire à ne pouvoir repli- 35 quer.

Ce n'est pas qu'ils n'ayent bien veu que ce manquement de liberté, qui avoit porté un si grand nombre de Docteurs à se retirer des assemblées, ne feroit pas de bien à leur Censure, et que l'acte de M. Arnauld, seroit un mauvais 40

28. trop fortement *B²C*. 32. de ces Docteurs qui entreprenoient de . . . de . . . de *B²C*. 40. l'acte de protestation de nullité qu'en avoit fait M. Arnauld dés avant qu'elle fut concluë *B²C*.

preambule pour la faire recevoir favorablement. Ils croyent assez que ceux qui ne sont pas duppes considerent pour le moins autant le jugement de 70 Docteurs qui n'avoient rien à gagner en deffendant M. Arnauld, que celuy d'une centaine
5 d'autres qui n'avoient rien à perdre en le condamnant.

Mais apres tout ils ont pensé que c'estoit toûjours beaucoup d'avoir une censure, quoy qu'elle ne soit que d'une partie de la Sorbonne et non pas de tout le corps; quoy qu'elle soit faite avec peu ou point de liberté, et obtenuë par
10 beaucoup de menus moyens qui ne sont pas des plus reguliers; quoy qu'elle n'explique rien de ce qui pouvoit estre en dispute, quoy qu'elle ne marque point en quoy consiste cette heresie, et qu'on y parle peu, de crainte de se méprendre. Ce silence mesme est un mystere pour les simples; et la
15 Censure en tirera cet avantage singulier, que les plus critiques et les plus subtils Theologiens n'y pourront trouver aucune mauvaise raison.

Mettez-vous donc l'esprit en repos, et ne craignez point d'estre heretique en vous servant de la proposition con-
20 damnée. Elle n'est mauvaise que dans la seconde Lettre de M. Arnauld. Ne vous en voulez vous pas fier à ma parole; croyez en M. le Moyne, le plus ardent des Examinateurs, qui a dit encore ce matin à un Docteur de mes amis, sur ce qu'il luy demandoit, en quoy consiste cette difference dont il
25 s'agit, et s'il ne seroit plus permis de dire ce qu'ont dit les Peres. Cette proposition, luy a-t-il excellemment répondu, seroit catholique dans une autre bouche. Ce n'est que dans M. Arnauld que la Sorbonne l'a condamnée. Et ainsi admirez les machines du Molinisme, qui font dans l'Eglise de
30 si prodigieux renversemens: Que ce qui est catholique dans les Peres devient heretique dans M. Arnauld; Que ce qui estoit heretique dans les Semipelagiens devient orthodoxe dans les escrits des Jesuites; Que la doctrine si ancienne de S. Augustin est une nouveauté insupportable, et que les in-
35 ventions nouvelles qu'on fabrique tous les jours à nostre veuë, passent pour l'ancienne foy de l'Eglise. Sur cela, il me quitta.

Cette instruction m'a ouvert les yeux. J'y ay compris que c'est icy une heresie d'une nouvelle espece. Ce ne sont pas
40 les sentimens de M. Arnauld qui sont heretiques; ce n'est que sa personne. C'est une heresie personnelle. Il n'est pas

2. pas preoccupez *B²C.* 8. m'a seroy *BC.* 23. dit en parlant *B²C.* 24. amis qui luy d *B²C.* 38. m'a servi *B²C.*

heretique pour ce qu'il a dit ou escrit, mais seulement pour ce qu'il est M. Arnauld. C'est tout ce qu'on trouve à redire en luy. Quoy qu'il fasse, s'il ne cesse d'estre, il ne sera jamais bon catholique. La grace de S. Augustin ne sera jamais la veritable tant qu'il la deffendra. Elle le deviendroit 5 s'il venoit à la combattre. Ce seroit un coup sûr, et presque le seul moyen de l'établir et de destruire le Molinisme, tant il porte de malheur aux opinions qu'il embrasse.

Laissons donc là leurs differens. Ce sont des disputes de Theologiens, et non pas de Theologie. Nous, qui ne sommes 10 point Docteurs, n'avons que faire à leurs démeslez. Apprenez des nouvelles de la Censure à tous nos amis ; et aymez-moy autant que je suis,

Monsieur,

Vostre tres-humble et tres-obeïssant serviteur,

E.A.A.B.P.A.F.D.E.P.

QUATRIÉME LETTRE

ESCRITE A UN PROVINCIAL

PAR UN DE SES AMIS.

De Paris, ce 25 Février 1656.

MONSIEUR,

Il n'est rien tel que les Jesuites. J'ay bien veu des Jacobins, des Docteurs et de toute sorte de gens, mais une pareille visite manquoit à mon instruction. Les autres ne font que les copier. Les choses valent tousjours mieux dans leur 5 source. J'en ay donc veu un des plus habiles, et j'y estois accompagné de mon fidele Janseniste qui fut avec moy aux Jacobins. Et comme je souhaittois particulierement d'estre éclaircy sur le sujet d'un different qu'ils ont avec les Jansenistes touchant ce qu'ils appellent *la grace actuelle*, je dis à 10 ce bon Pere ; Que je luy serois fort obligé s'il vouloit m'en instruire, que je ne sçavois pas seulement ce que ce terme signifioit, et je le priay de me l'expliquer. Tres volontiers, me dit-il, car j'aime les gens curieux ; En voici la definition : nous appelons *grace actuelle une inspiration de Dieu par* 15 *laquelle il nous fait connoistre sa volonté, et par laquelle il nous excite à la vouloir accomplir.* Et en quoy, luy dis-je, estes-vous en dispute avec les Jansenistes sur ce sujet ? C'est, me respondit-il, en ce que nous voulons que Dieu donne des graces actuelles à tous les hommes à chaque 20 tentation, parce que nous soustenons que, si l'on n'avoit pas à chaque tentation la grace actuelle pour n'y point pecher, quelque peché que l'on commist, il ne pourroit jamais estre imputé. Et les Jansenistes disent au contraire, que les pechez commis sans grace actuelle ne laissent pas d'estre im-25 putez. Mais ce sont des resveurs. J'entrevoyois ce qu'il vouloit dire ; mais pour le luy faire encore expliquer plus clairement, je luy dis : Mon Pere, ce mot de *grace actuelle* me

Title. *om.* Escrite . . . amis *C.* 6. vint *C.* 11. et que je *C.* 12. *om.* et *C.*

broüille ; je n'y suis pas accoustumé ; si vous aviez la bonté de me dire la mesme chose sans vous servir de ce terme, vous m'obligeriez infiniment. Oüy, dit le Pere, c'est à dire que vous voulez que je substituë la definition à la place du definy ; cela ne change jamais le sens du discours, je le veux bien. 5 Nous soustenons donc comme un principe indubitable *qu'une action ne peut estre imputée à peché, si Dieu ne nous donne, avant que de la commettre, la connoissance du mal qui y est et une inspiration qui nous excite à l'éviter.* M'entendez-vous maintenant ? 10

Estonné d'un tel discours, selon lequel tous les pechez de surprise et ceux qu'on fait dans un entier oubly de Dieu ne pourroient estre imputez, je me tournay vers mon Janseniste, et je connus bien à sa façon qu'il n'en croyoit rien. Mais, comme il ne respondoit mot, je dis à ce Pere : Je 15 voudrois, mon Pere, que ce que vous dites fust bien veritable, et que vous en eussiez de bonnes preuves. En voulez-vous ? me dit-il aussi-tost. Je m'en vay vous en fournir, et des meilleures ; laissez-moy faire. Sur cela, il alla chercher ses livres. Et je dis cependant à mon amy : Y en a-t- 20 il quelqu'autre qui parle comme celui-cy ? Cela vous est-il si nouveau ? me respondit-il. Faites estat que jamais les Peres, les Papes, les Conciles, ni l'Escriture, ni aucun livre de pieté, mesme dans ces derniers temps, n'ont parlé de cette sorte ; mais que, pour des Casuistes, et des nouveaux Scho- 25 lastiques, il vous en apportera un beau nombre. Mais quoy, luy dis-je, je me moque de ces auteurs-là, s'ils sont contraires à la Tradition. Vous avez raison, me dit-il. Et à ces mots le bon Pere arriva chargé de livres ; et m'offrant le premier qu'il tenoit : Lisez, me dit-il, la Somme des Pechez 30 du Pere Bauny que voicy, et de la cinquieme edition encore, pour vous monstrer que c'est un bon livre. C'est dommage, me dit tout bas mon Janseniste, que ce livre là ait esté condamné à Rome, et par les Evesques de France. Voyez, me dit le Pere, la page 906. Je leus donc, et je trouvay ces 35 paroles : *Pour pecher et se rendre coupable devant Dieu, il faut sçavoir que la chose qu'on veut faire ne vaut rien, ou au moins en douter, craindre, ou bien juger que Dieu ne prend plaisir à l'action à laquelle on s'occupe, qu'il la defend, et nonobstant la faire, franchir le sault, et passer outre.* 40

13. imputez, puis qu'avant de les commettre on n'a ny la connoissance du mal qui y est ny la pensée de l'eviter *C*. 15. resp. point *C*. 18. vas *B*.

Voila qui commence bien, luy dis-je: Voyez cependant, me dit-il, ce que c'est que l'envie! C'estoit sur cela que M. Hallier, avant qu'il fut de nos amis, se mocquoit du P. Bauny, et luy appliquoit ces paroles. *Ecce qui tollit* 5 *peccata mundi; Voila celuy qui oste les pechez du monde.* Il est vray, luy dis-je, que voila une redemption toute nouvelle selon le P. Bauny.

En voulez-vous, adjousta-t-il, une autorité plus authentique? Voyez ce livre du P. Annat. C'est le dernier qu'il a 10 fait contre M. Arnaud; lisez la page 34, où il y a une oreille, et voyez les lignes que j'ay marquées avec du crayon; elles sont toutes d'or. Je leus donc ces termes. *Celuy qui n'a aucune pensée de Dieu ni de ses pechez, ny aucune apprehension* c'est à dire, à ce qu'il me fit entendre, aucune con-15 noissance, *de l'obligation d'exercer des actes d'amour de Dieu ou de contrition, n'a aucune grace actuelle pour exercer ces actes, mais il est vray aussi qu'il ne fait aucun peché en les omettant, et que, s'il est damné, ce ne sera pas en punition de cette omission.* Et quelques lignes plus bas: *Et on peut* 20 *dire la mesme chose d'une coupable commission.*

Voyez-vous, me dit le Pere, comment il parle des pechez d'omission, et de ceux de commission. Car il n'oublie rien: qu'en dites-vous? O que cela me plaist! luy respondis-je, que j'en vois de belles consequences! Je perce desja dans 25 les suittes: que de mysteres s'offrent à moy! Je vois sans comparaison plus de gens justifiez par cette ignorance et cet oubly de Dieu, que par la Grace et les Sacremens. Mais mon Pere, ne me donnez-vous point une fausse joye? N'est-ce point icy quelque chose de semblable à cette *suffisance* qui 30 ne suffit pas? J'apprehende furieusement le *Distinguo*. J'y ay esté desja attrapé; parlez-vous sincerement? Comment? dit le Pere en s'eschauffant: Il n'en faut pas railler. Il n'y a point icy d'equivoque. Je n'en raille pas, luy dis-je; mais c'est que je crains à force de desirer.

35 Voyez donc, me dit-il, pour vous en mieux assurer, les escrits de Monsieur le Moyne, qui l'a enseigné en pleine Sorbonne. Il l'a appris de nous à la verité, mais il l'a bien demeslé. O qu'il l'a fortement estably! Il enseigne que, pour faire qu'une action *soit peché*, il faut que *toutes ces* 40 *choses se passent dans l'ame.* Lisez, et pesez chaque mot. Je leus donc en latin ce que vous verrez icy en François. 1. *D'une part Dieu respand dans l'ame quelque amour qui*

3. fust *C.* 31. déjà esté *C.*

la panche vers la chose commandée, et de l'autre part la concupiscence rebelle la sollicite au contraire. 2. *Dieu luy inspire la connoissance de sa foiblesse.* 3. *Dieu luy inspire la connoissance du Medecin qui la doit guerir.* 4. *Dieu luy inspire le desir de sa guerison.* 5. *Dieu luy inspire le desir de* 5 *le prier et d'implorer son secours.*

Et si toutes ces choses ne se passent dans l'ame, dit le Jesuite, l'action n'est pas proprement peché, et ne peut estre imputée, comme M. le Moyne le dit en ce mesme endroit, et dans toute la suitte. 10

En voulez-vous encore d'autres autoritez? En voicy: Mais toutes modernes, me dit doucement mon Janseniste. Je le voy bien, dis-je; et, en m'adressant à ce Pere, je luy dis. O mon Pere, le grand bien que voicy pour des gens de ma connoissance; il faut que je vous les amene. Peut-estre 15 n'en avez-vous gueres veu qui ayent moins de pechez, car ils ne pensent jamais à Dieu; les vices ont prevenu leur raison. *Ils n'ont jamais connu ny leur infirmité, ny le Medecin qui la peut guerir. Ils n'ont jamais pensé à desirer la santé de leur ame, et encore moins à prier Dieu de la leur donner:* 20 de sorte qu'ils sont encore dans l'innocence baptismale, selon M. le Moyne. *Ils n'ont jamais eu de pensée d'aymer Dieu, ny d'estre contrits de leurs pechez*, de sorte que, selon le P. Annat, ils n'ont commis aucun peché par le defaut de Charité et de Penitence: leur vie est dans une recherche continuelle 25 de toutes sortes de plaisirs, dont jamais le moindre remors n'a interrompu le cours. Tous ces excez me faisoient croire leur perte assurée. Mais, mon Pere, vous m'apprenez que ces mesmes excez rendent leur salut assuré. Beny soyez-vous mon Pere, qui justifiez ainsi les gens! Les autres ap- 30 prennent à guerir les ames par des austeritez penibles: mais vous monstrez que celles qu'on auroit crû le plus desesperément malades se portent bien. O la bonne voye pour estre heureux en ce monde et en l'autre! J'avois tousjours pensé qu'on pechast d'autant plus qu'on pensoit le moins à Dieu; 35 mais, à ce que je vois, quand on a pû gaigner une fois sur soy de n'y plus penser du tout, toutes choses deviennent pures pour l'avenir. Point de ces pecheurs à demy, qui ont quelque amour pour la vertu: ils seront tous damnez, ces demy-pecheurs. Mais pour ces francs pecheurs, pecheurs endurcis, 40 pecheurs sans meslange, pleins et achevez, l'Enfer ne les

21. inn. du baptesme *C*. 35. pechoit *C*.

tient pas : ils ont trompé le diable à force de s'y abandonner.

Le bon Pere, qui voyoit assez clairement la liaison de ces consequences avec son principe, s'en eschapa adroitement, et 5 sans se fascher, ou par douceur ou par prudence, il me dit seulement : Afin que vous entendiez comment nous sauvons ces inconveniens, sçachez que nous disons bien, que ces impies dont vous parlez seroient sans peché, s'ils n'avoient jamais eu de pensées de se convertir, ny de desirs de se 10 donner à Dieu. Mais nous soustenons qu'ils en ont tous : et que Dieu n'a jamais laissé pecher un homme sans luy donner auparavant la veuë du mal qu'il va faire, et le desir, ou d'eviter le peché, ou au moins d'implorer son assistance pour le pouvoir eviter, et il n'y a que les Jansenistes qui 15 disent le contraire.

Et quoy, mon Pere, luy repartis-je, est-ce là l'heresie des Jansenistes, de nier qu'à chaque fois qu'on fait un peché il vient un remords troubler la conscience, malgré lequel on ne laisse pas de *franchir le sault et de passer outre*, comme dit 20 le Pere Bauny? C'est une assez plaisante chose d'estre Heretique pour cela. Je croyois bien qu'on fust damné pour n'avoir pas de bonnes pensées, mais qu'on le soit pour ne pas croire que tout le monde en a, vrayement je ne le pensois pas. Mais mon Pere, je me tiens obligé en conscience 25 de vous desabuser, et de vous dire qu'il y a mille gens qui n'ont point ces desirs ; qui pechent sans regret, qui pechent avec joye, qui en font vanité. Et qui peut en sçavoir plus de nouvelles que vous? Il n'est pas que vous ne confessiez quelqu'un de ceux dont je parle ; car c'est parmy les person- 30 nes de grande qualité qu'il s'en rencontre d'ordinaire. Mais prenez garde, mon Pere, aux dangereuses suittes de vostre maxime. Ne remarquez-vous pas quel effet elle peut faire dans ces libertins qui ne cherchent qu'à douter de la Religion? Quel pretexte leur en offrez-vous, quand vous leur 35 dites comme une verité de foy qu'ils sentent à chaque peché qu'ils commettent un avertissement et un desir interieur de s'en abstenir? Car n'est-il pas visible qu'estant convaincus par leur propre experience de la fausseté de vostre doctrine en ce poinct que vous dites estre de foy, ils en estendront la 40 consequence à tous les autres? Ils diront que si vous n'estes pas veritables en un article, vous estes suspects en tous : et ainsi vous les obligerez à conclure ou que la Religion est fausse, ou du moins que vous en estes mal instruits.

Mais mon second, soustenant mon discours, luy dit : Vous feriez bien, mon Pere, pour conserver vostre doctrine, de n'expliquer pas aussi nettement que vous nous avez fait ce que vous entendez par *grace actuelle.* Car comment pourriez-vous declarer ouvertement sans perdre toute creance 5 dans les esprits : *Que personne ne peche qu'il n'ayt auparavant la connoissance de son infirmité, celle du Medecin, le desir de la guerison et celuy de la demander à Dieu ?* Croira-t-on, sur vostre parole, que ceux qui sont plongez dans l'avarice, dans l'impudicité, dans les blasphemes, dans le 10 duel, dans la vengeance, dans les vols, dans les sacrileges, ayent des veritables desirs d'embrasser la chasteté, l'humilité, et les autres vertus Chrestiennes ?

Pensera-t-on que ces Philosophes qui vantoient si hautement la puissance de la nature en connussent l'infirmité et 15 le Medecin ? Direz-vous que ceux qui soustenoient comme une maxime assurée *que Dieu ne donne point la vertu, et qu'il ne s'est jamais trouvé personne qui la luy ait demandée,* pensassent à la luy demander eux-mesmes ?

Qui pourra croire que les Epicuriens, qui nioient la pro- 20 vidence Divine, eussent des mouvemens de prier Dieu ? eux qui disoient que c'estoit luy faire injure de l'implorer dans nos besoins, comme s'il eust esté capable de s'amuser à penser à nous.

Et enfin comment s'imaginer que les Idolatres et les 25 Athées ayent, dans toutes les tentations qui les portent au peché, c'est à dire une infinité de fois en leur vie, le desir de prier le veritable Dieu qu'ils ignorent, de leur donner les veritables vertus qu'ils ne connoissent pas ?

Oüy, dit le bon Pere, d'un ton resolu, nous le dirons, et 30 plustost que de dire qu'on peche sans avoir la veuë que l'on fait mal et le desir de la vertu contraire, nous soustiendrons que tout le monde, et les Impies et les Infideles, ont ces inspirations et ces desirs à chaque tentation. Car vous ne sçauriez me monstrer, au moins par l'Escriture, que cela 35 ne soit pas.

Je pris la parole à ce discours, pour luy dire : Et quoy, mon Pere, faut-il recourir à l'Escriture pour monstrer une chose si claire ? Ce n'est pas icy un point de foy, ni mesme de raisonnement. C'est une chose de fait. Nous le voyons, 40 nous le sçavons, nous le sentons.

12. ayent veritablement le desir *C.* 17. ce n'est pas Dieu qui donne *C.* 28. vray Dieu . . . vrayes vertus *C.*

Mais mon Janseniste, se tenant dans les termes que le Pere avait prescrits, luy dit ainsi : Si vous voulez, mon Pere, ne vous rendre qu'à l'Escriture, j'y consens : mais au moins ne luy resistez pas, et puis qu'il est escrit *que* 5 *Dieu n'a pas revelé ses jugemens aux Gentils, et qu'il les a laissez errer dans leurs voyes*, ne dites pas que Dieu a éclairé ceux que les Livres sacrez nous assurent *avoir esté abandonnez dans les tenebres et dans l'ombre de la mort.*

Ne vous suffit-il pas, pour entendre l'erreur de vostre 10 principe, de voir que S. Paul se dit *le premier des Pecheurs* pour un peché qu'il declare avoir commis *par ignorance et avec zele* ?

Ne suffit-il pas de voir par l'Evangile que ceux qui crucifioient J.-C. avoient besoin du pardon qu'il demandoit 15 pour eux, quoy qu'ils ne connussent point la malice de leur action : et qu'ils ne l'eussent jamais faite, selon S. Paul, s'ils en eussent eu la connoissance ?

Ne suffit-il pas que Jesus-Christ nous avertisse qu'il y aura des persecuteurs de l'Eglise qui croiront rendre ser-20 vice à Dieu en s'efforçant de la ruïner, pour nous faire entendre que ce peché, qui est le plus grand de tous selon l'Apostre, peut estre commis par ceux qui sont si esloignez de sçavoir qu'ils pechent, qu'ils croiroient pecher en ne le faisant pas ? Et enfin ne suffit-il pas que Jesus-Christ luy 25 mesme nous ayt appris qu'il y a deux sortes de pecheurs, dont les uns pechent avec connoissance, et les autres sans connoissance, et qu'ils seront tous chastiez, quoy qu'à la verité differemment ?

Le bon Pere pressé par tant de tesmoignages de l'Escri-30 ture, à laquelle il avoit eu recours, commença à lascher le pied et, laissant pecher les Impies sans inspiration, il nous dit : Au moins vous ne nierez pas que les justes ne pechent jamais sans que Dieu leur donne . . . Vous reculez, luy dis-je en l'interrompant, vous reculez, mon Pere, et vous 35 abandonnez le principe general, et, voyant qu'il ne vaut plus rien à l'esgard des pecheurs, vous voudriez entrer en composition, et le faire au moins subsister pour les justes. Mais, cela estant, j'en voy l'usage bien raccourcy, car il ne servira plus à gueres de gens. Et ce n'est quasi pas la 40 peine de vous le disputer.

Mais mon second, qui avoit, à ce que je croy, estudié toute cette question le matin mesme, tant il étoit prest sur

26. *om.* et l. a. s. connoissance *C.* 34. *om.* et *C.*

tout, luy respondit : Voilà, mon Pere, le dernier retranchement où se retirent ceux de vostre party qui ont voulu entrer en dispute ; mais vous y estes aussi peu en assurance. L'exemple des justes ne vous est pas plus favorable. Qui doute qu'ils ne tombent souvent dans des pechez de 5 surprise sans qu'ils s'en apperçoivent ? N'apprenons-nous pas des Saints mesmes combien la concupiscence leur tend de pieges secrets, et combien il arrive ordinairement que, quelques sobres qu'ils soient, ils donnent à la volupté ce qu'ils pensent donner à la seule necessité, comme S. Au- 10 gustin le dit de soy-mesme dans ses Confessions ?

Combien est-il ordinaire de voir les plus zelez s'emporter dans la dispute à des mouvemens d'aigreur pour leur propre interest, sans que leur conscience leur rende sur l'heure d'autre tesmoignage, sinon qu'ils agissent de la 15 sorte pour le seul interest de la verité, et sans qu'ils s'en apperçoivent quelquefois que long temps apres !

Mais que dira-t-on de ceux qui se portent avec ardeur à des choses effectivement mauvaises, parce qu'ils les croyent effectivement bonnes, comme l'histoire Ecclesias- 20 tique en donne des exemples : ce qui n'empesche pas, selon les Peres, qu'ils n'ayent peché dans ses occasions ?

Et sans cela comment les Justes auroient-ils des pechez cachez ? comment seroit-il veritable que Dieu seul en connoist et la grandeur et le nombre, que personne ne sçait 25 s'il est digne d'amour ou de haine, et que les plus Saints doivent tousjours demeurer dans la crainte et dans le tremblement, quoy qu'ils ne se sentent coupables en aucune chose, comme S. Paul le dit de luy-mesme ?

Concevez donc, mon Pere, que les exemples et des justes 30 et des pecheurs renversent également cette necessité que vous supposez pour pecher, de connoistre le mal et d'aimer la vertu contraire, puisque la passion que les impies ont pour les vices tesmoigne assez qu'ils n'ont aucun desir pour la vertu : et que l'amour que les Justes ont pour la vertu 35 tesmoigne hautement qu'ils n'ont pas tousjours la connoissance des pechez qu'ils commettent chaque jour, selon l'Escriture.

Et il est si veritable que les Justes pechent en cette sorte, qu'il est rare que les grands Saints pechent autrement. Car 40 comment pourroit-on concevoir que ces ames si pures, qui fuyent avec tant de soin et d'ardeur les moindres choses qui

39. vray C.

peuvent déplaire à Dieu aussi-tost qu'elles s'en apperçoivent,
et qui pechent neantmoins plusieurs fois chaque jour, eussent
à chaque fois, avant que de tomber, *la connoissance de leur
infirmité en cette occasion, celle du Medecin, le desir de leur
5 santé, et celuy de prier Dieu de les secourir*, et que, malgré
toutes ces inspirations, ces âmes si zelées *ne laissassent pas
de passer outre*, et de commettre le peché ?

Concluez donc, mon Pere, que ny les pecheurs, ny mesme
les plus justes n'ont pas tousjours ces connoissances, ces
10 desirs, et toutes ces inspirations toutes les fois qu'ils pechent,
c'est à dire, pour user de vos termes, qu'ils n'ont pas tousjours la grace actuelle, dans toutes les occasions où ils
pechent. Et ne dites plus avec vos nouveaux auteurs qu'il
est impossible qu'on peche quand on ne connoist pas la
15 justice ; mais dites plustost avec S. Augustin et les anciens
Peres qu'il est impossible qu'on ne peche pas quand on ne
connoist pas la justice : *Necesse est ut peccet à quo ignoratur
justitia.*

Le bon Pere se trouvant aussi empesché de soustenir son
20 opinion au regard des justes qu'au regard des pecheurs, ne
perdit pas pourtant courage. Et apres avoir un peu resvé :
Je m'en vas bien vous convaincre, nous dit-il. Et, repre-
nant son Pere Bauny à l'endroit mesme qu'il nous avoit
monstré : Voyez, voyez la raison sur laquelle il establit sa
25 pensée. Je sçavais bien qu'il ne manquoit pas de bonnes
preuves. Lisez ce qu'il cite d'Aristote ; et vous verrez
qu'apres une autorité si expresse, il faut brusler les livres
de ce Prince des Philosophes, ou estre de nostre opinion.
Escoutez donc les principes qu'establit le Pere Bauny. Il
30 dit premierement *qu'une action ne peut estre imputée à blasme
lors qu'elle est involontaire.* Je l'avoüe, luy dit mon amy.
Voilà la premiere fois, leur dis-je, que je vous ay veus
d'accord. Tenez-vous-en là, mon Pere, si vous m'en croyez.
Ce ne seroit rien faire, me dit-il. Car il faut sçavoir quelles
35 sont les conditions necessaires pour faire qu'une action soit
volontaire. J'ay bien peur, respondis-je, que vous ne vous
broüillez là dessus. Ne craignez point, dit-il, cecy est seur.
Aristote est pour moy. Escoutez bien ce que dit le Pere
Bauny : *Afin qu'une action soit volontaire, il faut qu'elle
40 procede d'homme qui voye, qui sçache, qui penetre ce qu'il
y a de bien et de mal en elle. Voluntarium est, dit-on
communement avec le Philosophe* (vous sçavez bien que
c'est Aristote, me dit-il, en me serrant les doigts) *quod fit à*

principio cognoscente singula in quibus est actio : si bien que, quand la volonté, à la volée et sans discussion, se porte à vouloir ou abhorrer, faire ou laisser quelque chose, avant que l'entendement ait pû voir s'il y a du mal à la vouloir ou à la fuir, la faire, ou la laisser, telle action n'est ny bonne 5 *ny mauvaise, d'autant qu'avant cette perquisition, cette veuë et reflexion de l'esprit dessus les qualitez bonnes ou mauvaises de la chose à laquelle l'on s'occupe, l'action avec laquelle on la fait n'est volontaire.*

Et bien, me dit le Pere, estes-vous content? Il semble, 10 repartis-je, qu'Aristote est de l'avis du Pere Bauny; mais cela ne laisse pas de me surprendre. Quoy, mon Pere, il ne suffit pas pour agir volontairement qu'on sçache ce que l'on fait, et qu'on ne le fasse que parce qu'on le veut faire? mais il faut de plus *que l'on voye, que l'on sçache, et que l'on* 15 *penetre ce qu'il y a de bien et de mal dans cette action?* Si cela est, il n'y a gueres d'actions volontaires dans la vie; car on ne pense gueres à tout cela. Que de juremens dans le jeu, que d'excez dans les débauches, que d'emportemens dans le Carnaval, qui ne sont point volontaires, et par con- 20 sequent ny bons ne mauvais, pour n'estre point accompagnez de ces *reflexions d'esprit sur les qualitez bonnes ou mauvaises* de ce que l'on fait! Mais est-il possible, mon Pere, qu'Aristote ait eu cette penseé? Car j'avois oüy dire que c'estoit un habile homme. Je m'en vas vous en esclaircir, me dit mon 25 Janseniste. Et, ayant demandé au Pere la Morale d'Aristote, il l'ouvrit au commencement du troisieme livre, d'où le Pere Bauny a pris les paroles qu'il en rapporte, et dit à ce bon Pere: Je vous pardonne d'avoir creu, sur la foy du Pere Bauny, qu'Aristote ait esté de ce sentiment. Vous auriez 30 changé d'avis si vous l'aviez leu vous-mesme. Il est bien vray qu'il enseigne *afin qu'une action soit volontaire, il faut connoistre les particularitez de cette action, singula in quibus est actio.* Mais qu'entend-il par là, sinon les circonstances particulieres de l'action, ainsi que les exemples qu'il en 35 donne le justifient clairement, n'en rapportant point d'autres que de ceux où l'on ignore quelqu'une de ces circonstances, comme *d'une personne qui, voulant monstrer une machine, en décoche un dard qui blesse quelqu'un; et de Merope, qui tua son fils en pensant tuer son ennemy*, et autres sem- 40 blables?

Vous voyez donc par là quelle est l'ignorance qui rend les actions involontaires, et que ce n'est que celle des circon-

stances particulieres, qui est appelée par les Theologiens, comme vous le sçavez fort bien, mon Pere, *l'ignorance du fait.* Mais quant à celle *du droit,* c'est-à-dire quant à l'ignorance du bien et du mal qui est en l'action, de laquelle seule il s'agit
5 icy, voyons si Aristote est de l'avis du P. Bauny. Voicy les paroles de ce Philosophe : *Tous les meschans ignorent ce qu'ils doivent faire et ce qu'ils doivent fuyr. Et c'est cela mesme qui les rend meschans et vitieux. C'est pourquoy on ne peut pas dire que, parce qu'un homme ignore ce qu'il est à*
10 *propos qu'il fasse pour satisfaire à son devoir, son action soit involontaire. Car cette ignorance dans le choix du bien et du mal ne fait pas qu'une action soit involontaire, mais seulement qu'elle est vitieuse. L'on doit dire la mesme chose de celuy qui ignore en general les regles de son devoir, puisque*
15 *cette ignorance rend les hommes dignes de blasme, et non d'excuse. Et ainsi l'ignorance qui rend les actions involontaires et excusables est seulement celle qui regarde le fait en particulier et ses circonstances singulieres. Car alors on pardonne à un homme, et on l'excuse, et on le considere comme*
20 *ayant agy contre son gré.*

Apres cela, mon Pere, direz-vous encore qu'Aristote soit de vostre opinion ? Et qui ne s'estonnera de voir qu'un Philosophe Payen ait esté plus esclairé que vos Docteurs, en une matiere aussi importante à toute la Morale et à la con-
25 duite mesme des ames qu'est la connoissance des conditions qui rendent les actions volontaires ou involontaires, et qui ensuitte les excusent ou ne les excusent pas de peché ? N'esperez donc plus rien, mon Pere, de ce Prince des Philosophes, et ne resistez plus au Prince des Theologiens, qui decide
30 ainsi ce poinct au l. 1. de ses Retr. c. 15 : *Ceux qui pechent par ignorance ne font leur action que parce qu'ils la veulent faire, quoy qu'ils pechent sans qu'ils veüillent pecher. Et ainsi ce peché mesme d'ignorance ne peut estre commis que par la volonté de celuy qui le commet, mais par une volonté qui*
35 *se porte à l'action, et non au peché : ce qui n'empesche pas neantmoins que l'action ne soit peché, parce qu'il suffit pour cela qu'on ait fait ce qu'on estoit obligé de ne point faire.*

La Pere me parut surpris, et plus encore du passage d'Aristote que de celuy de S. Augustin. Mais comme il
40 pensoit à ce qu'il devoit dire, on vint l'avertir que Madame la Mareschale de... et Madame la Marquise de... le demandoient. Et ainsi, en nous quittant à la haste : J'en parleray, dit-il, à nos Peres. Ils y trouveront bien quelque response.

Nous en avons icy de bien subtils. Nous l'entendismes bien ; et, quand je fus seul avec mon amy, je luy tesmoignay d'estre estonné du renversement que cette doctrine apportoit dans la Morale. A quoy il me respondit qu'il estoit bien estonné de mon estonnement. Ne sçavez-vous donc pas encore que leurs excez sont beaucoup plus grands dans la Morale que dans la doctrine ? Il m'en donna d'estranges exemples, et remit le reste à une autrefois. J'espere que ce que j'en apprendray sera le sujet de notre premier entretien.

Je suis, etc.

CINQUIÉME LETTRE

ESCRITTE A UN PROVINCIAL

PAR UN DE SES AMIS.

De Paris, le 20 Mars, 1656.

MONSIEUR,

Voicy ce que je vous ay promis. Voicy les premiers traits de la Morale des bons Peres Jesuites, *de ces hommes eminens en doctrine et en sagesse ; qui sont tous conduits par la sagesse divine, qui est plus asseurée que toute la Philo-*
5 *sophie.* Vous pensez peut-estre que je raille ; je le dis serieusement, ou plustost ce sont eux-mesmes qui le disent dans le livre intitulé *Imago primi saeculi.* Je ne fais que copier leurs paroles aussi bien que dans la suite de cét eloge. *C'est une societé d'hommes ou plustost d'Anges qui a esté*
10 *predite par Isaïe en ces paroles : Allez, Anges prompts et legers.* La prophetie n'en est-elle pas claire ? *Ce sont des esprits d'aigles ; c'est une troupe de phenix ; un autheur ayant monstré depuis peu qu'il y en a plusieurs. Ils ont changé la face de la Chrestienté.* Il le faut croire, puis qu'ils
15 le disent. Et vous l'allez bien voir dans la suite de ce discours, qui vous apprendra leurs maximes.

J'ay voulu m'en instruire de bonne sorte. Je ne me suis pas fié à ce que nostre amy m'en avoit appris. J'ay voulu les voir eux-mesmes. Mais j'ay trouvé qu'il ne m'avoit rien
20 dit que de vray. Je pense qu'il ne ment jamais. Vous le verrez par le recit de ces conferences.

Dans celle que j'eus avec luy il me dit de si plaisantes choses que j'avois peine à le croire ; mais il me les monstra dans les livres de ces Peres, de sorte qu'il ne me resta à dire
25 pour leur defense sinon que c'estoient les sentimens de quelques particuliers, qu'il n'estoit pas juste d'imputer au

Title. *om.* Escritte . . . amis *C.* 7. *om.* dans . . . saeculi *A.* 22. si estranges choses *C.*

Corps. Et en effet, je l'assuray que j'en connoissais qui sont aussi severes que ceux qu'il me citoit sont relaschez. Ce fut sur cela qu'il me découvrit l'esprit de la Societé, qui n'est pas connu de tout le monde, et vous serez peut-estre bien aise de l'apprendre. Voicy ce qu'il me dit. 5

Vous pensez beaucoup faire en leur faveur, de monstrer qu'ils ont de leurs Peres aussi conformes aux maximes Evangeliques, que les autres y sont contraires; et vous concluez de là que ces opinions larges n'appartiennent pas à toute la Société. Je le sçay bien. Car, si cela estoit, ils n'en 10 souffriroient pas qui y fussent si contraires. Mais, puis qu'ils en ont aussi qui sont dans une doctrine si licentieuse, concluez en de mesme que l'esprit de la Societé n'est pas celuy de la severité Chrestienne. Car, si cela estoit, ils n'en souffriroient pas qui y fussent si opposez. Et quoy, luy re- 15 spondis-je, quel peut donc estre le dessein du Corps entier? C'est sans doute qu'ils n'en ont aucun d'arresté, et que chacun a la liberté de dire à l'aventure ce qu'il pense? Cela ne peut pas estre, me respondit-il. Un si grand Corps ne subsisteroit pas dans une conduite temeraire et sans une 20 ame qui le gouverne et qui regle tous ses mouvemens; outre qu'ils ont un ordre particulier de ne rien imprimer sans l'aveu de leurs Superieurs. Mais quoy, luy dis-je, comment les mesmes Superieurs peuvent-ils consentir à des maximes si differentes? C'est ce qu'il faut vous apprendre, 25 me repliqua-t-il.

Sçachez donc que leur objet n'est pas de corrompre les mœurs: ce n'est pas leur dessein; Mais ils n'ont pas aussi pour unique but celuy de les reformer. Ce seroit une mauvaise politique. Voicy quelle est leur pensée. Ils ont assez 30 bonne opinion d'eux-mesmes pour croire qu'il est utile et comme necessaire au bien de la Religion que leur credit s'estende partout, et qu'ils gouvernent toutes les consciences. Et, parce que les maximes Evangeliques et severes sont propres pour gouverner quelques sortes de personnes, ils 35 s'en servent dans ces occasions où elles leur sont favorables. Mais, comme ces mesmes maximes ne s'accordent pas au dessein de la pluspart des gens, ils les laissent à l'égard de ceux-là afin d'avoir de quoy satisfaire tout le monde.

C'est pour cette raison qu'ayant affaire à des personnes 40 de toutes sortes de conditions, et de nations si differentes,

40. à faire *C.*

il est necessaire qu'ils ayent des Casuistes assortis à toute cette diversité.

De ce principe vous jugez aisément que, s'ils n'avoient que des Casuistes relâchez, ils ruïneroient leur principal
5 dessein, qui est d'embrasser tout le monde, puisque ceux qui sont veritablement pieux cherchent une conduite plus seure. Mais, comme il n'y en a pas beaucoup de cette sorte, ils n'ont pas besoin de beaucoup de directeurs severes pour les conduire. Ils en ont peu pour peu ; au lieu que la foule
10 des Casuistes relaschez s'offre à la foule de ceux qui cherchent le relaschement.

C'est par cette conduite *obligeante et accommodante*, comme l'appelle le P. Petau, qu'ils tendent les bras à tout le monde. Car, s'il se presente à eux quelqu'un qui soit tout
15 resolu de rendre des biens mal acquis, ne craignez pas qu'ils l'en destournent. Ils loüeront au contraire et confirmeront une si sainte resolution. Mais qu'il en vienne un autre qui veuille avoir l'absolution sans restituer, la chose sera bien difficile s'ils n'en fournissent des moyens dont ils se rendront
20 les garans.

Par là ils conservent tous leurs amis, et se defendent contre tous leurs ennemis. Car, si on leur reproche leur extreme relaschement, ils produisent incontinent au public leurs Directeurs austeres, et quelques livres qu'ils ont faits
25 de la rigueur de la loy Chrestienne ; et les simples, et ceux qui n'approfondissent pas plus avant les choses, se contentent de ces preuves.

Ainsi ils en ont pour toutes sortes de personnes, et respondent si bien selon ce qu'on leur demande que, quand ils se
30 trouvent en des païs où un Dieu crucifié passe pour folie, ils suppriment le scandale de la Croix, et ne preschent que Jesus-Christ glorieux, et non pas Jesus-Christ souffrant : comme ils ont fait dans les Indes et dans la Chine, où ils ont permis aux Chrestiens l'idolatrie mesme par cette subtile
35 invention de leur faire cacher sous leurs habits une image de Jesus-Christ, à laquelle ils leur enseignent de rapporter mentalement les adorations publiques qu'ils rendent à l'Idole Chacim-choan et à leur Keum-fucum, comme Gravina, Dominicain, le leur reproche, et comme le tesmoigne le
40 Memoire en Espagnol presenté au Roy d'Espagne Philippe IV. par les Cordeliers des Isles Philippines, rapporté par Thomas Hurtado dans son livre du *Martyre de la Foy*, page

24. avec quelques *C.*   38. *om.* à *ABC.*

427. De telle sorte que la Congregation des Cardinaux *de Propaganda fide* fut obligée de defendre particulierement aux Jesuites, sur peine d'excommunication, de permettre des adorations d'Idole sous aucun pretexte, et de cacher le mystere de la Croix à ceux qu'ils instruisent de la Religion; 5 leur commandant expressement de n'en recevoir aucun au Baptesme qu'apres cette connoissance, et d'exposer dans leurs Eglises l'image du Crucifix, comme il est porté amplement dans le Decret de cette Congregation donné le 9 juillet 1646, signé par le Cardinal Caponi. 10

Voila de quelle sorte ils se sont répandus par toute la terre à la faveur *de la doctrine des opinions probables*, qui est la source et la baze de tout ce déreglement. C'est ce qu'il faut que vous appreniez d'eux-mesmes. Car ils ne le cachent à personne, non plus que tout ce que vous venez d'entendre, 15 avec cette difference qu'ils couvrent leur prudence humaine et politique du pretexte d'une prudence divine et Chrestienne comme si la foy, et la Tradition, qui la maintient, n'estoit pas toûjours une et invariable dans tous les temps et dans tous les lieux, comme si c'estoit à la regle à se flechir pour 20 convenir au sujet qui doit luy estre conforme, et comme si les ames n'avoient pour se purifier de leurs taches qu'à corrompre la loy du Seigneur; au lieu *que la loy du Seigneur, qui est sans tache et toute sainte, est celle qui doit convertir les ames*, et les conformer à ses salutaires instructions. 25

Allez donc, je vous prie, voir ces bons Peres, et je m'assure que vous remarquerez aisément dans le relaschement de leur Morale la cause de leur doctrine touchant la grace. Vous y verrez les vertus Chrestiennes si inconnuës et si dépourveuës de la charité, qui en est l'ame et la vie, vous y verrez tant 30 de crimes palliez et tant de desordres soufferts, que vous ne trouverez plus estrange qu'ils soustiennent que tous les hommes ont toûjours assez de grace pour vivre dans la pieté de la maniere qu'ils l'entendent. Comme leur Morale est toute Payenne, la nature suffit pour l'observer. Quand nous 35 soustenons la necessité de lá grace efficace, nous luy donnons d'autres vertus pour objet. Ce n'est pas simplement pour guerir les vices par d'autres vices; ce n'est pas seulement pour faire pratiquer aux hommes les devoirs exterieurs de la Religion; c'est pour une vertu plus haute que celle des 40 Pharisiens et des plus sages du Paganisme. La loy et la raison sont des graces suffisantes pour ces effets. Mais, pour

7. leur ordonnant exp. *C.* 16. seule difference *C.*

dégager l'ame de l'amour du monde, pour la retirer de ce qu'elle a de plus cher, pour la faire mourir à soy-mesme, pour la porter et l'attacher uniquement et invariablement à Dieu, ce n'est l'ouvrage que d'une main toute puissante. Et
5 il est aussi peu raisonnable de pretendre que l'on a toûjours un plein pouvoir, qu'il le seroit de nier que ces vertus destituées d'amour de Dieu, lesquelles ces bons Peres confondent avec les vertus Chrestiennes, ne sont pas en nostre puissance.

Voila comment il me parla, et avec beaucoup de douleur;
10 car il s'afflige serieusement de tous ces desordres. Pour moy, j'estimay ces bons Peres de l'excellence de leur Politique; et je fus selon son conseil, trouver un bon Casuiste de la Societé. C'est une de mes anciennes connoissances que je voulus renouveller exprez. Et comme j'estois instruit
15 de la maniere dont il les faut traiter, je n'eus pas peine à le mettre en train. Il me fit d'abord mille caresses, car il m'ayme toûjours, et, apres quelques discours indifferens, je pris occasion du temps où nous sommes, pour apprendre de luy quelque chose sur le jeusne, afin d'entrer insensiblement
20 en matiere. Je luy tesmoignay donc que j'avois bien de la peine à le supporter. Il m'exhorta à me faire violence; mais comme je continuay à me plaindre, il en fut touché, et se mit à chercher quelque cause de dispense. Il m'en offrit en effet plusieurs qui ne me convenoient point, lorsqu'il s'avisa
25 enfin de me demander si je n'avois pas de peine à dormir sans souper. Oüy, luy dis-je, mon Pere, et cela m'oblige souvent à faire collation à midy, et à souper le soir. Je suis bien aise, me repliqua-t-il, d'avoir trouvé ce moyen de vous soulager sans peché: Allez, vous n'estes point obligé
30 à jeusner. Je ne veux pas que vous m'en croyez; venez à la Bibliotheque. J'y fus; et là, en prenant un livre: En voicy la preuve, me dit-il, et Dieu sçait quelle! C'est Escobar. Qui est Escobar, luy dis-je, mon Pere?

Quoy, vous ne sçavez pas qui est Escobar, de nostre Societé,
35 qui a compilé cette Theologie Morale de 24 de nos Peres, surquoy il fait dans la preface une Allegorie de ce livre à *celuy de l'Apocalypse qui estoit scellé de sept sceaux.* Et il dit *que* Jesus *l'offre ainsi scellé aux quatre animaux Suarez, Vasquez, Molina, Valentia, en presence de 24 Jesuites qui*
40 *representent les 24 vieillards.* Il leut toute cette Allegorie, qu'il trouvoit bien juste, et par où il me donnoit une grande idée de l'excellence de cette ouvrage. Ayant ensuitte cherché

15. falloit *C.* 20. *om.* bien *C.* 42. cet *ABC.*

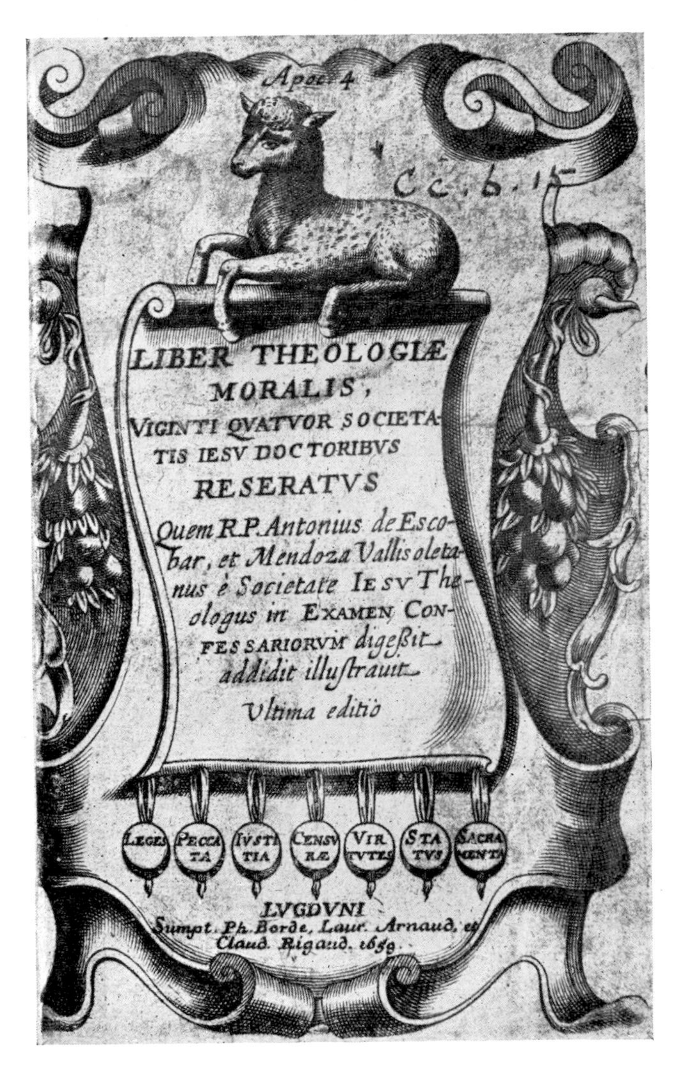
Apoc. 4

LIBER THEOLOGIÆ
MORALIS,
VIGINTI QVATVOR SOCIETA-
TIS IESV DOCTORIBVS
RESERATVS

Quem R.P. Antonius de Escobar, et Mendoza Vallisoleta-
nus è Societate IESV The-
ologus in EXAMEN CON-
FESSARIORVM digeßit
addidit illustrauit

Vltima editiò

LEGES | PECCATA | IVSTITIA | CENSVRÆ | VIRTVTES | STATVS | SACRAMENTA

LVGDVNI
Sumpt. Ph. Borde, Laur. Arnaud, et
Claud. Rigaud. 1659.

III. REDUCED FACSIMILE OF THE TITLE-PAGE OF ESCOBAR

son passage du jeusne : Le voicy, me dit-il au tr. 1, Ex. 13, n. 67 : *Celuy qui ne peut dormir s'il n'a soupé, est-il obligé de jeusner ? Nullement.* N'estes-vous pas content ? Non pas tout à fait, luy dis-je, car je puis bien supporter le jeusne en faisant collation le matin et soupant le soir. Voyez donc 5 la suite, me dit-il, ils ont pensé à tout : *Et que dira-t-on si on peut bien se passer d'une collation le matin en soupant le soir ?* Me voilà. *On n'est point encore obligé à jeusner. Car personne n'est obligé à changer l'ordre de ses repas.* O la bonne raison ! luy dis-je. Mais, dites-moy, continua-t-il, 10 usez-vous beaucoup de vin ? Non, mon Pere, luy dis-je, je ne le puis souffrir. Je vous disois cela, me respondit-il pour vous avertir que vous en pourriez boire le matin, et quand il vous plairoit, sans rompre le jeusne, et cela soûtient toûjours. En voicy la decision au mesme lieu n. 75 : *Peut-* 15 *on, sans rompre le jeusne, boire du vin à telle heure qu'on voudra, et mesme en grande quantité ? On le peut, et mesme de l'hypocras.* Je ne me souvenois pas de cét hypocras, dit-il ; il faut que je le mette sur mon recueil. Voilà un honneste homme, luy dis-je, qu'Escobar. Tout le monde l'ayme, 20 respondit le Pere. Il fait de si jolies questions. Voyez celle-cy, qui est au mesme endroit num. 38 : *Si un homme doute qu'il ait 21 ans, est-il obligé de jeusner ? Non. Mais, si j'ay 21 ans cette nuit à une heure apres minuit, et qu'il soit demain jeusne, seroy-je obligé de jeusner demain ? Non.* 25 *Car vous pourriez manger autant qu'il vous plairoit depuis minuit jusqu'à une heure, puis que vous n'auriez pas encore 21 ans : et ainsi, ayant droit de rompre le jeusne, vous n'y estes pas obligé.* O que cela est divertissant ! luy dis-je. On ne s'en peut tirer, me respondit-il ; je passe les jours et les 30 nuits à le lire, je ne fais autre chose. Le bon Pere, voyant que j'y prenois plaisir, en fut ravy, et continuant : Voyez, dit-il, encore ce trait de Filiutius, qui est un de ces 24. Jesuites, To. 2, tr. 27, Part. 2, c. 6, n. 123 : *Celuy qui s'est fatigué à quelque chose, comme à poursuivre une fille, ad perse-* 35 *quendam amicam, est-il obligé de jeusner ? Nullement. Mais, s'il s'est fatigué exprez pour estre par là dispensé du jeusne, y sera-t-il tenu ? Encore qu'il ait eu ce dessein formé, il n'y sera point obligé.* Eh bien, l'eussiez-vous creu ? me dit-il. En verité, mon Pere, luy dis-je, je ne le croy 40

1. *om.* au tr. 67 and the chapter and verse of all references to the Casuists in this Letter *A*. 11. de beaucoup *A*. 29. point *AB*. 35. *om.* ad . . . amicam *A*.

pas bien encore. Et quoy, n'est-ce pas un peché de ne pas jeusner quand on le peut? Et est-il permis de rechercher les occasions de pecher, ou plustost n'est-on pas obligé de les fuir? Cela seroit assez commode. Non pas toûjours, me
5 dit-il, c'est selon. Selon quoy? luy dis-je. Hoho, repartit le Pere: Et si on recevoit quelque incommodité en fuyant les occasions, y seroit-on obligé, à vostre avis? Ce n'est pas au moins celuy du P. Bauny, que voicy Pa. 1084: *On ne doit pas refuser l'absolution à ceux qui demeurent dans les oc-*
10 *casions prochaines du peché, s'ils sont en tel estat qu'ils ne puissent les quitter sans donner sujet au monde de parler, ou sans qu'ils en receussent eux-mesmes de l'incommodité.* Je m'en réjoüis, mon Pere; il ne reste plus qu'à dire qu'on peut rechercher les occasions de propos deliberé, puis qu'il est
15 permis de ne les pas fuir. Cela mesme est aussi quelquefois permis, adjousta-t-il. Le celebre Casuiste Bazile Ponce l'a dit, et le P. Bauny le cite, et approuve son sentiment que voicy dans le *Traitté de la Penitence,* q. 4, p. 94: *On peut rechercher une occasion directement et pour elle-mesme, primo*
20 *et per se, quand le bien spirituel ou temporel de nous ou de nostre prochain nous y porte.*

Vrayement, luy dis-je, il me semble que je resve quand j'entends des Religieux parler de cette sorte! Et quoy, mon Pere, dites-moy en conscience, estes-vous dans ce sentiment
25 là? Non vrayement, me dit le Pere. Vous parlez donc, continuay-je, contre vostre conscience? Point du tout, dit-il. Je ne parlois pas en cela selon ma conscience, mais selon celle de Ponce et du P. Bauny. Et vous pourriez les suivre en seureté; car ce sont d'habiles gens. Quoy, mon
30 Pere, parce qu'ils ont mis ces trois lignes dans leurs livres, sera-t-il devenu permis de rechercher les occasions de pecher? Je croyois ne devoir prendre pour regle que l'Escriture et la Tradition de l'Eglise, et non pas vos Casuistes. O bon Dieu, s'escria le Pere; vous me faites souvenir de ces
35 Jansenistes! Est-ce que le P. Bauny et Bazile Ponce ne peuvent pas rendre leur opinion probable? Je ne me contente pas du probable, luy dis-je, je cherche le seur. Je voy bien, me dit le bon Pere, que vous ne sçavez pas ce que c'est que la doctrine des opinions probables. Vous parleriez autre-
40 ment si vous la sçaviez. Ah! vrayement, il faut que je vous en instruise. Vous n'aurez pas perdu votre temps d'estre venu icy; sans cela vous ne pouviez rien entendre. C'est

19. occasion de pecher directement et par *B.*

le fondement et l'A. *b. c.* de toute nostre Morale. Je fus ravy de le voir tomber dans ce que je souhaittois ; et le luy ayant tesmoigné, je le priay de m'expliquer ce que c'estoit qu'une opinion probable. Nos Auteurs vous y respondront mieux que moy, dit-il. Voicy comme ils en parlent tous 5 generalement, et entr' autres nos 24 in princ. Ex. 3, n. 8. *Une opinion est appellée probable lorsqu'elle est fondée sur des raisons de quelque consideration. D'où il arrive quelquefois qu'un seul Docteur fort grave peut rendre une opinion probable.* Et en voicy la raison au mesme lieu. *Car un* 10 *homme addonné particulierement à l'estude ne s'attacheroit pas à une opinion, s'il n'y estoit attiré par une raison bonne et suffisante.* Et ainsi, luy dis-je, un seul Docteur peut tourner les consciences et les bouleverser à son gré, et toûjours en seureté. Il n'en faut pas rire, me dit-il, ny penser combattre 15 cette doctrine. Quand les Jansenistes l'ont voulu faire, ils ont perdu leur temps. Elle est trop bien establie. Escoutez Sanchez, qui est un des plus celebres de nos Peres, Som. l. 1, c. 9, n. 7. *Vous douterez peut-estre si l'autorité d'un seul Docteur bon et sçavant rend une opinion probable. A quoy* 20 *je réponds qu'oüy. Et c'est ce qu'assurent Angelus, Sylv., Navarr., Emmanuël Sa, etc. Et voicy comme on le prouve. Une opinion probable est celle qui a un fondement considerable. Or l'autorité d'un homme sçavant et pieux n'est pas de petite consideration, mais plustost de grande consideration. Car,* 25 escoutez bien cette raison, *Si le tesmoignage d'un tel homme est de grand poids pour nous assurer qu'une chose se soit passée par exemple à Rome, pourquoy ne le sera-t-il pas de mesme dans un doute de Morale ?*

La plaisante comparaison, luy dis-je, des choses du monde 30 à celles de la conscience ! Ayez patience ; Sanchez répond à cela dans les lignes qui suivent immediatement : *Et la restriction qu'y apportent certains Auteurs ne me plaist pas, que l'autorité d'un tel Docteur est suffisante dans les choses de droit humain, mais non pas dans celles de droit divin. Car elle est* 35 *de grand poids dans les unes et dans les autres.*

Mon Pere, luy dis-je franchement, je ne puis faire cas de cette regle. Que m'a assuré que, dans la liberté que vos Docteurs se donnent d'examiner les choses par la raison, ce qui paroistra seur à l'un le paroisse à tous les autres, la di- 40 versité des jugements est si grande. . . . Vous ne l'enten-

16. ils y ont *AB*. 36. les uns *A*.

dez pas, dit le Pere en m'interrompant; aussi sont-ils fort souvent de differents avis; mais cela n'y fait rien. Chacun rend le sien probable et seur. Vrayment l'on sçait bien qu'ils ne sont pas tous de mesme sentiment, et cela n'en est que
5 mieux. Ils ne s'accordent au contraire presque jamais. Il y a peu de questions où vous ne trouviez que l'un dit, oüy, l'autre dit, non. Et en tous ces cas là, l'une et l'autre des opinions contraires est probable. Et c'est pourquoy Diana dit sur un certain sujet, 3 Part. 10, 4, Res. 224. *Ponce et*
10 *Sanchez sont de contraires avis; mais parce qu'ils estoient tous deux sçavants, chacun rend son opinion probable.* Mais mon Pere, luy dis-je, on doit estre bien embarrassé à choisir alors. Point du tout, dit-il, il n'y a qu'à suivre l'avis qui agrée le plus. Et quoy si l'autre est plus probable? Il
15 n'importe, me dit-il. Et si l'autre est plus seur? Il n'importe, me dit encore le Pere; le voicy bien expliqué; c'est Emmanuel Sa, de nostre Societé dans son Aphorisme *de dubio*, p. 183: *On peut faire ce qu'on pense estre permis selon une opinion probable, quoy que le contraire soit plus*
20 *seur. Or l'opinion d'un seul Docteur grave y suffit.* Et si une opinion est tout ensemble et moins probable et moins seure, sera-t-il permis de la suivre en quittant ce que l'on croit estre plus probable et plus seur? Oüy encore une fois, me dit-il, escoutez Filiutius, ce grand Jesuite de Rome, Mor.
25 Quaest, tr. 21, c. 4, n. 128: *Il est permis de suivre l'opinion la moins probable, quoy qu'elle soit la moins seure. C'est l'opinion commune des nouveaux Auteurs.* Cela n'est-il pas clair? Nous voicy bien au large, luy dis-je, mon Reverend Pere, graces à vos opinions probables. Nous avons une belle
30 liberté de conscience. Et vous autres Casuistes, avez-vous la mesme liberté dans vos réponses? Oüy, me dit-il; nous respondons aussi ce qu'il nous plaist, ou plustost ce qui plaist à ceux qui nous interrogent. Car voicy nos regles prises de nos Peres Laiman, Theol. Mor. l. 1, tr. 1, c. 5, § 2, n. 7,
35 Vasquez, Dist. 62, c. 9, n. 47, Sanchez et de nos 24, Princ. Ex. 3, n. 24. Voicy les paroles de Laiman, que le livre de nos 24 a suivies: *Un Docteur, estant consulté, peut donner un conseil, non seulement probable selon son opinion, mais contraire à son opinion, s'il est estimé probable par d'autres,*
40 *lorsque cét avis contraire au sien se rencontre plus favorable et plus agreable à celuy qui le consulte, si forte hæc illi favorabilior seu exoptatior sit: Mais je dis de plus qu'il ne sera*

41. *om.* si . . . sit *B.*

point hors de raison qu'il donne à ceux qui le consultent un avis tenu pour probable par quelque personne sçavante, quand mesme il s'assureroit qu'il seroit absolument faux.

Tout de bon, mon Pere, votre doctrine est bien commode. Quoy! avoir à respondre oüy et non à son choix? On ne 5 peut assez priser un tel avantage. Et je voy bien maintenant à quoy vous servent les opinions contraires que vos Docteurs ont sur chaque matiere. Car l'une vous sert toûjours, et l'autre ne vous nuit jamais. Si vous ne trouvez vostre compte d'un costé, vous vous jettez de l'autre, et toûjours 10 en seureté. Cela est vray, dit-il, et ainsi nous pouvons toûjours dire avec Diana, qui trouva le P. Bauny pour luy lorsque le P. Lugo luy estoit contraire: *Sæpe premente Deo, fert Deus alter opem. Si quelque Dieu nous presse, un autre nous delivre.* 15

J'entends bien, luy dis-je. Mais il me vient une difficulté dans l'esprit. C'est qu'apres avoir consulté un de vos Docteurs, et pris de luy une opinion un peu large, on sera peut-estre attrapé si on rencontre un Confesseur qui n'en soit pas, et qui refuse l'absolution si on ne change de senti- 20 ment. N'y avez-vous point donné ordre, mon Pere? En doutez-vous? me répondit-il. On les a obligez à absoudre leurs penitens qui ont des opinions probables sur peine de peché mortel, afin qu'ils n'y manquent pas. C'est ce qu'ont bien monstré nos Peres, et entre autres le Pere Bauny, tr. 4, 25 *de Pœnit*, Q. 13, p. 93: *Quand le penitent*, dit-il, *suit une opinion probable, le Confesseur le doit absoudre, quoy que son opinion soit contraire à celle du penitent.* Mais il ne dit pas que ce soit un peché mortel de ne le pas absoudre? Que vous estes prompt, me dit-il; escoutez la suite; il en fait une 30 conclusion expresse: *Refuser l'absolution à un penitent qui agit selon une opinion probable est un peché qui de sa nature est mortel.* Et il cite pour confirmer ce sentiment trois des plus fameux de nos Peres, Suarez to. 4, d. 32, sect. 5, Vasquez, disp. 62, c. 7, et Sanchez, numero 29. 35

O mon Pere, luy dis-je, voila qui est bien prudemment ordonné: il n'y a plus rien à craindre. Un Confesseur n'oseroit plus y manquer. Je ne sçavois pas que vous eussiez le pouvoir d'ordonner sur peine de damnation. Je croyois que vous ne sçaviez qu'oster les pechés; je ne pensois pas que 40 vous en sçeussiez introduire. Mais vous avez tout pouvoir, à ce que je voy. Vous ne parlez pas proprement me dit-il.

4. *om.* bien *C.* 39. de rien ordonner *B.*

Nous n'introduisons pas les pechez, nous ne faisons que les remarquer. J'ai desja bien reconnu deux ou trois fois que vous n'estes pas bon Scholastique. Quoy qu'il en soit, mon Pere, voila mon doute bien resolu. Mais j'en ay un autre 5 encore à vous proposer. C'est que je ne sçay comment vous pouvez faire quand les Peres sont contraires au sentiment de quelqu'un de vos Casuistes.

Vous l'entendez bien peu, me dit-il. Les Peres estoient bons pour la Morale de leur temps ; mais ils sont trop esloi- 10 gnez pour celle du nostre. Ce ne sont plus eux qui la reglent, ce sont les nouveaux Casuistes. Escoutez nostre Pere Cellot, *de Hier.*, l. 8, c. 16, p. 714, qui suit en cela nostre fameux Pere Reginaldus : *Dans les questions de Morale, les nouveaux Casuistes sont preferables aux anciens Peres, quoy qu'ils fussent* 15 *plus proches des Apostres.* Et c'est en suivant cette maxime que Diana parle de cette sorte, P. 5, tr. 8, R. 31 : *Les Beneficiers sont-ils obligez de restituer leur revenu dont ils disposent mal ? Les anciens disoient qu'oüy ; mais les nouveaux disent que non ; ne quittons donc pas cette opinion, qui decharge de* 20 *l'obligation de restituer.* Voila de belles paroles, luy dis-je, et pleines de consolations pour bien du monde. Nous laissons les Peres, me dit-il, à ceux qui traitent la Positive ; mais pour nous qui gouvernons les consciences, nous les lisons peu, et ne citons dans nos escrits que les nouveaux 25 Casuistes. Voyez Diana qui a furieusement escrit ; il a mis à l'entrée de ses livres la liste des Auteurs qu'il rapporte. Il y en a 296, dont le plus ancien est depuis 80 ans. Cela est donc venu au monde depuis votre societé ? luy dis-je. Environ, me respondit-il. C'est à dire, mon Pere, qu'à 30 vostre arrivée on a vu disparoisitre S. Augustin, S. Chrysostome, S. Ambroise, S. Hierôme, et les autres pour ce qui est de la Morale. Mais au moins que je sçache les noms de ceux qui leur ont succedé ; qui sont-ils ces nouveaux auteurs ? Ce sont des gens bien habiles et bien celebres, me 35 dit-il ; C'est Villalobos, Conink, Llamas, Achokier, Dealkozer, Dellacruz, Veracruz, Ugolin, Tambourin, Fernandez, Martinez, Suarez, Henriquez, Vasquez; Lopez, Gomez, Sanchez, De Vechis, de Grassis, De Grassalis, De Pitigianis, De Graphaeis, Squilanti, Bizozeri, Barcola, De Bobadilla, Siman- 40 cha, Perez de Lara, Aldretta, Lorca, De Scarcia, Quaranta, Scophra, Pedrezza, Cabrezza, Bisbe, Dias, De Clavasio, Villagut, Adam à Mandem, Iribarne, Binsfeld, Volfangi à

6. P. de l'Eglise *C.* 25. tant escrit *C.*

Vorberg, Vosthery, Strevesdorf. O mon Pere, luy dis-je tout effrayé, tous ces gens-là estoient-ils Chrestiens? Comment, Chrestiens? me respondit-il. Ne vous disois-je pas que ce sont les seuls par lesquels nous gouvernons aujourd'huy la Chrestienté? Cela me fit pitié; mais je ne luy en tesmoignay 5 rien, et luy demanday seulement si tous ces Auteurs là estoient Jesuites. Non, me dit-il; mais il n'importe; ils n'ont pas laissé de dire de bonnes choses. Ce n'est pas que la pluspart ne les ayent prises ou imitées des nostres; mais nous ne nous piquons pas d'honneur; outre qu'ils citent nos 10 Peres à toute heure, et avec eloge; voyez Diana, qui n'est pas de nostre Société: quand il parle de Vasquez; il l'appelle *le Phenix des esprits*. Et quelquefois il dit, *que Vasquez seul luy est autant que tout le reste des hommes ensemble. Instar omnium*. Aussi tous nos Peres se servent fort souvent 15 de ce bon Diana, car, si vous entendez bien nostre doctrine de la probabilité, vous verrez bien que cela n'y fait rien. Au contraire, nous avons bien voulu que d'autres que les Jesuites puissent rendre leurs opinions probables, afin qu'on ne puisse pas nous les imputer toutes. Et ainsi, quand quelque Auteur 20 que ce soit en a avancé une, nous avons droit de la prendre, si nous le voulons, par la doctrine des opinions probables, et nous n'en sommes pas les garands quand l'auteur n'est pas de nostre corps. J'entends tout cela, luy dis-je. Je voy bien par là que tout est bien venu chez vous hormis 25 les anciens Peres; et que vous estes les Maistres de la campagne: Vous n'avez plus qu'à courir.

Mais je prevois trois ou quatre grands inconveniens, et de puissantes barrieres qui s'opposeront à vostre course. Et quoy? me dit le Pere, tout estonné. C'est, luy respondis- 30 je, l'Escriture sainte, les Papes et les Conciles, que vous ne pouvez dementir, et qui sont tous dans la voye unique de l'Evangile. Est-ce là tout? me dit-il. Vous m'avez fait peur. Croyez-vous qu'une chose si visible n'ait pas esté preveuë, et que nous n'y ayons pas pourveu? Vrayment je vous 35 admire de penser que nous soyons opposez à l'Escriture, aux Papes, ou aux Conciles. Il faut que je vous éclaircisse du contraire. Je serois bien marry que vous crussiez que nous manquons à ce que nous leur devons. Vous avez sans doute pris cette pensée de quelques opinions de nos Peres, 40 qui paroissent choquer leurs decisions, quoy que cela ne soit pas. Mais, pour en entendre l'accord, il faudroit avoir

14. *om.* ensemble *AB*.

plus de loisir. Je souhaite que vous ne demeuriez pas mal edifié de nous. Si vous voulez que nous nous revoyons demain, je vous en donneray l'éclaircissement. Voilà la fin de cette conference, qui sera celle de cét Entretien ; 5 aussi en voila bien assez pour une Lettre. Je m'assure que vous en serez satisfait en attendant la suite. Je suis, etc.

2. revoyions *B*².

SIXIÉSME LETTRE

ESCRITE A UN PROVINCIAL

PAR UN DE SES AMIS.

De Paris, ce 10 Avril 1656.

MONSIEUR,

Je vous ay dit à la fin de ma derniere Lettre que ce bon Pere Jesuitte m'avoit promis de m'apprendre de quelle sorte les Casuistes accordent les contrarietez qui se rencontrent entre leurs opinions et les decisions des Papes, des Conciles et de l'Escriture. Il m'en a instruit en effet dans ma seconde 5 visite, dont voicy le recit. Je le feray plus exactement que l'autre. Car j'y portay des tablettes pour marquer les citations des passages, et je fus bien fasché de n'en avoir point apporté des la premiere fois. Neantmoins, si vous estes en peine de quelqu'un de ceux que je vous ay citez dans 10 l'autre Lettre, faites-le moy scavoir; je vous satisferay facilement.

Ce bon Pere me parla donc de cette sorte: Une des manieres dont nous accordons ces contradictions apparentes, est par l'interpretation de quelque terme. Par exemple, 15 le Pape Gregoire XIV a declaré que les assassins sont indignes de jouïr de l'azyle des Eglises, et qu'on les en doit arracher. Cependant nos 24 Vieillards disent en la page 660: *Que tous ceux qui tuent en trahison ne doivent pas encourir la peine de cette Bulle.* Cela vous paroist estre 20 contraire; mais on l'accorde, en interpretant le mot d'*assassin*, comme ils font par ces paroles: *Les assassins ne sont-ils pas indignes de jouir du privilege des Eglises? Ouy par la Bulle de Gregoire XIV. Mais nous entendons par le mot d'assassins, ceux qui ont receu de l'argent pour* 25 *tuer quelqu'un en trahison. D'où il arrive que ceux qui*

Title. *om.* Escrite . . . amis *C.* 6. *om.* Je le feray . . . facilement *C.* 11. en satisferay *AB*[2]. 13. *om.* donc *C.* 18. disent tr. 6, ex. 4, n, 27 *C.*

tuent sans en recevoir aucun prix, mais seulement pour obliger leurs amis, ne sont pas appelez assassins. De mesme il est dit dans l'Evangile : *Donnez l'aumosne de vostre superflu.* Cependant plusieurs Casuistes ont trouvé moyen
5 de descharger les personnes les plus riches de l'obligation de donner l'aumosne. Cela vous paroist encore contraire, mais on en fait voir facilement l'accord en interpretant le mot de *superflu* en sorte qu'il n'arrive presque jamais que personne en ait. Et c'est ce qu'a fait le docte Vasquez en cette sorte
10 dans son traité de l'Aumosne, c. 4 : *Ce que les personnes du monde gardent pour relever leur condition et celle de leurs parens n'est pas appellé superflu. Et c'est pourquoy à peine trouvera-t-on qu'il y ait jamais de superflu dans les gens du monde, et non pas mesme dans les Rois.*
15 Aussi Diana, ayant rapporté ces mesmes paroles de Vasquez, car il se fonde ordinairement sur nos Peres, il en conclud fort bien, *Que dans la question : Si les riches sont obligez de donner l'aumosne de leur superflu, encore que l'affirmative fut veritable, il n'arrivera jamais, ou presque*
20 *jamais, qu'elle oblige dans la prattique.*

Je voy bien, mon Pere, que cela suit de la doctrine de Vasquez. Mais que respondroit-on si on m'objectoit qu'afin de faire son salut, il seroit donc aussi seur, selon Vasquez, d'avoir assez d'ambition pour n'avoir point de superflu qu'il
25 est seur selon l'Evangile de n'avoir point d'ambition pour donner l'aumosne de son superflu ? Il faudroit respondre, me dit-il, que toutes ces deux voyes sont seures selon le mesme Evangile, l'une selon l'Evangile dans le sens le plus litteral et le plus facile à trouver ; l'autre selon le mesme
30 Evangile interpreté par Vasquez. Vous voyez par là l'utilité des interpretations.

Mais, quand les termes sont si clairs qu'ils n'en souffrent aucune, alors nous nous servons de la remarque des circonstances favorables, comme vous verrez par cét exemple.
35 Les Papes ont excommunié les Religieux qui quittent leur habit, et nos 24 Vieillards ne laissent pas de parler en cette sorte p. 704 : *En quelles occasions un religieux peut-il quitter son habit sans encourir l'excommunication ?* Il en rapporte plusieurs, et entr' autres celles-cy : *S'il le quitte pour une*

19. fust *C.* 22. l'on objectoit *A.* 25. de ne point donner l'aumosne pourveu qu'on ait assez d'ambition pour n'avoir point de superflu qu'il est seür selon l'Evangile de n'avoir point d'ambition pour en pouvoir donner l'aumosne *C.* 37. sorte tr. 6, ex. 7, no. 103 *C.*

cause honteuse, comme pour aller filouter, ou pour aller incognito en des lieux de débauches, le devant bien-tost reprendre. Aussi il est visible que les Bulles ne parlent point de ces cas là.

J'avois peine à croire cela, et je priay le Pere de me le monstrer dans l'original; et je vis que le chapitre où sont ces paroles est intitulé: *Prattique selon l'escole de la societé de Jesus, Praxis ex societatis Jesu scola;* et j'y veis ces mots: *Si habitum dimittat ut furetur occultè, vel fornicetur.* Et il me monstra la mesme chose dans Diana en ces termes: *Ut eat incognitus ad lupanar.* Et d'où vient, mon Pere, qu'ils les ont dechargez de l'excommunication en cette rencontre? Ne le comprenez-vous pas? me dit-il, Ne voyez-vous pas quel scandale ce seroit de surprendre un Religieux en cét estat avec son habit de Religion? Et n'avez-vous point oüy parler, continua-t-il, comment on respondit à la premiere Bulle *Contra solicitantes?* et de quelle sorte nos 24, dans un Chapitre aussi de la *Prattique de l'Escole de notre Societé,* expliquent la Bulle de Pie V. *Contra Clericos, etc.* Je ne sçay ce que c'est que tout cela, luy dis-je. Vous ne lisez donc gueres Escobar, me dit-il. Je ne l'ay que d'hier, mon Pere; et mesme j'eus de la peine à le trouver. Je ne sçay ce qui est arrivé depuis peu qui fait que tout le monde le cherche. Ce que je vous disois, repartit le Pere, est en la p. 117. Voyez-le en vostre particulier. Vous y trouverez un bel exemple de la maniere d'interpreter favorablement les Bulles. Je le veis, en effet, des le soir mesme; mais je n'ose vous le rapporter, car c'est une chose effroyable.

Le bon Pere continua donc ainsi. Vous entendez bien maintenant comment on se sert des circonstances favorables. Mais il y en a quelquefois de si precises qu'on ne peut accorder par là les contradictions. De sorte que ce seroit bien alors que vous croiriez qu'il y en auroit. Par exemple. Trois Papes ont decidé que les Religieux qui sont obligez par un vœu particulier à la vie quadragesimale n'en sont pas dispensez, encore qu'ils soient faits Evesques. Et cependant, Diana dit, *que nonobstant leur decision, ils en sont dispensez.* Et comment accorde-t-il cela? luy dis-je. C'est, repliqua le Pere, par la plus subtile de toutes les nouvelles methodes; et par le plus fin de la probabilité. Je vas vous l'expliquer. C'est que, comme vous le veistes l'autre jour, l'affirmative et la negative de la pluspart des opinions ont chacune quelque

24. est au tr. 1, ex. 8, no. 102 en C.

probabilitē, au jugement de nos Docteurs, et assez pour estre suivies avec seureté de conscience. Ce n'est pas que le pour et le contre soient ensemble veritables dans le mesme sens ; cela est impossible, mais c'est seulement qu'ils sont prob-
5 ables et seurs par consequent.

Sur ce principe Diana, nostre bon amy, parle ainsi en la part. 5. tr. 13. R. 39 : *Je respons à la decision de ces trois Papes, contraire à mon opinion, qu'ils ont parlé de la sorte, en s'attachant à l'affirmative, laquelle en effet est probable à mon*
10 *jugement mesme ; mais il ne s'ensuit pas de là que la negative n'ait aussi sa probabilité.* Et dans le mesme traité, R. 65, sur un autre sujet dans lequel il est encore d'un sentiment contraire à un Pape, il parle ainsi : *Que le Pape l'ait dit comme chef de l'Eglise, je le veux. Mais il ne l'a fait que*
15 *dans l'estenduë de la sphere de probabilité de son sentiment.* Or vous voyez bien que ce n'est pas blesser les sentimens des Papes ; on ne le souffriroit pas à Rome où Diana est en un si haut credit. Car il ne dit pas que ce que les Papes ont decidé ne soit pas probable ; mais, en laissant leur opinion
20 dans toute la sphere de probabilitē, il ne laisse pas de dire que le contraire est aussi probable. Cela est tres-respectueux, luy dis-je. Et cela est plus subtil, ajousta-t-il, que la response que fit le Pere Bauny quand on eut censuré ses livres à Rome. Car il luy échapa d'écrire contre Monsieur Hallier qui le per-
25 secutoit alors furieusement : *Qu'a de commun la censure de Rome avec celle de France ?* Vous voyez assez par là que, soit par l'interpretation des termes, soit par la remarque des circonstances favorables, soit enfin par la double probabilité du pour et du contre, on accorde tousjours ces contradictions
30 pretenduës, qui vous estonnoient auparavant, sans jamais blesser les decisions de l'Escriture, des Conciles ou des Papes, comme vous le voyez. Mon Reverend Pere, luy dis-je, que l'Eglise est heureuse de vous avoir pour defenseurs ! Que ces probabilitez sont utiles ! Je ne sçavois pourquoy vous aviez
35 pris tant de soin d'establir qu'un seul Docteur, *s'il est grave*, peut rendre une opinion probable ; que le contraire peut l'estre aussi, et qu'alors on peut choisir du pour et du contre celuy qui agrée le plus, encore qu'on ne le croye pas veritable, et avec tant de seureté de conscience qu'un Confesseur
40 qui refuseroit de donner l'absolution, sur la foy de ces

3. ensemble probables *C.* 17. Diane qui est en un si grand *C.* 33. que le monde est heureux d. v. a. p. maistres ! *C.*

Casuistes, seroit en estat de damnation. D'où je comprens qu'un seul Casuiste peut à son gré faire de nouvelles regles de morale, et disposer selon sa fantaisie de tout ce qui regarde la conduite de l'Eglise. Il faut, me dit le Pere, apporter quelque temperament à ce que vous dites. Apprenez 5 bien cecy. Voicy nostre methode, où vous verrez le progrez d'une opinion nouvelle depuis sa naissance jusqu'à sa maturité.

D'abord le Docteur *grave* qui l'a inventée l'expose au monde, et la jette comme une semence pour prendre racine. 10 Elle est encore foible en cét estat ; mais il faut que le temps la meurisse peu à peu. Et c'est pourquoy Diana, qui en a introduit plusieurs, dit en un endroit : *J'avance cette opinion, mais parce qu'elle est nouvelle, je la laisse meurir au temps : relinquo tempori maturandam.* Ainsi, en peu d'années, 15 on la voit insensiblement s'affermir ; et apres un temps considerable, elle se trouve autorisée par la tacite approbation de l'Eglise, selon cette grande maxime du Pere Bauny : *Qu'une opinion étant avancée par quelques Casuistes, et l'Eglise ne s'y estant point opposée, c'est un temoignage qu'elle l'approuve.* 20 Et c'est en effet par ce principe qu'il autorise un de ses sentiments dans son traité 6. p. 312. Et quoy, luy dis-je, mon Pere, l'Eglise à ce compte-là, approuveroit donc tous les abus qu'elle souffre, et toutes les erreurs des livres qu'elle ne censure point ? Disputez, me dit-il, contre le P. Bauny. 25 Je vous fais un recit, et vous contestez contre moi. Il ne faut jamais disputer sur le fait. Je vous disois donc que, quand le temps a ainsi meuri une opinion, alors elle est probable tout à fait et seure. Et de là vient que le Docte Caramuel, dans la Lettre où il adresse à Diana sa Theologie fonda- 30 mentale, dit que ce grand *Diana a rendu plusieurs opinions probables qui ne l'estoient pas auparavant, quæ antea non erant. Et qu'ainsi on ne peche plus en les suivant, au lieu qu'on pechoit auparavant, jam non peccant licet ante peccaverint.* 35

En verité, mon Pere, luy dis-je, il y a bien à profiter auprès de vos Docteurs. Quoy ! de deux personnes qui font les mesmes choses, celuy qui ne sçait pas leur doctrine, peche, celuy qui la sçait, ne peche pas ? Elle est donc tout ensemble instructive et justifiante. La Loy de Dieu faisoit des pre- 40 varicateurs, selon saint Paul ; et celle-cy fait qu'il n'y a

4. cond. des mœurs *C.* 27. un fait *C.* 28. est tout à fait p. *C.*
39. Est-elle *C.* 41. *om.* et *C.*

presque que des innocens. Je vous supplie, mon Pere, de m'en bien informer, je ne vous quitteray point que vous ne m'ayez dit les principales maximes que vos Casuistes ont establies.

5 Helas ! me dit le Pere, nostre principal but auroit esté de n'establir point d'autres maximes que celles de l'Evangile dans toute leur severité. Et l'on voit assez par le reglement de nos mœurs, que si nous souffrons quelque relaschement dans les autres, c'est plustost par condescendance que par 10 dessein. Nous y sommes forcez. Les hommes sont aujourd'huy tellement corrompus que, ne pouvant les faire venir à nous, il faut bien que nous allions à eux. Autrement ils nous quitteroient ; ils feroient pis, ils s'abandonneroient entierement. Et c'est pour les retenir que nos Casuistes ont con-15 sideré les vices ausquels on est le plus porté dans toutes les conditions, afin d'establir des maximes si douces, sans toutesfois blesser la verité, qu'on seroit de difficile composition si l'on n'en estoit content. Car le dessein capital que nostre societé a pris pour le bien de la Religion est de ne rebuter 20 qui que ce soit, pour ne pas desesperer le monde.

Nous avons donc des maximes pour toutes sortes de personnes, pour les Beneficiers, pour les Prestres, pour les Religieux, pour les Gentils-hommes, pour les Domestiques, pour les Riches, pour ceux qui sont dans le commerce, pour ceux 25 qui sont mal dans leurs affaires, pour ceux qui sont dans l'indigence, pour les femmes devotes, pour celles qui ne le sont pas, pour les gens mariez, pour les gens dereglez. Enfin rien n'a échapé à leur prevoyance. C'est à dire, luy dis-je, qu'il y en a pour le Clergé, la Noblesse et le tiers Estat. Me 30 voicy bien disposé à les entendre.

Commençons, dit le Pere, par les Beneficiers. Vous sçavez quel trafic on fait aujourd'huy des benefices, et que s'il falloit s'en rapporter à ce que saint Thomas et les anciens en ont écrit, il y auroit bien des Simoniaques dans l'Eglise. 35 Et c'est pourquoy il a esté fort necessaire que nos Peres aient temperé les choses par leur prudence, comme ces paroles de Valentia, qui est l'un des 4 animaux d'Escobar, vous l'apprendront. C'est la conclusion d'un long discours, où il en donne plusieurs expediens, dont voicy le meilleur à mon avis. 40 C'est en la p. 2042 du Tome 3 : *Si l'on donne un bien temporel pour un bien spirituel.* C'est à dire de l'argent pour un benefice ; *Et qu'on donne l'argent comme le prix du*

35. *om.* Et *C.* 35. il est *A.* 40. 2039 *BC.*

Benefice, c'est une simonie visible. Mais, si on le donne comme le motif qui porte la volonté du beneficier à le resigner, non tanquam pretium beneficii, sed tanquam motivum ad resignandum, ce n'est point simonie, encore que celuy qui resigne considere et attende l'argent comme sa fin principale. Tannerus, 5 qui est encore de nostre Societé, dit la mesme chose dans son tome 3, p. 1519, quoy qu'il avoüe, *que Saint Thomas y est contraire en ce qu'il enseigne absolument que c'est tousjours simonie de donner un bien spirituel pour un temporel, si le temporel en est la fin.* Par ce moyen nous empeschons 10 une infinité de simonies. Car qui seroit assez meschant pour refuser en donnant de l'argent pour un benefice, de porter son intention à le donner comme *un motif* qui porte le Beneficier à le resigner, au lieu de le donner comme *le prix* du Benefice ? Personne n'est assez abandonné de Dieu pour cela. Je 15 demeure d'accord, luy dis-je, que tout le monde a des graces suffisantes pour faire un tel marché. Cela est assuré, repartit le Pere.

Voilà comment nous avons adoucy les choses à l'esgard des Beneficiers. Quant aux Prestres, nous avons plusieurs maxi- 20 mes qui leur sont assez favorables. Par exemple celle-cy de nos 24, p. 143 : *Un Prestre qui a receu de l'argent pour dire une Messe, peut-il recevoir de nouvel argent sur la mesme Messe? Ouy, dit Filliutius, en appliquant la partie du sacrifice qui luy appartient comme Prestre à celuy qui le* 25 *paye de nouveau, pourveu qu'il n'en reçoive pas autant que pour une Messe entiere, mais seulement pour une partie, comme pour un tiers de Messe.*

Certes, mon Pere, voicy une de ces rencontres où le *pour* et le *contre* sont bien probables. Car ce que vous dites ne 30 peut manquer de l'estre apres l'authorité de Filliutius et d'Escobar. Mais en le laissant dans la sphere de probabilité, on pourroit bien, ce me semble, dire aussi le contraire, et l'appuyer par ces raisons. Lors que l'Eglise permet aux Prestres qui sont pauvres de recevoir de l'argent pour leurs 35 Messes, parce qu'il est bien juste que ceux qui servent à l'Autel vivent de l'Autel, elle n'entend pas pour cela qu'ils échangent le sacrifice pour de l'argent, et encore moins qu'ils se privent eux mesmes de toutes les graces qu'ils en

2. volonté du collateur à le conferer, ce n'est point simonie, encore que celuy qui le confere considere et attende l'argent comme la fin *C.* 3. tanquam motivum conferendi spirituale *B.* 22. 24 tr. 1, ex. 11, n. 96 *C.* 32. sa sphere *C.*

doivent tirer les premiers. Et je dirois encore *que les Prestres*, selon S. Paul, *sont obligez d'offrir le sacrifice premierement pour eux mesmes, et puis pour le peuple;* et qu'ainsi il leur est bien permis d'en associer d'autres au fruit du
5 sacrifice, mais non pas de renoncer eux mesmes volontairement à tout le fruit du sacrifice et de le donner à un autre pour un tiers de Messe; c'est à dire pour 4 ou 5 sols. En verité, mon Pere, pour peu que je fusse *grave*, je rendrois cette opinion probable. Vous n'y auriez pas grande peine,
10 me dit-il; celle-là l'est visiblement. La difficulté estoit de trouver de la probabilité dans le contraire, et c'est ce qui n'appartient qu'aux grands hommes. Le P. Bauny y excelle. Il y a du plaisir de voir ce sçavant Casuiste penetrer dans le pour et le contre d'une mesme question qui
15 regarde encore les Prestres, et trouver raison partout, tant il est ingenieux et subtil.

Il dit en un endroit, c'est dans le traité 10, p. 474: *On ne peut pas faire une loy qui obligeast les Curez à dire la messe tous les jours, parce qu'une telle loy les exposeroit*
20 *indubitablement, haud dubiè, au peril de la dire quelquefois en peché mortel.* Et neantmoins, dans le mesme traité 10, p. 441, il dit: *que les Prestres qui ont receu de l'argent pour dire la Messe tous les jours, la doivent dire tous les jours, et qu'ils ne peuvent pas s'excuser sur ce qu'ils ne sont pas*
25 *tousjours assez bien preparez pour la dire, parce qu'on peut tousjours faire l'acte de contrition; et que, s'ils y manquent, c'est leur faute, et non pas celle de celuy qui leur fait dire la Messe.* Et pour lever les plus grandes difficultez qui pourroient les en empescher, il resout ainsi cette question
30 dans le mesme traité, qu. 32, p. 457: *Un Prestre peut-il dire la Messe le mesme jour qu'il a commis un peché mortel, et des plus criminels, en se confessant auparavant? Non, dit Villalobos, à cause de son impureté; mais Sancius dit que ouy; et sans aucun peché, et je tiens son opinion seure, et qu'elle doit*
35 *estre suivie dans la pratique: et tuta et sequenda in praxi.*

Quoy, mon Pere, luy dis-je; on doit suivre cette opinion dans la pratique? Un Prestre qui seroit tombé dans un tel desordre oseroit-il s'approcher, le mesme jour, de l'Autel, sur la parole du P. Bauny? Et ne devroit-il pas plustost de-
40 ferer aux anciennes lois de l'Eglise, qui excluoient pour ja-

10. elle l'est *C.* 11. contraire des opinions qui sont manifestement bonnes *C.* 12. g. personnages *C.* 39. *om.* plustost *C.*

mais du sacrifice les Prestres qui avoient commis des pechez de cette sorte, que les nouvelles opinions des Casuistes qui les y admettent le jour mesme qu'ils y sont tombez? Vous n'avez point de memoire, dit le Pere. Ne vous appris-je pas l'autre fois, *que l'on ne doit pas suivre dans la morale les* 5 *anciens Peres, mais les nouveaux Casuistes*, selon nos Peres Cellot et Reginaldus? Je m'en souviens bien, luy respondis-je. Mais il y a plus icy. Car il y a des loix de l'Eglise. Vous avez raison, me dit-il; mais c'est que vous ne sçavez pas encore cette belle maxime de nos Peres, *Que les loix de* 10 *l'Eglise perdent leur force quand on ne les observe plus, cum jam dessuetudine abierunt*, comme dit Filiutius, tom. 2, Tr. 25, n. 33. Nous voyons mieux que les anciens les necessitez presentes de l'Eglise. Si on estoit si severe à exclure les Prestres de l'Autel, vous comprenez bien qu'il 15 n'y auroit pas un si grand nombre de Messes. Or la pluralité des Messes apporte tant de gloire à Dieu et tant d'utilité aux ames que j'oserois dire avec nostre Pere Cellot, dans son livre de la Hierarchie, p. 611, impression de Rouën, qu'il n'y auroit pas trop de Prestres. *Quand non seulement tous* 20 *les hommes et les femmes, si cela se pouvoit, mais que les corps insensibles et les bestes brutes mesmes, bruta animalia, seroient changez en Prestres pour celebrer la Messe.* Je fus si surpris de la bizarrerie de cette imagination, que je ne pus rien dire, de sorte qu'il continua ainsi: 25

Mais en voila assez pour les Prestres, je serois trop long; venons aux Religieux. Comme leur plus grande difficulté est en l'obeïssance qu'ils doivent à leurs Superieurs, écoutez l'adoucissement qu'y apportent nos Peres. C'est Castrus Palaüs, de nostre Societé, *Op. Mor.*, p. 1, disp. 2, 30 page 6: *Il est hors de dispute, non est controversia, que le Religieux qui a pour soy une opinion probable n'est point tenu d'obeïr à son Superieur, quoy que l'opinion du Superieur soit la plus probable. Car alors il est permis au Religieux d'embrasser celle qui luy est la plus agreable, quæ sibi gratior* 35 *fuerit, comme le dit Sanchez. Et, encore que le commandement du Superieur soit juste, cela ne vous oblige pas de luy obeïr, car il n'est pas juste de tous points et en toutes manieres, non undequaque justè præcipit, mais seulement probablement, et ainsi vous n'estes engagé que probablement à luy obeïr, et* 40

1. jamais ou au moins pour un long temps *C.* 2. sorte plutost que de l'arrester aux nouvelles *C.* 3. mesme jour *AB*[1]*C.* 5. que selon nos Peres Cellot et Reginaldus l'on ne *C.* 19. de l'impression *C.*

vous en estes probablement dégagé : probabiliter obligatus et probabiliter deobligatus. Certes, mon Pere, luy dis-je, on ne sçauroit trop estimer un si beau fruit de la double probabilité! Elle est de grand usage, me dit-il ; mais abre-
5 geons. Je ne vous diray plus que ce trait de nostre celebre Molina en faveur des Religieux qui sont chassez de leurs couvents pour leurs desordres. Nostre Pere Escobar le rapporte en la page 705 en ces termes : *Molina assure qu'un Religieux chassé de son Monastere n'est point obligé de se*
10 *corriger pour y retourner, et qu'il n'est plus lié par son vœu d'obeïssance.*

Voila, mon Pere, luy dis-je, les Ecclesiastiques bien à leur aise. Je voy bien que vos Casuistes les ont traitez favorablement. Ils y ont agy comme pour eux mesmes. J'ay
15 bien peur que les gens des autres conditions ne soient pas si bien traitez. Il falloit que chacun fit pour soy. Ils n'auroient pas mieux fait eux mesmes, me repartit le Pere ; on a agy pour tous avec une pareille charité, depuis les plus grands jusqu'aux moindres. Et vous m'engagez, pour vous
20 le monstrer, à vous dire nos maximes touchant les valets.

Nous avons consideré à leur égard la peine qu'ils ont, quand ils sont gens de conscience, à servir des maistres debauchez. Car, s'ils ne font tous les messages où ils les employent, ils perdent leur fortune, et s'ils leur obeïssent, ils
25 en ont du scrupule. Et c'est pour les en soulager que nos 24 Peres, dans la p. 770, ont marqué les services qu'ils peuvent rendre en seureté de conscience. En voicy quelques-uns : *Porter des lettres et des presens, ouvrir les portes et les fenestres, aider leur maistre à monter à la fenestre,*
30 *tenir l'échelle pendant qu'il y monte : tout cela est permis et indifferent. Il est vray que, pour tenir l'echelle, il faut qu'ils soient menacez plus qu'à l'ordinaire s'ils y manquoient. Car c'est faire injure au maistre d'une maison d'y entrer par la fenestre.*

35 Voyez-vous combien cela est judicieux? Je n'attendois rien moins, luy dis-je, d'un livre tiré de 24 Jesuites. Mais, adjousta le Pere, nostre P. Bauny a encore bien appris aux valets à rendre tous ces devoirs là innocemment à leurs maistres, en faisant qu'ils portent leur intention, non pas
40 aux pechez dont ils sont les entremetteurs, mais seulement au gain qui leur en revient. C'est ce qu'il a bien expliqué

7. rapporte tr. 6, ex. 7, n. 111 *C.* 16. fust *C.* 20. *om.* Et *C.*
26. Peres tr. 7, ex. 4, n. 223 *C.*

dans sa *Somme des pechez*, en la page 710 de la premiere impression : *Que les Confesseurs, dit-il, remarquent bien qu'on ne peut absoudre les valets qui font des messages deshonnestes, s'ils consentent aux pechez de leurs maistres ; mais il faut dire le contraire, s'ils le font pour leur commodité temporelle.* Et cela est bien facile à faire, car pourquoy s'obstineroient-ils à consentir à des pechez dont ils n'ont que la peine ?

Et le mesme P. Bauny a encore estably cette grande maxime en faveur de ceux qui ne sont pas contents de leurs gages. C'est dans sa *Somme*, p. 213 et 214 de la sixiéme Edition. *Les valets qui se plaignent de leurs gages peuvent-ils d'eux-mesmes les croistre en se garnissant les mains d'autant de bien appartenant à leurs maistres comme ils s'imaginent en estre necessaire pour égaler lesdits gages à leur peine ? Ils le peuvent en quelques rencontres, comme lors qu'ils sont si pauvres en cherchant condition qu'ils ont este obligez d'accepter l'offre qu'on leur a faite, et que les autres valets de leur sorte gagnent davantage ailleurs.*

Voilà justement, mon Pere, luy dis-je, le passage de Jean d'Alba.

Quel Jean d'Alba ? dit le Pere. Que voulez-vous dire ? Quoy ! mon Pere, ne vous souvenez-vous plus de ce qui se passa en l'année 1647 ? Et où estiez-vous donc alors ? J'enseignois, dit-il, les Cas de conscience en un de nos Colleges assez éloigné de Paris. Je voy donc bien, mon Pere, que vous ne sçavez pas cette histoire ; il faut que je vous la die. C'estoit une personne d'honneur qui la contoit l'autre jour en un lieu où j'estois. Il nous disoit que ce Jean d'Alba, servant vos Peres du College de Clermont de la ruë S. Jacques, et n'estant pas satisfait de ses gages, déroba quelque chose pour se recompenser ; qu'en suite vos Peres le firent mettre en prison, l'accusant de vol domestique, et que le procez en fut rapporté au Chastelet, le sixiéme d'Avril 1647, si j'ay bonne mémoire. Car il nous marqua toutes ces particularitez-là, sans quoy à peine l'auroit-on cru. Ce malheureux, estant interrogé, avoüa qu'il avoit pris quelques plats d'estain à vos Peres, mais qu'il ne les avoit pas volez pour cela, rapportant pour sa justification cette doctrine du P. Bauny qu'il presenta aux Juges avec un écrit d'un de vos Peres, sous lequel il avoit estudié les cas de conscience,

24. passa en cette ville *C.* 25. dans un *C.* 32. que vos Peres s'en estant aperceus le *C.* 38. Mais il soutint qu'il *C.* 40. avec les écrits *B.*

qui luy avoit appris la mesme chose. Surquoy Monsieur de Montrouge, qui est un des plus considérez de cette Compagnie, opina, et dit: *Qu'il n'estoit pas d'avis que, sur des escrits de ces Peres contenans une doctrine illicite, pernicieuse*
5 *et contraire à toutes les loi naturelles, divines, et humaines, capables de renverser toutes les familles, et d'autoriser tous les vols domestiques, on deust absoudre cet accusé; mais qu'il estoit d'avis que ce trop fidelle disciple fust fouetté devant la porte du College par la main du Bourreau, lequel en mesme temps*
10 *brûleroit les escrits de ces Peres traittans du larcin, et defense à eux de plus enseigner une telle doctrine, sur peine de la vie.*

On attendoit la suite de cet avis, qui fut fort approuvé, lors qu'il arriva un incident qui fit remettre le jugement de ce procés. Mais, cependant, le prisonnier disparut, on
15 ne sçait comment, sans qu'on parlast plus de cette affaire-là, de sorte que Jean d'Alba sortit, et sans rendre sa vaisselle. Voila ce qu'il nous dit, et il adjoustoit à cela que l'avis de M. de Montrouge est aux Registres du Chastelet, où chacun le peut voir. Nous prismes plaisir à ce compte.
20 A quoy vous amusez-vous? dit le Pere. Qu'est-ce que tout cela signifie? Je vous parle des maximes de nos Casuistes; j'estois prest à vous parler de celles qui regardent les Gentilshommes, et vous m'interrompez par des histoires hors de propos. Je ne vous le disois qu'en passant, luy
25 dis-je, et aussi pour vous avertir d'une chose importante sur ce sujet, que je trouve que vous avez oubliée en establissant votre doctrine de la probabilité. Et quoy! dit le Pere; que pourroit-il y avoir de manque apres tant d'habiles gens qui y ont passé? C'est, luy répondis-je, que vous avez
30 bien mis ceux qui suivent vos opinions probables en asseurance à l'esgard de Dieu et de la conscience; car, à ce que vous dites, on est en seureté de ce costé-là en suivant un Docteur grave. Vous les avez encore mis en asseurance du costé des Confesseurs, car vous avez obligé les Prestres à les
35 absoudre sur une opinion probable, à peine de peché mortel. Mais vous ne les avez point mis en asseurance du costé des Juges, de sorte qu'ils se trouvent exposez au foüet et à la potence en suivant vos probabilitez. C'est un défaut capital que cela. Vous avez raison, dit le Pere, vous me
40 faites plaisir. Mais c'est que nous n'avons pas autant de pouvoir sur les Magistrats que sur les Confesseurs, qui sont

1. feu Monsieur . . . estoit *AB*; feu . . . dit en opinant *C*. 10. avec defense *C*. 28. apres que tant d'habiles gens y *C*.

obligez de se rapporter à nous pour les cas de conscience, car c'est nous qui en jugeons souverainement. J'entens bien, luy dis-je; mais, si d'une part vous estes les juges des Confesseurs, n'estes-vous pas de l'autre les Confesseurs des Juges? Vostre pouvoir est de grande estenduë: obligez-les 5 à absoudre les criminels qui ont une opinion probable, à peine d'estre exclus des Sacremens, afin qu'il n'arrive point, au grand mespris et scandale de la probabilité, que ceux que vous rendez innocens dans la theorie ne soient foüettez et pendus dans la prattique. Sans cela, comment trouveriez- 10 vous des disciples? Il faudra y songer, me dit-il; cela n'est pas à negliger. Je le proposeray à nostre Pere Provincial. Vous pouvez neantmoins reserver cet avis à un autre temps, sans interrompre ce que j'ay à vous dire des maximes que nous avons establies en faveur des Gentilshommes, et je ne 15 vous les apprendray qu'à la charge que vous ne me ferez plus d'histoires. Voilà tout ce que vous aurez pour aujourd'huy, car il faut plus d'une Lettre pour vous mander tout ce que j'appris en une seule conversation. Cependant, je suis, etc. 20

7. pas *C.* 9. theorie soient f. ou *C.* 13. pouviez *BC.*

SEPTIÉME LETTRE

ESCRITTE A UN PROVINCIAL

PAR UN DE SES AMIS.

De Paris, ce 25 Avril 1656.

MONSIEUR,

Apres avoir appaisé le bon Pere, dont j'avois un peu troublé le discours par l'histoire de Jean d'Alba, il le reprit sur l'assurance que je luy donnay de ne luy en plus faire de semblables, et il me parla des maximes de ses Casuites tou-
5 chant les Gentilhommes à peu prez en ces termes :

Vous sçavez, me dit-il, que la passion dominante des personnes de cette condition est ce point d'honneur qui les engage à toute heure à des violences qui paroissent bien contraires à la pieté Chrestienne, de sorte qu'il faudroit les
10 exclure presque tous de nos confessionnaux, si nos Peres n'eussent un peu relasché de la severité de la religion pour s'accommoder à la foiblesse des hommes. Mais, comme ils vouloient demeurer attachez à l'Evangile par leur devoir envers Dieu, et aux gens du monde par leur charité pour le
15 prochain, ils ont eü besoin de toute leur lumiere pour trouver des expediens qui temperassent les choses avec tant de justesse qu'on pust maintenir et reparer son honneur par les moyens dont on se sert ordinairement dans le monde, sans blesser neantmoins sa conscience, afin de conserver tout en-
20 semble deux choses aussi opposées en apparence que la pieté et l'honneur.

Mais, autant que ce dessein estoit utile, autant l'execution en estoit penible. Car je croy que vous voyez assez la grandeur et la difficulté de cette entreprise. Elle m'estonne, luy
25 dis-je. Elle vous estonne? me dit-il, je le croy. Elle en estonneroit bien d'autres. Ignorez vous que d'une part la loy de l'Evangile ordonne *de ne point rendre le mal pour le mal*,

Title. *om.* Escrite . . . amis *C.*

et d'en laisser la vengeance à Dieu, et que de l'autre les loix du monde defendent de souffrir les injures sans en tirer raison soy-mesme, et souvent par la mort de ses ennemis? Avez-vous jamais rien veü qui paroisse plus contraire? Et cependant, quand je vous dis que nos Peres ont accordé ces 5 choses, vous me dites simplement que cela vous estonne. Je ne m'expliquois pas assez, mon Pere. Je tiendrois la chose impossible si, apres ce qui j'ay veü de vos Peres, je ne sçavois qu'ils peuvent faire facilement ce qui est impossible aux autres hommes. C'est ce qui me fait croire qu'ils en ont 10 bien trouvé quelque moien, que j'admire sans le connoistre, et que je vous prie de me declarer.

Puisque vous le prenez ainsi, me dit-il, je ne puis vous le refuser. Sçachez donc que ce principe merveilleux est nostre grande méthode *de diriger l'intention*, dont l'import- 15 ance est telle dans nostre morale que j'oserois quasi la comparer à la doctrine de la probabilité. Vous en avez veü quelques traits en passant dans de certaines maximes que je vous ay dites. Car, lors que je vous ay fait entendre comment les valets peuvent faire en conscience de certains 20 messages fascheux, n'avez-vous pas pris garde que c'estoit seulement en détournant leur intention du mal dont ils sont les entremetteurs pour la porter au gain qui leur en revient? Voilà ce que c'est que *diriger l'intention*. Et vous avez veü de mesme que ceux qui donnent de l'argent pour des benefices 25 seroient de veritables simoniaques sans une pareille diversion. Mais je veux maintenant vous faire voir cette grande methode dans tout son lustre sur le sujet de l'homicide, qu'elle justifie en mille rencontres, afin que vous jugiez par un tel effet tout ce qu'elle est capable de produire. Je voy 30 déja, luy dis-je, que par là tout sera permis; rien n'en eschapera. Vous allez toûjours d'une extremité à l'autre, respondit le Pere; corrigez-vous de cela. Car, pour vous tesmoigner que nous ne permettons pas tout, sçachez que, par exemple, nous ne souffrons jamais d'avoir l'intention 35 formelle de pecher pour le seul dessein de pecher, et que quiconque s'obstine à borner son desir dans le mal pour le mal mesme, nous rompons avec luy; cela est diabolique: voila qui est sans exception d'âge, de sexe, de qualité. Mais, quand on n'est pas dans cette malheureuse disposition, alors 40 nous essayons de mettre en prattique nostre methode de

31. dis-je assez froidement *C.* 37. s'obstine à n'avoir point d'autre fin dans le mal que le *C.*

diriger l'intention, qui consiste à se proposer pour fin de ses actions un objet permis. Ce n'est pas qu'autant qu'il est en nostre pouvoir nous ne detournions les hommes des choses deffenduës ; mais, quand nous ne pouvons pas empescher 5 l'action, nous purifions au moins l'intention ; et ainsi nous corrigeons le vice du moien par la pureté de la fin.

Voila par où nos Peres ont trouvé moyen de permettre les violences qu'on prattique en deffendant son honneur. Car il n'y a qu'à détourner son intention du désir de vengeance 10 qui est criminel, pour la porter au desir de deffendre son honneur, qui est permis selon nos Peres. Et c'est ainsi qu'ils accomplissent tous leurs devoirs envers Dieu et envers les hommes. Car ils contentent le monde en permettant les actions, et ils satisfont à l'Evangile en purifiant les intentions. 15 Voila ce que les anciens n'ont point connu ; voila ce qu'on doit à nos Peres. Le comprenez-vous maintenant ? Fort bien, luy dis-je. Vous accordez aux hommes la substance grossiere des choses, et vous donnez à Dieu ce mouvement spirituel de l'intention ; et, par cet equitable partage, vous 20 alliez les loix humaines avec les divines. Mais, mon Pere, pour vous dire la verité, je me défie un peu de vos promesses, et je doute que vos auteurs en disent autant que vous. Vous me faites tort, dit le Pere ; je n'avance rien que je ne prouve, et par tant de passages que leur nombre, leur autorité et 25 leurs raisons vous rempliront d'admiration.

Car, pour vous faire voir l'alliance que nos Peres ont faite des maximes de l'Evangile avec celles du monde, par cette direction d'intention, escoutez nostre Pere Reginaldus, in *Praxi*, l. 21, n. 62, p. 260 : *Il est defendu aux particuliers* 30 *de se venger. Car S. Paul dit aux Rom.* 12 : *Ne rendez à personne le mal pour le mal ; et l'Eccl.* 28 : *Celuy qui veut se venger attirera sur soy la vengeance de Dieu, et ses pechez ne seront point oubliez. Outre tout ce qui est dit dans l'Evangile du pardon des offenses comme dans les chapitres* 6 *et* 18 *de* 35 *S. Mathieu.* Certes, mon Pere, si apres cela il dit autre chose que ce qui est dans l'Escriture, ce ne sera pas manque de la sçavoir. Que conclut-il donc enfin ? Le voicy, dit-il : *De toutes ces choses, il paroist qu'un homme de guerre peut sur l'heure mesme poursuivre celuy qui l'a blessé, non pas à la* 40 *verité avec l'intention de rendre le mal pour le mal, mais avec celle de conserver son honneur : Non ut malum pro malo reddat, sed ut conservet honorem.*

17. hommes l'effet exterieur et materiel de l'action . . . mouvement interieur et spirituel *C.*

Voyez-vous comment ils ont soin de defendre d'avoir l'intention de rendre le mal pour le mal, parce que l'Escriture le condamne? Ils ne l'ont jamais souffert. Voyez Lessius, *De Just.*, l. 2, c. 9, d. 12, n. 79 : *Celuy qui a receu un soufflet ne peut pas avoir l'intention de s'en vanger ; mais* 5 *il peut bien avoir celle d'eviter l'infamie, et pour cela de repousser à l'instant cette injure, et mesme à coups d'espée, etiam cum gladio.* Nous sommes si éloignez de souffrir qu'on ait le dessein de se venger de ses ennemis que nos Peres ne veulent pas seulement qu'on leur souhaitte la mort par un 10 mouvement de haine. Voyez nostre Pere Escobar, tr. 5, ex. 5, n. 145 : *Si vostre ennemy est disposé à vous nuire, vous ne devez pas souhaitter sa mort par un mouvement de haine, mais vous le pouvez bien faire pour éviter vostre dommage.* Car cela est tellement legitime avec cette intention que nostre 15 grand Hurtado de Mendoza dit : *Qu'on peut prier Dieu de faire promptement mourir ceux qui se disposent à nous persecuter, si on ne le peut éviter autrement.* C'est au l. *De Spe*, vol. 2, di. 15, 3, sect. 4, 55, 48.

Mon Reverend Pere, luy dis-je, l'Eglise a bien oublié 20 de mettre une oraison à cette intention dans ses prieres. On n'y a pas mis, me dit-il, tout ce qu'on peut demander à Dieu. Outre que cela ne ce pouvoit pas, car cette opinion là est plus nouvelle que le Breviaire : vous n'estes pas bon chronologiste. Mais, sans sortir de ce sujet, escoutez encore 25 ce passage de nostre Pere Gaspard Hurtado, *De Sub. Pecc.*, diff. 9, cité par Diana, p. 5, tr. 14, r. 99. C'est l'un des 24 Peres d'Escobar : *Un beneficier peut sans aucun peché mortel desirer la mort de celuy qui a une pension sur son benefice, et un fils celle de son pere, et se rejoüir quand elle* 30 *arrive, pourveu que ce ne soit que pour le bien qui luy en revient, et non pas par une haine personnelle.*

O mon Pere! luy dis je, voilà un beau fruit de la direction d'intention! Je voy bien qu'elle est de grande estenduë. Mais neantmoins il y a de certains cas dont la resolution 35 seroit encore difficile, quoy que fort necessaire pour les Gentilshommes. Proposez les pour voir, dit le Pere. Monstrez-moy, luy dis-je avec toute cette direction d'intention, qu'il soit permis de se battre en duel. Nostre grand Hurtado de Mendoza, dit le Pere, vous y satisfera sur l'heure dans 40 ce passage que Diana rapporte p. 5, tr. 14, r. 99 : *Si un gentilhomme qui est appellé en duel est connu pour n'estre pas devot, et que les pechez qu'on luy voit commettre à toute heure sans scrupule fassent aisément juger que, s'il refuse le duel, ce n'est pas par la crainte de Dieu, mais par timidité, et qu'ainsi on dise de luy que c'est une poule et non pas un homme, gallina et non vir, il peut, pour conserver son hon-* 5 *neur, se trouver au lieu assigné, non pas veritablement avec l'intention expresse de se battre en duel, mais seulement avec celle de se deffendre, si celuy qui l'a appellé l'y vient attaquer injustement. Et son action sera toute indifferente d'elle-mesme. Car quel mal y a-t-il d'aller dans un champ, de s'y* 10 *promener en attendant un homme, et de se deffendre si on l'y vient attaquer ? Et ainsi il ne peche en aucune maniere, puisque ce n'est point du tout accepter un duel, ayant l'intention dirigée à d'autres circonstances. Car l'acceptation du duel consiste en l'intention expresse de se battre, laquelle celuy-* 15 *cy n'a pas.*

Vous ne m'avez pas tenu parole, mon Pere. Ce n'est pas là proprement permettre le duel. Au contraire, il évite de dire que c'en soit un pour rendre la chose permise, tant il la croit defenduë ! Ho, ho, dit le Pere, vous commencez 20 à penetrer, j'en suis ravi. Je pourrois dire neantmoins qu'il permet en cela tout ce que demandent ceux qui se battent en duel. Mais, puis qu'il faut vous respondre juste, nostre Pere Layman le fera pour moy en permettant le duel en mots propres, pourveu qu'on dirige son intention à l'accepter 25 seulement pour conserver son honneur ou sa fortune. C'est au l. 3, p. 3, c. 3, n. 2 et 3 : *Si un soldat à l'armée, ou un gentilhomme à la Cour, se trouve en estat de perdre son honneur ou sa fortune s'il n'accepte un duel, je ne voy pas que l'on puisse condamner celuy qui le reçoit pour se deffendre.* 30 Petrus Hurtado dit la mesme chose, au rapport de nostre celebre Escobar, au tr. 1, ex. 7, n. 96 ; et au n. 98, il adjoute ces paroles de Hurtado : *Qu'on peut se battre en duel pour deffendre mesme son bien, s'il n'y a que ce moyen de le conserver, parce que chacun a le droit de defendre son bien, et mesme* 35 *par la mort de ses ennemis.* J'admiray sur ces passages de voir que la pieté du Roy employe sa puissance à deffendre et à abolir le duel dans ses Estats, et que la pieté des Jesuites occupe leur subtilité à le permettre et à l'autoriser dans l'Eglise. Mais le bon Pere estoit si en train qu'on luy eust 40 fait tort de l'arrester, de sorte qu'il poursuivit ainsi. Enfin, dit-il, Sanchez (voyez un peu quels gens je vous cite) fait plus.

17. contraire, il le croit tellement defendu que pour le rendre permis *C.*
31. *om.* au *C.* 41. cite, passe outre. *C.*

Car il permet non seulement de recevoir, mais encore d'offrir le duel, en dirigeant bien son intention. Et nostre Escobar le suit en cela au mesme lieu, n. 97. Mon Pere, luy dis-je je le quitte, si cela est; mais je ne croiray jamais qu'il l'ait escrit, si je ne le voy. Lisez-le donc vous-mesme, me dit-il; 5 et je leus en effet ces mots dans la *Theologie mor.* de Sanchez, l. 2, c. 39, n. 7: *Il est bien raisonnable de dire qu'un homme peut se battre en duel pour sauver sa vie, son honneur, ou son bien en une quantité considerable, lors qu'il est constant qu'on les lui veut ravir injustement par des procez et des* 10 *chicaneries, et qu'il n'y a que ce seul moyen de les conserver. Et Navarrus dit fort bien qu'en cette occasion il est permis d'accepter et d'offrir le duel, licet acceptare et offerre duellum; et aussi qu'on peut tuer en cachette son ennemy; et mesme, en ces rencontres-là on ne doit point user de la voye du duel, si on* 15 *peut tuer en cachette son homme, et sortir par là d'affaire. Car, par ce moyen, on évitera tout ensemble et d'exposer sa vie dans un combat, et de participer au peché que nostre ennemy commettroit par un duel.*

Voila, mon Pere, luy dis-je, un pieux guet apend; mais, 20 quoy que pieux, il demeure toujours guet apend, puis qu'il est permis de tuer son ennemy en trahison. Vous ay-je dit, repliqua le Pere, qu'on peut tuer en trahison? Dieu m'en garde. Je vous dis qu'on peut tuer en cachette; et de là vous concluez qu'on peut tuer en trahison, comme si c'estoit 25 la mesme chose. Aprenez d'Escobar, tr. 6, exa. 4, n. 26, ce que c'est que tuer en trahison, et puis vous parlerez: *On appelle tuer en trahison, quand on tuë celuy qui ne s'en défie en aucune maniere; et c'est pourquoy celuy qui tüe son ennemy n'est pas dit le tuer en trahison, quoy que ce soit par* 30 *derriere, ou dans une embusche: licet per insidias aut à tergo percutiat.* Et au mesme traité n. 56: *Celuy qui tüe son ennemy, avec lequel il s'estoit reconcilié sous promesse de ne plus attenter à sa vie, n'est pas absolument dit le tuer en trahison, à moins qu'il y eust entr' eux une amitié bien estroite,* 35 *arctior amicitia.*

Vous voyez par là que vous ne sçavez pas seulement ce que les termes signifient, et cependant vous parlez comme un Docteur. J'avouë, luy dis-je, que cela m'est nouveau, et j'apprens de cette definition qu'on n'a peut estre jamais tué 40 personne en trahison. Car on ne s'avise guere d'assassiner que ses ennemis. Mais, quoy qu'il en soit, on peut, selon

42. peut donc *C.*

Sanchez, tuer hardiment, je ne dis plus en trahison, mais seulement par derriere, ou dans une embusche, un calomniateur qui nous poursuit en justice? Oüy, dit le Pere, mais en dirigeant bien l'intention; vous oubliez tousjours le 5 principal. Et c'est ce que Molina soûtient aussi, t. 4, tr. 3, disp. 12; et mesme, selon nostre docte Reginaldus, l. 21, c. 5, n. 57; *On peut tuer aussi les faux tesmoins qu'il suscite contre nous;* et enfin, selon nos grands et celebres Peres Tannerus et Emmanuel Sa, on peut de mesme tuër et les 10 faux tesmoins et le Juge, s'il est de leur intelligence. Voicy ses mots, tr. 3, disp. 4, q. 8, n. 83: *Sotus, dit-il, et Lessius disent qu'il n'est pas permis de tuer les faux tesmoins et le Juge qui conspirent à faire mourir un innocent; mais Emmanuel Sa et d'autres auteurs ont raison d'improuver ce* 15 *sentiment là, au moins pour ce qui touche la conscience.* Et il confirme encore au mesme lieu qu'on peut tuer et tesmoins et Juge.

Mon Pere, luy dis-je, j'entens maintenant assez bien vostre principe de la direction d'intention; mais j'en veux bien 20 entendre aussi les consequences, et tous les cas où cette methode donne le pouvoir de tuer. Reprenons donc ceux que vous m'avez dits, de peur de méprise: car l'equivoque seroit icy dangereuse. Il ne faut tuer que bien à propos, et sur bonne opinion probable. Vous m'avez donc assuré 25 qu'en dirigeant bien son intention on peut, selon vos Peres, pour conserver son honneur, et mesme son bien, accepter un duel, l'offrir quelquefois, tuer en cachette un faux accusateur, et ses tesmoins avec luy, et encore le juge corrompu qui les favorise. Et vous m'avez dit aussi que celuy qui 30 a receü un soufflet peut, sans se venger, le reparer à coups d'espée. Mais, mon Pere, vous ne m'avez pas dit avec quelle mesure. On ne s'y peut guere tromper, dit le Pere, car on peut aller jusqu'à le tuer. C'est ce que prouve fort bien nostre sçavant Henriquez, l. 14, c. 10, n. 3, et 35 d'autres de nos Peres rapportez par Escobar, au tr. 1, ex. 7, n. 48, en ces mots: *On peut tuer celuy qui a donné un soufflet, quoy qu'il s'enfuye, pourveu qu'on évite de le faire par haine ou par vengeance, et que par là on ne donne pas lieu à des meurtres excessifs et nuisibles à l'Estat. Et la* 40 *raison en est qu'on peut ainsi courir apres son honneur comme apres du bien dérobé. Car, encore que vostre honneur ne soit pas entre les mains de vostre ennemi comme seroient*

35 *om.* au *C.* 40. *om.* ainsi *B.*

des hardes qu'il vous auroit volées, on peut neantmoins le recouvrer en la mesme maniere en donnant des marques de grandeur et d'autorité, et s'acquerrant par là l'estime des hommes. Et, en effet, n'est-il pas veritable que celuy qui a receü un soufflet est reputé sans honneur jusques à ce qu'il ait 5
tué son ennemi? Cela me parut si horrible que j'eus peine à me retenir; mais, pour sçavoir le reste, je le laissay continuer ainsi: Et mesme, dit-il, on peut, pour prevenir un soufflet, tuer celuy qui le veut donner, s'il n'y a que ce moyen de l'éviter. Cela est commun dans nos Peres. Par 10
exemple Azor, *Inst. mor.*, part. 3, p. 105 (C'est encore l'un des 24 V.): *Est-il permis à un homme d'honneur de tuer celuy qui luy veut donner un soufflet ou un coup de baston? Les uns disent que non, et leur raison est que la vie du prochain est plus precieuse que nostre honneur; outre qu'il y* 15
a de la cruauté à tuer un homme pour éviter seulement un soufflet. Mais les autres disent que cela est permis; et certainement je le trouve probable, quand on ne peut l'éviter autrement: car sans cela l'honneur des innocens seroit sans cesse exposé à la malice des insolens. Nostre grand Filiutius 20
de mesme, t. 2, tr. 29, c. 3, n. 50, et le P. Hereau dans ses Ecrits de l'*Homicide*, Hurtado de Mendoza, in 2, disp. 170, sect. 16, § 137, et Becan, *Somm.*, t. 1, q. 64, *De Homicid.*, et nos Peres Flahaut et le Court, dans leurs Escrits, que l'Université dans sa 3 Requeste a rapportez tout au long pour les 25
décrier, mais elle n'y a pas reüssi, et Escobar au mesme lieu, n. 48, disent tous les mesmes choses. Enfin cela est si generalement soûtenu que Lessius, l. 2, c. 9, d. 12, n. 77, en parle comme d'une chose autorisée par le consentement universel de tous les Casuistes. *Il est permis*, dit-il, *selon* 30
le consentement de tous les Casuistes, ex sententiâ omnium, de tuer celuy qui veut donner un soufflet ou un coup de baston, quand on ne le peut eviter autrement. En voulez-vous davantage?

Je l'en remerciay, car je n'en avois que trop entendu; 35
mais, pour voir jusqu'où iroit une si damnable doctrine, je luy dis: Mais, mon Pere, ne sera-t-il point permis de tuer pour un peu moins? Ne sçauroit-on diriger son intention en sorte qu'on puisse tuer pour un dementy? Ouy, dit le

12. *om.* V. B^2. 28. Lessius le decide comme une chose qui n'est contestée d'aucun casuiste l. 2, c. 9, n. 76. Car il en apporte un grand nombre qui sont de cette opinion et aucun qui soit contraire; et mesme il allegue, n. 77. Pierre Navarre, qui, parlant generalement des affronts, dont il n'y a pas de plus sensible qu'un soufflet selon le consentement de *C*.

Pere, et, selon nostre Pere Baldelle, l. 3, disp. 24, n. 24, rapporté par Escobar au mesme lieu, n. 49, *il est permis de tuer celuy qui vous dit : Vous avez menti, si on ne peut le reprimer autrement.* Et on peut tuer de la mesme sorte pour
5 des mesdisances, selon nos Peres. Car Lessius, que le Pere Hereau entr'autres suit mot à mot, dit au lieu déja cité : *Si vous taschez de ruiner ma reputation par des calomnies devant des personnes d'honneur, et que je ne puisse l'eviter autrement qu'en vous tuant, le puis-je faire ? Oüy, selon des Autheurs*
10 *modernes, et mesme encore que le crime que vous publiez soit veritable, si toutefois il est secret, en sorte que vous ne puissiez le decouvrir selon les voyes de la justice. Et en voicy la preuve. Si vous me voulez ravir l'honneur en me donnant un soufflet, je puis l'empescher par la force des armes ; donc la mesme*
15 *defense est permise quand vous me voulez faire la mesme injure avec la langue. De plus, on peut empescher les affronts : donc on peut empescher les médisances. Enfin, l'honneur est plus cher que la vie. Or on peut tuer pour défendre sa vie : donc on peut tuer pour defendre son honneur.*

20 Voila des argumens en forme. Ce n'est pas là discourir ; c'est prouver. Et enfin ce grand Lessius monstre au mesme endroit, n. 78, qu'on peut tuer mesme pour un simple geste ou un signe de mespris. *On peut*, dit-il, *attaquer et oster l'honneur en plusieurs manieres dans lesquelles la defense*
25 *paroist bien juste ; comme si on veut donner un coup de baston ou un soufflet, ou si on veut nous faire affront par des paroles ou par des signes, sive per signa.*

O mon Pere ! luy dis-je, voila tout ce qu'on peut souhaiter pour mettre l'honneur à couvert ; mais la vie est bien ex-
30 posée si, pour de simples médisances et des gestes desobligeans, on peut tuer le monde en conscience. Cela est vray, me dit-il ; mais, comme nos Peres sont forts circonspects, ils ont trouvé à propos de défendre de mettre cette doctrine en usage en de certaines occasions, comme pour les simples
35 médisances. Car ils disent au moins : *Qu'à peine doit-on la prattiquer, practicè vix probari potest.* Et ce n'a pas esté sans raison ; la voicy. Je la sçay bien, luy dis-je : c'est parce que la loy de Dieu defend de tuer. Ils ne le prennent pas par là, me dit le Pere ; ils le trouvent permis en conscience,
40 et en ne regardant que la verité en elle-mesme. Et pourquoy le defendent-ils donc ? Escoutez-le, dit-il. C'est parce qu'on dépeupleroit un Estat en moins de rien, si on en tuoit

30. ou des g. *C.* 34. en ces petites occasions *C.* 37. Je le *C.*

tous les médisans. Aprenez-le de nostre Reginaldus, l. 21, n. 63, p. 260 : *Encore que cette opinion, qu'on peut tuer pour une médisance ne soit pas sans probabilité dans la theorie, il faut suivre le contraire dans la prattique. Car il faut toûjours éviter le dommage de l'Estat dans la maniere* 5 *de se defendre. Or il est visible qu'en tuant le monde de cette sorte, il se feroit un trop grand nombre de meurtres.* Lessius en parle de mesme au lieu déja cité : *Il faut prendre garde que l'usage de cette maxime ne soit nuisible à l'Estat. Car alors il ne faut pas le permettre : tunc enim non est per-* 10 *mittendus.*

Quoy, mon Pere, ce n'est donc icy qu'une defense de politique, et non pas de religion ? Peu de gens s'y arresteront, et surtout dans la colere. Car il pourroit estre assez probable qu'on ne fait point de tort à l'Estat de le purger 15 d'un meschant homme. Aussi, dit-il, nostre Pere Filiutius joint à cette raison là une autre bien considerable, tr. 29, c. 3, n. 51 : *C'est qu'on seroit puni en justice en tuant le monde pour ce sujet.* Je vous le disois bien, mon Pere, que vous ne feriez jamais rien qui vaille, tant que vous n'auriez point 20 les juges de vostre costé. Les juges, dit le Pere, qui ne penetrent pas dans les consciences, ne jugent que par le dehors de l'action, au lieu que nous regardons principalement à l'intention. Et de là vient que nos maximes sont quelquefois un peu differentes des leurs. Quoy qu'il en soit, mon 25 Pere, il se conclut fort bien des vostres qu'on peut tuer les médisans en seureté de conscience, pourveü que ce soit en seureté de sa personne.

Mais, mon Pere, apres avoir si bien pourveü à l'honneur, n'avez-vous rien fait pour le bien ? Je sçay qu'il est de moin- 30 dre consideration ; mais il n'importe. Il me semble qu'on peut bien diriger son intention à tuer pour le conserver. Oüy, dit le Pere ; et je vous en ay touché quelque chose qui vous a pu donner cette ouverture. Tous nos Casuistes s'y accordent ; et mesme on le permet *encore que l'on ne craigne* 35 *plus aucune violence de ceux qui nous ostent nostre bien, comme quand ils s'enfuient.* Azor, de nostre Societé, le prouve, p. 3, l. 2, c. 1, q. 20.

Mais, mon Pere, combien faut-il que la chose vaille pour nous porter à cette extremité ? *Il faut*, selon Reginaldus, 40 l. 21, c. 5, n. 68, et Tannerus, in t. 3, disp. 4, p. 8, d. 4, n. 69, *que la chose soit de grand prix au jugement d'un homme pru-*

26. qu'en evitant les dommages de l'estat on *C.* 41. 66 . . . in 2, 2 *all edd.*

dent. Et Layman et Filiutius en parlent de mesme. Ce n'est rien dire, mon Pere : où ira-t-on chercher un homme prudent, dont la rencontre est si rare, pour faire cette estimation ? Que ne determinent-ils exactement la somme ? Comment ! dit le
5 Pere, estoit-il si facile, à votre avis, de comparer la vie d'un homme, et d'un Chrestien, à de l'argent ? C'est ici où je veux vous faire sentir la necessité de nos Casuistes. Cherchez-moy dans tous les anciens Peres pour combien d'argent il est permis de tuer un homme. Que vous diront-ils sinon :
10 *Non occides ; vous ne tuerez point ?* Et qui a donc ozé determiner cette somme ? respondis-je. C'est, me dit-il, nostre grand et incomparable Molina, la gloire de nostre Societé, qui, par sa prudence inimitable, l'a estimée *à* 6 *ou* 7 *ducats, pour lesquels il asseure qu'il est permis de tuer, encore*
15 *que celuy qui les emporte s'enfuye.* C'est en son t. 4, tr. 3, disp. 16, d. 6. Et il dit de plus au mesme endroit, *qu'il n'oseroit condamner d'aucun peché un homme qui tue celuy qui luy veut oster une chose de la valeur d'un escu ou moins ; unius aurei, vel minoris adhuc valoris.* Ce qui a porté Escobar à
20 establir cette regle generale, n. 44, *que regulierement on peut tuer un homme pour la valeur d'un escu, selon Molina.*

O mon Pere ! d'où Molina a-t-il pu estre éclairé pour déterminer une chose de cette importance sans aucun secours de l'Escriture, des Conciles, ni des Peres ? Je voy
25 bien qu'il a eü des lumieres bien particulieres, et bien esloignées de S. Augustin, sur l'homicide, aussi bien que sur la grace. Me voicy bien sçavant sur ce chapitre ; et je connois parfaitement qu'il n'y a plus que les gens d'Eglise qu'on puisse offenser et pour l'honneur et pour le bien, sans
30 craindre qu'ils tuënt ceux qui les offensent. Que voulez-vous dire ? repliqua le Pere. Cela seroit-il raisonnable, à vostre avis, que ceux qu'on doit le plus respecter dans le monde fussent seuls exposez à l'insolence des méschans ? Nos Peres ont prevenu ce desordre. Car Tannerus, t. 3, d. 4, q. 8,
35 d. 4, n. 76, dit, *Qu'il est permis aux Ecclesiastiques, et aux Religieux mesmes, de tuer pour défendre non seulement leur vie, mais aussi leur bien, ou celuy de leur Communauté.* Molina, qu'Escobar rapporte, n. 43 ; Becan, in. 2, 2, t. 2, q. 7, *De Hom.*, concl. 2, n. 5 ; Reginaldus, l. 21, c. 5, n. 68 ; Layman,
40 l. 3, tr. 3, p. 3, c. 3, n. 4 ; Lessius, l. 2, c. 9, d. 11, n. 72, et les autres, se servent tous des mesmes paroles.

29. d'Eglise qui s'abstiendront de tuer ceux qui leur feront tort en leur honneur ou en leur bien. Que *C.* 34. t. 2 *all edd.* 40. d. trin. n. 72 *S.*

Et mesme, selon notre celebre P. L'Amy, il est permis aux Prestres et aux Religieux de prevenir ceux qui les veulent noircir par des médisances, en les tuant pour les en empescher. Mais c'est toûjours en dirigeant bien l'intention. Voicy ses termes, t. 5, disp. 36, n. 118 : *Il est permis à un Ecclesiastique ou à un Religieux de tuer un calomniateur, qui menace de publier des crimes scandaleux de sa Communauté ou de luy mesme, quand il n'y a que ce seul moyen de l'en empescher, comme s'il est prest à respandre ses médisances si on ne le tuë promptement. Car, en ce cas, comme il seroit permis à ce Religieux de tuer celuy qui luy voudroit oster la vie, il luy est permis aussi de tuer celui qui luy veut oster l'honneur, ou celuy de sa Communauté, de la mesme sorte qu'aux gens du monde.* Je ne sçavois pas cela, luy dis-je, et j'avois creü simplement le contraire, sans y faire de reflexion, sur ce que j'avois oüy dire, que l'Eglise abhorre tellement le sang qu'elle ne permet pas seulement aux juges Ecclesiastiques d'assister aux jugemens criminels. Ne vous arrestez pas à cela, dit-il ; nostre Pere L'Amy prouve fort bien cette doctrine, quoy que, par un trait d'humilité bien seant à ce grand homme, il la soumette aux lecteurs prudents. Et Caramoüel, nostre illustre defenseur, qui la rapporte dans sa *Theologie fondamentale*, p. 543, la croit si certaine qu'il soutient *que le contraire n'est pas probable ;* et il en tire des conclusions admirables, comme celle-cy, qu'il appelle *la conclusion des conclusions, conclusionum conclusio ; Qu'un Prestre non seulement peut en de certaines rencontres tuer un calomniateur, mais encore qu'il y en a où il le doit faire : etiam aliquando debet occidere.* Il examine plusieurs questions nouvelles sur ce principe ; par exemple celle-cy : SÇAVOIR SI LES JESUITES PEUVENT TUER LES JANSENISTES ? Voila, mon Pere, m'escriay-je, un point de Theologie bien surprenant, et je tiens les Jansenistes déja morts par la doctrine du P. L'Amy. Vous voila atrapé, dit le Pere. Il conclut le contraire des mesmes principes. Et comment cela ? mon Pere. Parce, me dit-il, qu'ils ne nuisent pas à nostre reputation. Voicy ses mots, n. 1146 et 1147, p. 547 et 548 : *Les Jansenistes appellent les Jesuites Pelagiens : pourra-t-on les tuer pour cela ? Non, d'autant que les Jansenistes n'obscurcissent non plus l'eclat de la Societé qu'un hibou celuy du soleil ; au contraire, ils l'ont relevée quoy que contre leur intention. Occidi non possunt, quia nocere non potuerunt.*

34. Caramouël conclut *C.*

Hé quoy, mon Pere, la vie des Jansenistes dépend donc seulement de sçavoir s'ils nuisent à vostre reputation ? Je les tiens peü en seureté, si cela est. Car, s'il devient tant soit peu probable qu'ils vous fassent tort, les voila tuables sans 5 difficulté. Vous en ferez un argument en forme ; et il n'en faut pas davantage avec une direction d'intention pour expedier un homme en seüreté de conscience. O qu'heureux sont les gens qui ne veulent pas souffrir les injures d'estre instruits en cette doctrine ! Mais que malheureux sont ceux 10 qui les offensent ! En verité, mon Pere, il vaudroit autant avoir à faire à des gens qui n'ont point de religion qu'à ceux qui en sont instruits jusqu'à cette direction. Car enfin l'intention de celuy qui blesse ne soulage point celuy qui est blessé. Il ne s'apperçoit point de cette direction secrette, 15 et il ne sent que celle du coup qu'on luy porte. Et je ne sçay mesme si on n'auroit pas moins de dépit de se voir tuer brutalement par des gens emportez que de se sentir poignarder conscientieusement par des gens devots.

Tout de bon, mon Pere, je suis un peu surpris de tout 20 cecy, et ces questions du P. L'Amy et de Caramoüel ne me plaisent point. Pourquoy ? dit le Pere ; estes-vous Janseniste ? J'en ay une autre raison, luy dis-je. C'est que j'écris de temps en temps à un de mes amis de la campagne ce que j'apprens des maximes de vos Peres ; et, quoy 25 que je ne fasse que rapporter simplement et citer fidellement leurs paroles, je ne sçay neantmoins s'il ne se pourroit pas rencontrer quelque esprit bizarre qui, s'imaginant que cela vous fait tort, n'en tirast de vos principes quelque méchante conclusion. Allez, me dit le Pere, il ne vous en 30 arrivera point de mal ; j'en suis garand. Sçachez que ce que nos Peres ont imprimé eux-mesmes, et avec l'approbation de nos Superieurs, n'est ny mauvais ny dangereux à publier.

Je vous escris donc sur la parole de ce bon Pere ; mais le 35 papier me manque toûjours, et non pas les passages. Car il y en a tant d'autres, et de si forts, qu'il faudroit des volumes pour tout dire. Je suis, etc.

HUITIÈME LETTRE

ESCRITTE A UN PROVINCIAL

PAR UN DE SES AMIS.

De Paris, ce 28 May 1656.

Monsieur,

Vous ne pensiez pas que personne eust la curiosité de sçavoir qui nous sommes; cependant il y a des gens qui essayent de le deviner, mais ils rencontrent mal. Les uns me prennent pour un Docteur de Sorbonne; les autres attribuent mes Lettres à quatre ou cinq personnes, qui 5 comme moy ne sont ny Prestres ny Ecclesiastiques. Tous ces faux soupçons me font connoistre que je n'ay pas mal reüssy dans le dessein que j'ai eü de n'estre connu que de vous et du bon Pere, qui souffre toûjours mes visites, et dont je souffre toûjours les discours, quoy que avec bien de la 10 peine. Mais je suis obligé à me contraindre; car il ne les continueroit pas, s'il s'appercevoit que j'en fusse si choqué; et ainsi je ne pourrois m'acquiter de la parole que je vous ay donnée de vous faire sçavoir leur morale. Je vous assure que vous devez compter pour quelque chose la violence que 15 je me fais. Il est bien penible de voir renverser toute la morale Chrestienne par des egaremens si etranges sans oser y contredire ouvertement. Mais, apres avoir tant enduré pour vostre satisfaction, je pense qu'à la fin j'eclateray pour la mienne, quand il n'aura plus rien à me dire. Cependant 20 je me retiendray autant qu'il me sera possible: car, plus je me tais, plus il me dit de choses. Il m'en apprit tant la derniere fois, que j'auray bien de la peine à tout dire. Vous verrez que la bourse y a esté aussi malmenée que la vie le fut l'autre fois. Car, de quelque maniere qu'il palie ses 25

Title. *om.* Escritte . . . amis *C*. 24. verrez des principes bien commodes pour ne point restituer. Car *C*.

maximes, celles que j'ay à vous dire ne vont en effet qu'à favoriser les Juges corrompus, les Usuriers, les Banqueroutiers, les Larrons, les femmes perduës et les sorciers, qui sont tous dispensez assez largement de restituer ce qu'ils 5 gagnent chacun dans leur mestier. C'est ce que le bon Pere m'apprit par ce discours :

Dés le commencement de nos entretiens, me dit-il, je me suis engagé à vous expliquer les maximes de nos auteurs pour toutes sortes de conditions. Vous avez desja veü celles 10 qui touchent les Beneficiers, les Prestres, les Religieux, les Valets et les Gentilshommes; parcourons maintenant les autres, et commençons par les Juges.

Je vous diray d'abord une des plus importantes et des plus avantageuses Maximes que nos Peres ayent enseignées en 15 leur faveur. Elle est de nostre savant Castro Palao, l'un de nos 24 Vieillards. Voicy ses mots : *Un juge peut-il, dans une question de droit, juger selon une opinion probable, en quittant l'opinion la plus probable ? Oüy, et mesme contre son propre sentiment ; imo contra propriam opinionem.* Et 20 c'est ce que nostre Pere Escobar rapporte aussi au tr. 6, ex. 6, n. 45. O mon Pere ! luy dis-je, voila un beau commencement ! Les Juges vous sont bien obligez ; et je trouve bien estrange qu'ils s'opposent à vos probabilitez, comme nous l'avons remarqué quelquefois, puis qu'elles leur sont si 25 favorables. Car vous leur donnez par là le mesme pouvoir sur la fortune des hommes que vous vous estes donné sur les consciences. Vous voyez, me dit-il, que ce n'est pas nostre interest qui nous fait agir ; nous n'avons eü égard qu'au repos de leurs consciences ; et c'est à quoy nostre grand Molina a 30 si utilement travaillé sur le sujet des presens qu'on leur fait. Car, pour lever les scrupules qu'ils pourroient avoir d'en prendre en de certaines rencontres, il a pris le soin de faire le dénombrement de tous les cas où ils en peuvent recevoir en conscience, à moins qu'il y eust quelque loy particuliere 35 qui le leur defendist. C'est en son to. 1, tr. 2, disp. 88, n. 6. Les voicy : *Les juges peuvent recevoir des presens des parties, quand ils les leur donnent ou par amitié, ou par reconnaissance de la justice qu'ils ont renduë, ou pour les porter à la rendre à l'avenir, ou pour les obliger à prendre un soin particulier de* 40 *leur affaire, ou pour les engager à les expedier promptement.* Nostre sçavant Escobar en parle encore au tr. 6, ex. 6, n. 43, en cette sorte : *S'il y a plusieurs personnes qui n'ayent pas*

11. domestiques et les G. *C.* 24. *om.* leur *C.*

plus de droit d'estre expediez l'une que l'autre, le Juge qui prendra quelque chose de l'un à condition, ex pacto, de l'expedier le premier, pechera-t-il? Non certainement, selon Layman: car il ne fait aucune injure aux autres, selon le droit naturel, lors qu'il accorde à l'un par la consideration de son present ce 5 *qu'il pouvoit accorder à celuy qu'il luy eust plû. Et mesme, estant également obligé envers tous par l'egalité de leur droit, il le devient davantage envers celuy qui luy fait ce don, qui l'engage à le preferer aux autres; et cette preference semble pouvoir estre estimée pour de l'argent; quæ obligatio videtur* 10 *pretio æstimabilis.*

Mon Reverend Pere, luy dis-je, je suis surpris de cette permission, que les premiers Magistrats du Royaume ne sçavent pas encore. Car Monsieur le premier President a apporté un ordre dans le Parlement pour empescher que 15 certains greffiers ne prissent de l'argent pour cette sorte de preference, ce qui témoigne qu'il est bien éloigné de croire que cela soit permis à des Juges, et tout le monde a loüé une reformation si utile à toutes les parties. Le bon Pere, surpris de ce discours, me répondit: Dittes vous vray? Je ne 20 sçavois rien de cela. Nostre opinion n'est que probable. Le contraire est probable aussi. En verité, mon Pere, luy dis-je, on trouve que M. le Premier President a plus que probablement bien fait, et qu'il a arresté par là le cours d'une corruption publique et soufferte durant trop long temps. J'en 25 juge de la mesme sorte, dit le Pere; mais passons cela, laissons les juges. Vous avez raison, luy dis-je. Aussi bien ne reconnoissent-ils pas assez ce que vous faites pour eux. Ce n'est pas cela, dit le Pere; mais c'est qu'il y a tant de choses à dire sur tous qu'il faut estre court sur chacun. 30

Parlons maintenant des gens d'affaires. Vous sçavez que la plus grande peine qu'on ait avec eux est de les détourner de l'usure; et c'est aussi à quoy nos Peres ont pris un soin particulier, car ils detestent si fort ce vice qu'Escobar dit au tr. 3, ex. 5, n. 1, *que de dire que l'usure n'est pas* 35 *peché, ce seroit une heresie.* Et nostre Pere Bauny, dans sa *Somme des pechez*, c. 14, remplit plusieurs pages des peines deuës aux usuriers. Il les declare *infames durant leur vie et indignes de sepulture apres leur mort.* O mon Pere! je ne le croyois pas si severe! Il l'est quand il le faut, me dit-il; 40 mais aussi, ce sçavant casuiste ayant remarqué qu'on n'est attiré à l'usure que par le desir du gain, il dit au mesme lieu: *L'on obligeroit donc pas peu le monde si, le garantissant*

des mauvais effets de l'usure et tout ensemble du peché qui en est la cause, l'on luy donnoit le moyen de tirer autant et plus de profit de son argent par quelque bon et legitime employ que l'on en tire des usures. Sans doute, mon Pere, il n'y auroit
5 plus d'usuriers apres cela. Et c'est pourquoy, dit-il, il en a fourni *une methode generale pour toutes sortes de personnes : Gentilshommes, Presidens, Conseillers, etc.*, et si facile qu'elle ne consiste qu'en l'usage de certaines paroles qu'il faut prononcer en prestant son argent, ensuite desquelles on peut en
10 prendre du profit sans craindre qu'il soit usuraire, comme il est sans doute qu'il l'auroit esté autrement. Et quels sont donc ces termes mysterieux, mon Pere ? Les voicy, me dit-il, et en mots propres ; car vous sçavez qu'il a fait son livre de la *Somme des pechez* en françois, *pour estre entendu de tout*
15 *le monde*, comme il le dit dans la preface : *Celuy à qui on demande de l'argent respondra donc en cette sorte : Je n'ay point d'argent à prester ; si ay bien à mettre à profit honneste et licite. Si desirez la somme que demandez pour la faire valoir par vostre industrie à moitié gain, moitié perte, peut-estre m'y*
20 *resoudray-je. Bien est vray qu'à cause qu'il y a trop de peine à s'accommoder pour le profit, si vous m'en voulez assurer un certain, et quant et quant aussi mon sort principal qu'il ne coure fortune, nous tomberions bien plustost d'accord, et vous feray toucher argent dans cette heure.* N'est-ce pas là un
25 moien bien aisé de gaigner de l'argent sans pecher ? Et le P. Bauny n'a-t-il pas raison de dire ces paroles, par lesquelles il conclut cette methode : *Voila, à mon avis, le moien par lequel quantité de personnes dans le monde, qui, par leurs usures, extorsions, et contracts illicites, se provoquent la juste in-*
30 *dignation de Dieu, se peuvent sauver en faisant de beaux, honnestes et licites profits.*

O mon Pere ! luy dis-je, voila des paroles bien puissantes ! Je vous proteste que, si je ne sçavois qu'elles viennent de bonne part, je les prendrois pour quelques-uns de
35 ces mots enchantez qui ont pouvoir de rompre un charme. Sans doute elles ont quelque vertu occulte pour chasser l'usure, que je n'entends pas, car j'ay toujours pensé que ce peché consistoit à retirer plus d'argent qu'on n'en a presté. Vous l'entendez bien peu, me dit-il ; l'usure ne consiste pres-
40 que, selon nos Peres, qu'en l'intention de prendre ce profit comme usuraire. Et c'est pourquoy nostre Pere Escobar fait eviter l'usure par un simple détour d'intention. C'est

33. *om.* Je vous . . . charme *C.*

au tr. 3, ex. 5, n. 4, 33, 44 : *Ce seroit usure, dit-il, de prendre du profit de ceux à qui on preste, si on l'exigeoit comme deü par justice ; mais, si on exige comme deü par reconnoissance, ce n'est point usure.* Et au n. 3 : *Il n'est pas permis d'avoir l'intention de profiter de l'argent presté immediatement ; mais* 5 *de le pretendre par l'entremise de la bien veillance, mediâ benevolentiâ, ce n'est point usure.*

Voila de subtiles methodes ; mais une des meilleures à mon sens, car nous en avons à choisir, c'est celle du contract Mohatra. Le contract Mohatra, mon Pere ! Je voy bien, 10 dit-il, que vous ne sçavez ce que c'est. Il n'y a que le nom d'estrange. Escobar vous l'expliquera au tr. 3, ex. 3, n. 36 : *Le contract Mohatra est celuy par lequel on achette des estoffes cherement et à credit pour les revendre, au mesme instant à la mesme personne, argent comptant et à bon marché.* Voila ce 15 que c'est que le contract Mohatra, par où vous voyez qu'on reçoit une certaine somme comptant en demeurant obligé pour davantage. Mais, mon Pere, je croy qu'il n'y a jamais eü qu'Escobar qui se soit servi de ce mot là : y a-t-il d'autres livres qui en parlent ? Que vous sçavez peu les choses ! me 20 dit le Pere. Le dernier livre de Theologie Morale, qui a esté imprimé cette année mesme à Paris, parle du Mohatra, et doctement. Il est intitulé *Epilogus summarum.* C'est *un abregé de toutes les Sommes de Theologie pris de nos Peres Suarez, Sanchez, Lessius, Fagundez, Hurtado, et d'autres* 25 *casuistes celebres*, comme le titre le dit. Vous y verrez donc en la page 54 : *Le Mohatra est quand un homme qui a affaire de vingt pistoles achette d'un Marchand des estoffes pour trente pistoles payables dans un an, et les luy revend à l'heure mesme pour vingt pistoles comptant.* Vous voyez bien par là que le 30 Mohatra n'est pas un mot inoüy. Et bien, mon Pere, ce contract là est-il permis ? Escobar, répondit le Pere, dit au mesme lieu, qu'*il y a des loix qui le deffendent sous des peines tres-rigoureuses.* Il est donc inutile, mon Pere ? Point du tout, dit-il ; car Escobar en ce mesme endroit donne des 35 expediens de le rendre permis, *encore mesme*, dit-il, *que celuy qui vend et rachette ait pour intention principale le dessein de profiter, pourveü seulement qu'en vendant il n'excede pas le plus haut prix des estoffes de cette sorte, et qu'en rachetant il n'en passe pas le moindre, et qu'on n'en convienne pas auparavant* 40 *en termes exprez ny autrement.* Mais Lessius, *de just.*, l. 2, c.

4. *om.* au *C.* 6. bien veillance de celuy à qui l'on a presté, mediâ *C.*
36. expediens pour *C.*

41, d. 16, dit *qu'encore mesme qu'on en fust convenu, on n'est jamais obligé à rendre ce profit, si ce n'est peut-estre par charité, au cas que celuy de qui on l'exige fust dans l'indigence ; et encore pourveu qu'on le pust rendre sans s'incommoder, si com-*
5 *modè potest.* Voila tout ce qui se peut dire. En effet, mon Pere, je croy qu'une plus grande indulgence seroit vitieuse. Nos Peres, dit-il, sçavent si bien s'arrester où il faut ! Vous voyez bien par là l'utilité du Mohatra.

J'aurois bien encore d'autres methodes à vous enseigner ;
10 mais celles-là suffisent, et j'ay à vous entretenir de ceux qui sont mal dans leurs affaires. Nos Peres ont pensé à les soulager selon l'estat où ils sont. Car, s'ils n'ont pas assez de bien pour subsister honnestement et payer leurs dettes tout ensemble, on leur permet d'en mettre une partie à couvert
15 en faisant banqueroute à leurs creanciers. C'est ce que nostre Pere Lessius a decidé et qu'Escobar confirme au tr. 3, ex. 2, n. 163 : *Celuy qui fait banqueroute peut-il en seureté de conscience retenir de ses biens autant qu'il est necessaire pour faire subsister sa famille avec honneur, ne indecorè vivat ?*
20 *Je soutiens que ouy avec Lessius, et mesme encore qu'il les eust gagnez par des injustices et des crimes connus de tout le monde, ex injustitiâ et notorio delicto, quoy que en ce cas il n'en puisse pas retenir en une aussi grande quantité qu'autrement.* Comment ! mon Pere, par quelle estrange charité voulez-vous
25 que ces biens demeurent plustost à celuy qui les a volez par ses concussions pour le faire subsister avec honneur, qu'à ses creanciers à qui ils appartiennent legitimement et que vous reduisez par là dans la pauvreté ? On ne peut pas, dit le Pere, contenter tout le monde, et nos Peres ont pensé par-
30 ticulierement à soulager ces miserables. Et c'est encore en faveur des indigens que nostre grand Vasquez, cité par Castro Palao, t. 1, tr. 6, d. 6, p. 6, n. 12, dit que *quand on voit un voleur resolu et prest à voler une personne pauvre, on peut, pour l'en detourner, luy assigner quelque personne riche*
35 *en particulier pour le voler au lieu de l'autre.* Si vous n'avez pas Vasquez ni Castro Palao, vous trouverez la mesme chose dans vostre Escobar. Car, comme vous le sçavez, il n'a presque rien dit qui ne soit pris de 24 des plus celebres de nos Peres. C'est au tr. 5, ex. 5, n. 120, dans *la pratique de*
40 *nostre Societé pour la charité envers le prochain.*

1. qu'on eust vendu dans l'intention de racheter à moindre Prix on n'est *C.* 8. assez bien *C.* 13. et tout ensemble pour payer *C.* 25. qui les a gagnez par ses voleries pour *C.* 27. *om.* et que . . . pauvreté *C.*

Cette charité est veritablement grande, mon Pere, de sauver la perte de l'un par le dommage de l'autre. Mais je croy qu'il faudroit la faire entiere, et qu'on seroit ensuite obligé en conscience de rendre à ce riche le bien qu'on luy auroit fait perdre. Point du tout, me dit-il, car on ne l'a 5 pas volé soy-mesme : on n'a fait que le conseiller à un autre. Or escoutez cette sage resolution de nostre P. Bauny sur un cas qui vous estonnera donc bien davantage, et où vous croiriez qu'on seroit bien plus obligé de restituer. C'est au ch. 13 de sa *Somme*. Voicy ses propres termes françois : 10 *Quelqu'un prie un soldat de battre son voisin, ou de bruler la grange d'un homme qui l'a offensé : on demande si, au defaut du soldat, l'autre qui l'a prié de faire tous ces outrages doit reparer du sien le mal qui en sera issu. Mon sentiment est que non ; car à restitution nul n'est tenu s'il n'a violé la justice.* 15 *La viole-t-on quand on prie autruy d'une faveur ? Quelque demande qu'on luy en fasse, il demeure toujours libre de l'octroyer ou de la nier. De quelque costé qu'il incline, c'est sa volonté qui l'y porte : rien ne l'y oblige que la bonté, que la douceur et la facilité de son esprit. Si donc ce soldat ne repare* 20 *le mal qu'il aura fait, il n'y faudra astreindre celuy à la priere duquel il aura offensé l'innocent.* Ce passage pensa rompre nostre entretien, car je fus sur le point d'eclater de rire de la bonté et douceur d'un bruleur de grange, et de ces estranges raisonnemens qui exemptent de restitution le premier et veri- 25 table auteur d'un incendie que les juges n'exempteroient pas de la corde ; mais, si je ne me fusse retenu, le bon Pere s'en fust offensé, car il parloit serieusement, et me dit ensuite du mesme air :

Vous devriez reconnoistre par tant d'espreuves combien 30 vos objections sont vaines ; cependant vous nous faites sortir par là de nostre sujet. Revenons donc aux personnes incommodées, pour le soulagement desquelles nos Peres, comme entre autres Lessius, l. 2, c. 12, n. 12, assurent *qu'il est permis de dérober non seulement dans une extreme necessité,* 35 *mais encore dans une necessité grave, quoy que non pas extreme.* Escobar le rapporte aussi au tr. 1, ex. 9, n. 29. Cela est surprenant, mon Pere : il n'y a guere de gens dans le monde qui ne trouvent leur necessité grave, et à qui vous ne donniez par là le pouvoir de dérober en seüreté de conscience. 40

1. est extraordinaire *C.* 3. et que celuy qui a donné ce conseil seroit *C.* 4. qu'il luy *C.* 5. il ne l'a pas volé luy mesme ; il n'a fait *C.* 8. encore bien *C.* 9. beaucoup plus *C.* 26. pas de la mort *C.*

Et, quand vous en reduiriez la permission aux seules personnes qui sont effectivement en cet estat, c'est ouvrir la porte à une infinité de larcins que les Juges puniroient nonobstant cette necessité grave, et que vous devriez reprimer à
5 bien plus forte raison, vous qui devez maintenir parmi les hommes non seulement la justice, mais encore la charité, qui est destruite par ce principe. Car enfin, n'est-ce pas la violer et faire tort à son prochain que de luy faire perdre son bien pour en profiter soy mesme? C'est ce qu'on m'a appris
10 jusqu'icy. Cela n'est pas toujours veritable, dit le Pere, car nostre grand Molina nous a appris, t. 2, tr. 2, disp. 328, n. 8, *Que l'ordre de la charité n'exige pas qu'on se prive d'un profit pour sauver par là son prochain d'une perte pareille.* C'est ce qu'il dit pour monstrer ce qu'il avoit entrepris de prouver
15 en cet endroit là : *Qu'on n'est pas obligé en conscience de rendre les biens qu'un autre nous auroit donnez pour en frustrer ses creanciers.* Et Lessius, qui soûtient la mesme opinion, la confirme par ce mesme principe au l. 2, c. 20, d. 19, n. 168.

Vous n'avez pas assez de compassion pour ceux qui sont
20 mal à leur aise; nos Peres ont eu plus de charité que cela. Ils rendent justice aux pauvres aussi bien qu'aux riches. Je dis bien davantage : ils la rendent mesme aux pecheurs. Car, encore qu'ils soient bien opposez à ceux qui commettent des crimes, neantmoins ils ne laissent pas d'enseigner que les
25 biens gagnez par des crimes peuvent estre legitimement retenus. C'est ce que dit Lessius, l. 2, c. 10, d. 6, n. 46 : *Les biens acquis par l'adultere sont veritablement gagnez par une voye illegitime ; mais neantmoins la possession en est legitime : quamvis mulier illicitè acquirat, licitè retinet acquisita.* Et
30 c'est pourquoy les plus celebres de nos Peres decident formellement que ce qu'un juge prend d'une des parties qui a mauvais droit pour rendre en sa faveur un arrest injuste, et ce qu'un soldat reçoit pour avoir tué un homme, et ce qu'on gagne par les crimes infames, peut estre legitimement retenu.
35 C'est ce qu'Escobar ramasse de nos auteurs, et qu'il assemble au tr. 3, ex. 1, n. 23, où il fait cette regle generale : *Les biens acquis par des voyes honteuses, comme par un meurtre, une sentence injuste, une action deshonneste, etc., sont legitimement*

23. Ont opposez *C.* 26. que Lessius enseigne generalement l. 2, c. 14, d. 8. *On n'est point*, dit-il *obligé ny par la loy de nature, ny par les loix positives*, c'est à dire par aucune loi, *de rendre ce qu'on a reçu pour avoir commis une action criminelle, comme pour un adultere, encore mesme que cette action soit contraire à la justice.* Car, comme dit encore Escobar en citant Lessius tr. 1, ex. 8, n. 59, *les biens qu'une femme acquiert par l'adultere sont veritablement C.*

possedez, et on n'est point obligé à les restituer. Et encore au tr. 5, ex. 5, n. 53 : *On peut disposer de ce qu'on reçoit pour des homicides, des arrests injustes, des pechez infames, etc., parce que la possession en est juste, et qu'on acquiert le domaine et la proprieté des choses que l'on y gagne.* O mon Pere! luy 5 dis-je, je n'avois jamais oüy parler de cette voye d'acquerir, et je doute que la justice l'autorise et qu'elle prenne pour un juste titre l'assassinat, l'injustice, et l'adultere. Je ne sçay, dit le Pere, ce que les livres de droit en disent ; mais je sçay bien que les nostres, qui sont les veritables regles des con- 10 sciences, en parlent comme moy. Il est vray qu'ils en exceptent un cas, auquel ils obligent à restituer. C'est *quand on a receü de l'argent de ceux qui n'ont pas le pouvoir de disposer de leur bien, tels que sont les enfans de famille et les Religieux :* car nostre grand Molina les en excepte au t. 1, *De Just.*, tr. 2, 15 disp. 94, *nisi mulier accepisset ab eo qui alienare non potest, ut a religioso et filio familias.* Car alors il faut leur rendre leur argent. Escobar cite ce passage au tr. 1, ex. 8, n. 59, et il confirme la mesme chose au tr. 3, ex. 1, n. 23.

Mon Reverend Pere, luy dis-je, je voy les Religieux mieux 20 traitez en cela que les autres. Point du tout, dit le Pere ; n'en fait-on pas autant pour tous les mineurs generalement, au nombre desquels les Religieux sont toute leur vie? Il est juste de les excepter. Mais, à l'esgard de tous les autres, on n'est point obligé de leur rendre ce qu'on reçoit d'eux pour 25 une mauvaise action. Et Lessius le prouve amplement au l. 2, *De Just.*, c. 14, d. 8, n. 52 : *Ce qu'on reçoit*, dit-il, *pour une action criminelle n'est point sujet à restitution par aucune justice naturelle, parce qu'une méchante action peut estre estimée pour de l'argent en considerant l'avantage qu'en reçoit* 30 *celuy qui la fait faire, et la peine qu'y prend celuy qui l'execute. Et c'est pourquoy on n'est point obligé à restituer ce qu'on reçoit pour la faire, de quelque nature qu'elle soit, homicide, arrest injuste, action sale, si ce n'est qu'on eust receü de ceux qui n'ont pas le pouvoir de disposer de leur bien. Vous* 35 *direz peut-estre que celuy qui reçoit de l'argent pour un meschant coup peche, et qu'ainsi il ne peut ny le prendre ny le retenir ; mais je respons qu'apres que la chose est executée il n'y a plus aucun peché ny à payer ny à en recevoir le payement.* Nostre grand Filiutius entre plus encore dans le détail de la 40

3. hom., des sentences i. *C.* 27. *Car*, dit-il, *une mechante action peut estre estimée C.* 33. *hom. sentence injuste, a. s.* (car ce sont les exemples dont il se sert dans toute cette matiere) *si C.*

prattique, car il marque *qu'on est obligé en conscience de payer differemment les actions de cette sorte, selon les differentes conditions des personnes qui les commettent, et que les unes valent plus que les autres.* C'est ce qu'il establit sur de solides rai-
5 sons au tr. 31, c. 9, n. 231 : *Occultæ fornicariæ debetur pretium in conscientiâ, et multo majore ratione quam publicæ. Copia enim quam occulta facit mulier sui corporis multo plus valet quam ea quam publica facit meretrix; nec ulla est lex positiva quæ reddat eam incapacem pretii. Idem dicendum de*
10 *pretio promisso virgini, conjugatæ, moniali, et cuicumque alii. Est enim omnium eadem ratio.*

Il me fit voir ensuite dans ses Auteurs des choses de cette nature si infames que je n'oserois les raporter, et dont il auroit eü horreur luy mesme (car il est bon homme) sans le
15 respect qu'il a pour ses Peres, qui luy fait recevoir avec veneration tout ce qui vient de leur part. Je me taisois cependant, moins par le dessein de l'engager à continuer cette matiere que par la surprise de voir des livres de Religieux pleins de decisions si horribles, si injustes, et si extra-
20 vagantes tout ensemble. Il poursuivit donc en liberté son discours, dont la conclusion fut ainsi : C'est pour cela, dit-il, que nostre illustre Molina (je croy qu'apres cela vous serez content) decide ainsi cette question : *Quand on a receü de l'argent pour faire une meschante action, est-on obligé à le*
25 *rendre ? Il faut distinguer*, dit ce grand homme. *Si on n'a pas fait l'action pour laquelle on a esté payé, il faut rendre l'argent ; mais, si on l'a faite, on n'y est point obligé : si non fecit hoc malum, tenetur restituere, secùs si fecit.* C'est ce qu'Escobar rapporte au tr. 3, ex. 2, n. 138.

30 Voila quelques-uns de nos principes touchant la restitution. Vous en avez bien appris aujourd'huy ; je veux voir maintenant comment vous en aurez profité. Respondez-moy donc : *Un juge qui a receü de l'argent d'une des parties pour faire un arrest en sa faveur, est-il obligé à le rendre ?* Vous
35 venez de me dire que non, mon Pere. Je m'en doutois bien, dit-il ; vous l'ai-je dit generalement ? Je vous ay dit qu'il n'est pas obligé de rendre, s'il a fait gagner le procez à celuy qui n'a pas bon droit ; mais, quand on a bon droit, voulez-vous qu'on achette encore le gain de sa cause, qui est deü
40 legitimement ? Vous n'avez pas de raison. Ne comprenez-vous pas que le Juge doit la justice, et qu'ainsi il ne la peut pas vendre, mais qu'il ne doit pas l'injustice, et qu'ainsi il

4. des solides *AC*. 34. pour rendre un jugement en *C*.

peut en recevoir de l'argent. Aussi tous nos principaux auteurs (comme Molina, disp. 94 et 99 ; Reginaldus, l. 10, n. 184, 185 et 187 ; Filiutius, tr. 31, n. 220 et 228 ; Escobar, tr. 3, ex. 1, n. 21 et 23 ; Lessius, l. 2, c. 14, d. 8, n. 52), enseignent tous uniformément, *Qu'un Juge est bien obligé de* 5 *rendre ce qu'il a receü pour faire justice, si ce n'est qu'on le luy eust donné par liberalité, mais qu'il n'est jamais obligé à rendre ce qu'il a receü d'un homme en faveur duquel il a rendu un arrest injuste.*

Je fus tout interdit par cette fantasque decision, et, pen- 10 dant que j'en considerois les pernicieuses consequences, le Pere me preparoit une autre question et me dit : Respondez donc une autre fois avec plus de circonspection. Je vous demande maintenant : *Un homme qui se mesle de deviner est-il obligé de rendre l'argent qu'il a gaigné par cet exercice ?* 15 Ce qu'il vous plaira, mon Reverend Pere, luy dis-je. Comment ! ce qui me plaira ? Vrayment vous estes admirable ! Il semble, de la façon que vous parlez, que la verité depende de nostre volonté. Je voy bien que vous ne trouveriez jamais celle-cy de vous mesme. Voyez donc resoudre cette 20 difficulté-là à Sanchez ; mais aussi c'est Sanchez. Premierement, il distingue en sa *Somme*, l. 2, c. 38, n. 94, 95 et 96, *si ce devin ne s'est servi que de l'astrologie et des autres moiens naturels, ou s'il a employé l'art diabolique : car il dit qu'il est obligé de restituer en un cas, et non pas en l'autre.* 25 Diriez-vous bien maintenant auquel ? Il n'y a pas là de difficulté, luy dis-je. Je voy bien, repliqua-t-il, ce que vous voulez dire. Vous croyez qu'il doit restituer au cas qu'il se soit servi de l'entremise des demons ? Mais vous n'y entendez rien. C'est tout au contraire. Voicy la resolution 30 de Sanchez au mesme lieu : *Si ce devin n'a pas pris la peine et le soin de sçavoir par le moien du diable ce qui ne se pouvoit sçavoir autrement, si nullam operam apposuit ut arte diaboli id sciret, il faut qu'il restituë ; mais, s'il en a pris la peine, il n'y est point obligé.* Et d'où vient cela, mon Pere ? Ne 35 l'entendez-vous pas ? me dit-il. C'est parce qu'on peut bien deviner par l'art du diable, au lieu que l'astrologie est un moien faux. Mais, mon Pere, si le diable ne respond pas la verité, car il n'est guere plus veritable que l'astrologie, il faudra donc que le devin restituë par la mesme raison ? 40 Non pas toujours, me dit-il. *Distinguo*, dit Sanchez sur cela, *car, si le devin est ignorant en l'art diabolique, si sit artis*

26. Direz *B*[2]. 31. *om.* pas *C*.

diabolicæ ignarus, il est obligé à restituer ; mais, s'il est habile sorcier et qu'il ait fait ce qui est en luy pour sçavoir la vèrité, il n'y est point obligé : car alors la diligence d'un tel sorcier peut estre estimée pour de l'argent, diligentia a mago apposita 5 *est pretio æstimabilis.* Cela est de bon sens, mon Pere, luy dis-je, car voila le moien d'engager les sorciers à se rendre sçavants et experts en leur art par l'esperance de gagner du bien legitimement, selon vos maximes, en servant fidellement le public. Je croy que vous raillez, dit le Pere ; cela 10 n'est pas bien, car, si vous parliez ainsi en des lieux où vous ne fussiez pas connu, il pourroit se trouver des gens qui prendroient mal vos discours, et qui vous reprocheroient de tourner les choses de la religion en raillerie. Je me defendrois facilement de ce reproche, mon Pere, car je croy que, si 15 on prend la peine d'examiner le veritable sens de mes paroles, on n'en trouvera aucune qui ne marque parfaitement le contraire, et peut-estre s'offrira-t-il un jour dans nos entretiens l'occasion de le faire amplement paroistre. Ho, ho, dit le Pere, vous ne riez plus. Je vous avoüe, luy dis-je, 20 que ce soupçon que je me voulusse railler des choses saintes me seroit aussi sensible qu'il seroit injuste. Je ne le disois pas tout de bon, repartit le Pere ; mais parlons plus serieusement. J'y suis tout disposé, si vous le voulez, mon Pere ; cela dépend de vous. Mais je vous advoüe que j'ay esté 25 surpris de voir que vos Peres ont tellement estendu leurs soins à toutes sortes de conditions qu'ils ont voulu mesme regler le gain legitime des Sorciers. On ne sçauroit, dit le Pere, escrire pour trop de monde, ny particulariser trop les cas, ny repeter trop souvent les mesmes choses en differens 30 livres. Vous le verrez bien par ce passage d'un des plus graves de nos Peres. Vous le pouvez juger, puis qu'il est aujourd'huy nostre Pere Provincial. C'est le R. P. Cellot, en son l. 8, *De la Hierarc.*, c. 16, § 2. *Nous sçavons, dit-il, qu'une personne qui portoit une grande somme d'argent pour* 35 *la restituer par ordre de son Confesseur, s'estant arrestée en chemin chez un Libraire, et luy ayant demandé s'il n'y avoit rien de nouveau, num quid novi, il luy monstra un nouveau livre de Theologie Morale, et que, le feüilletant avec negligence et sans penser à rien, il tomba sur son cas et y apprit qu'il* 40 *n'estoit point obligé à restituer. De sorte que, s'estant deschargé du fardeau de son scrupule et demeurant toujours chargé du poids de son argent, il s'en retourna bien plus leger en sa*

19. vous confesse *C.* 21. seroit bien sensible comme il seroit bien injuste *C.*

maison : abjecta scrupuli sarcina, retento auri pondere, levior domum repetiit.

Et bien, dites moy apres cela s'il est utile de sçavoir nos maximes? En rirez-vous maintenant, et ne ferez-vous pas plutost avec le P. Cellot cette pieuse reflexion sur le bon- 5 heur de cette rencontre? *Les rencontres de cette sorte sont en Dieu l'effet de sa providence, en l'ange gardien l'effet de sa conduite, et en ceux à qui elles arrivent l'effet de leur predestination. Dieu de toute eternité a voulu que la chaisne d'or de leur salut dépendist d'un tel auteur, et non pas de cent* 10 *autres qui disent la mesme chose, parce qu'il n'arrive pas qu'ils les rencontrent. Si celuy là n'avoit escrit, celuy-cy ne seroit pas sauvé. Conjurons donc par les entrailles de Jesus-Christ ceux qui blasment la multitude de nos auteurs de ne leur pas envier les livres que l'election eternelle de Dieu et le* 15 *sang de Jesus-Christ leur a acquis.* Voila de belles paroles par lesquelles ce sçavant homme prouve si solidement cette proposition qu'il avoit avancée : *Combien il est utile qu'il y ait un grand nombre d'auteurs qui escrivent de la Theologie Morale. Quam utile sit de theologia morali multos scribere.* 20

Mon Pere, luy dis-je, je remettray à une autrefois à vous declarer mon sentiment sur ce passage, et je ne vous diray presentement autre chose, sinon que, puis que vos maximes sont si utiles et qu'il est si important de les publier, vous devez continuer à m'en instruire : car je vous assure que 25 celuy à qui je les envoye les fait voir à bien des gens. Ce n'est pas que nous ayons autrement l'intention de nous en servir, mais c'est qu'en effet nous pensons qu'il sera utile que le monde en soit bien informé. Aussi, me dit-il, vous voyez que je ne les cache pas, et pour continuer, je pourray bien 30 vous parler la premiere fois des douceurs et des commoditez de la vie que nos Peres permettent pour rendre le salut aisé et la devotion facile ; afin qu'apres avoir veü jusqu' icy ce qui touche les conditions particulieres, vous apreniez ce qui est general pour toutes, et qu'ainsi il ne vous manque rien pour 35 une parfaitte instruction. Je suis, etc.

J'ay toujours oublié à vous dire qu'il y a des Escobars de differentes impressions. Si vous en achetez, prenez de ceux de Lyon, où à l'entrée il y a une Image d'un Agneau qui est sur un livre scellé de sept seaux, ou de ceux de Bruxelles de 1651. Comme ceux-là sont les derniers, ils 40 sont meilleurs et plus amples que ceux des Editions precedentes de Lyon des années 1644 et 1646.

4. *om.* pas *C.* 36. instruction. Après que ce Pere m'eut parlé de la sorte il me quitta. Je *C.*

NEUVIÉME LETTRE

ESCRITTE A UN PROVINCIAL

PAR UN DE SES AMIS.

De Paris, ce 3 Juillet 1656.

Monsieur,

Je ne vous feray pas plus de compliment que le bon Pere m'en fit la derniere fois que je le veis. Aussi-tost qu'il m'apperçeut, il vint à moy, et me dit en regardant dans un livre qu'il tenoit à la main : *Qui vous ouvriroit le paradis ne vous* 5 *obligeroit-il pas parfaitement ? Ne donneriez-vous pas des millions d'or pour en avoir une clef, et entrer dedans quand bon vous sembleroit ? Il ne faut point entrer en de si grands frais ; en voicy une, voire cent, à meilleur compte.* Je ne sçavois si le bon Pere lisoit ou s'il parloit de luy-mesme. Mais il m'osta 10 de peine en disant : Ce sont les premieres paroles d'un beau livre du P. Barry, de nostre Societé, car je ne dis jamais rien de moy-mesme. Quel livre, luy dis-je, mon Pere ? En voicy le titre, dit-il : *Le Paradis ouvert à Philagie par cent devotions à la Mere de Dieu, aisées à prattiquer.* Et quoy, mon Pere, 15 chacune de ces devotions aisées suffit pour ouvrir le ciel ? Oüy, dit-il ; voyez-le encore dans la suite des paroles que vous avez ouïes : *Tout autant de devotions à la Mere de Dieu que vous trouverez en ce livre sont autant de clefs du ciel qui vous ouvriront le paradis tout entier, pourveü que vous les* 20 *pratiquiez ;* et c'est pourquoy il dit dans la conclusion *qu'il est content si on en pratique une seule.*

Apprenez-m'en donc quelqu'une des plus faciles, mon Pere. Elles le sont toutes, respondit-il ; par exemple : *saluer la Sainte Vierge au rencontre de ses images ; dire le* 25 *petit chapelet des dix plaisirs de la Vierge ; prononcer souvent le nom de Marie ; donner commission aux Anges de luy faire la*

Title. *om.* Escrite . . . amis *C.*

reverence de nostre part ; souhaitter de luy bastir plus d'Eglises que n'ont fait tous les Monarques ensemble ; luy donner tous les matins le bon jour, et sur le tard le bon soir ; dire tous les jours l'Ave Maria en l'honneur du cœur de Marie. Et il dit que cette devotion là assure de plus d'obtenir le cœur de la 5 Vierge. Mais mon Pere, luy dis-je, c'est pourveu qu'on luy donne aussi le sien ? Cela n'est pas necessaire, dit-il, quand on est trop attaché au monde ; écoutez-le : *Cœur pour cœur, ce seroit bien ce qu'il faut ; mais le vostre est un peu trop attaché, et tient un peu trop aux creatures. Ce qui fait que* 10 *je n'ose vous inviter à offrir aujourd'huy ce petit esclave que vous appelez vostre cœur.* Et ainsi il se contente de l'*Ave Maria* qu'il avoit demandé. Ce sont les devotions des pages 33, 59, 143, 156, 172, 258 et 420 de la premiere edition. Cela est tout à fait commode, luy-dis-je, et je croy qu'il n'y aura 15 personne de damné apres cela. Helas ! dit le Pere, je voy bien que vous ne sçavez pas jusqu' où va la dureté de cœur de certaines gens ! Il y en a qui ne s'attacheroient jamais à dire tous les jours ces deux paroles : *Bon jour, bon soir,* parce que cela ne se peut faire sans quelque application de 20 memoire. Et ainsi il a fallu que le P. Barry leur ait fourny des pratiques encore plus faciles, comme *d'avoir jour et nuit un chapelet au bras en forme de brasselet,* ou, *de porter sur soy un rosaire, ou bien une image de la Vierge.* Ce sont là les devotions des pages 14, 326 et 447. *Et puis dites que je* 25 *ne vous fournis pas des devotions faciles pour acquerir les bonnes graces de Marie,* comme dit le P. Barry, p. 106. Voilà, mon Pere, luy dis-je, l'extrême facilité. Aussi, dit-il, c'est tout ce qu'on a pû faire ; et je croy que cela suffira, car il faudroit estre bien miserable pour ne vouloir pas prendre un 30 moment en toute sa vie pour mettre un chapelet à son bras, ou un rosaire dans sa poche, et assurer par là son salut avec tant de certitude que ceux qui en font l'espreuve n'y ont jamais esté trompez, de quelque maniere qu'ils aient vescu, quoy que nous conseillions de ne laisser pas de bien vivre. Je 35 ne vous en rapporteray que l'exemple de la p. 34, d'une femme qui, prattiquant tous les jours la devotion de salüer les images de la Vierge, vescut toute sa vie en peché mortel, et mourut enfin en cét état, et qui ne laissa pas d'estre sauvée par le merite de cette dévotion. Et comment cela ? m'escriay-je. 40 C'est, dit-il, que Nostre-Seigneur la fit ressusciter expres, tant il est seur qu'on ne peut perir quand on pratique quelqu'une de ces devotions.

En verité, mon Pere, je sçay que les devotions à la Vierge sont un puissant moyen pour le salut, et que les moindres sont d'un grand merite quand elles partent d'un mouvement de foy et de charité, comme dans les saints qui les ont pra-
5 tiquées ; mais de faire accroire à ceux qui en usent sans changer leur mauvaise vie qu'ils se convertiront à la mort, ou que Dieu les ressuscitera, c'est ce que je trouve bien plus propre à entretenir les pecheurs dans leurs desordres par la fausse paix que cette confiance temeraire apporte qu'à les en
10 retirer par une veritable conversion que la grace seule peut produire. *Qu'importe*, dit le Pere, *par où nous entrions dans le paradis, moyennant que nous y entrions ?* comme dit sur un semblable sujet nostre celebre P. Binet, qui a esté nostre provincial, en son excellent livre *De la Marque de Predestina-*
15 *tion*, n. 31, p. 130 de la 15e edition. *Soit de bond ou de volée, que nous en chaut-il, pourveu que nous prenions la ville de gloire ?* comme dit encore ce Pere au mesme lieu. J'avouë, luy dis-je, que cela n'importe ; mais la question est de sçavoir si on y entrera. La Vierge, dit-il, en respond. Voyez-le
20 dans les dernieres lignes du livre du P. Barry. *S'il arrivoit qu'à la mort l'ennemy eust quelque pretention sur vous, et qu'il y eust du trouble dans la petite republique de vos pensées, vous n'avez qu'à dire que Marie respond pour vous, et que c'est à elle qu'il faut s'adresser.*

25 Mais, mon Pere, qui voudroit pousser cela vous embarrasseroit : car enfin, qui nous a assuré que la Vierge en respond ? Le P. Barry, dit-il, en respond pour elle, p. 465 : *Quant au profit et bon-heur qui vous en reviendra, je vous en respons et me rens plege pour la bonne Mere.* Mais, mon
30 Pere, qui respondra pour le P. Barry ? Comment ! dit le Pere, il est de nostre Compagnie ! Et ne sçavez-vous pas encore que nostre Societé respond de tous les livres de nos Peres ? Il faut vous apprendre cela. Il est bon que vous le sçachiez : il y a un ordre dans nostre Societé par lequel il
35 est defendu à toutes sortes de libraires d'imprimer aucun ouvrage de nos Peres sans l'approbation des Theologiens de nostre Compagnie, et sans la permission de nos Superieurs. C'est un reglement fait par Henry III le 10 May 1583, et confirmé par Henry IV le 20 Decembre 1603, et par Loüis
40 XIII le 14 Fevrier 1612. De sorte que tout nostre corps est responsable des livres de chacun de nos Peres. Cela est particulier à nostre Compagnie. Et de là vient qu'il ne sort

5. à croire *B.*

aucun ouvrage de chez nous qui n'ait l'esprit de la Societé. Voilà ce qu'il estoit à propos de vous apprendre. Mon Pere, luy dis-je, vous m'avez fait plaisir, et je suis fasché seulement de ne l'avoir pas sçeu plûtost, car cette connoissance engage à avoir bien plus d'attention pour vos Autheurs. Je l'eusse 5 fait, dit-il, si l'occasion s'en fust offerte ; mais profitez-en à l'avenir, et continuons nostre sujet.

Je croy vous avoir ouvert des moyens d'assurer son salut assez faciles, assez seurs, et en assez grand nombre. Mais nos Peres souhaitteroient bien qu'on n'en demeurast pas à 10 ce premier degré, où l'on ne fait que ce qui est exactement necessaire pour le salut. Comme ils aspirent sans cesse à la plus grande gloire de Dieu, ils voudroient élever les hommes à une vie plus pieuse. Et, parce que les gens du monde sont d'ordinaire détournez de la devotion par l'estrange idée 15 qu'on leur en a donnée, nos Peres ont crû qu'il estoit d'une extrême importance de détruire ce premier obstacle. Et c'est en quoy le P. le Moyne a acquis beaucoup de reputation par le livre de *la Devotion aisée*, qu'il a fait à ce dessein. C'est là qu'il fait une peinture tout à fait charmante de la 20 devotion. Jamais personne ne l'a connuë comme luy. Apprenez-le par les premieres paroles de cét ouvrage : *La vertu ne s'est encore monstrée à personne ; on n'en a point fait de portrait qui luy ressemble. Il n'y a rien d'estrange qu'il y ait eu si peu de presse à grimper sur son rocher. On en a fait* 25 *une fascheuse qui n'ayme que la solitude : on lui a associé la douleur et le travail, et enfin on l'a faite ennemie des divertissemens et des jeux, qui sont la fleur de la joye et l'assaisonnement de la vie.* C'est ce qu'il dit p. 92.

Mais, mon Pere, je sçay bien au moins qu'il y a de grands 30 Saints dont la vie a esté extrêmement austere. Cela est vray, dit-il ; mais aussi *il s'est toûjours veu des Saints polis et des devots civilisez*, selon ce Pere, p. 191. Et vous verrez, p. 86, que la difference de leurs mœurs vient de celle de leurs humeurs. Escoutez-le : *Je ne nie pas qu'il ne se voye des* 35 *devots qui sont pasles et melancholiques de leur complexion, qui ayment le silence et la retraite, et qui n'ont que du flegme dans les veines et de la terre sur le visage. Mais il s'en voit assez d'autres qui sont d'une complexion plus heureuse, et qui ont abondance de cette humeur douce et chaude et de ce sang benin* 40 *et rectifié qui fait la joye.*

16. Nous avons crû *C*.

Vous voyez de là que l'amour de la retraite et du silence n'est pas commun à tous les devots, et que, comme je vous le disois, c'est l'effet de leur complexion plûtost que de la pieté. Au lieu que ces mœurs austeres dont vous parlez sont 5 proprement le caractere d'un sauvage et d'un farouche. Aussi vous les verrez placées entre les mœurs ridicules et brutales d'un fou melancholique dans la description que le P. le Moyne en a faite au 7 livre de ses *Peintures morales*. En voicy quelques traits : *Il est sans yeux pour les beautez de l'art* 10 *et de la nature. Il croiroit s'estre chargé d'un fardeau incommode, s'il avoit pris quelque matiere de plaisir pour soy. Les jours de festes, il se retire parmy les morts. Il s'ayme mieux dans un tronc d'arbre ou dans une grotte que dans un palais ou sur un throsne. Quant aux affronts et aux injures, il y* 15 *est aussi insensible que s'il avoit des yeux et des oreilles de statuë. L'honneur et la gloire sont des idoles qu'il ne connoist point, et pour lesquels il n'a point d'encens à offrir. Une belle personne luy est un spectre ; et ces visages imperieux et souverains, ces agreables tyrans qui font partout des esclaves* 20 *volontaires et sans chaisnes, ont le mesme pouvoir sur ses yeux que le Soleil sur ceux des hiboux*, etc.

Mon Reverend Pere, je vous assure que, si vous ne m'aviez dit que le P. le Moyne est l'Autheur de cette peinture, j'aurois dit que c'eust esté quelque impie qui l'auroit faite à 25 dessein de tourner les Saints en ridicule. Car, si ce n'est là l'image d'un homme tout à fait detaché des sentimens auxquels l'Evangile oblige de renoncer, je confesse que je n'y entens rien. Voyez donc, dit-il, combien vous vous y connaissez peu. Car ce sont là *des traits d'un esprit foible et* 30 *sauvage qui n'a pas les affections honnestes et naturelles qu'il devrait avoir*, comme le P. le Moyne le dit dans la fin de cette description. C'est par ce moyen qu'il *enseigne la vertu et la Philosophie Chrestienne*, selon le dessein qu'il en avoit dans cet ouvrage, comme il le declare dans l'avertissement. 35 Et en effet on ne peut nier que cette methode de traiter de la devotion n'agrée tout autrement au monde que celle dont on se servoit avant nous. Il n'y a point de comparaison, luy dis-je, et je commence à esperer que vous me tiendrez parole. Vous le verrez bien mieux dans la suite, dit-il ; je ne vous 40 ai encore parlé de la pieté qu'en general. Mais, pour vous faire voir en détail combien nos Peres en ont osté de peines, n'est-ce pas une chose bien pleine de consolation pour les ambitieux d'apprendre qu'ils peuvent conserver une veritable devotion avec un amour desordonné pour les grandeurs? Et quoy, mon Pere, avec quelque excez qu'ils les recherchent? Oüy, dit-il, car ce ne seroit toûjours que peché veniel, à moins qu'on desirast les grandeurs pour offenser Dieu ou l'Estat plus commodément. Or les pechez veniels 5 n'empeschent pas d'estre devot, puis que les plus grands Saints n'en sont pas exempts. Escoutez donc Escobar, tr. 2, ex. 2, n. 17 : *L'ambition, qui est un appetit desordonné des charges et des grandeurs, est de soy-mesme un peché veniel; mais, quand on desire ces grandeurs pour nuire à l'Estat, ou* 10 *pour avoir plus de commodité d'offenser Dieu, ces circonstances exterieures le rendent mortel.*

Cela commence bien, mon Pere. Et n'est-ce pas encore, continua-t-il, une doctrine bien douce pour les avares de dire, comme fait Escobar au tr. 5, ex. 5, n. 154 : *Je sçay que les* 15 *riches ne pechent point mortellement quand ils ne donnent point l'aumosne de leur superflu dans les grandes necessitez des pauvres : Scio, in gravi pauperum necessitate, divites, non dando superflua, non peccare mortaliter.* En verité, luy disje, si cela est, je voy bien que je ne me connois guere en 20 pechez. Pour vous le monstrer encore mieux, dit-il, ne pensez-vous pas que la bonne opinion de soy-mesme et la complaisance qu'on a pour ses ouvrages est un peché des plus dangereux? Et ne serez-vous pas bien surpris si je vous fais voir qu'encore mesme que cette bonne opinion soit sans 25 fondement, c'est si peu un peché que c'est au contraire un don de Dieu? Est-il possible, mon Pere? Oüy, dit-il, et c'est ce que nous a appris nostre grand P. Garasse dans son livre François intitulé : *Somme des veritez capitales de la Religion*, l. 2, p. 419. *C'est un effet*, dit-il, *de justice commuta-* 30 *tive, que tout travail honneste soit recompensé ou de loüange ou de satisfaction. . . . Quand les bons esprits font un ouvrage excellent, ils sont justement recompensez par les loüanges publiques. . . . Mais, quand un pauvre esprit travaille beaucoup pour ne rien faire qui vaille, et qu'il ne peut ainsi ob-* 35 *tenir de loüanges publiques, afin que son travail ne demeure pas sans recompense, Dieu luy en donne une satisfaction personnelle, qu'on ne peut luy envier sans une injustice plus que barbare. C'est ainsi que Dieu, qui est juste, donne aux grenoüilles de la satisfaction de leur chant.* 40

Voilà, luy dis-je, de belles decisions en faveur de la vanité, de l'ambition et de l'avarice. Et l'envie, mon Pere, sera-t-

13. Cela est assez commode, mon p. *C.* 30. p. 2, p. 419, *all edd.*

elle plus difficile à excuser? Ceci est delicat, dit le Pere. Il faut user de la distinction du P. Bauny dans sa *Somme des pechez*. Car son sentiment, c. 7, p. 123, de la 5 et 6 edition, est *que l'envie du bien spirituel du prochain est mor-*
5 *telle, mais que l'envie du bien temporel n'est que venielle*. Et par quelle raison, mon Pere? Escoutez-la, me dit-il: *Car le bien qui se trouve és choses temporelles est si mince, et de si peu de consequence pour le ciel, qu'il est de nulle consideration devant Dieu et ses Saints*. Mais mon Pere, si ce bien est si
10 *mince* et de si petite consideration, comment permettez-vous de tuer les hommes pour le conserver? Vous prenez mal les choses, dit le Pere. On vous dit que le bien est de nulle consideration devant Dieu, mais non pas devant les hommes. Je ne pensois pas à cela, luy dis-je, et j'espere que par ces
15 distinctions-là il ne restera plus de pechez mortels au monde. Ne pensez pas cela, dit le Pere, car il y en a qui sont toûjours mortels de leur nature, comme par exemple la paresse.

O mon Pere! luy dis-je, toutes les commoditez de la vie sont donc perdues? Attendez, dit le Pere; quand vous
20 aurez veu la definition de ce vice qu'Escobar en donne tr. 2, ex. 2, n. 81, peut-estre en jugerez-vous autrement. Escoutez-la: *La paresse est une tristesse de ce que les choses spirituelles sont spirituelles, comme seroit de s'affliger de ce que les Sacremens sont la source de la grace. Et c'est un*
25 *peché mortel*. O mon Pere! luy dis-je, je ne croy pas que personne ait jamais esté assez bizarre pour s'aviser d'estre paresseux en cette sorte. Aussi, dit le Pere, Escobar dit ensuite, n. 105: *J'avouë qu'il est bien rare que personne tombe jamais dans le peché de paresse*. Comprenez-vous bien
30 par là combien il importe de bien definir les choses? Oüy, mon Pere, luy dis-je, et je me souviens sur cela de vos autres definitions de l'assassinat, du guet-apend et des biens superflus. Et d'où vient, mon Pere, que vous n'estendez pas cette methode à toute sorte de cas et pour donner à tous les
35 pechez des definitions de vostre façon, afin qu'on ne pechast plus en satisfaisant ses plaisirs?

Il n'est pas toûjours necessaire, me dit-il, de changer pour cela les definitions des choses. Vous l'allez voir sur le sujet de la bonne chere qui est sans doute un des plus grands
40 plaisirs de la vie, et qu'Escobar permet en cette sorte, n. 102, dans la *Pratique selon nostre Societé*: *Est-il permis de*

26. se soit jamais avisé d'estre assez *C*. 33. *om*. et *C*. 39. qui passe pour un *C*.

boire et manger tout son saoul sans necessité et pour la seule volupté? Oüy certainement, selon nostre Pere Sanchez, pourveu que cela ne nuise point à la santé, parce qu'il est permis à l'appetit naturel de jouir des actions qui luy sont propres: An comedere et bibere usque ad satietatem absque necessitate, 5 *ob solam voluptatem, sit peccatum? Cum Sanctio negativè respondeo, modo non obsit valetudini, quia licitè potest appetitus naturalis suis actibus frui.* O mon Pere! luy dis-je, voilà le passage le plus complet et le principe le plus achevé de toute vostre Morale, et dont on peut tirer d'aussi com- 10 modes conclusions. Et quoy, la gourmandise n'est donc pas mesme un peché veniel? Non pas, dit-il, en la maniere que je viens de dire; mais elle seroit peché veniel, selon Escobar, n. 56, *si sans aucune necessité on se gorgeoit de boire et de manger jusqu'a vomir: Si quis se usque ad vomitum* 15 *ingurgitet.*

Cela suffit sur ce sujet, et je veux maintenant vous parler des facilitez que nous avons apportées pour faire éviter les pechez dans les conversations et dans les intrigues du monde. Une chose des plus embarrassantes qui s'y trouve 20 est d'eviter le mensonge, et surtout quand on voudroit bien faire accroire une chose fausse. C'est à quoy sert admirablement nostre doctrine des equivoques, par laquelle *il est permis d'user de termes ambigus en les faisant entendre en un autre sens qu'on ne les entend soy-mesme*, comme dit Sanchez, 25 *Op. Mor.*, p. 2, l. 3, c. 6, n. 13. Je sçay cela, mon Pere, luy dis-je. Nous l'avons tant publié, continua-t-il, qu'à la fin tout le monde en est instruit. Mais sçavez-vous bien comment il faut faire quand on ne trouve point de mots equivoques? Non, luy dis-je. Je m'en doutois bien, dit-il; cela 30 est nouveau: c'est la doctrine des restrictions mentales. Sanchez la donne au mesme lieu. *On peut jurer*, dit-il, *qu'on n'a pas fait une chose, quoy qu'on l'ait faite effectivement, en entendant en soy-mesme qu'on ne l'a pas faite un certain jour, ou avant qu'on fust né, ou en sous-entendant* 35 *quelqu'autre circonstance pareille, sans que les paroles dont on se sert ayent aucun sens qui le puisse faire connoistre. Et cela est fort commode en beaucoup de rencontres, et est toujours tres-juste quand cela est necessaire, ou utile pour la santé, l'honneur, ou le bien.* 40

Comment! mon Pere, et n'est-ce pas là un mensonge et

2. *om.* nostre Pere *C.* 14. *s'égorgeoit C.* 22. à croire *C.* 30. Non, mon Pere. Je *C.*

mesme un parjure ? Non, dit le Pere ; Sanchez le prouve au mesme lieu, et nostre P. Filiutius aussi, tr. 25, c. 11, n. 331, parce, dit-il, que c'est *l'intention qui regle la qualité de l'action.* Et il y donne encore, n. 328, un autre moyen plus seur d'eviter 5 le mensonge. C'est qu'apres avoir dit tout haut : *Je jure que je n'ay point fait cela,* on ajoute tout bas : *aujourd'huy ;* ou qu'apres avoir dit tout haut : *Je jure,* on dise tout bas : *que je dis,* et que l'on continuë ensuite tout haut : *que je n'ay point fait cela.* Vous voyez bien que c'est dire la verité. Je 10 l'advouë, luy dis-je ; mais nous trouverions peut-estre que c'est dire la verité tout bas, et un mensonge tout haut ; outre que je craindrois que bien des gens n'eussent pas assez de presence d'esprit pour se servir de ces methodes. Nos Peres, dit-il, ont enseigné au mesme lieu, en faveur de ceux qui ne 15 sçauroient trouver ces restrictions, qu'il leur suffit, pour ne point mentir, de dire simplement *qu'ils n'ont point fait ce qu'ils ont fait, pourveu qu'ils ayent en general l'intention de donner à leurs discours le sens qu'un habile homme y donneroit.*

Dites la verité. Il vous est arrivé bien des fois d'estre 20 embarrassé, manque de cette connoissance ? Quelquefois, luy dis-je. Et n'avoüerez-vous pas de mesme qu'il seroit souvent bien commode d'estre dispensé en conscience de tenir de certaines paroles qu'on donne ? Ce seroit, luy dis-je, mon Pere, la plus grande commodité du monde. Escoutez 25 donc Escobar, au tr. 3, ex. 3, n. 48, où il donne cette regle generale : *Les promesses n'obligent point quand on n'a point intention de s'obliger en les faisant. Or il n'arrive guere qu'on ait cette intention, à moins que l'on les confirme par serment ou par contrat ; de sorte que, quand on dit simplement : Je le* 30 *feray, on entend qu'on le fera si l'on ne change de volonté : car on ne veut pas se priver par là de sa liberté.* Il en donne d'autres que vous y pouvez voir vous-mesme, et il dit à la fin que *tout cela est pris de Molina et de nos autres auteurs : omnia ex Molina et aliis ;* et ainsi on n'en peut pas douter.

35 O mon Pere ! luy dis-je, je ne sçavois pas que la direction d'intention eust la force de rendre les promesses nulles ! Vous voyez, dit le Pere, que voilà une grande facilité pour le commerce du monde. Mais ce qui nous a donné le plus de peine a esté de regler les conversations entre les hommes 40 et les femmes, car nos Peres sont plus reservez sur ce qui regarde la chasteté. Ce n'est pas qu'ils ne traitent des questions assez curieuses et assez indulgentes, et principalement

15. sçauroient pas user de *C.* 21. mesme, continua-t-il *C.*

pour les personnes mariées ou fiancées. J'appris sur cela les questions les plus extraordinaires et les plus brutales qu'on puisse s'imaginer. Il m'en donna de quoy remplir plusieurs lettres ; mais je ne veux pas seulement en marquer les citations, parce que vous faites voir mes Lettres à toutes 5 sortes de personnes, et je ne voudrois pas donner l'occasion de cette lecture à ceux qui n'y chercheroient que leur divertissement.

La seule chose que je puis vous marquer de ce qu'il me monstra dans leurs livres, mesme François, est ce que vous 10 pouvez voir dans la *Somme des pechez* du P. Bauny, p. 165, de certaines petites privautez qu'il y explique, pourveu qu'on dirige bien son intention, *comme à passer pour galand ;* et vous serez surpris d'y trouver, p. 148, un principe de Morale touchant le pouvoir qu'il dit que les filles ont de disposer 15 de leur virginité sans leurs parents. Voici ses termes : *Quand cela se fait du consentement de la fille, quoy que le Pere ait sujet de s'en plaindre, ce n'est pas neantmoins que ladite fille ou celuy à qui elle s'est prostituée luy ayent fait aucun tort ou violé pour son égard la justice. Car la fille est en possession* 20 *de sa virginité aussi bien que de son corps ; elle en peut faire ce que bon luy semble, à l'exclusion de la mort ou du retranchement de ses membres.* Jugez par là du reste. Je me souvins sur cela d'un passage d'un Poëte payen qui a esté meilleur Casuiste que ces Peres, puis qu'il a dit *que la virginité d'une* 25 *fille ne luy appartient pas toute entiere ; qu'une partie appartient au pere et l'autre à la mere, sans lesquels elle n'en peut disposer mesme pour le mariage.* Et je doute qu'il y ait aucun juge qui ne prenne pour une loy le contraire de cette maxime du P. Bauny. 30

Voilà tout ce que je puis dire de tout ce que j'entendis, et qui dura si long-temps que je fus obligé de prier enfin le Pere de changer de matiere. Il le fit, et m'entretint de leurs reglemens pour les habits des femmes en cette sorte : Nous ne parlerons point, dit-il, de celles qui auroient l'intention 35 impure ; mais, pour les autres, Escobar dit au tr. 1, ex. 8, n. 5 : *Si on se pare sans mauvaise intention, mais seulement pour satisfaire l'inclination naturelle qu'on a à la vanité, ob naturalem fastus inclinationem, ou ce n'est qu'un peché veniel, ou ce n'est point peché du tout.* Et le P. Bauny en sa *Somme* 40 *des pechez*, c. 46, p. 1094, dit que, *bien que la femme eust connoissance du mauvais effet que sa diligence à se parer opereroit et au corps et en l'ame de ceux qui la contempleroient ornée de riches et precieux habits, qu'elle ne pecheroit neantmoins en s'en servant.* Et il cite entr'autres nostre P. Sanchez pour estre du mesme avis.

Mais, mon Pere, que respondent donc vos Autheurs aux 5 passages de l'Escriture qui parlent avec tant de vehemence contre les moindres choses de cette sorte? Lessius, dit le Pere, y a doctement satisfait, *De Just.*, l. 4, c. 4, d. 14, n. 114, en disant *que ces passages de l'Escriture n'estoient des preceptes qu'à l'égard des femmes de ce temps-là pour donner* 10 *par leur modestie un exemple d'edification aux Payens.* Et d'où a-t-il pris cela, mon Pere? Il n'importe pas d'où il l'ait pris; il suffit que les sentimens de ces grands hommes là sont toûjours probables d'eux-mesmes. Mais le P. le Moyne a apporté une moderation à cette permission generale. Car il 15 ne le veut point du tout souffrir aux vieilles; c'est dans la *Devotion aisée*, et entr'autres, p. 127, 157, 163. *La jeunesse*, dit-il, *peut estre parée de droit naturel; il peut estre permis de se parer en un âge qui est la fleur et la verdure des ans. Mais il en faut demeurer là: le contre-temps seroit estrange de cher-* 20 *cher des roses sur la neige. Ce n'est qu'aux estoiles qu'il appartient d'estre toujours au bal, parce qu'elles ont le don de jeunesse perpetuelle. Le meilleur donc, en ce point, seroit de prendre conseil de la raison, et d'un bon miroir, de se rendre à la bien-seance et à la necessité; et de se retirer quand la nuict* 25 *approche.* Cela est tout à fait judicieux, luy dis-je. Mais, continua-t-il, afin que vous voyiez combien nos Peres ont eu soin de tout, je vous diray que, parce qu'il seroit souvent inutile aux jeunes femmes d'avoir la permission de se parer si on ne leur donnoit aussi le moyen d'en faire la despense, 30 on a estably une autre maxime en leur faveur, qui se voit dans Escobar, au chapitre du *Larcin*, tr. 1, ex. 9, n. 13. *Une femme*, dit-il, *peut prendre de l'argent à son mary en plusieurs occasions, et entr'autres pour joüer, pour avoir des habits, et pour les autres choses qui luy sont necessaires.*

35 En verité, mon Pere, cela est bien achevé. Il y a bien d'autres choses neantmoins, dit le Pere; mais il faut les laisser pour parler des maximes plus importantes qui facilitent l'usage des choses saintes, comme par exemple la maniere

27. que, donnant permission aux femmes de joüer, et voyant que cette permission leur seroit souvent inutile, si on ne leur donnoit aussi le moyen d'avoir de quoy joüer, ils ont estably une autre maxime en leur faveur qui se voit dans Escobar au chap. du larcin tr. 1, ex. 9, n. 13. *Une femme* dit-il, *peut joüer et prendre pour cela de l'argent à son mary. C.*

d'assister à la Messe. Nos grands Theologiens, Gaspard Hurtado, *De Sacr.*, to. 2, d. 5, dist. 2 ; et Coninch, q. 83, a. 6, n. 197, ont enseigné sur ce sujet, *Qu'il suffit d'estre present à la Messe de corps, quoy qu'on soit absent d'esprit, pourveu qu'on demeure dans une contenance respectueuse exterieurement.* Et Vasquez passe plus avant ; car il dit *qu'on satisfait au precepte d'oüyr la messe, encore mesme qu'on ait l'intention de n'en rien faire.* Tout cela est aussi dans Escobar, tr. 1, ex. 11, n. 74 et 107, et encore au tr. 1, ex. 1, n. 116, où il l'explique par l'exemple de ceux qu'on meine à la Messe par force, et qui ont l'intention expresse de ne la point entendre. Vrayement, luy dis-je, je ne le croirois jamais si un autre me le disoit. En effet, dit-il, cela a quelque besoing de l'authorité de ces grands hommes ; aussi bien que ce que dit Escobar au tr. 1, ex. 11, n. 31, *qu'une meschante intention, comme de regarder des femmes avec un desir impur, jointe à celle d'oüyr la Messe comme il faut, n'empesche pas qu'on n'y satisfasse : nec obest alia prava intentio, ut aspiciendi libidinosè fœminas.*

Mais on trouve encore une chose commode dans nostre sçavant Turrianus, *Select.*, p. 2, d. 16, dub. 7, *qu'on peut oüyr la moitié d'une Messe d'un Prestre, et ensuite une autre moitié d'un autre ; et mesme qu'on peut oüyr d'abord la fin de l'une, et ensuite le commencement d'une autre.* Et je vous diray de plus qu'on a permis encore *d'oüyr deux moitiez de Messe en mesme temps de deux differents Prestres, lors que l'un commence la Messe quand l'autre en est à l'elevation, parce qu'on peut avoir l'attention à ces deux costez à la fois, et que deux moitiez de Messe font une Messe entiere : duæ medietates unam missam constituunt.* C'est ce qu'ont decidé nos Peres Bauny, tr. 6, q. 9, p. 312 : Hurtado, *De Sacr.*, t. 2 ; *De Missâ*, d. 5, diff. 4 ; Azorius, p. 1, l. 7, cap. 3, q. 3 ; Escobar, tr. 1, ex. 11, n. 73, dans le chapitre *De la pratique pour oüyr la Messe selon nostre Societé.* Et vous verrez les consequences qu'il en tire dans ce mesme livre de l'edition de Lyon, de l'année 1644 et 1646, en ces termes : *De là je conclus que vous pouvez oüyr la Messe en tres-peu de temps ; si par exemple vous rencontrez quatre Messes à la fois qui soient tellement assorties que, quand l'une commence, l'autre soit à l'Evangile, une autre à la consecration, et la dernière à la communion.* Certainement, mon Pere, on entendra la Messe dans Nostre-Dame en un instant par ce moyen. Vous

35. des éditions de Lyon des années *C.*

voyez donc, dit-il, qu'on ne pouvoit pas mieux faire pour faciliter la maniere d'oüyr la Messe.

Mais je veux vous faire voir maintenant comment on a adouci l'usage des sacremens, et surtout de celuy de la Peni-
5 tence : car c'est là où vous verrez la derniere benignité de la conduite de nos Peres, et vous admirerez que la devotion, qui estonnoit tout le monde, ait pû estre traitée par nos Peres avec une telle prudence, *qu'ayant abbatu cét épouvantail que les demons avoient mis à sa porte*, ils l'ayent renduë
10 *plus facile que le vice et plus aisée que la volupté ;* en sorte *que le simple vivre est incomparablement plus malaisé que le bien vivre*, pour user des termes du Pere le Moyne, p. 244 et 291 de sa *Devotion aisée*. N'est-ce pas là un merveilleux changement? En verité, luy dis-je, mon Pere, je ne
15 puis m'empescher de vous dire ma pensée. Je crains que vous ne preniez mal vos mesures, et que cette indulgence ne soit capable de choquer plus de monde que d'en attirer. Car la Messe, par exemple, est une chose si grande et si sainte qu'il suffiroit, pour faire perdre à vos auteurs toute creance
20 dans l'esprit de plusieurs personnes, de leur monstrer de quelle maniere ils en parlent. Cela est bien vray, dit le Pere, à l'égard de certaines gens; mais ne sçavez-vous pas que nous nous accommodons à toute sorte de personnes? Il semble que vous ayez perdu la memoire de ce que je vous
25 ay dit si souvent sur ce sujet. Je veux donc vous en entretenir la premiere fois à loisir, en differant pour cela nostre entretien des adoucissemens de la confession. Je vous le feray si bien entendre que vous ne l'oublierez jamais. Nous nous separâmes là-dessus ; et ainsi je m'imagine que nostre
30 premiere conversation sera de leur politique.

Je suis, etc.

Depuis que j'ay escrit cette lettre, j'ay veu le livre du *Paradis ouvert par cent devotions aisées à pratiquer*, par le P. Barry, et celuy *de la Marque de Predestination*, par le P.
35 Binet. Ce sont des pieces dignes d'estre veuës.

om. ll. 32-35 *C.*

DIXIÉME LETTRE

ESCRITTE A UN PROVINCIAL

PAR UN DE SES AMIS.

De Paris, ce 2 Aoust 1656.

MONSIEUR,

Ce n'est pas encore icy la politique de la Societé, mais c'en est un des plus grands principes. Vous y verrez les adoucissemens de la Confession, qui sont assurément le meilleur moyen que ces Peres ayent trouvé pour attirer tout le monde et ne rebuter personne. Il falloit sçavoir cela avant que de 5 passer outre. Et c'est pourquoy le Pere trouva à propos de m'en instruire en cette sorte :

Vous avez veü, me dit-il, par tout ce que je vous ay dit jusques icy, avec quel succez nos Peres ont travaillé à découvrir par leur lumiere qu'il y a un grand nombre de choses 10 permises qui passoient autrefois pour defenduës ; mais, parce qu'il reste encore des pechez qu'on n'a pû excuser, et que l'unique remede en est la Confession, il a esté bien necessaire d'en adoucir les difficultez par les voyes que j'ay maintenant à vous dire. Et ainsi, aprés vous avoir monstré dans 15 toutes nos conversations precedentes comment on a soulagé les scrupules qui troubloient les consciences, en faisant voir que ce qu'on croyoit mauvais ne l'est pas, il reste à vous monstrer en celle-cy la maniere d'expier facilement ce qui est veritablement peché, en rendant la Confession aussi aisée 20 qu'elle estoit difficile autrefois. Et par quel moyen, mon Pere? C'est, dit-il, par ces subtilitez admirables qui sont propres à nostre Compagnie, et que nos Peres de Flandres appellent, dans l'*Image de nostre premier siecle*, l. 3, or. 1, p. 401, et l. 1, c. 2, *de pieuses et saintes finesses*, et *un saint arti-* 25 *fice de devotion : piam et religiosam calliditatem, et pietatis*

Title. *om.* Escritte . . . amis *C.*

solertiam, au l. 3, c. 8. C'est par le moyen de ces inventions *que les crimes s'expient aujourd'huy, alacrius, avec plus d'alegresse et d'ardeur qu'ils ne se commettoient autrefois; en sorte que plusieurs personnes effacent leurs taches aussi promptement qu'ils les contractent: Plurimi vix citius maculas contrahunt quam eluunt*, comme il est dit au mesme lieu. Apprenez-moy donc, je vous prie, mon Pere, *ces finesses* si salutaires. Il y en a plusieurs, me dit-il, car, comme il se trouve beaucoup de choses penibles dans la Confession, on a apporté des adoucissemens à chacune. Et, parce que les principales peines qui s'y rencontrent sont la honte de confesser certains pechez, le soin d'en exprimer les circonstances, la penitence qu'il en faut faire, la resolution de n'y plus tomber, la fuite des occasions prochaines qui y engagent et le regret de les avoir commis, j'espere vous monstrer aujourd'huy qu'il ne reste presque rien de fascheux en tout cela, tant on a eu soin d'oster toute l'amertume et toute l'aigreur d'un remede si necessaire.

Car, pour commencer par la peine qu'on a de confesser certains pechez, comme vous n'ignorez pas qu'il est souvent assez important de se conserver dans l'estime de son Confesseur, n'est-ce pas une chose bien commode de permettre, comme font nos Peres, et entr'autres Escobar, qui cite encore Suarez, tr. 7, ex. 4, n. 135, *d'avoir deux confesseurs, l'un pour les pechez mortels et l'autre pour les veniels, afin de se maintenir en bonne reputation aupres de son Confesseur ordinaire, uti bonam famam apud ordinarium tueatur, pourveu qu'on ne prenne pas de là occasion de demeurer dans le peché mortel.* Et il donne ensuite un autre subtil moyen pour se confesser d'un peché à son Confesseur ordinaire mesme, sans qu'il s'aperçoive qu'on l'a commis depuis la derniere confession. *C'est*, dit-il, *de faire une confession generale et de confondre ce dernier peché avec les autres dont on s'accuse en gros.* Il dit encore la mesme chose, *Princ.*, ex. 2, n. 73. Et vous avoüerez, je m'asseure, que cette decision du P. Bauny, *Theol. mor.*, tr. 4, q. 15, p. 137, soulage encore bien la honte qu'on a de confesser ses recheutes, *Que hors de certaines occasions qui n'arrivent que rarement, le confesseur n'a pas droit de demander si le peché dont on s'accuse est un peché d'habitude, et qu'on n'est pas obligé de luy respondre sur cela, parce*

12 and 20. de certains *C.* 24. a. 4 *all edd.* 30. peché mesme à son Confesseur ordinaire *C.*

qu'il n'a pas droit de donner à son penitent la honte de declarer ses recheutes frequentes.

Comment! mon Pere, j'aymerois autant dire qu'un Medecin n'a pas droit de demander à son malade s'il y a longtemps qu'il a la fievre. Les pechez ne sont-ils pas tous 5 differens selon ces differentes circonstances, et le dessein d'un veritable penitent ne doit-il pas estre d'exposer tout l'estat de sa conscience à son Confesseur avec la mesme sincerité et la mesme ouverture de cœur que s'il parloit à Jesus-Christ, dont le Prestre tient la place? Et n'est-on 10 pas bien éloigné de cette disposition quand on cache ses recheutes frequentes pour cacher la grandeur de son peché? Je vis le bon Pere embarrassé là dessus ; de sorte qu'il pensa à eluder cette difficulté plustost qu'à la resoudre en m'aprennant une autre de leurs regles, qui establit seulement un 15 nouveau desordre sans justifier en aucune sorte cette decision du P. Bauny, qui est, à mon sens, une de leurs plus pernicieuses maximes et des plus propres à entretenir les vitieux dans leurs mauvaises habitudes. Je demeure d'accord, me dit-il, que l'habitude augmente la malice du peché, mais elle 20 n'en change pas la nature, et c'est pourquoy on n'est pas obligé à s'en confesser, selon la regle de nos Peres, qu'Escobar rapporte *Princ.*, ex. 2, n. 39, *Qu'on n'est obligé de confesser que les circonstances qui changent l'espece du peché et non pas celles qui l'aggravent.* 25

C'est selon cette regle que nostre Pere Granados dit, in 5 par., cont. 7, tr. 9, d. 9, n. 22, *que, si on a mangé de la viande en Caresme, il suffit de s'accuser d'avoir rompu le jeusne, sans dire si c'est en mangeant de la viande ou en faisant deux repas maigres.* Et selon nostre Pere Reginaldus, tr. 1, l. 6, c. 4, 30 n. 114, *un devin qui s'est servy de l'art diabolique n'est pas obligé à declarer cette circonstance, mais il suffit de dire qu'il s'est meslé de deviner, sans exprimer si c'est par la Chiromance ou par un pacte avec le demon.* Et Fagundez, de nostre Societé, p. 2, l. 4, c. 3, n. 17, dit aussi : *Le rapt n'est pas une* 35 *circonstance qu'on soit tenu de découvrir quand la fille y a consenty.* Nostre Pere Escobar rapporte tout cela au mesme lieu, n. 41, 61, 62, avec plusieurs autres decisions assez curieuses des circonstances qu'on n'est pas obligé de confesser. Vous pouvez les y voir vous-mesme. Voilà, luy 40 dis-je, *des artifices de devotion* bien accommodans.

Tout cela neantmoins, dit-il, ne seroit rien si on n'avoit

10. Or n'est-on *C.* 33. chiromancie *C.*

de plus adoucy la penitence, qui est une des choses qui esloignoit davantage de la Confession. Mais maintenant les plus delicats ne la sçauroient plus apprehender, aprés ce que nous avons soutenu dans nos Theses du College de Cler-
5 mont, *Que si le Confesseur impose une penitence convenable, convenientem, et qu'on ne veüille pas neantmoins l'accepter, on peut se retirer en renonçant à l'absolution et à la penitence imposée.* Et Escobar dit encore, dans la *Pratique de la penitence selon nostre Societé*, tr. 7, ex. 4, n. 188, *Que si le penitent declare*
10 *qu'il veut remettre à l'autre monde à faire penitence et souffrir en purgatoire toutes les peines qui luy sont deuës, alors le Confesseur doit luy imposer une penitence legere pour l'integrité du Sacrement, et principalement s'il reconnoist qu'il n'en accepteroit pas une plus grande.* Je croy, luy dis-je, que, si cela estoit,
15 on ne devroit plus appeler la confession le sacrement de penitence. Vous avez tort, dit-il, car au moins on en donne toûjours quelqu'une pour la forme. Mais, mon Pere, jugez-vous qu'un homme soit digne de recevoir l'absolution quand il ne veut rien faire de penible pour expier ses offenses ? Et
20 quand des personnes sont en cet estat, ne devriez-vous pas plustost leur retenir leurs pechez que de les leur remettre ? Avez-vous l'idée veritable de vostre ministere, et ne sçavez-vous pas que vous y exercez le pouvoir de lier et de délier ? Croyez-vous qu'il soit permis de donner l'absolution indiff-
25 eremment à tous ceux qui la demandent, sans reconnoistre auparavant si Jesus-Christ délie dans le ciel ceux que vous déliez sur la terre ? Hé quoy, dit le Pere, pensez-vous que nous ignorions *que le Confesseur doit se rendre juge de la disposition de son penitent, tant parce qu'il est obligé de ne pas*
30 *dispenser les Sacremens à ceux qui en sont indignes, Jesus-Christ luy ayant ordonné d'estre dispensateur fidelle et de ne pas donner les choses saintes aux chiens, que parce qu'il est juge, et que c'est le devoir d'un juge de juger justement en déliant ceux qui en sont dignes et liant ceux qui en sont indignes,*
35 *et aussi parce qu'il ne doit pas absoudre ceux que Jesus-Christ condamne* ? De qui sont ces paroles-là, mon Pere ? De nostre Pere Filiutius, repliqua-t-il, t. 1, tr. 7, n. 354. Vous me surprenez, luy dis-je, je les prenois pour estre d'un des Peres de l'Eglise. Mais, mon Pere, ce passage doit bien estonner
40 les Confesseurs, et les rendre bien circonspects dans la dispensation de ce Sacrement, pour reconnoistre si le regret de leurs penitens est suffisant, et si les promesses qu'ils donnent

21. *om.* les *C*; 22 verit. de l'estendue de *C*. 23. lier et dél. *C*.

de ne plus pecher à l'avenir sont recevables. Cela n'est point du tout embarrassant, dit le Pere ; Filiutius n'avoit garde de laisser les Confesseurs dans cette peine, et c'est pourquoy il leur donne, en suite de ces paroles, cette methode facile pour en sortir : *Le Confesseur peut aisément se mettre en repos* 5 *touchant la disposition de son penitent. Car, s'il ne donne pas des signes suffisans de douleur, le Confesseur n'a qu'à luy demander s'il ne deteste pas le peché dans son ame, et, s'il respond que oüy, il est obligé de l'en croire. Et il faut dire la mesme chose de la resolution pour l'avenir, à moins qu'il y eust* 10 *quelque obligation de restituer, ou de quiter quelque occasion prochaine.* Pour ce passage, mon Pere, je voy bien qu'il est de Filiutius. Vous vous trompez, dit le Pere, car il a pris tout cela mot à mot de Suarez, in 3 par., t. 4, disp. 32, sect. 2, n. 2. Mais, mon Pere, ce dernier passage de Filiutius 15 destruit ce qu'il avoit estably dans le premier. Car les Confesseurs n'auront plus le pouvoir de se rendre juges de la disposition de leurs penitens, puis qu'ils sont obligez de les en croire sur leur parole, lors mesme qu'ils ne donnent aucun signe suffisant de douleur. Est-ce qu'il y a tant de certitude, 20 dans ces paroles qu'on donne, que ce seul signe soit convainquant ? Je doute que l'experience ait fait connoistre à vos Peres que tous ceux qui leur font ces promesses les tiennent ; et je suis trompé s'ils n'esprouvent souvent le contraire. Cela n'importe, dit le Pere, on ne laisse pas d'obliger toûjours les 25 Confesseurs à les croire. Car le P. Bauny, qui a traité cette question à fonds dans la *Somme des pechez*, c. 46, p. 1090, 1091 et 1092, conclud *que toutes les fois que ceux qui recidivent souvent, sans qu'on y voye aucun amandement, se presentent au Confesseur, et luy disent qu'ils ont regret du passé et bon* 30 *dessein pour l'avenir, il les en doit croire sur ce qu'ils le disent, quoy qu'il soit à presumer telles resolutions ne passer pas le bout des levres. Et, quoy qu'ils se portent ensuite avec plus de liberté et d'excés que jamais dans les mesmes fautes, on peut neantmoins leur donner l'absolution, selon mon opinion.* Voilà, 35 je m'assure, tous vos doutes bien resolus.

Mais, mon Pere, luy dis-je, je trouve que vous imposez une grande charge aux Confesseurs, en les obligeant de croire le contraire de ce qu'ils voyent. Vous n'entendez pas cela, dit-il : on veut dire par là qu'ils sont obligez d'agir et d'absoudre 40 comme s'ils croyoient que cette resolution fust ferme et constante, encore qu'ils ne le croient pas en effet. Et c'est ce que nos PP. Suarez et Filiutius expliquent ensuite des pas-

sages de tantost. Car, apres avoir dit *que le Prestre est obligé de croire son penitent sur sa parole*, ils ajoustent *qu'il n'est pas necessaire que le Confesseur se persuade que la resolution de son penitent s'executera, ny qu'il le juge mesme probablement ;*
5 *mais il suffit qu'il pense qu'il en a à l'heure mesme le dessein en general, quoy qu'il doive retomber en bien peu de temps. Et c'est ce qu'enseignent tous nos auteurs. Ita docent omnes autores.* Douterez-vous d'une chose que tous nos auteurs enseignent? Mais, mon Pere, que deviendra donc ce que le
10 P. Petau a esté obligé de reconnoistre luy mesme dans la pref. de la *Penit. publ.*, p. 4, *Que les SS. Peres, les Docteurs et les Conciles sont d'accord, comme d'une verité certaine, que la penitence qui prepare à l'Eucharistie doit estre veritable, constante, courageuse, et non pas lasche et endormie, ny sujette*
15 *aux recheutes et aux reprises* ? Ne voyez-vous pas, dit-il, que le P. Petau parle de l'*ancienne Eglise ;* mais cela est maintenant si *peu de saison*, pour user des termes de nos Peres, que, selon le P. Bauny, le contraire est seul veritable ; c'est au tr. 4, q. 15, p. 95 : *Il y a des auteurs qui disent qu'on doit*
20 *refuser l'absolution à ceux qui retombent souvent dans les mesmes pechez, et principalement lors qu'aprés les avoir plusieurs fois absous, il n'en paroist aucun amendement ; et d'autres disent que non. Mais la seule veritable opinion est qu'il ne faut point leur refuser l'absolution. Et encore qu'ils*
25 *ne profitent point de tous les avis qu'on leur a souvent donnez, qu'ils n'ayent pas gardé les promesses qu'ils ont faites de changer de vie, qu'ils n'ayent pas travaillé à se purifier, il n'importe, et, quoy qu'en disent les autres, la veritable opinion, et laquelle on doit suivre, est que, mesme en tous ces cas, on les doit absoudre.*
30 Et tr. 4, q. 22, p. 100, *Qu'on ne doit ny refuser, ny differer l'absolution à ceux qui sont dans des pechez d'habitude contre la loy de Dieu, de nature et de l'Eglise, quoy qu'on n'y voye aucune esperance d'amandement : Etsi emendationis futuræ nulla spes appareat.* Mais, mon Pere, luy dis-je, cette assur-
35 ance d'avoir toûjours l'absolution pourroit bien porter les pecheurs. . . . Je vous entends, dit-il en m'interrompant ; mais escoutez le P. Bauny, q. 15 : *On peut absoudre celuy qui avoüe que l'esperance d'estre absous l'a porté à pecher avec plus de facilité qu'il n'eust fait sans cette esperance.* Et le P.
40 Caussin, defendant cette proposition, dit p. 211 de sa *Resp. à la Theol. mor.*, *Que si elle n'estoit veritable, l'usage de la Confession seroit interdit à la plupart du monde, et qu'il n'y auroit plus d'autre remede aux pecheurs qu'une branche d'arbre et une*

corde. O mon Pere ! que ces maximes-là attireront de gens à vos confessionnaux ! Aussi, dit-il, vous ne sçauriez croire combien il y en vient : *nous sommes accablez et comme opprimez sous la foule de nos penitens : pœnitentium numero obruimur*, comme il est dit en l'*Image de nostre premier siecle*, 5 l. 3, c. 8. Je sçay, luy dis-je, un moyen facile de vous décharger de cette presse. Ce seroit seulement, mon Pere, d'obliger les pecheurs à quitter les occasions prochaines. Vous vous soulageriez assez par cette seule invention. Nous ne cherchons pas ce soulagement, dit-il ; au contraire : car, 10 comme il est dit dans le mesme livre, l. 3, c. 9, p. 374, *nostre Societé a pour but de travailler à establir les vertus, de faire la guerre aux vices, et de servir un grand nombre d'ames.* Et, comme il y a peu d'ames qui veüillent quitter les occasions prochaines, on a esté obligé de definir ce que c'est qu'occasion 15 prochaine, comme on void dans Escobar, en la *Pratique de nostre Societé*, tr. 7, ex. 4, n. 226 : *On n'appelle pas occasion prochaine celle où l'on ne peche que rarement, comme de pecher par un transport soudain avec celle avec qui on demeure, trois ou quatre fois par an ;* ou, selon le P. Bauny, dans son livre 20 françois, *une ou deux fois par mois*, p. 1082, et encore p. 1089, où il demande *ce qu'on doit faire entre les maistres et servantes, cousins et cousines, qui demeurent ensemble, et qui se portent mutuellement à pecher par cette occasion.* Il les faut separer, luy dis-je. C'est ce qu'il dit aussi, *si les recheutes sont fre-* 25 *quentes et presque journalieres ; mais, s'ils n'offensent que rarement par ensemble, comme seroit une ou deux fois le mois, et qu'ils ne puissent se separer sans grande incommodité et dommage, on pourra les absoudre, selon ces auteurs, et entre autres Suarez, pourveu qu'ils promettent bien de ne plus pecher* 30 *et qu'ils aient un vray regret du passé.* Je l'entendis bien. Car il m'avoit desja appris de quoy le Confesseur se doit contenter pour juger de ce regret. Et le P. Bauny, continua-t-il, permet, p. 1083 et 1084, à ceux qui sont engagez dans les occasions prochaines, *d'y demeurer quand ils ne les pourroient* 35 *quitter sans bailler sujet au monde de parler, ou sans en recevoir de l'incommodité.* Et il dit de mesme en sa *Theologie morale*, tr. 4, *De pœnit.*, q. 13, p. 93, et q. 14, p. 94, *Qu'on peut et qu'on doit absoudre une femme qui a chez elle un homme avec qui elle peche souvent, si elle ne peut le faire sortir honnes-* 40 *tement, ou qu'elle ait quelque cause de le retenir : Si non potest honestè ejicere, aut habeat aliquam causam retinendi, pourveu qu'elle propose bien de ne plus pecher avec luy.* O mon Pere !

luy dis-je, l'obligation de quitter les occasions est bien adoucie, si on en est dispensé aussi-tost qu'on en recevroit de l'incommodité ; mais je croy au moins qu'on y est obligé, selon vos Peres, quand il n'y a point de peine. Oüy, dit le Pere, quoy
5 que toutesfois cela ne soit pas sans exception. Car le P. Bauny dit au mesme lieu : *Il est permis à toutes sortes de personnes d'entrer dans des lieux de débauche pour y convertir des femmes perduës, quoy qu'il soit bien vraisemblable qu'on y pechera, comme si on a desja esprouvé souvent qu'on s'est*
10 *laissé aller au peché par la veuë et les cajolleries de ces femmes. Et encore qu'il y ait des Docteurs qui n'approuvent pas cette opinion, et qui croient qu'il n'est pas permis de mettre volontairement son salut en danger pour secourir son prochain, je ne laisse pas d'embrasser tres-volontiers cette opinion qu'ils combattent.*
15 Voila, mon Pere, une nouvelle sorte de predicateurs. Mais sur quoy se fonde le Pere Bauny pour leur donner cette mission ? C'est, me dit-il, sur un de ses principes qu'il donne au mesme lieu aprés Basile Ponce. Je vous en ay parlé autrefois, et je croy que vous vous en souvenez. C'est *qu'on peut*
20 *rechercher une occasion directement et par elle mesme, primò et per se, pour le bien temporel ou spirituel de soy ou du prochain.* Ces passages me firent tant d'horreur que je pensay rompre là dessus. Mais je me retins afin de le laisser aller jusques au bout, et me contentay de luy dire : Quel rapport y a-t-il,
25 mon Pere, de cette doctrine à celle de l'Evangile, qui oblige *à s'arracher les yeux et à retrancher les choses les plus necessaires, quand elles nuisent au salut* ? Et comment pouvez-vous concevoir qu'un homme qui demeure volontairement dans les occasions des pechez les deteste sincerement ? N'est-
30 il pas visible, au contraire, qu'il n'en est point touché comme il faut, et qu'il n'est pas encore arrivé à cette veritable conversion de cœur qui fait autant aimer Dieu qu'on a aimé les creatures ? Comment ! dit-il, ce seroit là une veritable contrition. Il semble que vous ne sçachiez pas que, comme dit
35 le P. Pintereau en la 2 p., p. 50 de l'abbé de Boisic, *tous nos Peres enseignent d'un commun accord que c'est une erreur et presque une heresie de dire que la contrition soit necessaire, et que l'attrition toute seule, et mesme conceuë par* LE SEUL *motif des peines de l'enfer qui exclud la volonté d'offencer, ne suffit*
40 *pas avec le Sacrement.* Quoy ! mon Pere, c'est presque un article de foy, que l'attrition conceuë par la seule crainte des peines suffit avec le Sacrement ? Je croy que cela est particulier à vos Peres. Car les autres, qui croyent que l'attrition

suffit avec le Sacrement, veulent au moins qu'elle soit meslée de quelque amour de Dieu. Et, de plus, il me semble que vos auteurs mesmes ne tenoient point autrefois que cette doctrine fust si certaine. Car vostre Pere Suarez en parle de cette sorte, *De Pœn.*, q. 90, art. 4, disp. 15, sect. 4, n. 17. 5
Encore, dit-il, *que ce soit une opinion probable que l'attrition suffit avec le Sacrement, toutefois elle n'est pas certaine, et elle peut estre fausse : Non est certa, et potest esse falsa. Et si elle est fausse, l'attrition ne suffit pas pour sauver un homme. Donc celuy qui meurt sciemment en cet estat s'expose volontairement* 10
au peril moral de la damnation eternelle. Car cette opinion n'est ny fort ancienne, ny fort commune : Nec valdè antiqua, nec multum communis. Sanchez ne trouvoit pas non plus qu'elle fust si assurée, puis qu'il dit en sa *Somme*, l. 1, c. 9, n. 34, *Que le malade et son Confesseur qui se contenteroient, à* 15
la mort, de l'attrition avec le Sacrement, pecheroient mortellement, à cause du grand peril de damnation où le penitent s'exposeroit, si l'opinion qui assure que l'attrition suffit avec le Sacrement ne se trouvoit pas veritable. Ni Comitolus aussi, quand il dit, *Resp. mor.*, l. 1, q. 32, n. 7, 8, *Qu'il n'est pas trop* 20
seür que l'attrition suffise avec le Sacrement. Le bon Pere m'arresta là dessus. Et quoy, dit-il, vous lisez donc nos Auteurs? Vous faites bien, mais vous feriez encore mieux de ne les lire qu'avec quelqu'un de nous. Ne voyez-vous pas, que pour les avoir leus tout seul, vous en avez conclu que ces 25
passages font tort à ceux qui soutiennent maintenant nostre doctrine de l'attrition, au lieu qu'on vous auroit monstré qu'il n'y a rien qui les releve davantage? Car quelle gloire est-ce à nos Peres d'aujourd'huy d'avoir en moins de rien respandu si generalement leur opinion partout, que, hors les Theologiens, 30
il n'y a presque personne qui ne s'imagine que ce que nous tenons maintenant de l'attrition n'ait esté de tout temps l'unique creance des fidelles. Et ainsi, quand vous monstrez par nos Peres mesmes qu'il y a peu d'années *que cette opinion n'estoit pas certaine*, que faites-vous autre chose sinon 35
donner à nos derniers auteurs tout l'honneur de cet establissement?

Aussi Diana, nostre amy intime, a cru nous faire plaisir de marquer par quels degrez on y est arrivé. C'est ce qu'il fait, p. 5, tr. 13, où il dit, *Qu'autrefois les anciens scolastiques* 40
soustenoient que la contrition estoit necessaire aussi tost qu'on avoit fait un peché mortel. Mais que depuis on a crû qu'on n'y estoit obligé que les jours de festes ; et ensuite que quand

quelque grande calamité menaçoit tout le peuple ; que selon d'autres on estoit obligé à ne la pas differer longtemps quand on approche de la mort. Mais que nos Peres Hurtado et Vasquez ont refuté excellemment toutes ces opinions là, et estably qu'on
5 *n'y estoit obligé que quand on ne pouvoit estre absous par une autre voye, où à l'article de la mort.* Mais, pour continuer le merveilleux progrez de cette doctrine, j'ajousteray que nos Peres Fagundez, præc. 2, t. 2, c. 4, n. 13 ; Granados, in 3 p., contr. 7, tr. 3, d. 3, sect. 4, n. 17, et Escobar, tr. 7, ex. 4, n.
10 88, dans la *Pratique selon nostre Societé,* ont decidé *que la contrition n'est pas necessaire, mesme à la mort, parce,* disent-ils, *que, si l'attrition avec le Sacrement ne suffisoit pas à la mort, il s'ensuivroit que l'attrition ne seroit pas suffisante avec le Sacrement.* Et nostre sçavant Hurtado, *De Sacr.*, d. 6,
15 cité par Diana, part. 4, tr. 4 ; Miscell., R. 193, et par Escobar, tr. 7, ex. 4, n. 91, va encore plus loing, car il dit : *Le regret d'avoir peché qu'on ne conçoit qu'à cause du seul mal temporel qui en arrive comme d'avoir perdu la santé ou son argent, est-il suffisant ? Il faut distinguer. Si on ne pense pas que ce*
20 *mal soit envoyé de la main de Dieu, ce regret ne suffit pas ; mais, si on croit que ce mal est envoyé de Dieu, comme en effet tout mal, dit Diana, excepté le peché, vient de lui, ce regret est suffisant.* C'est ce que dit Escobar en la *Pratique de nostre Societé.* Nostre P. François L'Amy soustient aussi la mesme
25 chose, t. 8, disp. 3, n. 13. Vous me surprenez, mon Pere. Car je ne voy rien en toute cette attrition là que de naturel ; et ainsi un pecheur se pourroit rendre digne de l'absolution sans aucune grace surnaturelle. Or, il n'y a personne qui ne sçache que c'est une heresie condamnée par le Concile. Je
30 l'aurois pensé comme vous, dit-il, et cependant il faut bien que cela ne soit pas, car nos Peres du College de Clermont ont soustenu dans leurs Theses du 23 May et du 6 Juin 1644, col. 4, n. 1, *qu'une attrition peut estre sainte et suffisante pour le Sacrement, quoy qu'elle ne soit pas surnaturelle ;* et dans
35 celles du mois d'Aoust 1643, *qu'une attrition qui n'est que naturelle suffit pour le Sacrement, pourveu qu'elle soit honneste : Ad sacramentum sufficit attritio naturalis, modo honnesta.* Voilà tout ce qui se peut dire, si ce n'est qu'on veüille ajouster une consequence qui se tire aisément de ces prin-
40 cipes, qui est que la contrition est si peu necessaire au Sacrement qu'elle y seroit au contraire nuisible, en ce qu'effaçant les pechez par elle mesme, elle ne laisseroit rien à faire au

9. *om.* tr. 3 *C.* 16. loing, écoutez le. Le *C.*

Sacrement. C'est ce que dit nostre Pere Valentia, ce celebre Jesuite, tom. 4, disp. 7, q. 8, p. 4 : *La contrition n'est point du tout necessaire pour obtenir l'effet principal du Sacrement, et au contraire elle y est plustost un obstacle : Imò obstat potius quominus effectus sequatur.* On ne peut rien desirer de plus 5 à l'avantage de l'attrition. Je le croy, mon Pere ; mais souffrez que je vous en dise mon sentiment, et que je vous fasse voir à quel excés cette doctrine conduit. Lors que vous dites que *l'attrition conceuë par la seule crainte des peines* suffit avec le sacrement pour justifier les pecheurs, ne s'ensuit-il 10 pas de là qu'on pourra toute sa vie expier ses pechez de cette sorte, et ainsi estre sauvé sans avoir jamais aimé Dieu en sa vie ? Or vos Peres oseroient-ils soûtenir cela ? Je voy bien, respondit le Pere, par ce que vous me dites, que vous avez besoin de sçavoir la doctrine de nos Peres touchant l'Amour 15 de Dieu. C'est le dernier trait de leur Morale, et le plus important de tous. Vous deviez l'avoir compris par les passages que je vous ay cités de la contrition. Mais en voicy d'autres, et ne m'interrompez donc pas, car la suite mesme en est considerable. Escoutez Escobar, qui rapporte les 20 opinions differentes de nos auteurs sur ce sujet dans la *Pratique de l'amour de Dieu selon nostre Societé,* au tr. 1, ex. 2, n. 21, et tr. 5, ex. 4, n. 8, sur cette question : *Quand est-on obligé d'avoir affection actuellement pour Dieu ? Suarez dit que c'est assez si on l'aime avant l'article de la mort, sans de-* 25 *terminer aucun temps ; Vasquez, qu'il suffit encore à l'article de la mort ; d'autres, quand on reçoit le baptesme ; d'autres, quand on est obligé d'estre contrit ; d'autres, les jours de festes. Mais nostre Pere Castro Palao combat toutes ces opinions là, et avec raison : Merito. Hurtado de Mendoza pretend qu'on y est* 30 *obligé tous les ans, et qu'on nous traite bien favorablement encore de ne nous y obliger pas plus souvent ; mais nostre Pere Coninch croit qu'on y est obligé en trois ou quatre ans ; Henriquez, tous les cinq ans. Mais Filiutius dit : Qu'il est probable qu'on n'y est pas obligé à la rigueur tous les cinq ans.* 35 *Et quand donc ? Il le remet au jugement des sages.*

Je laissay passer tout ce badinage, où l'esprit de l'homme se joüe si insolemment de l'amour de Dieu. Mais, poursuivit-il, nostre P. Antoine Sirmond, qui triomphe sur cette matiere dans son admirable livre de la *Defense de la vertu,* 40 *où il parle françois en France,* comme il dit au lecteur, dis-

4. mais au contr. *C.* 19. d'autres plus précis sur l'amour de Dieu *C.*
34. Et Fil. *C.*

court ainsi au 2 tr., sect. 1, p. 12, 13, 14, etc. *S. Thomas dit qu'on est obligé à aimer Dieu aussi tost aprés l'usage de la raison. C'est un peu bien tost. Scotus, chaque Dimanche. Surquoy fondé? D'autres, quand on est grievement tenté.*
5 *Oüy en cas qu'il n'y eust que cette voye de fuir la tentation. Sotus, quand on reçoit un bienfait de Dieu. Bon pour l'en remercier. D'autres, à la mort. C'est bien tard. Je ne croy pas non plus que ce soit à chaque reception de quelque sacrement. L'attrition y suffit avec la confession, si on en a la*
10 *commodité. Suarez dit, qu'on y est obligé en un temps. Mais en quel temps? Il vous en fait juge, et il n'en sçait rien. Or ce que ce Docteur n'a pas sçeu, je ne sçay qui le sçait.* Et il conclud enfin qu'on n'est obligé à autre chose à la rigueur qu'à observer les autres commandemens sans aucune affec-
15 tion pour Dieu, et sans que nostre cœur soit à luy, pourveu qu'on ne le haïsse pas. C'est ce qu'il prouve en tout son second traité. Vous le verrez à chaque page, et entre autres aux 16, 19, 24, 28, où il dit ces mots: *Dieu, en nous commandant de l'aimer, se contente que nous luy obeissions en ses*
20 *autres commandemens. Si Dieu eust dit: Je vous perdray, quelque obeissance que vous me rendiez, si de plus vostre cœur n'est à moy; ce motif, à vostre avis, eust-il esté bien proportionné à la fin que Dieu a deu et a pû avoir? Il est donc dit que nous aimerons Dieu en faisant sa volonté, comme si nous*
25 *l'aimions d'affection; comme si le motif de la charité nous y portoit. Si cela arrive reellement, encore mieux; sinon, nous ne laisserons pas pourtant d'obeir en rigueur au commandement d'amour en ayant les œuvres: de façon que (voyez la bonté de Dieu) il ne nous est pas tant commandé de l'aimer que*
30 *de ne le point haïr.* C'est ainsi que nos Peres ont dechargé les hommes de l'obligation *penible* d'aimer Dieu actuellement. Et cette doctrine est si avantageuse que nos Peres Annat, Pintereau, le Moine et A. Sirmond mesme, l'ont defenduë vigoureusement, quand on a voulu la combattre. Vous
35 n'avez qu'à le voir dans leurs responses à la *Theologie morale;* et celle du Pere Pintereau, en la 2 p. de l'Abbé de Boissic, p. 53, vous fera juger de la valeur de cette dispense, par le prix qu'il dit qu'elle a cousté, qui est le sang de Jesus-Christ. C'est le couronnement de cette doctrine. Vous
40 y verrez donc que cette dispense de l'obligation *fascheuse* d'aimer Dieu est le privilege de la loy Evangelique par dessus la Judaïque. *Il a esté raisonnable,* dit-il, *que dans la*

13. en fin B^2.

loy de grace du nouveau Testament, Dieu levast l'obligation fascheuse et difficile qui estoit en la loy de rigueur, d'exercer un acte de parfaite contrition pour estre justifié, et qu'il instituast des sacremens pour suppleer à son defaut à l'aide d'une disposition plus facile. Autrement certes les Chrestiens, qui sont 5 *les enfans, n'auroient pas maintenant plus de facilité à se remettre aux bonnes graces de leur Pere que les Juifs, qui estoient les esclaves, pour obtenir misericorde de leur Seigneur.*

O mon Pere, il n'y a point de patience que vous ne mettiez à bout, et on ne peut ouïr sans horreur les choses que je viens 10 d'entendre. Ce n'est pas de moy-mesme, dit-il. Je le sçay bien, mon Pere. Mais vous n'en avez point d'aversion, et, bien loin de detester les auteurs de ces maximes, vous avez de l'estime pour eux. Ne craignez-vous pas que vostre consentement ne vous rende participant de leur crime? Et 15 pouvez-vous ignorer que S. Paul juge *dignes de mort non seulement les auteurs des maux, mais aussi ceux qui y consentent?*

Ne suffisoit-il pas d'avoir permis aux hommes tant de choses defenduës, par les palliations que vous y avez apportées? 20 falloit-il encore leur donner l'occasion de commettre les crimes mesmes que vous n'avez pû excuser, par la facilité et l'assurance de l'absolution que vous leur en offrez, en destruisant à ce dessein la puissance des Prestres, et les obligeant d'absoudre plustost en esclaves qu'en juges les pecheurs les plus envieillis, 25 sans aucun amour de Dieu, sans changement de vie, sans aucun signe de regret que des promesses cent fois violées, sans penitence, *s'ils n'en veulent point accepter*, et sans quitter les occasions des vices, *s'ils en reçoivent de l'incommodité?* Mais on passe encore au delà, et la licence qu'on a prise 30 d'esbranler les regles les plus saintes de la conduite chrestienne se porte jusqu'au renversement entier de la loy de Dieu. On viole *le grand commandement qui comprend la loy et les prophetes*. On attaque la pieté dans le cœur, on en oste l'esprit qui donne la vie; on dit que l'amour de Dieu 35 n'est pas necessaire au salut; et on va mesme jusqu'à pretendre que *cette dispense d'aimer Dieu est l'avantage que* JESUS-CHRIST *a apporté au monde.* C'est le comble de l'impieté. Le prix du sang de Jesus-Christ sera de nous obtenir la dispense de l'aimer! Avant l'Incarnation on estoit obligé d'aimer 40 Dieu; mais, depuis que *Dieu a tant aimé le monde qu'il luy a donné son fils unique*, le monde racheté par luy sera deschargé

9. luy dis-je, il *C.*

de l'aimer. Estrange Theologie de nos jours ! On ose lever *l'anatheme* que S. Paul prononce *contre ceux qui n'aiment pas le Seigneur* JESUS ; on ruïne ce que dit S. Jean, que *qui n'aime point demeure en la mort*, et ce que dit Jesus-Christ mesme, 5 que *qui ne l'aime point ne garde point ses preceptes.* Ainsi on rend dignes de jouïr de Dieu dans l'eternité ceux qui n'ont jamais aimé Dieu en toute leur vie. Voilà le mystere d'iniquité accomply. Ouvrez enfin les yeux, mon Pere, et, si vous n'avez point esté touché par les autres egaremens de vos 10 Casuistes, que ces derniers vous en retirent par leurs excés. Je le souhaite de tout cœur pour vous et pour tous vos Peres, et prie Dieu qu'il daigne leur faire connoistre combien est fausse la lumiere qui les a conduits jusqu'à de tels precipices, et qu'il remplisse de son amour ceux qui en dispensent les 15 hommes.

Apres quelques discours de cette sorte, je quittay le Pere ; et je ne voy gueres d'apparence d'y retourner ; mais n'y ayez pas de regret, car, s'il estoit necessaire de vous entretenir encore de leurs maximes, j'ay assez leû leurs livres pour 20 pouvoir vous en dire à peu prés autant de leur Morale, et peut-estre plus de leur Politique, qu'il n'eust fait luy-mesme. Je suis, etc.

ONZIÉME LETTRE

ESCRITE PAR L'AUTHEUR DES LETTRES AU PROVINCIAL

AUX REVERENDS PERES JESUITES.

Du 18 Aoust 1656.

Mes Reverends Peres,

J'ay veu les lettres que vous debitez contre celles que j'ay escrittes à un de mes amis sur le sujet de vostre Morale, où l'un des principaux points de vostre deffense est que je n'ay pas parlé assez serieusement de vos maximes : c'est ce que vous repetez dans tous vos escrits, et que vous poussez jusqu'à 5 dire *que j'ay tourné les choses saintes en raillerie.*

Ce reproche, mes Peres, est bien surprenant et bien injuste. Car en quel lieu trouvez-vous que je tourne les choses saintes en raillerie ? Vous marquez en particulier le *contract Mohatra et l'histoire de Jean d'Alba.* Mais est-ce cela que vous appelez 10 des choses saintes ?

Vous semble-t-il que le Mohatra soit une chose si venerable que ce soit un blasphême de n'en pas parler avec respect, et les leçons du P. Bauny pour le larçin, qui porterent Jean d'Alba à le pratiquer contre vous-mesmes, sont elles si sacrées que 15 vous ayez droit de traiter d'impies ceux qui s'en mocquent ?

Quoy, mes Peres, les imaginations de vos escrivains passeront pour les veritez de la foy, et on ne pourra se moquer des passages d'Escobar, et des decisions si fantasques et si peu chrestiennes de vos autres auteurs, sans qu'on soit accusé 20 de rire de la Religion ? Est-il possible que vous aiez osé redire si souvent une chose si peu raisonnable, et ne craignez-vous point, en me blasmant de m'estre moqué de vos égaremens, de me donner un nouveau sujet de me moquer de ce

Title. *om.* Escrite . . . Provincial *C.* 17. vos Auteurs *AC.*

reproche, et de le faire retomber sur vous-mesmes, en monstrant que je n'ay pris sujet de rire que de ce qu'il y a de ridicule dans vos livres ; et qu'ainsi, en me moquant de vostre Morale, j'ay esté aussi éloigné de me moquer des choses saintes
5 que la doctrine de vos Casuistes est éloignée de la doctrine sainte de l'Evangile ?

En verité, mes Peres, il y a bien de la difference entre rire de la Religion et rire de ceux qui la profanent par leurs opinions extravagantes. Ce seroit une impieté de manquer de
10 respect pour les veritez que l'esprit de Dieu a revelées : mais ce seroit une autre impieté de manquer de mépris pour les faussetez que l'esprit de l'homme leur oppose.

Car, mes Peres, puis que vous m'obligez d'entrer en ce discours, je vous prie de considerer que, comme les veritez
15 chrestiennes sont dignes d'amour et de respect, les erreurs qui leur sont contraires sont dignes de mépris et de haine, parce qu'il y a deux choses dans les veritez de nostre Religion : une beauté divine, qui les rend aimables, et une sainte majesté, qui les rend venerables ; et qu'il y a aussi deux choses dans
20 les erreurs : l'impieté, qui les rend horribles, et l'impertinence, qui les rend ridicules. Et c'est pourquoy comme les Saints ont toûjours pour la verité ces deux sentimens d'amour et de crainte, et que leur sagesse est toute comprise entre la crainte, qui en est le principe, et l'amour, qui en est la fin ; les Saints
25 ont aussi pour l'erreur ces deux sentimens de haine et de mépris, et leur zele s'employe également à repousser avec force la malice des impies, et à confondre avec risée leur égarement et leur folie.

Ne pretendez donc pas, mes Peres, de faire accroire au
30 monde que ce soit une chose indigne d'un chrestien de traiter les erreurs avec moquerie, puis qu'il est aisé de faire connoistre à ceux qui ne le sçauroient pas que cette pratique est juste, qu'elle est commune aux Peres de l'Eglise, et qu'elle est autorisée par l'Escriture, et par l'exemple des
35 plus grands Saints et de Dieu mesme.

Car ne voyons-nous pas que Dieu hait et méprise les pecheurs tout ensemble, jusques là mesme qu'à l'heure de leur mort, qui est le temps où leur estat est le plus deplorable et le plus triste, la sagesse divine joindra la moquerie
40 et la risée à la vengeance et à la fureur qui les condamnera à des supplices éternels. *In interitu vestro ridebo et subsan-*

21. *om.* Et *C.* 29. à croire *B.* 34. *om.* et *C.* 35. et par celuy de Dieu mesme *C.*

nabo. Et les Saints, agissant par le mesme esprit, en useront de mesme, puis que, selon David, quand ils verront la punition des méchans, *ils en trembleront et en riront en mesme temps : Videbunt justi, et timebunt, et super eum ridebunt.* Et Job en parle de mesme : *Innocens subsannabit eos.* 5

Mais c'est une chose bien remarquable, sur ce sujet, que dans les premieres paroles que Dieu a dit à l'homme depuis sa cheute, on trouve un discours de moquerie, et *une ironie piquante*, selon les Peres. Car, apres qu'Adam eut desobeï dans l'esperance que le demon luy avoit donnée d'estre fait 10 semblable à Dieu, il paroist par l'Escriture que Dieu en punition le rendit sujet à la mort, et qu'apres l'avoir reduit à cette miserable condition, qui estoit deuë à son peché, il se moqua de luy en cét estat par ces paroles de risée : *Voilà l'homme qui est devenu comme l'un de nous : Ecce Adam quasi* 15 *unus ex nobis.* Ce qui est *une ironie sanglante et sensible* dont Dieu le *piquoit vivement*, selon S. Chrysostome et les interpretes. *Adam*, dit Rupert, *meritoit d'estre raillé par cette ironie, et on luy faisoit sentir sa folie bien plus vivement par cette expression ironique que par une expression serieuse.* Et 20 Hugue de S. Victor, ayant dit la mesme chose, adjoute *que cette ironie estoit deuë à sa sotte credulité, et que cette espece de raillerie est une action de justice, lorsque celuy envers qui on en use l'a meritée.*

Vous voyez donc, mes Peres, que la moquerie est quel- 25 quefois plus propre à faire revenir les hommes de leurs égaremens, et qu'elle est alors une action de justice, parce que, comme dit Jeremie, *les actions de ceux qui errent sont dignes de risée à cause de leur vanité : Vana sunt et risu digna.* Et c'est si peu une impieté de s'en rire que c'est l'effet d'une 30 sagesse divine, selon cette parole de S. Augustin : *Les sages rient des insensez parce qu'ils sont sages, non pas de leur propre sagesse, mais de cette sagesse divine qui rira de la mort des méchans.*

Aussi les Prophetes, remplis de l'esprit de Dieu, ont usé 35 de ces moqueries, comme nous voyons par les exemples de Daniel et d'Elie. Enfin les discours de Jesus-Christ mesme n'en sont pas sans exemple, et S. Augustin remarque que, quand il voulut humiliër Nicodeme, qui se croyoit habile dans l'intelligence de la loy, *comme il le voyoit enflé d'orgueil* 40 *par sa qualité de Docteur des Juifs, il exerce et estonne sa presomption par la hauteur de ses demandes, et l'ayant reduit à*

37. Enfin il s'en trouve des exemples dans les discours *C.*

l'impuissance de respondre : Quoy, luy dit-il, vous estes Maistre en Israël, et vous ignorez ces choses ? Ce qui est le mesme que s'il eust dit : Prince superbe, reconnoissez que vous ne sçavez rien. Et S. Chrysostome et S. Cyrille disent sur cela, 5 *qu'il meritoit d'estre joüé de cette sorte.*

Vous voyez donc, mes Peres, que, s'il arrivoit aujourd'huy que des personnes qui feroient les maistres envers les chrestiens, comme Nicodeme et les Pharisiens envers les Juifs, ignoroient les principes de la Religion et soûtenoient, par 10 exemple, *qu'on peut estre sauvé sans avoir jamais aimé Dieu en toute sa vie,* on suivroit en cela l'exemple de Jesus-Christ, en se joüant de leur vanité et de leur ignorance.

Je m'assure, mes Peres, que ces exemples sacrez suffisent pour vous faire entendre que ce n'est pas une conduite con-15 traire à celle des Saints de rire des erreurs et des égaremens des hommes ; autrement il faudroit blâmer celle des plus grands Docteurs de l'Eglise, qui l'ont pratiquée, comme S. Hierome dans ses lettres et dans ses escrits contre Jovinien, Vigilance et les Pelagiens ; Tertullien, dans son Apologetique 20 contre les folies des idolatres ; S. Augustin, contre les Religieux d'Afrique, qu'il appelle les *chevelus ;* S. Irenée, contre les Gnostiques ; S. Bernard et les autres Peres de l'Eglise, qui, ayant esté les imitateurs des Apostres, doivent estre imitez par les fideles dans toute la suite des temps, puis-25 qu'ils sont proposez, quoy qu'on en dise, comme le veritable modele des chrestiens mesme d'aujourd'huy.

Je n'ay donc pas crû faillir en les suivant. Et, comme je pense l'avoir assez monstré, je ne diray plus sur ce sujet que ces excellentes paroles de Tertullien, qui rendent raison de 30 tout mon procedé : *Ce que j'ay fait n'est qu'un jeu avant un veritable combat. J'ay monstré les blessures qu'on vous peut faire plûtost que je ne vous en ay fait. Que s'il se trouve des endroits où l'on soit excité à rire, c'est parce que les sujets mesmes y portoient. Il y a beaucoup de choses qui meritent* 35 *d'estre moquées et joüées de la sorte, de peur de leur donner du poids en les combattant serieusement. Rien n'est plus deu à la vanité que la risée, et c'est proprement à la Verité à qui il appartient de rire, parce qu'elle est guaye, et de se joüer de ses ennemis, parce qu'elle est assurée de la victoire. Il est vray* 40 *qu'il faut prendre garde que les railleries ne soient pas basses et indignes de la verité. Mais, à cela prés, quand on pourra s'en servir avec adresse, c'est un devoir que d'en user.* Ne

31. J'ay plûtost monstré *C.*

trouvez-vous pas, mes Peres, que ce passage est bien juste à nostre sujet? *Ce que j'ay fait n'est qu'un jeu avant un veritable combat.* Je n'ay fait encore que me joüer *et vous monstrer plûtost les blessures qu'on vous peut faire que je ne vous en ay fait.* J'ay exposé simplement vos passages sans y faire 5 presque de reflexion. *Que si on y a esté excité à rire, c'est parceque les sujets y portoient d'eux-mesmes.* Car qu'y a-t-il de plus propre à exciter à rire que de voir une chose aussi grave que la Morale Chrestienne remplie d'imaginations aussi grotesques que les vostres? On conçoit une si haute 10 attente de ces maximes, qu'on dit *que* JESUS-CHRIST *a luy-mesme revelées à des Peres de la Societé*, que, quand on y trouve *qu'un Prestre qui a receu de l'argent pour dire une messe peut outre cela en prendre d'autres personnes en leur cedant toute la part qu'il a au sacrifice; qu'un Religieux n'est* 15 *pas excommunié pour quitter son habit, lorsque c'est pour danser, pour filouter, ou pour aller incognitò en des lieux de débauche; et qu'on satisfait au precepte d'oüyr la Messe en entendant quatre quarts de Messe à la fois de differens Prestres;* lors, dis-je, qu'on entend ces decisions et autres semblables, 20 il est impossible que cette surprise ne fasse rire, parceque rien n'y porte davantage qu'une disproportion surprenante entre ce qu'on attend et ce qu'on voit. Et comment auroit-on pû traiter autrement la pluspart de ces matieres, puisque ce seroit *les autoriser que de les traiter serieusement*, selon Ter- 25 tullien? Quoy, faut-il employer la force de l'Escriture et de la Tradition pour monstrer que c'est tuer son ennemy en trahison que de luy donner des coups d'épée par derriere et dans une embusche; et que c'est acheter un benefice que de donner de l'argent comme un motif pour se le faire resigner? 30 Il y a donc des matieres qu'il faut mepriser, et *qui meritent d'estre joüées et moquées.* Enfin ce que dit cét ancien auteur que *rien n'est plus deu à la vanité que la risée* et le reste de ses paroles, s'applique icy avec tant de justesse et avec une force si convainquante qu'on ne sçauroit plus douter qu'on 35 peut bien rire des erreurs sans blesser la bienseance. Et je vous diray aussi, mes Peres, qu'on en peut rire sans blesser la charité, quoy que ce soit une des choses que vous me reprochez encore dans vos escrits. Car *la charité oblige quelquefois à rire des erreurs des hommes pour les porter eux-mesmes* 40 *à en rire et à les fuïr,* selon cette parole de S. Augustin: *Hæc*

3. *combat.* Les lettres que j'ay faites jusques icy ne sont qu'un jeu avant le veritable combat. Je *C.*

tu misericorditer irride, ut eis ridenda ac fugienda commendes. Et la mesme charité oblige aussi quelquefois à les repousser avec colere, selon cette autre parole de S. Gregoire de Nazianze : *L'esprit de charité et de douceur a ses emotions et ses*
5 *coleres.* En effet, comme dit S. Augustin, *qui oseroit dire que la verité doit demeurer desarmée contre le mensonge, et qu'il sera permis aux ennemis de la foy d'effrayer les fideles par des paroles fortes, et de les réjoüir par des rencontres d'esprit agreables ; mais que les catholiques ne doivent escrire qu'avec une*
10 *froideur de style qui endorme les lecteurs ?*

Ne voit-on pas que, selon cette conduite, on laisseroit introduire dans l'Eglise les erreurs les plus extravagantes et les plus pernicieuses, sans qu'il fust permis de s'en moquer avec mépris, de peur d'estre accusé de blesser la bienseance ; ny
15 de les confondre avec vehemence, de peur d'estre accusé de manquer de charité ?

Quoy, mes Peres, il vous sera permis de dire *qu'on peut tuer pour éviter un soufflet et une injure*, et il ne sera pas permis de refuter publiquement une erreur publique d'une telle
20 consequence ? Vous aurez la liberté de dire *qu'un juge peut en conscience retenir ce qu'il a receu pour faire une injustice*, sans qu'on ait la liberté de vous contredire ? Vous imprimerez avec privilege et approbation de vos Docteurs *qu'on peut estre sauvé sans avoir jamais aimé Dieu*, et vous fermerez
25 la bouche à ceux qui defendront la verité de la foy, en leur disant qu'ils blesseroient la charité de freres en vous attaquant, et la modestie de chrestiens en riant de vos maximes ? Je doute, mes Peres, qu'il y ait des personnes à qui vous aiez pû le faire accroire. Mais neantmoins, s'il s'en trouvoit qui
30 en fussent persuadez, et qui crussent que j'aurois blessé la charité que je vous dois en décriant vostre Morale, je voudrois bien qu'ils examinassent avec attention d'où naist en eux ce sentiment. Car, encore qu'ils s'imaginent qu'il part de leur zele, qui n'a pû souffrir sans scandale de voir accuser leur
35 prochain, je les prierois de considerer qu'il n'est pas impossible qu'il vienne d'ailleurs, et qu'il est mesme assez vraysemblable qu'il vient du déplaisir secret, et souvent caché à nous-mesmes, que le malheureux fond qui est en nous ne manque jamais d'exciter contre ceux qui s'opposent au relaschement des
40 mœurs. Et, pour leur donner une regle qui leur en fasse reconnoistre le veritable principe, je leur demanderay si, en mesme temps qu'ils se plaignent de ce qu'on a traité de la

29. à croire *B*. 41. demanderois *B*.

sorte des Religieux, ils se plaignent encore davantage de ce que des Religieux ont traitté la verité de la sorte. Que s'ils sont irritez non seulement contre les Lettres, mais encore plus contre les maximes qui y sont rapportées, j'avoüeray qu'il se peut faire que leur ressentiment part de quelque zele, 5 mais peu éclairé ; et alors les passages qui sont icy suffiront pour les éclaircir. Mais, s'ils s'emportent seulement contre les reprehensions, et non pas contre les choses qu'on a reprises, en verité, mes Peres, je ne m'empescherai jamais de leur dire qu'ils sont grossierement abusez et que leur zele est 10 bien aveugle.

Estrange zele, qui s'irrite contre ceux qui accusent des fautes publiques, et non pas contre ceux qui les commettent ! Quelle nouvelle charité, qui s'offense de voir confondre des erreurs manifestes par la seule exposition que l'on en fait, et 15 qui ne s'offence point de voir renverser la morale par ces erreurs ! Si ces personnes estoient en danger d'estre assassinées, s'offenseroient-elles de ce qu'on les avertiroit de l'embusche qu'on leur dresse, et, au lieu de se détourner de leur chemin pour l'éviter, s'amuseroient-elles à se plaindre du peu 20 de charité qu'on auroit euë de découvrir le dessein criminel de ces assassins ? S'irritent-ils lors qu'on leur dit de ne manger pas d'une viande parce qu'elle est empoisonnée, ou de n'aller pas dans une ville par ce qu'il y a de la peste ?

D'où vient donc qu'ils trouvent qu'on manque de charité 25 quand on découvre des maximes nuisibles à la Religion, et qu'ils croyent au contraire qu'on manqueroit de charité de ne pas découvrir les choses nuisibles à leur santé et à leur vie ; sinon parce que l'amour qu'ils ont pour la vie leur fait recevoir favorablement tout ce qui contribuë à la conserver, et que 30 l'indifference qu'ils ont pour la verité fait que non seulement ils ne prennent aucune part à sa deffence mais qu'ils voyent mesme avec peine qu'on s'efforce de détruire le mensonge ?

Qu'ils considerent donc devant Dieu combien la Morale que vos Casuites respandent de toutes parts est honteuse et per- 35 nicieuse à l'Eglise ; combien la licence qu'ils introduisent dans les mœurs est scandaleuse et demesurée ; combien la hardiesse avec laquelle vous les soûtenez est opiniastre et violente. Et, s'ils ne jugent qu'il est temps de s'élever contre de tels desordres, leur aveuglement sera aussi à plaindre que 40 le vostre, mes Peres, puisque et vous et eux avez un pareil

5. parte *C.* 15. manifestes et qui ne s'offense point par *C.* 27. charité si on ne leur découvroit pas les *C.*

sujet de craindre cette parole de S. Augustin sur celle de JESUS-CHRIST dans l'Evangile : *Malheur aux aveugles qui conduisent, malheur aux aveugles qui sont conduits. Væ cæcis ducentibus ! Væ cæcis sequentibus !*

5 Mais, afin que vous n'ayez plus lieu de donner ces impressions aux autres, ny de les prendre vous mesmes, je vous diray, mes Peres (et je suis honteux de ce que vous m'engagez à vous dire ce que je devrois apprendre de vous), je vous diray donc quelles marques les Peres de l'Eglise nous ont 10 données pour juger si les reprehensions partent d'un esprit de pieté et de charité, ou d'un esprit d'impieté et de haine.

La premiere de ces regles est que l'esprit de pieté porte tousjours à parler avec verité et sincerité, au lieu que l'envie et la haine employent le mensonge et la calomnie : *Splen-* 15 *dentia et vehementia, sed rebus veris*, dit S. Augustin. Quiconque se sert du mensonge agit par l'esprit du diable. Il n'y a point de direction d'intention qui puisse rectifier la calomnie ; et, quand il s'agiroit de convertir toute la terre, il ne seroit pas permis de noircir des personnes innocentes ; 20 parce qu'on ne doit pas faire le moindre mal pour en faire reüssir le plus grand bien, et *que la verité de Dieu n'a pas besoin de nostre mensonge* selon l'Escriture. *Il est du devoir des defenseurs de la Verité*, dit S. Hilaire, *de n'avancer que des choses veritables.* Aussi, mes Peres, je puis dire devant Dieu 25 qu'il n'y a rien que je deteste davantage que de blesser tant soit peu la verité, et que j'ay tousjours pris un soin tres-particulier, non seulement de ne pas falsifier, ce qui seroit horrible, mais de ne pas alterer ou détourner le moins du monde le sens d'un passage. De sorte que, si j'osois me 30 servir en cette rencontre des paroles du mesme S. Hilaire, je pourrois bien vous dire avec luy : *Si nous disons des choses fausses, que nos discours soient tenus pour infames ; mais, si nous monstrons que celles que nous produisons sont publiques et manifestes, ce n'est point sortir de la modestie et de la liberté* 35 *apostolique de les reprocher.*

Mais ce n'est pas assez, mes Peres, de ne dire que des choses veritables, il faut encore ne pas dire toutes celles qui sont veritables ; parce qu'on ne doit raporter que les choses qu'il est utile de découvrir, et non pas celles qui ne pour- 40 roient que blesser sans aporter aucun fruit. Et ainsi, comme la premiere regle est de parler avec verité, la seconde est de parler avec discretion. *Les méchans*, dit Saint Augustin, *per-*

24, 37, 38. vrayes *C*.

secutent les bons en suivant aveuglement la passion qui les anime, au lieu que les bons persecutent les méchans avec une sage discretion, de mesme que les chirurgiens considerent ce qu'ils coupent, au lieu que les meurtriers ne regardent point où ils frappent. Vous sçavez bien, mes Peres, que je n'ay pas 5 rapporté des maximes de vos auteurs celles qui vous auroient esté les plus sensibles, quoy que j'eusse pû le faire, et mesme sans pecher contre la discretion ; non plus que de sçavans hommes et tres-catholiques, mes Peres, qui l'ont fait autrefois. Et tous ceux qui ont leu vos auteurs sçavent aussi 10 bien que vous combien en cela je vous ay épargnez ; outre que je n'ay parlé en aucune sorte contre ce qui vous regarde chacun en particulier, et je serois fasché d'avoir rien dit des fautes secrettes et personnelles, quelque preuve que j'en eusse. Car je sçay que c'est le propre de la haine et de l'animosité, 15 et qu'on ne doit jamais le faire, à moins qu'il y en ait une necessité bien pressante pour le bien de l'Eglise. Il est donc visible que je n'ay manqué en aucune sorte à la discretion dans ce que j'ay esté obligé de dire touchant les maximes de vostre Morale, et que vous avez plus de sujet de vous loüer 20 de ma retenuë que de vous plaindre de mon indiscretion.

La troisiéme regle, mes Peres, est que, quand on est obligé d'user de quelques railleries, l'esprit de pieté porte à ne les employer que contre les erreurs, et non pas contre les choses saintes ; au lieu que l'esprit de boufonnerie, d'impieté et 25 d'heresie se rit de ce qu'il y a de plus sacré. Je me suis desja justifié sur ce point. Et on est bien éloigné d'estre exposé à ce vice quand on n'a qu'à parler des opinions que j'ay rapportées de vos auteurs.

Enfin, mes Peres, pour abreger ces regles, je ne vous diray 30 plus que celle-cy, qui est le principe et la fin de toutes les autres. C'est que l'esprit de charité porte à avoir dans le cœur le desir du salut de ceux contre qui on parle, et à adresser ses prieres à Dieu en mesme temps qu'on adresse ses reproches aux hommes. *On doit toujours*, dit S. Augustin, 35 *conserver la charité dans le cœur, lors mesme qu'on est obligé de faire au dehors des choses qui paroissent rudes aux hommes, et de les frapper avec une aspreté dure, mais bienfaisante, leur utilité devant estre preferée à leur satisfaction.* Je croy, mes Peres, qu'il n'y a rien dans mes Lettres qui tesmoigne que je 40 n'aye pas eu ce desir pour vous, et ainsi la charité vous oblige

1. suivant l'aveuglement de la passion *C.*

à croire que je l'ay eu en effet, lors que vous n'y voyez rien de contraire. Il paroist donc par là que vous ne pouvez monstrer que j'aye peché contre cette regle, ny contre aucune de celles que la charité oblige de suivre ; et c'est pourquoy
5 vous n'avez aucun droit de dire que je l'aye blessée en ce que j'ay fait.

Mais, si vous vous voulez, mes Peres, avoir maintenant le plaisir de voir en peu de mots une conduite qui peche contre chacune de ces regles, et qui porte veritablement le carac-
10 tere de l'esprit de boufonnerie, d'envie, et de haine, je vous en donneray des exemples. Et, afin qu'ils vous soient plus connus et plus familiers, je les prendrai de vos escrits mesmes.

Car, pour commencer par la maniere indigne dont vos Auteurs parlent des choses saintes, soit dans leurs railleries,
15 soit dans leurs galanteries, soit dans leurs discours serieux, trouvez-vous que tant de contes ridicules de vostre P. Binet dans sa *Consolation des malades* soient fort propres au dessein qu'il avoit pris de consoler chrestiennement ceux que Dieu afflige ? Direz-vous que la maniere si profane et si coquette
20 dont vostre P. le Moyne a parlé de la pieté dans sa *Devotion aisée* soit plus propre à donner du respect que du mépris pour l'idée qu'il forme de la vertu chrestienne ? Tout son livre des *Peintures Morales* respire-t-il autre chose et dans sa prose et dans ses vers, qu'un esprit plein de la vanité et des folies du
25 monde ? Est-ce une piece digne d'un Prestre que cette Ode du 7 livre, intitulée : *Eloge de la pudeur, où il est montré que toutes les belles choses sont rouges ou sujettes à rougir ?* C'est ce qu'il fit pour consoler une Dame, qu'il appelle Delphine, de ce qu'elle rougissoit souvent. Il dit donc à chaque stance
30 que quelques-unes des choses les plus estimées sont rouges, comme les roses, les grenades, la bouche, la langue ; et c'est parmy ces galanteries honteuses à un Religieux qu'il ose mesler insolemment ces esprits bien-heureux qui assistent devant Dieu, et dont les Chrestiens ne doivent parler qu'avec venera-
35 tion.

Les Cherubins, ces glorieux
Composez de teste et de plume,
Que Dieu de son esprit allume
Et qu'il éclaire de ses yeux ;
40 *Ces illustres faces volantes*
Sont tousjours rouges et brûlantes,
Soit du feu de Dieu, soit du leur,
Et, dans leurs flâmes mutuelles,
Font du mouvement de leurs aisles
Un éventail à leur chaleur.
Mais la rougeur éclatte en toy,
DELPHINE, *avec plus d'avantage,*
Quand l'honneur est sur ton visage
Vestu de pourpre comme un roy, etc.

7. *om.* vous *ABC.*

Qu'en dites-vous, mes Peres? Cette preference de la rougeur de Delphine à l'ardeur de ces esprits, qui n'en ont point d'autre que la charité, et la comparaison d'un éventail avec ces aisles mysterieuses, vous paroist-elle fort chrestienne dans une bouche qui consacre le Corps adorable de JESUS-CHRIST? 5
Je sçay qu'il ne l'a dit que pour faire le galant et pour rire; mais c'est cela qu'on appelle rire des choses saintes. Et n'est-il pas veritable que, si on luy faisoit justice, il ne se garantiroit pas d'une censure, quoy que pour s'en deffendre il se servist de cette raison, qui n'est pas elle mesme moins cen- 10
surable, qu'il rapporte au livre III: *Que la Sorbonne n'a point de jurisdiction sur le Parnasse, et que les erreurs de ce païs-là ne sont sujettes ny aux censures ny à l'Inquisition*, comme s'il n'estoit deffendu d'estre blasphemateur et impie qu'en prose?
Mais au moins on n'en garantiroit pas par là cét autre endroit 15
de l'avant propos du mesme livre: *Que l'eau de la riviere au bord de laquelle il a composé ses vers est si propre à faire des poëtes que, quand on en feroit de l'eau beniste, elle ne chasseroit pas le demon de la poësie*: non plus que celuy-cy de vostre P.
Garasse dans sa *Somme des veritez capitales de la Religion*, p. 20
649, où il joint le blaspheme à l'heresie, en parlant du mystere sacré de l'Incarnation en cette sorte: *La personnalité humaine a esté comme entée ou mise à cheval sur la personnalité du Verbe.*
Et cét autre endroit du mesme auteur, p. 510, sans en rap- 24
porter beaucoup d'autres, où il dit sur le sujet du Nom de JESUS, figuré ordinairement ainsi, *Que quelques-uns en ont* † IHS
osté la croix pour prendre les seuls caracteres en cette sorte: IHS, *qui est un* JESUS *devalisé.*

C'est ainsi que vous traitez indignement les veritez de la Religion, contre la regle inviolable qui oblige à n'en parler 30
qu'avec reverence. Mais vous ne pechez pas moins contre celle qui oblige à ne parler qu'avec verité et discretion. Qu'y a-t-il de plus ordinaire dans vos escrits que la calomnie? Ceux du P. Brisacier sont-ils sinceres, et parle-t-il avec verité quand il dit, 4 part., p. 24 et 25, que les Religieuses de Port- 35
Royal ne prient pas les Saints, et qu'elles n'ont point d'images dans leur Eglise? Ne sont-ce pas des faussetez bien hardies, puis que le contraire paroist à la veuë de tout Paris? Et parle-t-il avec discretion, quand il déchire l'innocence de ces filles dont la vie est si pure et si austere, quand il les appelle 40
des *Filles impenitentes, asacramentaires, incommuniantes, des vierges folles, fantastiques, Calaganes, desespérées, et tout ce*

8. vray C.

qu'il vous plaira, et qu'il les noircit par tant d'autres médisances, qui ont merité la Censure de feu M. l'Archevesque de Paris ; quand il calomnie des Prestres, dont les mœurs sont irreprochables, jusqu'à dire, part. 1, p. 22, *Qu'ils pratiquent*
5 *des nouveautez dans les confessions, pour attraper les belles et les innocentes ; et qu'il auroit horreur de rapporter les crimes abominables qu'ils commettent ?* N'est-ce pas une temerité insupportable d'avancer des impostures si noires, non seulement sans preuve, mais sans la moindre ombre et sans la
10 moindre apparence ? Je ne m'estendray pas davantage sur ce sujet, et je remets à vous en parler plus au long une autre fois ; car j'ay à vous entretenir sur cette matiere, et ce que j'ay dit suffit pour faire voir combien vous pechez contre la verité et la discretion tout ensemble.

15 Mais on dira peutestre que vous ne pechez pas au moins contre la derniere regle, qui oblige d'avoir le desir du salut de ceux qu'on décrie, et qu'on ne sçauroit vous en accuser sans violer le secret de vostre cœur, qui n'est connu que de Dieu seul. C'est une chose estrange, mes Peres, qu'on ait
20 neantmoins de quoy vous en convaincre, que vostre haine contre vos adversaires ayant esté jusqu'à souhaiter leur perte eternelle, vostre aveuglement ait esté jusqu'à découvrir un souhait si abominable ; que, bien loin de former en secret des desirs de leur salut, vous ayez fait en public des vœux
25 pour leur damnation ; et qu'apres avoir produit ce malheureux souhait dans la ville de Caën avec le scandale de toute l'Eglise, vous ayez osé depuis soustenir encore à Paris, dans vos livres imprimez une action si diabolique ! Il ne se peut rien adjouter à ces excez contre la pieté. Railler et parler
30 indignement des choses les plus sacrées, calomnier les Vierges et les Prestres faussement et scandaleusement, et enfin former des desirs et des vœux pour leur damnation ! Je ne sçay, mes Peres, si vous n'estes point confus, et comment vous avez pû avoir la pensée de m'accuser d'avoir manqué de
35 charité, moy qui n'ay parlé qu'avec tant de verité et de retenuë, sans faire de reflexion sur les horribles violemens de la charité que vous faites vous mesmes par de si deplorables excez.

Enfin, mes Peres, pour conclure par un autre reproche
40 que vous me faites, de ce qu'entre un si grand nombre de vos maximes que je rapporte il y en a quelques-unes qu'on vous avoit desja objectées, sur quoy vous vous plaignez de ce que

37. deplorables emportemens. *C.*

je redis contre vous ce qui avoit desja esté dit ; je respons que c'est au contraire parce que vous n'avez pas profité de ce qu'on vous l'a desja dit que je vous le redis encore. Car quel fruit a-t-il paru de ce que de sçavans Docteurs et l'Université entiere vous en ont repris par tant de livres? Qu'ont 5 fait vos Peres Annat, Caussin, Pintereau, et le Moyne, dans les responses qu'ils y ont faites, sinon de couvrir d'injures ceux qui leur avoient donné ces avis si salutaires? Avez-vous supprimé les livres où ces méchantes maximes sont enseignées? En avez-vous reprimé les Auteurs? En estes 10 vous devenus plus circonspects? Et n'est-ce pas depuis ce temps-là qu'Escobar a tant esté imprimé de fois en France et aux Païs-Bas, et que vos Peres Cellot, Bagot, Bauny, L'Amy, le Moyne, et les autres ne cessent de publier tous les jours les mesmes choses, et de nouvelles encore aussi licen- 15 cieuses que jamais? Ne vous plaignez donc plus, mes Peres, ny de ce que je vous ay reproché des maximes que vous n'avez point quittées, ny de ce que je vous en ay objecté de nouvelles, ny de ce que j'ay ri de toutes. Vous n'avez qu'à les considerer pour y trouver vostre confusion et ma def- 20 fense. Qui pourra voir sans en rire la decision du P. Bauny pour celuy qui fait brûler une grange? celle du P. Cellot pour la restitution? le reglement de Sanchez en faveur des sorciers? la maniere dont Hurtado fait éviter le peché du duel, en se promenant dans un champ et y attendant un homme? 25 les complimens du P. Bauny pour éviter l'usure? la maniere d'éviter la simonie par un detour d'intention, et celle d'éviter le mensonge en parlant tantost haut, tantost bas? et le reste des opinions de vos Docteurs les plus graves? En faut-il davantage, mes Peres, pour me justifier, et y a-t-il rien de 30 mieux *deü à la vanité et à la foiblesse de ces opinions que la risée*, selon Tertullien? Mais, mes Peres, la corruption des mœurs que vos maximes apportent est digne d'une autre consideration, et nous pouvons bien faire cette demande avec le mesme Tertullien : *Faut-il rire de leur folie, ou deplorer leur* 35 *aveuglement? Rideam vanitatem, an exprobrem cæcitatem?* Je croy, mes Peres, *qu'on peut en rire et en pleurer à son choix : Hæc tolerabilius vel ridentur vel flentur*, dit S. Augustin. Reconnoissez donc *qu'il y a un temps de rire et un temps de pleurer*, selon l'Escriture. Et je souhaitte, mes 40 Peres, que je n'éprouve pas en vous la verité de ces paroles des Proverbes, *Qu'il y a des personnes si peu raisonnables qu'on n'en peut avoir de satisfaction, de quelque maniere qu'on agisse avec eux, soit qu'on rie, soit qu'on se mette en colere.*

En achevant cette lettre, j'ay veu un escrit que vous avez publié, où vous m'accusez d'imposture sur le sujet de six de vos maximes que j'ay rapportées, et d'intelligence avec les heretiques: j'espere que vous y verrez une réponse exacte, et dans peu de temps, mes Peres, ensuite 5 de laquelle je croy que vous n'aurez pas envie de continuer cette sorte d'accusation.

DOUZIÉME LETTRE

ESCRITE PAR L'AUTHEUR DES LETTRES AU PROVINCIAL

AUX REVERENDS PERES JESUITES.

Du 9 Septembre 1656.

MES REVERENDS PERES,

J'estois prest à vous escrire sur le sujet des injures que vous me dites depuis si longtemps dans vos escrits, où vous m'appelez *impie, bouffon, ignorant, farceur, imposteur, calomniateur, fourbe, heretique, calviniste déguisé, disciple de Du Moulin, possedé d'une legion de diables*, et tout ce qu'il vous plaist. Je 5 voulois faire entendre au monde pourquoy vous me traitez de la sorte ; car je serois fasché qu'on crust tout cela de moy, et j'avois resolu de me plaindre de vos calomnies et de vos impostures, lors que j'ai veu vos responses où vous m'en accusez moy mesme. Vous m'avez obligé par là de changer mon 10 dessein, et neantmoins, mes Peres, je ne laisseray pas de le continuer en quelque sorte, puis que j'espere, en me defendant, vous convaincre de plus d'impostures veritables que vous ne m'en avez imputé de fausses. En verité, mes Peres, vous en estes plus suspects que moy. Car il n'est pas vraysemblable 15 qu'estant seul, comme je suis, sans force et sans aucun appuy humain, contre un si grand corps, et n'estant soustenu que par la verité et la sincerité, je me sois exposé à tout perdre en m'exposant à estre convaincu d'impostures. Il est trop aisé de découvrir les faussetez dans les questions de fait comme 20 celles-cy. Je ne manquerois pas de gens pour m'en accuser, et la justice ne leur en seroit pas refusée. Pous vous, mes Peres, vous n'estes pas en ces termes, et vous pouvez dire contre moy ce que vous voulez, sans que je trouve à qui m'en

Title. *om.* Escrite . . . Provincial *C*. 19. imposture *C*.

plaindre. Dans cette difference de nos conditions, je ne dois pas estre peu retenu, quand d'autres considerations ne m'y engageroient pas. Cependant vous me traitez comme un imposteur insigne, et ainsi vous me forcez à repartir ; mais vous
5 sçavez que cela ne se peut faire sans exposer de nouveau et mesme sans découvrir plus à fond les points de vostre Morale ; en quoy je doute que vous soiez bons politiques. La guerre se fait chez vous, et à vos despens, et, quoy que vous aiez pensé qu'en embroüillant les questions par des termes d'Escole,
10 les responses en seroient si longues, si obscures, et si épineuses qu'on en perdroit le goust, cela ne sera peut-estre pas tout à fait ainsi : car j'essayeray de vous ennuyer le moins qu'il se peut en ce genre d'escrire. Vos maximes ont je ne sçay quoy de divertissant qui rejoüit toûjours le monde. Souvenez-vous
15 au moins que c'est vous qui m'engagez d'entrer dans cét éclaircissement, et voyons qui se deffendra le mieux.

La premiere de vos impostures est sur l'*opinion de Vasquez touchant l'aumosne*. Souffrez donc que je l'explique nettement pour oster toute obscurité de nos disputes. C'est une chose
20 assez connuë, mes Peres, que, selon l'esprit de l'Eglise, il y a deux preceptes touchant l'aumosne : *l'un de donner de son superflu dans les necessitez ordinaires des pauvres ; l'autre, de donner mesme de ce qui est necessaire selon sa condition dans les necessitez extrêmes.* C'est ce que dit Cajetan apres S.
25 Thomas : de sorte que, pour faire voir l'esprit de Vasquez touchant l'aumosne, il faut monstrer comment il a reglé tant celle qu'on doit faire du superflu que celle qu'on doit faire du necessaire.

Celle du superflu, qui est le plus ordinaire secours des
30 pauvres, est entierement abolie par cette seule maxime *De El.*, c. 4, n. 14, que j'ay rapportée dans mes Lettres : *Ce que les gens du monde gardent pour relever leur condition et celle de leurs parens n'est pas appellé superflu. Et ainsi à peine trouvera-t-on qu'il y ait jamais de superflu dans les gens du monde,*
35 *et non pas mesme dans les rois.* Vous voyez bien, mes Peres, par cette definition, que tous ceux qui auront de l'ambition n'auront point de superflu, et qu'ainsi l'aumosne en est aneantie à l'égard de la pluspart du monde. Mais, quand il arriveroit mesme qu'on en auroit, on seroit encore dispensé
40 d'en donner dans les necessitez communes, selon Vasquez, qui s'oppose à ceux qui veulent y obliger les riches. Voicy ses termes, c. 1, n. 32 : *Corduba*, dit-il, *enseigne que, lors qu'on a*

36. que par cette definition tous *C*. 37. *om.* en B^2.

du superflu, on est obligé d'en donner à ceux qui sont dans une necessité ordinaire, au moins une partie, afin d'accomplir le precepte en quelque chose ; MAIS CELA NE ME PLAIST PAS, *sed hoc non placet :* CAR NOUS AVONS MONSTRÉ LE CONTRAIRE *contre Cajetan et Navarre.* Ainsi, mes Peres, l'obligation de 5 cette aumosne est absolument ruinée, selon ce qu'il plaist à Vasquez.

Pour celle du necessaire, qu'on est obligé de faire dans les necessitez extrêmes et pressantes, vous verrez, par les conditions qu'il apporte pour former cette obligation, que les plus 10 riches de Paris peuvent n'y estre pas engagez une seule fois en leur vie. Je n'en rapporteray que deux. L'une, QUE L'ON SÇACHE *que le pauvre ne sera secouru d'aucun autre : Hæc intelligo et cætera omnia quando* SCIO *nullum alium opem laturum*, c. 1, n. 28. Qu'en dites-vous, mes Peres ? Arrivera- 15 t-il souvent que, dans Paris, où il y a tant de gens charitables, on puisse sçavoir qu'il ne se trouvera personne pour secourir un pauvre qui s'offre à nous ? Et cependant, si on n'a pas cette connoissance, on pourra le renvoyer sans secours, selon Vasquez. L'autre est que la necessité de ce pauvre soit telle 20 *qu'il soit menacé de quelque accident mortel, ou de perdre sa réputation*, n. 24 et 26. Ce qui est bien peu commun. Mais ce qui en marque encore la rareté, c'est qu'il dit, n. 45 ; que le pauvre qui est en cét estat, où il dit qu'on est obligé à luy donner l'aumosne, *peut voler le riche en conscience.* Et ainsi 25 il faut que cela soit bien extraordinaire, si ce n'est qu'il veüille qu'il soit ordinairement permis de voler. De sorte qu'aprés avoir destruit l'obligation de donner l'aumosne du superflu, qui est la plus grande source des charitez, il n'oblige les riches d'assister les pauvres de leur necessaire que lors qu'il per- 30 met aux pauvres de voler les riches. Voilà la doctrine de Vasquez, où vous renvoyez les lecteurs pour leur edification.

Je viens maintenant à vos impostures. Vous vous estendez d'abord sur l'obligation que Vasquez impose aux Ecclesiastiques de faire l'aumosne. Mais je n'en ay point parlé, et j'en 35 parleray quand il vous plaira. Il n'en est donc pas question icy. Pour les laïques, desquels seuls il s'agit, il semble que vous vouliez faire entendre que Vasquez ne parle, en l'endroit que j'ay cité, que selon le sens de Cajetan, et non pas selon le sien propre. Mais, comme il n'y a rien de plus faux, 40 et que vous ne l'avez pas dit nettement, je veux croire pour vostre honneur que vous ne l'avez pas voulu dire.

20. L'autre condition *C.*

Vous vous plaignez en suitte hautement de ce qu'aprés avoir rapporté cette maxime de Vasquez : *A peine se trouvera-t-il que les gens du monde, et mesme les rois, aient jamais de superflu*, j'en ay conclu *que les riches sont donc à peine obligez* 5 *de donner l'aumosne de leur superflu*. Mais que voulez-vous dire, mes Peres ? S'il est vray que les riches n'ont presque jamais de superflu, n'est-il pas certain qu'ils ne seront presque jamais obligez de donner l'aumosne de leur superflu ? Je vous en ferois un argument en forme si Diana, qui estime 10 tant Vasquez qu'il l'appelle *le Phœnix des esprits*, n'avoit tiré la mesme consequence du mesme principe. Car, aprés avoir rapporté cette maxime de Vasquez, il en conclud *que dans la question, sçavoir si les riches sont obligez de donner l'aumosne de leur superflu, quoy que l'opinion qui les y oblige fust verit-* 15 *able, il n'arriveroit jamais ou presque jamais, qu'elle oblige dans la pratique*. Je n'ay fait que suivre mot à mot tout ce discours. Que veut donc dire cecy, mes Peres ? Quand Diana rapporte avec eloge les sentimens de Vasquez ; quand il les trouve probables *et tres-commodes pour les riches*, comme il le 20 dit au mesme lieu, il n'est ny calomniateur ny faussaire, et vous ne vous plaignez point qu'il luy impose ; au lieu que, quand je represente ces mesmes sentimens de Vasquez, mais sans le traiter *de Phœnix*, je suis un imposteur, un faussaire et un corrupteur de ses maximes. Certainement, mes Peres, 25 vous avez sujet de craindre que la difference de vos traitements envers ceux qui ne different pas dans le rapport, mais seulement dans l'estime qu'ils font de vostre doctrine, ne découvre le fond de vostre cœur, et ne fasse juger que vous avez pour principal objet de maintenir le credit et la gloire de vostre 30 Compagnie, puisque, tandis que vostre Theologie accommodante passe pour une sage condescendance, vous ne desavoüez point ceux qui la publient, et vous les loüez au contraire comme contribuans à vostre dessein ; mais, quand on la fait passer pour un relaschement pernicieux, alors le mesme inter-35 est de vostre Societé vous engage à desavoüer des maximes qui vous font tort dans le monde : et ainsi vous les reconnoissez ou les renoncez, non pas selon la verité, qui ne change jamais, mais selon les divers changemens des temps, suivant cette parole d'un ancien : *Omnia pro tempore, nihil pro veri-* 40 *tate*. Prenez y garde, mes Peres, et, afin que vous ne puissiez plus m'accuser d'avoir tiré du principe de Vasquez une con-

15. obligeast *C*. 32. et au contraire vous les loüez *C*.

sequence qu'il eust desavoüée, sçachez qu'il la tire luy-mesme, c. 1, n. 27 : *A peine est-on obligé de donner l'aumosne, quand on n'est obligé à la donner que de son superflu, selon l'opinion de Cajetan,* ET SELON LA MIENNE : *Et secundum nostram.* Confessez donc, mes Peres, par le propre témoignage de Vasquez, que j'ay suivy exactement sa pensée, et considerez avec quelle conscience vous avez osé dire, *que si l'on alloit à la source, on verroit avec estonnement qu'il y enseigne tout le contraire.*

Enfin vous faites valoir par dessus tout ce que vous dites, que Vasquez a obligé en recompense les riches de donner l'aumosne *de leur necessaire.* Mais vous avez oublié de marquer l'assemblage des conditions necessaires pour former cette obligation, et vous dites generalement, qu'il oblige les riches à donner mesme ce qui est necessaire à leur condition. C'est en dire trop, mes Peres ; la regle de l'Evangile ne va pas si avant ; ce seroit une autre erreur dont Vasquez est bien eloigné. Pour couvrir son relaschement, vous luy attribuez un excez de severité qui le rendroit reprehensible, et par là vous vous ostez la creance de l'avoir rapporté fidelement. Mais il n'est pas digne de ce reproche apres avoir estably, comme il a fait, par un si visible renversement de l'Evangile, que les riches ne sont point obligez ny par justice, ny par charité, de donner de leur superflu, et encore moins du necessaire, dans tous les besoins ordinaires des pauvres, et qu'ils ne sont obligez de donner du necessaire qu'en des rencontres si rares qu'elles n'arrivent presque jamais.

Vous ne m'objectez rien davantage, de sorte qu'il ne me reste qu'à faire voir combien est faux ce que vous pretendez, que Vasquez est plus severe que Cajetan. Et cela sera bien facile, puis que ce cardinal enseigne, *Qu'on est obligé par justice de donner l'aumosne de son superflu mesme dans les communes necessitez des pauvres, parce que, selon les saints Peres, les riches sont seulement dispensateurs de leur superflu, pour le donner à qui ils veulent d'entre ceux qui en ont besoin.* Et ainsi, au lieu que Diana dit des maximes de Vasquez *Qu'elles seront bien commodes et bien agreables aux riches et à leurs*

1. l'a tiré *C.* 11. que si Vasquez n'oblige pas les riches de donner l'aumosne de leur superflu, il les oblige en recompense de la donner de leur necessaire *C.* 13. des conditions qu'il declare necessaires pour former cette obligation lesquelles j'ay rapportées ; et qui la restreignent si fort qu'elles l'aneantissent presque entierement ; au lieu d'expliquer ainsi sincerement sa doctrine, vous dites *C.* 22. comme je l'ay fait voir, que les riches *C.*

Confesseurs, ce Cardinal, qui n'a pas une pareille consolation à leur donner, declare, *De Eleem.*, c. 6, *Qu'il n'a rien à dire aux riches que ces paroles de* JESUS-CHRIST : *Qu'il est plus facile qu'un chameau passe par le trou d'une éguille que non* 5 *pas qu'un riche entre dans le ciel ; et à leurs Confesseurs, que cette parole du mesme Sauveur : Si un aveugle en conduit un autre, ils tomberont tous deux dans le precipice.* Tant il a trouvé cette obligation indispensable ! Aussi c'est ce que les Peres et tous les Saints ont étably comme une 10 verité constante. *Il y a deux cas*, dit S. Thomas, 2, 2, q. 118, a. 4, *où l'on est obligé de donner l'aumosne par un devoir de justice, ex debito legali : l'un, quand les pauvres sont en danger ; l'autre, quand nous possedons des biens superflus.* Et, q. 87, a. 1 : *Les troisiémes decimes que les Juifs devoient* 15 *manger avec les pauvres ont esté augmentées dans la loy nouvelle, parce que* JESUS-CHRIST *veut que nous donnions aux pauvres non seulement la dixiéme partie, mais tout nostre superflu.* Et cependant il ne plaist pas à Vasquez qu'on soit obligé d'en donner une partie seulement, tant il a de com- 20 plaisance pour les riches, de dureté pour les pauvres, et d'opposition à ces sentimens de charité qui font trouver douce la verité de ces paroles de S. Gregoire, laquelle paroist si dure aux riches du monde : *Quand nous donnons aux pauvres ce qui leur est necessaire, nous ne leur donnons pas* 25 *tant ce qui est à nous que nous leur rendons ce qui est à eux ; et c'est un devoir de justice plûtost qu'une œuvre de misericorde.*

C'est de cette sorte que les Saints recommandent aux riches de partager avec les pauvres les biens de la terre, s'ils 30 veulent posseder avec eux les biens du ciel. Et, au lieu que vous travaillez à entretenir dans les hommes l'ambition, qui fait qu'on n'a jamais de superflu, et l'avarice, qui refuse d'en donner quand on en auroit, les Saints ont travaillé au contraire à porter les hommes à donner leur superflu, et à leur 35 faire connoistre qu'ils en auront beaucoup, s'ils le mesurent, non par la cupidité, qui ne souffre point de bornes, mais par la pieté, qui est ingenieuse à se retrancher pour avoir de quoy se respandre dans l'exercice de la charité. *Nous avons beaucoup de superflu*, dit S. Augustin, *si nous ne gardons que* 40 *le necessaire ; mais, si nous recherchons les choses vaines, rien ne nous suffira. Recherchez, mes freres, ce qui suffit à l'ouvrage de Dieu, c'est-à-dire à la nature, et non pas ce qui suffit à*

23. si rude *C.*

vostre cupidité, qui est l'ouvrage du demon. Et souvenez-vous que le superflu des riches est le necessaire des pauvres.

Je voudrois bien, mes Peres, que ce que je vous dis servist non seulement à me justifier, ce seroit peu, mais encore à vous faire sentir et abhorrer ce qu'il y a de corrompu dans 5 les maximes de vos Casuistes, afin de nous unir sincerement dans les saintes regles de l'Evangile, selon lesquelles nous devons tous estre jugez.

Pour le second point, qui regarde la simonie, avant que de respondre aux reproches que vous me faites, je commen- 10 ceray par l'éclaircissement de vostre doctrine sur ce sujet. Comme vous vous estes trouvez embarrassez entre les Canons de l'Eglise, qui imposent d'horribles peines aux simoniaques, et l'avarice de tant de personnes qui recherchent cét infame trafic, vous avez suivi vostre methode ordinaire, qui est d'ac- 15 corder aux hommes ce qu'ils desirent, et donner à Dieu des paroles et des apparences. Car, qu'est-ce que demandent les simoniaques, sinon d'avoir de l'argent en donnant leurs benefices? Et c'est cela que vous avez exempté de simonie. Mais, parce qu'il faut que le nom de simonie demeure, et 20 qu'il y ait un sujet où il soit attaché, vous avez choisi pour cela une idée imaginaire, qui ne vient jamais dans l'esprit des simoniaques, et qui leur seroit inutile, qui est d'estimer l'argent consideré en luy-mesme autant que le bien spirituel consideré en luy-mesme. Car qui s'aviseroit de comparer 25 des choses si disproportionnées et d'un genre si different? Et cependant, pourveu qu'on ne fasse pas cette comparaison metaphysique, on peut donner son benefice à un autre, et en recevoir de l'argent sans simonie, selon vos Auteurs.

C'est ainsi que vous vous joüez de la Religion pour suivre 30 la passion des hommes, et voyez neantmoins avec quelle gravité vostre Pere Valentia debite ses songes à l'endroit cité dans mes Lettres, tom. 3, disp. 16, p. 3, p. 2044. *On peut,* dit-il, *donner un bien temporel pour un spirituel en deux manieres : l'une, en prisant davantage le temporel que le* 35 *spirituel, et ce seroit simonie ; l'autre, en prenant le temporel comme le motif et la fin qui porte à donner le spirituel, sans que neantmoins on prise le temporel plus que le spirituel, et alors ce n'est point simonie. Et la raison en est, que la simonie consiste à recevoir un temporel comme le juste prix* 40 *d'un spirituel. Donc, si on demande le temporel, si petatur temporale, non pas comme le prix, mais comme le motif qui*

34. *om.* bien *C.*

determine à le conferer, ce n'est point du tout simonie, encore qu'on ait pour fin et attente principale la possession du temporel : Minimè erit simonia etiamsi temporale principaliter intendatur et expectetur. Et vostre grand Sanchez n'a-t-il pas 5 eu une pareille revelation au rapport d'Escobar, tr. 6, ex. 2, n. 40? Voicy ses mots : *Si on donne un bien temporel pour un bien spirituel, non pas comme* PRIX, *mais comme un* MOTIF *qui porte le collateur à le donner, ou comme une reconnoissance si on l'a déja receu, est-ce simonie? Sanchez assure que non.* 10 Vos theses de Caen de 1644 : *C'est une opinion probable enseignée par plusieurs catholiques, que ce n'est pas simonie de donner un bien temporel pour un spirituel, quand on ne le donne pas comme prix.* Et, quant à Tannerus, voicy sa doctrine, pareille à celle de Valentia, qui fera voir combien vous 15 avez tort de vous plaindre de ce que j'ay dit qu'elle n'est pas conforme à celle de S. Thomas, puisque luy-mesme l'avoüe au lieu cité dans ma Lettre t. 3, d. 5, p. 1519 : *Il n'y a point,* dit-il, *proprement et veritablement de simonie, sinon à prendre un bien temporel comme le prix d'un spirituel; mais quand* 20 *on le prend comme un motif qui porte à donner le spirituel, ou comme en reconnoissance de ce qu'on l'a donné, ce n'est point simonie, au moins en conscience.* Et un peu aprés : *Il faut dire la mesme chose, encore qu'on regarde le temporel comme sa fin principale, et qu'on le prefere mesme au spirituel, quoy que* 25 *S. Thomas et d'autres semblent dire le contraire, en ce qu'ils assurent que c'est absolument simonie de donner un bien spirituel pour un temporel, lorsque le temporel en est la fin.*

Voila, mes Peres, vostre doctrine de la simonie enseignée par vos meilleurs Autheurs, qui se suivent en cela bien exacte- 30 ment. Il ne me reste donc qu'à respondre à vos impostures. Vous n'avez rien dit sur l'opinion de Valentia; et ainsi sa doctrine subsiste aprés vostre response. Mais vous vous arrestez sur celle de Tannerus, et vous dites qu'il a seulement decidé que ce n'estoit pas une simonie de droit divin; et vous 35 voulez faire croire que j'ay supprimé de ce passage ces paroles, *de droit divin.* Vous n'estes pas raisonnables, mes Peres, car ces termes *de droit divin* ne furent jamais dans ce passage. Vous adjoutez en suitte que Tannerus declare que c'est une simonie *de droit positif.* Vous vous trompez, mes 40 Peres, il n'a pas dit cela generalement, mais sur des cas particuliers, *in casibus à jure expressis,* comme il le dit en cét endroit. En quoy il fait une exception de ce qu'il avoit

36. Sur quoy vous n'estes *C.*

estably en general dans ce passage, que *ce n'est pas simonie en conscience :* ce qui enferme que ce n'en est pas aussi une de droit positif, si vous ne voulez faire Tannerus assez impie pour soustenir qu'une simonie de droit positif n'est pas simonie en conscience. Mais vous recherchez à dessein ces mots de *droit divin, droit positif, droit naturel, tribunal interieur et exterieur, cas exprimez dans le droit, presomption externe*, et les autres qui sont peu connus, afin d'échaper sous cette obscurité, et de faire perdre la vue de vos égaremens. Vous n'eschaperez pas neantmoins, mes Peres, par ces vaines subtilitez, car je vous feray des questions si simples qu'elles ne seront point sujettes au *distinguo.* Je vous demande donc, sans parler de *droit positif*, ny de *presomption de tribunal exterieur*, si un beneficier sera simoniaque, selon vos Autheurs, en donnant un benefice de quatre mille livres de rente, et recevant dix mille francs argent comptant, non pas comme prix du benefice, mais comme un motif qui le porte à le donner. Respondez-moy nettement, mes Peres : que faut-il conclure sur ce cas, selon vos Autheurs ? Tannerus ne dira-t-il pas formellement *Que ce n'est point simonie en conscience ; puis que le temporel n'est pas le prix du benefice mais seulement le motif qui le fait donner ?* Valentia, vos Theses de Caën, Sanchez, et Escobar ne decideront-ils pas de mesme que *ce n'est pas simonie* par la mesme raison ? En faut-il davantage pour excuser ce beneficier de simonie, et osierez-vous le traiter de simoniaque dans vos confessionnaux, quelque sentiment que vous en aiez par vous-mesmes ; puis qu'il auroit droit de vous fermer la bouche, ayant agy selon l'advis de tant de Docteurs graves ? Confessez donc qu'un tel beneficier est excusé de simonie, selon vous ; et defendez maintenant cette doctrine, si vous le pouvez.

Voila, mes Peres, comment il faut traiter les questions pour les démesler ; au lieu de les embroüiller ou par des termes d'Escole, ou en changeant l'estat de la question, comme vous faites dans vostre dernier reproche en cette sorte. Tannerus, dites-vous, declare au moins qu'un tel échange est un grand peché ; et vous me reprochez d'avoir supprimé malicieusement cette circonstance, *qui le justifie entierement*, à ce que vous pretendez. Mais vous avez tort, et en plusieurs manieres. Car, quand ce que vous dites seroit veritable, il ne s'agissoit pas, au lieu où j'en parlois, de sçavoir s'il y avoit

26. et oseriez-vous le traiter autrement dans *AC.* 28. vous y obliger, ayant *AC.* 40. vray *C.*

en cela du peché, mais seulement s'il y avoit de la simonie. Or ce sont deux questions fort separées : les pechez n'obligent qu'à se confesser, selon vos maximes ; la simonie oblige à restituer, et il y a des personnes à qui cela paroistroit assez 5 different. Car vous avez bien trouvé des expediens pour rendre la confession douce, au lieu que vous n'en avez point trouvé pour rendre la restitution agreable. J'ay à vous dire de plus que le cas que Tannerus accuse de peché n'est pas simplement celuy où l'on donne un bien spirituel pour un 10 temporel qui en est le motif mesme principal, mais il ajoute encore *que l'on prise le temporel plus que le spirituel*, ce qui est ce cas imaginaire dont nous avons parlé. Et il ne fait pas mal de charger celuy-là de peché, puisqu'il faudroit estre bien mechant, ou bien stupide, pour ne vouloir pas éviter un 15 peché par un moyen aussi facile qu'est celuy de s'abstenir de comparer les prix de ces deux choses, lorsqu'il est permis de donner l'une pour l'autre. Outre que Valentia, examinant, au lieu déja cité, s'il y a du peché à donner un bien spirituel pour un temporel qui en est le motif principal, rapporte les 20 raisons de ceux qui disent que oüy, en ajoûtant : *Sed hoc non videtur mihi satis certum :* Cela ne me paroist pas assez certain.

Mais, depuis, vostre P. Erade Bille, professeur des cas de Conscience à Caën, a decidé qu'il n'y a aucun peché ; car les 25 opinions probables vont toûjours en meurissant. C'est ce qu'il declare dans ses écrits de 1644, contre lesquels M. du Pré, Docteur et Professeur à Caën, fit cette belle harangue imprimée, qui est assez connuë. Car, quoy que ce P. Erade Bille reconnoisse que la doctrine de Valentia, suivie par le 30 P. Milhard, et condamnée en Sorbonne, *soit contraire au sentiment commun, suspecte de simonie en plusieurs choses et punie en justice, quand la pratique en est découverte*, il ne laisse pas de dire que c'est une opinion probable, et par consequent seure en conscience, et qu'il n'y a en cela 35 ny simonie nï peché. *C'est*, dit-il, *une opinion probable, et enseignée par beaucoup de docteurs catholiques, qu'il n'y a aucune simonie*, NY AUCUN PECHÉ, *à donner de l'argent ou une autre chose temporelle pour un benefice, soit par forme de reconnoissance, soit comme un motif sans lequel on ne 40 le donneroit pas, pourveu qu'on ne le donne pas comme un prix égal au benefice.* C'est là tout ce qu'on peut desirer.

6. douce, mais que *C.* 13. de mal *C.* 19. *om.* principal *AC.* 24. en cela aucun *C.*

Et, selon toutes ces maximes, vous voyez, mes Peres, que la simonie sera si rare qu'on en aura exempté Simon mesme le magicien, qui vouloit acheter le Saint Esprit, en quoy il est l'image des simoniaques qui achettent, et Giezi, qui receut de l'argent pour un miracle, en quoy il est la figure 5 des simoniaques qui vendent. Car il est sans doute que, quand Simon, dans les Actes, *offrit de l'argent aux Apostres pour avoir leur puissance*, il ne se servit ny des termes d'acheter ny de vendre, ny de prix, et qu'il ne fit autre chose que d'offrir de l'argent comme un motif pour se faire donner 10 ce bien spirituel. Ce qui estant exempt de simonie, selon vos auteurs, il se fust bien garanti de l'anatheme de saint Pierre, s'il eust sceu leurs maximes. Et cette ignorance fit aussi grand tort à Giezi quand il fut frappé de la lepre par Elisée : car n'ayant receu l'argent de ce prince guery mira- 15 culeusement que comme une reconnoissance, et non pas comme un prix égal à la vertu divine qui avoit operé ce miracle, il eust obligé Elisée à le guerir sur peine de peché mortel, puisqu'il auroit agi selon tant de Docteurs graves, et que vos Confesseurs sont obligez d'absoudre leurs penitens en 20 pareil cas, et de les laver de la lepre spirituelle, dont la corporelle n'est que la figure.

Tout de bon, mes Peres, il seroit aisé de vous tourner là-dessus en ridicules ; je ne sais pourquoy vous vous y exposez. Car je n'aurois qu'à rapporter vos autres maximes, comme 25 celle-cy d'Escobar dans la *Pratique de la simonie selon la Société de Jesus* (n. 40) : *Est-ce simonie lorsque deux Religieux s'engagent l'un à l'autre en cette sorte : Donnez-moi vostre voix pour me faire elire provincial, et je vous donneray la mienne pour vous faire prieur ? Nullement.* Et cette 30 autre (n. 14) : *Ce n'est pas simonie de se faire donner un benefice en promettant de l'argent, quand on n'a pas dessein de payer en effet, parce que ce n'est qu'une simonie feinte, qui n'est non plus veritable que du faux or n'est pas du veritable or.* C'est par cette subtilité de conscience qu'il 35 a trouvé le moyen, en ajoustant la fourbe à la simonie, de faire avoir des benefices sans argent et sans simonie, Mais je n'ay pas le loisir d'en dire davantage, car il faut que je pense à me deffendre contre vostre troisieme calomnie sur le sujet des banqueroutiers. 40

Pour celle-cy, mes Peres, il n'y a rien de plus grossier.

13. eust esté instruit de vos *C.* 34, 35, *vraye . . . vray C.*

Vous me traitez d'imposteur sur le sujet d'un sentiment de Lessius, que je n'ay point cité de moy-mesme, mais qui se trouve allegué par Escobar dans un passage que j'en rapporte : et ainsi, quand il seroit veritable que Lessius ne seroit
5 pas de l'avis qu'Escobar luy attribuë, qu'y a-t-il de plus injuste que de s'en prendre à moy ? Quand je cite Lessius et vos autres Autheurs de moy-mesme, je consens d'en répondre. Mais, comme Escobar a ramassé les opinions de 24 de vos Peres, je vous demande si je dois estre guarant d'autre chose
10 que de ce que je cite de luy, et s'il faut outre cela que je réponde des citations qu'il fait luy-mesme dans les passages que j'en ay pris. Cela ne seroit pas raisonnable. Or c'est dequoy il s'agit en cét endroit. J'ai rapporté dans ma Lettre ce passage d'Escobar traduit fort fidelement, et sur lequel
15 aussi vous ne dites rien : *Celuy qui fait banqueroute peut-il en seureté de conscience retenir de ses biens autant qu'il est necessaire pour vivre avec honneur, ne indecorè vivat ?* JE RESPONDS QUE OUY AVEC LESSIUS : CUM LESSIO ASSERO POSSE, etc. Sur cela vous me dites que Lessius n'est pas de ce
20 sentiment. Mais pensez un peu où vous vous engagez. Car, s'il est vray qu'il en est, on vous appellera imposteurs d'avoir assuré le contraire ; et s'il n'en est pas, Escobar sera l'imposteur : de sorte qu'il faut maintenant par necessité que quelqu'un de la Societé soit convaincu d'imposture. Voyez
25 un peu quel scandale ! Aussi vous ne sçavez pas prevoir la suite des choses. Il vous semble qu'il n'y a qu'à dire des injures au monde, sans penser sur qui elles retombent. Que ne faisiez-vous sçavoir vostre difficulté à Escobar avant que de la publier ? Il vous eust satisfait. Il n'est pas si malaisé
30 d'avoir des nouvelles de Vailladolid, où il est en parfaite santé, et où il acheve sa grande *Theologie morale* en six volumes, sur les premiers desquels je pourray dire un jour quelque chose. On luy a envoyé les dix premieres Lettres : vous pouviez aussi lui envoyer vostre objection ; et je m'as-
35 sure qu'il y eust bien respondu, car il a veu sans doute dans Lessius ce passage, d'où il a pris le *ne indecorè vivat*. Lisez-le bien, mes Peres, et vous l'y trouverez comme moy, lib. 2, c. 6, n. 45 : *Idem colligitur apertè ex juribus citatis, maximè quoad ea bona quæ post cessionem acquirit, de quibus is qui*
40 *debitor est, etiam ex delicto, potest retinere quantum necessarium est ut pro sua conditione* NON INDECORE VIVAT. *Petes an*

4. vray *C.* 27. injures aux personnes, sans *C.*

leges id permittant de bonis quæ tempore instantis cessionis habebat? Ita videtur colligi ex DD., etc.

Je ne m'arresteray pas à vous monstrer que Lessius, pour autoriser cette maxime, abuse de la loy, qui n'accorde que le simple vivre aux banqueroutiers, et non dequoy subsister 5 avec honneur : il suffit d'avoir justifié Escobar contre une telle accusation. C'est plus que je ne devois faire. Mais vous, mes Peres, vous ne faites pas ce que vous devez : car il est question de répondre au passage d'Escobar, dont les decisions sont commodes en ce qu'estant independantes du de- 10 vant et de la suitte, et toutes renfermées en de petits articles, elles ne sont pas sujettes à vos distinctions. Je vous ay cité son passage entier, qui permet *à ceux qui font cession de retenir de leurs biens, quoy qu'acquis injustement, pour faire subsister leur famille avec honneur*. Surquoy je me 15 suis écrié dans mes Lettres : *Comment, mes Peres, par quelle estrange charité voulez-vous que les biens appartiennent plûtost à ceux qui les ont mal acquis qu'aux creanciers legitimes?* C'est à quoy il faut répondre ; mais c'est ce qui vous met dans un fascheux embarras, que vous essayez 20 en vain d'éluder en détournant la question, et citant d'autres passages de Lessius desquels il ne s'agit point. Je vous demande donc si cette maxime d'Escobar peut estre suivie en conscience par ceux qui font banqueroute, et prenez garde à ce que vous direz. Car, si vous répondez que non, que de- 25 viendra vostre Docteur et vostre doctrine de la probabilité ? Et si vous dites que oüy, je vous renvoye au Parlement.

Je vous laisse dans cette peine, mes Peres, car je n'ay plus ici de place pour entreprendre l'imposture suivante, sur le passage de Lessius touchant l'homicide ; ce sera pour 30 la premiere fois, et le reste ensuite.

Je ne vous diray rien cependant sur les Avertissemens pleins de faussetez scandaleuses par où vous finissez chaque imposture : je repartiray à tout cela dans la Lettre où j'espere monstrer la source de vos calomnies. Je vous plains, 35 mes Peres, d'avoir recours à de tels remedes. Les injures que vous me dites n'éclairciront pas nos differens, et les menaces que vous me faites en tant de façons ne m'empescheront pas de me defendre. Vous croyez avoir la force et l'impunité ; mais je croy avoir la verité et l'innocence. C'est une 40 estrange et longue guerre que celle où la violence essaye d'opprimer la verité. Tous les efforts de la violence ne peuvent

2. *om.* etc. *C.*

affoiblir la verité, et ne servent qu'à la relever davantage. Toutes les lumieres de la verité ne peuvent rien pour arrester la violence, et ne font que l'irriter encore plus. Quand la force combat la force, la plus puissante destruit la moindre :
5 quand l'on oppose les discours aux discours, ceux qui sont veritables et convainquants confondent et dissipent ceux qui n'ont que la vanité et le mensonge ; mais la violence et la verité ne peuvent rien l'une sur l'autre. Qu'on ne pretende pas de là neantmoins que les choses soient égales : car il y a
10 cette extrême difference, que la violence n'a qu'un cours borné par l'ordre de Dieu, qui en conduit les effets à la gloire de la verité qu'elle attaque ; au lieu que la verité subsiste eternellement, et triomphe enfin de ses ennemis, parce qu'elle est eternelle et puissante comme Dieu mesme.

TREZIEME LETTRE

ESCRITE PAR L'AUTHEUR DES LETTRES AU PROVINCIAL

AUX REVERENDS PERES JESUITES.

Du 30 Septembre 1656.

Mes Reverends Peres,

Je viens de voir vostre dernier écrit, où vous continuez vos impostures jusqu'à la vingtieme, en declarant que vous finissez par là cette sorte d'accusation, qui faisoit vostre premiere partie, pour en venir à la seconde, où vous devez prendre une nouvelle maniere de vous deffendre en monstrant qu'il y a 5 bien d'autres Casuistes que les vostres qui sont dans le relâchement aussi bien que vous. Je voy donc maintenant, mes Peres, à combien d'impostures j'ay à respondre ; et puisque la quatriéme, où nous en sommes demeurez, est sur le sujet de l'homicide, il sera à propos, en y respondant, de satisfaire 10 en mesme temps aux 11, 13, 14, 15, 16, 17 et 18, qui sont sur le mesme sujet.

Je justifieray donc dans cette lettre la verité de mes citations contre les faussetez que vous m'imposez. Mais parce que vous avez osé avancer dans vos écrits *que les sentimens* 15 *de vos Auteurs sur le meurtre sont conformes aux decisions des Papes et des lois ecclesiastiques*, vous m'obligerez à renverser dans ma lettre suivante une proposition si temeraire et si injurieuse à l'Eglise. Il importe de faire voir, qu'elle est pure de vos corruptions, afin que les heretiques ne puissent pas se 20 prevaloir de vos égaremens pour en tirer des consequences qui la deshonorent. Et ainsi en voyant d'une part vos pernicieuses maximes, et de l'autre les Canons de l'Eglise, qui les

Title. *om.* Escrite . . . Provincial *C.* 11. à la *C.* 17. m'obligerez à detruire *C.* 19. elle est exempte *C.*

ont toûjours condamnées, on trouvera tout ensemble ce qu'on doit éviter, et ce qu'on doit suivre.

Vostre quatrieme imposture est sur une maxime touchant le meurtre, que vous pretendez que j'ay faussement attribuée 5 à Lessius. C'est celle-cy : *Celuy qui a receü un soufflet peut poursuivre à l'heure mesme son ennemy, et mesme à coups d'espée, non pas pour se vanger, mais pour reparer son honneur.* Surquoy vous dites que cette opinion là est du casuiste Victoria. Et ce n'est pas encore le sujet de la dispute. Car il 10 n'y a point de repugnance à dire qu'elle soit tout ensemble de Victoria, et de Lessius, puisque Lessius dit luy-mesme qu'elle est aussi de Navarre et de vostre Pere Henriquez, qui enseignent *que celuy qui a receü un soufflet peut à l'heure mesme poursuivre son homme, et luy donner autant de coups qu'il* 15 *jugera necessaire pour reparer son honneur.* Il est donc seulement question de sçavoir si Lessius est aussi du sentiment de ces Auteurs, aussi bien que son Confrere. Et c'est pourquoy vous ajoûtez : *Que Lessius ne rapporte cette opinion que pour la refuter et qu'ainsi je luy attribuë un sentiment qu'il* 20 *n'allegue que pour le combattre, qui est l'action du monde la plus lasche et la plus honteuse à un Escrivain.* Et je soustiens, mes Peres, qu'il ne la rapporte que pour la suivre. C'est une question de fait qu'il sera bien facile de decider. Voyons donc comment vous prouvez ce que vous dites ; et vous ver- 25 rez ensuite comment je prouve ce que je dis.

Pour monstrer que Lessius n'est pas de ce sentiment vous dites qu'il en condamne le pratique. Et, pour prouver cela, vous rapportez un de ses passages, liv. 2. c. 9. n. 82, où il dit ces mots : *J'en condamne la pratique.* Je demeure d'accord, 30 que si on cherche ces paroles dans Lessius au nombre 82, où vous les citez, on les y trouvera. Mais que dira-t-on, mes Peres, quand on verra au mesme temps qu'il traite en cét endroit d'une question toute differente de celle dont nous parlons, et que l'opinion, dont il dit en ce lieu-là qu'il en con- 35 damne la pratique n'est en aucune sorte celle dont il s'agit icy, mais une autre toute separée ? Cependant il ne faut, pour en estre éclaircy, qu'ouvrir le livre au lieu mesme où vous renvoyez. Car on y trouvera toute la suite de son discours en cette maniere.

40 Il traite la question, *sçavoir si on peut tuer pour un soufflet,* au n. 79, et il la finit au n. 80, sans qu'il y ait en tout cela un seul mot de condamnation. Cette question estant terminée,

9. encore là *C.* 12. *om.* aussi *C.* 21. Or je *C.* 32. en mesme *C.* 37. *om.* au lieu *C.*

il en commence une nouvelle en l'article 81, *sçavoir si on peut tuer pour des médisances.* Et c'est sur celle là qu'il dit, au n. 82, ces paroles que vous avez citées : *J'en condamne la pratique.*

N'est-ce donc pas une chose honteuse, mes Peres, que vous 5 osiez produire ces paroles, pour faire croire que Lessius condamne l'opinion, qu'on peut tuer pour un soufflet ? Et que n'en ayant rapporté en tout que cette seule preuve, vous triomphiez là dessus en disant comme vous faites : *Plusieurs personnes d'honneur dans Paris ont desja reconnu cette insigne* 10 *fausseté par la lecture de Lessius, et ont apris par là quelle creance on doit avoir à ce calomniateur.* Quoy, mes Peres ? Est-ce ainsi que vous abusez de la creance que ces personnes d'honneur ont en vous ? Pour leur faire entendre que Lessius n'est pas d'un sentiment, vous leur ouvrez son livre en un 15 endroit où il en condamne un autre. Et comme ces personnes n'entrent pas en defiance de vostre bonne foy, et ne pensent pas à examiner s'il s'agit en ce lieu là de la question contestée, vous trompez ainsi leur credulité. Je m'assure, mes Peres, que, pour vous garantir d'un si honteux mensonge, vous avez 20 eü recours à vostre doctrine des equivoques, et que, lisant ce passage *tout haut*, vous disiez *tout bas* qu'il s'y agissoit d'une autre matiere. Mais je ne sçay si cette raison qui suffit bien pour satisfaire vostre conscience, suffira pour satisfaire la juste plainte que vous feront ces gens d'honneur, quand ils verront 25 que vous les avez joüez de cette sorte.

Empeschez-les donc bien, mes Peres, de voir mes lettres, puisque c'est le seul moyen qui vous reste pour conserver encore quelque temps vostre credit. Je n'en use pas ainsi des vostres. J'en envoye à tous mes amis, je souhaite que tout 30 le monde les voye. Et je croy que nous avons tous raison. Car enfin, apres avoir publié cette quatrieme imposture avec tant d'éclat, vous voila décriez si on vient à sçavoir que vous y avez supposé un passage pour un autre. On jugera facilement, que si vous eussiez trouvé ce que vous demandiez au 35 lieu mesme où Lessius traitoit cette matiere, vous ne l'eussiez pas esté chercher ailleurs ; et que vous n'y avez eü recours, que parce que vous n'y voiyez rien qui fust favorable à vostre dessein. Vous vouliez faire trouver dans Lessius ce que vous dites dans vostre imposture, pag. 10, ligne 12, *qu'il n'accorde pas* 40 *que cette opinion soit probable dans la speculation :* Et Lessius dit expressément en sa conclusion n. 80 : *Cette opinion, qu'on*

36. traitte C.

peut tuer pour un soufflet receu, est probable dans la speculation. N'est-ce pas là mot à mot le contraire de vostre discours ? Et qui peut assez admirer avec quelle hardiesse vous produisez en propres termes le contraire d'une verité de fait ?
5 De sorte qu'au lieu que vous concluyez de vostre passage supposé que Lessius n'estoit pas de ce sentiment, il se conclut fort bien de son veritable passage qu'il est de ce mesme sentiment.

Vous vouliez encore faire dire à Lessius *qu'il en condamne*
10 *la pratique.* Et comme je l'ay desja dit, il ne se trouve pas une seule parole de condamnation en ce lieu là ; mais il parle ainsi : *Il semble qu'on n'en doit pas* FACILEMENT *permettre la pratique : In praxi non videtur* FACILE PERMITTENDA. Est-ce là le langage d'un homme qui *condamne* une maxime ? Diriez-
15 vous, mes Peres, qu'il ne faut pas *permettre facilement* dans la pratique les adulteres et les incestes ? Ne doit-on pas conclure au contraire, puisque Lessius ne dit autre chose, sinon que la pratique n'en doit pas estre facilement permise, que la pratique mesme en peut estre quelquefois permise, quoy que
20 rarement ? Et comme s'il eust voulu apprendre à tout le monde quand on la doit permettre, et oster aux personnes offensées les scrupules qui les pourroient troubler mal à propos, ne sçachant en quelles occasions il leur est permis de tuer dans la pratique, il a eu soin de leur marquer ce qu'ils
25 doivent éviter pour pratiquer cette doctrine en conscience. Escoutez-le, mes Peres : *Il semble*, dit-il, *qu'on ne doit pas le permettre facilement,* A CAUSE *du danger qu'il y a qu'on agisse en cela par haine, ou par vangeance, ou avec excés, ou que cela ne causast trop de meurtres.* De sorte qu'il est clair que ce
30 meurtre restera tout permis dans la pratique selon Lessius, si on évite ces inconveniens, c'est à dire si l'on peut agir sans haine, sans vangeance, et dans des circonstances qui n'attirent pas beaucoup de meurtres. En voulez-vous un exemple, mes Peres ? En voicy un assez nouveau. C'est celuy du soufflet
35 de Compiegne. Car vous avoüerez que celuy qui l'a receu a témoigné par la maniere dont il s'est conduit qu'il estoit assez maistre des mouvemens de haine et de vangeance. Il ne luy restoit donc qu'à éviter un trop grand nombre de meurtres : et vous sçavez, mes Peres, qu'il est si rare que des Jesuites
40 donnent des soufflets aux Officiers de la maison du Roy, qu'il n'y avoit pas à craindre qu'un meurtre en cette occasion en

15. là mes Peres *C.* 17. que puisque . . . permise, son sentiment est que cette pratique peut *C.* 27. *om.* y *C.* 30. tout à fait *C.*

eust tiré beaucoup d'autres en consequence. Et ainsi vous ne sçauriez nier que ce Jesuite ne fust tuable en seureté de conscience, et que l'offensé ne peust en cette rencontre pratiquer en son endroit la doctrine de Lessius. Et peut-estre, mes Peres, qu'il l'eust fait s'il eust esté instruit dans vostre 5 escole, et s'il eust appris d'Escobar *qu'un homme qui a receu un soufflet est reputé sans honneur jusqu'à ce qu'il ait tué celuy qui le luy a donné.* Mais vous avez sujet de croire que les instructions fort contraires qu'il a receuës d'un Curé que vous n'aimez pas trop, n'ont pas peu contribué en cette occasion à 10 sauver la vie à un Jesuite.

Ne nous parlez donc plus de ces inconveniens qu'on peut éviter en tant de rencontres, et hors lesquels le meurtre est permis, selon Lessius, dans la pratique mesme. C'est ce qu'ont bien reconnu vos Auteurs citez par Escobar dans la 15 *pratique de l'homicide selon vostre Societé. Est-il permis*, dit-il, *de tuer celuy qui a donné un soufflet ? Lessius dit que cela est permis dans la speculation ; mais qu'on ne le doit pas conseiller dans la pratique, non consulendum in praxi, à cause du danger de la haine ou des meurtres nuisibles à l'Estat qui en* 20 *pourroient arriver.* MAIS LES AUTRES ONT JUGÉ QU'EN EVITANT CES INCONVENIENS, CELA EST PERMIS ET SEUR DANS LA PRATIQUE : *In praxi probabilem et tutam judicarunt Henriquez*, etc. Voila comment les opinions s'élevent peu à peu jusqu'au comble de la probabilité. Car vous y avez porté celle-cy en 25 la permettant enfin sans aucune distinction de speculation, ny de pratique, en ces termes : *Il est permis, lorsqu'on a receü un soufflet, de donner incontinent un coup d'espée, non pas pour se vanger, mais pour conserver son honneur.* C'est ce qu'ont enseigné vos Peres à Caën en 1644, dans leurs écrits publics, 30 que l'Université produisit au Parlement dans sa troisiéme requeste contre vostre doctrine de l'homicide, p. 339.

Remarquez donc, mes Peres, que vos propres Auteurs ruinent d'eux-mesmes cette vaine distinction de speculation et de pratique que l'Université avoit traitée de ridicule, et 35 dont l'invention est un secret de vostre politique qu'il est bon de faire entendre. Car, outre que l'intelligence en est necessaire pour les 15, 16, 17 et 18 impostures, il est toûjours à propos de découvrir peu à peu les principes de cette politique mysterieuse. 40

3. pratiquers envers luy la *C.* 31. Parlement lorsqu'elle y presenta sa *C.* 32. l'homicide, comme il se voit en la p. 339 du livre qu'elle en fit alors imprimer. *C.*

Quand vous avez entrepris de decider les cas de conscience d'une maniere favorable et accommodante, vous en avez trouvé où la Religion seule estoit interessée, comme les questions de la contrition, de la penitence, de l'amour de Dieu, 5 et toutes celles qui ne touchent que l'interieur des consciences. Mais vous en avez rencontré d'autres où l'Estat a interest aussi bien que la Religion, comme sont celles de l'usure, des banqueroutes, de l'homicide, et autres semblables. Et c'est une chose bien sensible à ceux qui ont un veritable 10 amour pour l'Eglise, de voir qu'en une infinité d'occasions où vous n'avez eü que la Religion à combattre, comme ce n'est pas icy le lieu où Dieu exerce visiblement sa justice, vous en avez renversé les loix sans aucune crainte, sans reserve, et sans distinction, comme il se voit dans vos opinions 15 si hardies contre la penitence et l'amour de Dieu.

Mais, dans celles où la religion et l'Estat ont part, vous avez partagé vos decisions, et formé deux questions sur ces matieres : l'une, que vous appelez *de speculation*, dans laquelle en considerant ces crimes en eux-mesmes sans regarder 20 à l'interest de l'Estat, mais seulement à la loy de Dieu qui les deffend, vous les avez permis sans hesiter, en renversant ainsi la loy de Dieu qui les condamne : l'autre que vous appelez *de pratique*, dans laquelle en considerant le dommage que l'Estat en recevroit, et la presence des Magistrats qui 25 maintiennent la seüreté publique, vous n'approuvez pas toûjours dans la pratique ces meurtres et ces crimes que vous trouvez permis dans la speculation, pour vous mettre par là à couvert du costé des Juges. C'est ainsi par exemple que sur cette question, s'il est permis de tuer pour des médi- 30 sances, vos Auteurs Filiutius, tr. 29, cap. 3, num. 52; Reginaldus, l. 21, cap. 5, num. 33, et les autres, répondent : *Cela est permis dans la speculation : Ex probabili opinione licet : mais je n'en approuve pas la pratique à cause du grand nombre de meurtres qui en arriveroient, et qui feroient tort à l'Estat* 35 *si on tuoit tous les médisans ; et qu'aussi on seroit puny en justice en tuant pour ce sujet.* Voila de quelle sorte vos opinions commencent à paroistre sous cette distinction, par le moyen de laquelle vous ne ruïnez que la Religion, sans

6. en avez trouvé *C.* 11. combattre, vous en avez renversé les loix sans reserves, sans distinction, et sans crainte, parce que vous sçaviez que ce n'est pas icy le lieu où Dieu exerce visiblement sa justice. Mais dans celles où l'Estat est interessé aussi bien que la Religion, l'apprehension que vous avez eüe de la justice des hommes vous a fait partager vos decisions et former deux questions sur ces matieres, l'une *C.* 27. afin de vous *C.*

blesser encore sensiblement l'Estat. Par là vous croyez estre en assurance. Car vous vous imaginez que le credit que vous avez dans l'Eglise empeschera qu'on ne punisse vos attentats contre la verité, et que les precautions que vous apportez pour ne mettre pas facilement ces permissions en 5 pratique vous mettront à couvert de la part des Magistrats, qui, n'estant pas juges dés cas de conscience, n'ont proprement interest qu'à la pratique exterieure. Ainsi une opinion qui seroit condamnée sous le nom de pratique se produit en seüreté sous le nom de speculation. Mais cette base estant 10 affermie, il n'est pas difficile d'y élever le reste de vos maximes. Il y avoit une distance infinie entre la defense que Dieu a faite de tuer et la permission speculative que vos Auteurs en ont donnée. Mais la distance est bien petite de la permission à la pratique. Il ne reste seulement qu'à 15 monstrer que ce qui est permis dans la speculative l'est bien aussi dans la pratique. On ne manquera pas de raisons pour cela. Vous en avez bien trouvé en des cas plus difficiles. Voulez-vous voir, mes Peres, par où l'on y arrive? Suivez ce raisonnement d'Escobar, qui l'a decidé nettement dans le 20 premier des six tomes de sa grande Theologie morale, dont je vous ay parlé, où il est tout autrement éclairé que dans ce recueil qu'il avoit fait de vos 24 vieillards : car au lieu qu'il avoit pensé en ce temps-là qu'il pouvoit y avoir des opinions probables dans la speculation, qui ne fussent pas seüres dans 25 la pratique, il a connu le contraire depuis, et l'a fort bien étably dans ce dernier ouvrage ; tant la doctrine de la probabilité en general reçoit d'accroissement par le temps, aussi bien que chaque opinion probable en particulier. Escoutez-le donc in Præloq., n. 15 : *Je ne voy pas*, dit-il, *comment il se* 30 *pourroit faire que ce qui paroist permis dans la speculation ne le fust pas dans la pratique, puisque ce qu'on peut faire dans la pratique dépend de ce qu'on trouve permis dans la speculation ; et que ces choses ne different l'une de l'autre que comme l'effet de la cause. Car la speculation est ce qui détermine à* 35 *l'action.* D'OU IL S'ENSUIT QU'ON PEUT EN SEURETÉ DE CONSCIENCE SUIVRE DANS LA PRATIQUE LES OPINIONS PROBABLES DANS LA SPECULATION, *et mesme avec plus de seüreté que celles qu'on n'a pas si bien examinées speculativement.*

En verité, mes Peres, vostre Escobar raisonne assez bien 40 quelquefois. Et en effet il y a tant de liaison entre la speculation et la pratique, que quand l'une a pris racine, vous ne

17. Or on ne C.

faites plus de difficulté de permettre l'autre sans déguisement. C'est ce qu'on a veü dans la permission de tuer pour un soufflet, qui de la simple speculation a esté portée hardiment par Lessius à une pratique *qu'on ne doit pas facilement* 5 *accorder ;* et de là par Escobar *à une pratique facile*, d'où vos Peres de Caën l'ont conduite à une permission pleine, sans distinction de theorie et de pratique, comme vous l'avez déja veü.

C'est ainsi que vous faites croistre peu à peu vos opinions. 10 Si elles paroissoient tout d'un coup dans leur dernier excés, elles causeroient de l'horreur ; mais ce progrés lent et insensible y accoustume doucement les hommes, et en oste le scandale. Et par ce moyen la permission de tuer, si odieuse à l'Estat et à l'Eglise, s'introduit premierement dans l'Eglise, 15 et ensuite de l'Eglise dans l'Estat.

On a veü un semblable succés de l'opinion de tuer pour des médisances. Car elle est aujourd'huy arrivée à une permission pareille sans aucune distinction. Je ne m'arresterois pas à vous en rapporter les passages de vos Peres, si cela 20 n'estoit necessaire pour confondre l'assurance que vous avez euë de dire deux fois dans vostre 15 imposture, p. 26 et 30, *Qu'il n'y a pas un Jesuite qui permette de tuer pour des médisances.* Quand vous dites cela, mes Peres, vous devriez aussi empescher que je ne le visse, puisqu'il m'est si facile d'y 25 répondre. Car outre que vos Peres Reginaldus, Filiutius, etc., l'ont permis dans la speculation, comme je l'ay déja dit, et que de là le principe d'Escobar nous méne seürement à la pratique ; j'ay à vous dire de plus que vous avez plusieurs Auteurs qui l'ont permis en mots propres ; et 30 entr, autres le P. Hereau dans ses Leçons publiques, ensuite desquelles le Roy le fit mettre en arrest en vostre maison, pour avoir enseigné, outre plusieurs erreurs, *Que quand celuy qui nous décrie devant des gens d'honneur, continuë aprés l'avoir averti de cesser, il nous est permis de le tuer ; non pas* 35 *en public, de peur de scandale ; mais en cachette ;* SED CLAM.

Je vous ay déja parlé du P. L'Amy, et vous n'ignorez pas que sa doctrine sur ce sujet a esté censurée en 1649 par l'Université de Louvain. Et neanmoins il n'y a pas encore deux mois que vostre Pere des Bois a soutenu à Roüen cette 40 doctrine censurée du P. L'Amy, et a enseigné *qu'il est permis à un religieux de deffendre l'honneur qu'il a acquis par sa vertu, mesme en tuant celuy qui attaque sa reputation,*

35. veritablement en public *C.*

etiam cum morte invasoris. Ce qui a causé un tel scandale en cette ville là que tous les Curez se sont unis pour luy faire imposer silence, et l'obliger à retracter sa doctrine par les voies Canoniques. L'affaire en est à l'Officialité.

Que voulez-vous donc dire, mes Peres? Comment entre- 5 prenez-vous de soûtenir aprés cela *qu'aucun Jesuite n'est d'avis qu'on puisse tuer pour des médisances?* Et falloit-il autre chose pour vous en convaincre que les opinions mesmes de vos Peres, que vous rapportez; puisqu'ils ne defendent pas speculativement de tuer, mais seulement dans la 10 pratique, *à cause du mal qui en arriveroit à l'Estat.* Car je vous demande sur cela, mes Peres, s'il s'agit dans nos disputes d'autre chose, sinon d'examiner si vous avez renversé la loy de Dieu qui defend l'homicide. Il n'est pas question de sçavoir si vous avez blessé l'Estat, mais la religion. A quoy 15 sert-il donc, dans ce genre de dispute de monstrer que vous avez épargné l'Estat, quand vous faites voir en mesme temps que vous avez destruit la Religion en disant, comme vous faites, p. 28, l. 3, *Que le sens de Reginaldus sur la question de tuer pour des médisances est qu'un particulier a* 20 *droit d'user de cette sorte de defense, la considerant simplement en elle-mesme?* Je n'en veux pas davantage que cet aveü pour vous confondre. *Un particulier*, dites-vous, *a droit d'user de cette defense,* c'est à dire de tuer pour des médisances, *en considerant la chose en elle-mesme.* Et par 25 consequent, mes Peres, la loy de Dieu qui defend de tuer est ruinée par cette décision.

Et il ne sert de rien de dire ensuite, comme vous faites, que *cela est illegitime et criminel, mesme selon la Loy de Dieu, à raison des meurtres et des desordres qui en arriveroient* 30 *dans l'Estat, et qu'on est obligé selon Dieu d'avoir égard au bien de l'Estat.* C'est sortir de la question. Car, mes Peres, il y a deux loix à observer: l'une qui défend de tuer; l'autre qui défend de nuire à l'Estat. Reginaldus n'a pas peut-estre violé la loy qui défend de nuire à l'Estat; mais il a violé cer- 35 tainement celle qui défend de tuer. Or il ne s'agit icy que de celle-là seule. Outre que vos autres Peres, qui ont permis ces meurtres dans la pratique, ont ruiné l'une aussi bien que l'autre. Mais allons plus avant, mes Peres. Nous voyons bien que vous defendez quelquefois de nuire à l'Estat, et 40 vous dites que vostre dessein en cela est d'observer la loy de Dieu, qui oblige à le maintenir. Cela peut estre veritable,

31. l'Estat, parce qu'on *C.*

quoy qu'il ne soit pas certain ; puisque vous pourriez faire la mesme chose par la seule crainte des Juges. Examinons donc, je vous prie, de quel principe part ce mouvement.

N'est-il pas vray, mes Peres, que, si vous regardiez veri-
5 tablement Dieu, et que l'observation de sa loy fust le premier et principal objet de vostre pensée, ce respect regneroit uniformément dans toutes vos décisions importantes, et vous engageroit à prendre dans toutes ces occasions l'interest de la Religion? Mais si l'on voit au contraire
10 que vous violez en tant de rencontres les ordres les plus saints que Dieu ait imposez aux hommes, quand il n'y a que sa loy à combattre ; et que dans les occasions mesmes dont il s'agit, vous aneantissez la loy de Dieu, qui defend ces actions comme criminelles en elles-mesmes, et ne té-
15 moignez craindre de les approuver dans la pratique que par la crainte des juges, ne nous donnez-vous pas sujet de juger que ce n'est point Dieu que vous considerez dans cette crainte ; et que si en apparence vous maintenez sa loy en ce qui regarde l'obligation de ne pas nuire à l'Estat, ce n'est
20 pas pour sa loy mesme, mais pour arriver à vos fins, comme ont tousjours fait les moins religieux politiques?

Quoy, mes Peres, vous nous direz qu'on a droit de tuer pour des médisances en ne regardant que la loy de Dieu, qui defend l'homicide? Et, aprés avoir ainsi violé la loy eter-
25 nelle de Dieu, vous croirez lever le scandale que vous avez causé, et nous persuader de vostre respect envers luy, en ajoûtant que vous en defendez la pratique pour des considerations d'Estat et par la crainte des Juges? N'est-ce pas au contraire exciter un scandale nouveau, non pas par le res-
30 pect que vous témoignez en cela pour les Juges ; car ce n'est pas cela que je vous reproche, et vous vous joüez ridiculement là dessus, pag. 29. Je ne vous reproche pas de craindre les Juges ; mais de ne craindre que les Juges, et non pas le Juge des Juges. C'est cela que je blasme, parce que c'est
35 faire Dieu moins ennemy des crimes que les hommes. Si vous disiez qu'on peut tuer un médisant selon les hommes, mais non pas selon Dieu, cela seroit moins insupportable ; mais que ce qui est trop criminel pour estre souffert par les hommes soit innocent et juste aux yeux de Dieu qui est la
40 justice mesme, qu'est-ce faire autre chose sinon monstrer à

22. direz qu'on ne regardant que le loy de Dieu qui defend l'homicide on a droit de tuer pour des médisances ? Et aprés *C.* 33. *om.* et non . . . juges *C.* 38. mais quand vous pretendez que *C.* 40. que faites-vous autre chose *C.*

tout le monde que, par cét horrible renversement si contraire à l'esprit des Saints, vous estes hardis contre Dieu, et timides envers les hommes? Si vous aviez voulu condamner sincerement ces homicides, vous auriez laissé subsister l'ordre de Dieu, qui les defend: et si vous aviez ozé permettre 5 d'abord ces homicides, vous les auriez permis ouvertement malgré les loix de Dieu et des hommes. Mais, comme vous avez voulu les permettre insensiblement, et surprendre les Magistrats qui veillent à la seüreté publique, vous avez agy finement en separant vos maximes, et proposant d'un costé 10 *qu'il est permis dans la speculative de tuer pour des médisances* (car on vous laisse examiner les choses dans la speculation), et produisant d'un aûtre costé cette maxime détachée, *Que ce qui est permis dans la speculation l'est bien aussi dans la pratique.* Car quel interest l'Estat sem- 15 ble-t-il avoir dans cette proposition generale et metaphysique? Et ainsi ces deux principes peu suspects estant reçeus separément, la vigilance des Magistrats est trompée; puisqu'il ne faut plus que rassembler ces maximes, pour en tirer cette conclusion où vous tendez, qu'on peut donc tuer 20 dans la pratique pour de simples médisances.

Car c'est encore icy, mes Peres, une des plus subtiles adresses de vostre politique, de separer dans vos escrits les maximes que vous assemblez dans vos avis. C'est ainsi que vous avez étably à part vostre doctrine de la probabilité, que 25 j'ai souvent expliquée. Et ce principe general estant affermi, vous avancez separément des choses, qui pouvant estre innocentes d'elles-mesmes, deviennent horribles estant jointes à ce pernicieux principe. J'en donneray pour exemple ce que vous avez dit, page 11, dans vos impostures, et à quoy 30 il faut que je réponde, *Que plusieurs Theologiens celebres sont d'avis qu'on peut tuer pour un soufflet reçeu.* Il est certain, mes Peres, que si une personne qui ne tient point à la probabilité, avoit dit cela, il n'y auroit rien à reprendre, puis qu'on ne feroit alors qu'un simple recit qui n'auroit 35 aucune consequence. Mais vous, mes Peres, et tous ceux qui tiennent cette dangereuse doctrine, *que tout ce qu'approuvent des Auteurs celebres est probable et seur en conscience*, quand vous adjoustez à cela *que plusieurs auteurs celebres sont d'avis qu'on peut tuer pour un soufflet*, qu'est-ce 40 faire autre chose sinon de mettre à tous les Chrestiens le poignard à la main pour tuer ceux qui les auront offensez en

36. Peres, qui tenez et tous *C.*

leur declarant qu'ils le peuvent faire en seüreté de conscience, parce qu'ils suivront en cela l'avis de tant d'Auteurs graves?

Quel horrible langage, qui, en disant que des Auteurs tiennent une opinion damnable, est en mesme temps une decision 5 en faveur de cette opinion damnable, et qui autorise en conscience tout ce qu'il ne fait que rapporter! On l'entend, mes Peres, ce langage de vostre escole. Et c'est une chose étonnante que vous ayez le front de le parler si haut, puis qu'il marque vostre sentiment si à découvert, et vous convainc de 10 tenir pour seüre en conscience cette opinion *qu'on peut tuer pour un soufflet*, aussi tost que vous nous avez dit que plusieurs Auteurs celebres la soûtiennent.

Vous ne pouvez vous en deffendre, mes Peres, non plus que vous prevaloir des passages de Vasquez et de Suarez que 15 vous m'opposez, où ils condamnent ces meurtres que leurs Confreres approuvent. Ces témoignages separez du reste de vostre doctrine, pourroient éblouïr ceux qui ne l'entendent pas assez. Mais il faut joindre ensemble vos principes et vos maximes. Vous dites donc icy que Vasquez ne souffre point 20 les meurtres; mais que dites-vous d'un autre costé, mes Peres? *Que la probabilité d'un sentiment n'empesche pas la probabilité du sentiment contraire.* Et en un autre lieu, *qu'il est permis de suivre l'opinion la moins probable et la moins seüre, en quitant l'opinion la plus probable et la plus seüre.* 25 Que s'ensuit-il de tout cela ensemble, sinon que nous avons une entiere liberté de conscience pour suivre celuy qui nous plaira de tous ces avis opposez? Que devient donc, mes Peres, le fruit que vous esperiez de toutes ces citations? Il disparoist, puis qu'il ne faut, pour vostre condamnation, que 30 r'assembler ces maximes que vous separez pour vostre justification. Pourquoy produisez-vous donc ces passages de vos Auteurs que je n'ay point citez, pour excuser ceux que j'ay citez, puis qu'ils n'ont rien de commun? Quel droit cela vous donne-t-il de m'appeler *Imposteur?* Ay-je dit que tous 35 vos Peres sont dans un mesme dereglement? Et n'ay-je pas fait voir au contraire que vostre principal interest est d'en avoir de tous avis, pour servir à tous vos besoins? A ceux qui voudront tuer on presentera Lessius; à ceux qui ne le voudront pas on produira Vasquez; afin que personne ne 40 sorte mal content, et sans avoir pour soy un auteur grave. Lessius parlera en payen de l'homicide, et peut-estre en Chrestien de l'aumosne: Vasquez parlera en payen de l'au-

39. voudront pas tuer *C.*

mosne, et en Chrestien de l'homicide. Mais par le moyen de la probabilité que Vasquez et Lessius tiennent, et qui rend toutes vos opinions communes, ils se presteront leurs sentimens les uns aux autres, et seront obligez d'absoudre ceux qui auront agi selon les opinions que chacun d'eux condamne. 5 C'est donc cette varieté qui vous confond davantage. L'uniformité seroit plus supportable, et il n'y a rien de plus contraire aux ordres expres de S. Ignace et de vos premiers Genéraux, que ce mélange confus de toutes sortes d'opinions. Je vous en parleray peut-estre quelque jour, mes Peres : et 10 on sera surpris de voir combien vous estes décheus du premier esprit de vostre institut ; et que vos propres Generaux ont preveu que le déreglement de vostre doctrine dans la morale pourroit estre funeste non seulement à vostre Societé, mais encore à l'Eglise universelle. 15

Je vous diray cependant que vous ne pouvez pas tirer aucun avantage de l'opinion de Vasquez. Ce seroit une chose estrange, si entre tant de Jesuites qui ont escrit, il n'y en avoit pas un ou deux qui eussent dit ce que tous les Chrestiens confessent. Il n'y a point de gloire à soustenir qu'on 20 ne peut pas tuer pour un soufflet, selon l'Evangile ; mais il y a une horrible honte à le nier. De sorte que cela vous justifie si peu, qu'il n'y a rien qui vous accable davantage ; puis qu'ayant eu parmi vous des Docteurs qui vous ont dit la verité, vous n'estes pas demeurez dans la verité, et que vous avez 25 mieux aimé les tenebres que la lumiere. Car vous avez appris de Vasquez *que c'est une opinion payenne, et non pas Chrestienne, de dire qu'on puisse donner un coup de baston à celuy qui a donné un soufflet. Que c'est ruiner le Decalogue et l'Evangile de dire qu'on puisse tuer pour ce sujet ; et que les* 30 *plus scelerats d'entre les hommes le reconnoissent.* Et cependant vous avez souffert que, contre ces veritez connuës, Lessius, Escobar, et les autres ayent decidé, Que toutes les défenses que Dieu a faites de l'homicide n'empeschent point qu'on ne puisse tuer pour un soufflet. A quoy sert-il donc maintenant 35 de produire ce passage de Vasquez contre le sentiment de Lessius, sinon pour monstrer que Lessius est *un payen et un scelerat*, selon Vasquez, et c'est ce que je n'osois dire ? Qu'en peut-on conclure si ce n'est que Lessius *ruine le Decalogue et l'Evangile ?* Qu'au dernier jour Vasquez condamnera Lessius 40 sur ce point, comme Lessius condamnera Vasquez sur un

29. *om.* Que C.

autre ; et que tous vos auteurs s'éleveront en jugement les uns contre les autres, pour se condamner reciproquement dans leurs effroyables excés contre la Loy de JESUS-CHRIST ?

Concluons donc, mes Peres, que puisque vostre probabilité 5 rend les bons sentimens de quelques-uns de vos auteurs inutiles à l'Eglise et utiles seulement à vostre politique, ils ne servent qu'à nous monstrer par leur contrarieté la duplicité de vostre cœur, que vous nous avez parfaitement découverte, en nous declarant d'une part que Vasquez et Suarez 10 sont contraires à l'homicide ; et de l'autre que plusieurs auteurs celebres sont pour l'homicide ; afin d'offrir deux chemins aux hommes en détruisant la simplicité de l'Esprit de Dieu, qui maudit ceux qui sont doubles de cœur, et qui se preparent deux voies. *Væ duplici corde, et ingredienti duabus* 15 *viis.*

QUATORZIÉME LETTRE

ESCRITE PAR L'AUTHEUR DES LETTRES AU PROVINCIAL

AUX REVERENDS PERES JESUITES.

Du 23 Octobre 1656

Mes Reverends Peres,

Si je n'avois qu'à répondre aux trois impostures qui restent sur l'homicide, je n'aurois pas besoin d'un long discours, et vous les verrez ici refutées en peu de mots ; mais, comme je trouve bien plus important de donner au monde de l'horreur de vos opinions sur ce sujet que de justifier la fidelité 5 de mes citations, je seray obligé d'employer la plus grande partie de cette lettre à la refutation de vos maximes, pour vous representer combien vous estes eloignez des sentimens de l'Eglise, et mesme de la nature. Les permissions de tuer que vous accordez en tant de rencontres font paroistre qu'en 10 cette matiere vous avez tellement oublié la loy de Dieu, et tellement esteint les lumieres naturelles, que vous avez besoin qu'on vous remette dans les principes les plus simples de la Religion et du sens commun. Car qu'y a-t-il de plus naturel que ce sentiment : *Qu'un particulier n'a pas droit sur la vie* 15 *d'un autre ? Nous en sommes tellement instruits de nous-mesmes*, dit S. Chrysostome, *que quand Dieu a estably le precepte de ne point tuer, il n'a pas adjouté que c'est à cause que l'homicide est un mal, parce*, dit ce Pere, *que la loy suppose qu'on a desja appris cette verité de la nature.* 20

Aussi ce commandement a esté imposé aux hommes dans tous les temps : l'Evangile a confirmé celuy de la loy, et le decalogue n'a fait que renouveler celuy que les hommes avoient receü de Dieu avant la loy en la personne de Noë,

Title. *om.* Escrite . . . Provincial *C.* 3. verriez ici *C.*

dont tous les hommes devaient naistre. Car, dans ce renouvellement du monde, Dieu dit à ce Patriarche : *Je demanderay compte aux hommes de la vie des hommes, et au frere de la vie de son frere. Quiconque versera le sang humain, son sang sera* 5 *répandu, parceque l'homme est creé à l'image de Dieu.*

Cette defense generale oste aux hommes tout pouvoir sur la vie des hommes. Et Dieu se l'est tellement reservé à luy seul que, selon la verité Chrestienne, opposée en cela aux fausses maximes du paganisme, l'homme n'a pas mesme 10 pouvoir sur sa propre vie. Mais, par ce qu'il a plû à sa providence de conserver les societez des hommes et de punir les méchans qui les troublent, il a estably luy-mesme des loix pour oster la vie aux criminels ; et ainsi ces meurtres, qui seroient des attentats punissables sans son ordre, devien-15 nent des punitions loüables par son ordre, hors duquel il n'y a rien que d'injuste. C'est ce que S. Augustin a representé admirablement au 1 l. de la Cité de Dieu, ch. 21. *Dieu*, dit-il, *a fait luy-mesme quelques exceptions à cette defense generale de tuer, soit par les loix qu'il a establies pour faire mourir les* 20 *criminels, soit par les ordres particuliers qu'il a donnez quelquesfois pour faire mourir quelques personnes. Et quand on tuë en ces cas là, ce n'est pas l'homme qui tuë, mais Dieu, dont l'homme n'est que l'instrument, comme une espée entre les mains de celuy qui s'en sert. Mais, si on excepte ces cas, quiconque* 25 *tuë se rend coupable d'homicide.*

Il est donc certain, mes Peres, que Dieu seul a le droit d'oster la vie, et que neanmoins, ayant estably des loix pour faire mourir les criminels, il a rendu les Rois ou les Republiques depositaires de ce pouvoir. Et c'est ce que S. Paul 30 nous apprend, lorsque, parlant du droit que les Souverains ont de faire mourir les hommes, il le fait descendre du ciel, en disant, *Que ce n'est pas en vain qu'ils portent l'espée, parce qu'ils sont Ministres de Dieu pour executer ses vangeances contre les coûpables.*

35 Mais, comme c'est Dieu qui leur a donné ce droit, il les oblige à l'exercer ainsi qu'il le feroit luy-mesme, c'est à dire avec justice, selon cette parole de S. Paul au mesme lieu : *Les Princes ne sont pas establis pour se rendre terribles aux bons, mais aux méchans. Qui veut n'avoir point sujet de re-* 40 *douter leur puissance, n'a qu'à bien faire : car ils sont Ministres de Dieu pour le bien.* Et cette restriction rabaisse si peu leur puissance, qu'elle la releve au contraire beaucoup da-

3. *om.* de la vie . . . au frere *C.*

vantage ; parce que c'est la rendre semblable à celle de Dieu, qui est impuissant pour faire le mal et tout puissant pour faire le bien ; et que c'est la distinguer de celle des demons, qui sont impuissans pour le bien et n'ont de puissance que pour le mal. Il y a seulement cette difference entre Dieu et 5 les Souverains que, Dieu estant la justice et la sagesse mesme, il peut faire mourir sur le champ qui il luy plaist, quand il luy plaist, et en la maniere qu'il luy plaist. Car outre qu'il est le maistre souverain de la vie des hommes, il ne peut la leur oster ou sans cause, ou sans connoissance, puisqu'il est 10 aussi incapable d'injustice que d'erreur. Mais les Princes ne peuvent pas agir de la sorte, parce qu'ils sont tellement Ministres de Dieu qu'ils sont hommes neanmoins, et non pas Dieux. Les mauvaises impressions les pourroient surprendre ; les faux soupçons les pourroient aigrir : la passion 15 les pourroit emporter, et c'est ce qui les a engagez eux-mesmes à descendre dans les moyens humains, et à establir dans leurs Estats des juges ausquels ils ont communiqué ce pouvoir, afin que cette autorité que Dieu leur a donnée, ne soit employée que pour la fin pour laquelle ils l'ont receuë. 20

Concevez donc, mes Peres, que, pour estre exempt d'homicide, il faut agir tout ensemble et par l'autorité de Dieu et selon la justice de Dieu ; et que, si ces deux conditions ne sont jointes, on peche, soit en tuant avec son autorité, mais sans justice, soit en tuant avec justice, mais sans son autorité. 25 De la necessité de cette union il arrive, selon S. Augustin, *Que celuy qui sans autorité tuë un criminel se rend criminel luy-mesme, par cette raison principale qu'il usurpe une autorité que Dieu ne luy a pas donnée ;* et les Juges au contraire, qui ont cette autorité, sont neanmoins homicides s'ils font 30 mourir un innocent contre les loix qu'ils doivent suivre.

Voila, mes Peres, les principes du repos et de la seüreté publique qui ont esté receus dans tous les temps et dans tous les lieux, et sur lesquels tous les legislateurs du monde, saints et prophanes, ont estably leurs loix ; sans que jamais les 35 payens mesmes aient apporté d'exception à cette regle, sinon lorsqu'on ne peut autrement éviter la perte de la pudicité ou de la vie ; parce qu'ils ont pensé qu'alors, comme dit Ciceron, *les loix mesmes semblent offrir leurs armes à ceux qui sont dans une telle necessité.* 40

7. *om.* quand il luy plaist *C.* 10. ny sans cause ny *A* ; il est sans doute qu'il ne la oste jamais ny sans cause ny *C.* 34. sacrez et prophanes *C.*

Mais que hors cette occasion dont je ne parle point icy, il y ait jamais eu de loy qui ait permis aux particuliers de tuer, et qui l'ait souffert, comme vous faites, pour se garentir d'un affront et pour éviter la perte de l'honneur ou du
5 bien, quand on n'est point en mesme temps en peril de la vie, c'est, mes Peres, ce que je soûtiens que jamais les infideles mesmes n'ont fait. Ils l'ont, au contraire, deffendu expressément. Car la loy des 12 Tables de Rome portoit: *Qu'il n'est pas permis de tuer un voleur de jour qui ne se de-*
10 *fend point avec des armes.* Ce qui avoit desja esté defendu dans l'Exode, c. 22. Et la loy *Furem, ad legem Corneliam*, qui est prise d'Ulpien, *defend de tuer mesme les voleurs de nuit qui ne nous mettent pas en peril de mort.* Voyez-le dans Cujas, in tit. dig. de Justit. et jure, ad. l. 3.

15 Dites-nous donc, mes Peres, par quelle autorité vous permettez ce que les loix divines et humaines defendent, et par quel droit Lessius a pû dire, l. 2, c. 9, n. 66 et 72: *L'Exode defend de tuer les voleurs de jour qui ne se défendent pas avec des armes; et on punit en justice ceux qui tueroient de cette*
20 *sorte. Mais neanmoins on n'en seroit pas coûpable en conscience, lorsqu'on n'est pas certain de pouvoir recouvrer ce qu'on nous dérobe, et qu'on en est en doute, comme dit Sotus, parcequ'on n'est pas obligé de s'exposer au peril de perdre quelque chose pour sauver un voleur. Et tout cela est encore permis*
25 *aux Ecclesiastiques mesmes?* Quelle estrange hardiesse! La loy de Moyse punit ceux qui tuent les voleurs, lorsqu'ils n'attaquent pas nostre vie, et la loy de l'Evangile selon vous, les absoudra? Quoy, mes Peres, JESUS-CHRIST est-il venu pour detruire la loy, et non pas pour l'accomplir? *Les juges*
30 *puniroient*, dit Lessius, *ceux qui tueroient en cette occasion, mais on n'en seroit pas coûpable en conscience.* Est-ce donc que la morale de JESUS-CHRIST est plus cruelle et moins ennemie du meurtre que celle des Payens, dont les juges ont pris ces loix civiles qui le condamnent? Les Chrestiens font-
35 ils plus d'estat des biens de la terre, ou font-ils moins d'estat de la vie des hommes, que n'en ont fait les idolatres et les infideles? Surquoy vous fondez-vous, mes Peres? Ce n'est sur aucune loy expresse ny de Dieu, ny des hommes, mais seulement sur ce raisonnement estrange: *Les loix*, dites-vous,
40 *permettent de se défendre contre les voleurs, et de repousser la force par la force. Or la defense estant permise, le meurtre est aussi reputé permis, sans quoy la defense seroit souvent impossible.*

Il est faux, mes Peres, que, la defense estant permise, le meurtre soit aussi permis. C'est cette cruelle maniere de se defendre qui est la source de toutes vos erreurs, et qui est appelée par la Faculté de Louvain UNE DEFENSE MEURTRIERE, *Defensio occisiva*, dans la Censure de la doctrine de vostre P. L'Amy sur l'homicide. Je vous soûtiens donc qu'il y a tant de difference, selon les loix, entre tuer et se defendre que, dans les mesmes occasions où la defense est permise, le meurtre est defendu quand on n'est point en peril de mort. Escoutez-le, mes Peres, dans Cujas, au mesme lieu: *Il est permis de repousser celuy qui vient pour s'emparer de nostre possession;* MAIS IL N'EST PAS PERMIS DE LE TUER. Et encore: *Si quelqu'un vient pour nous frapper, et non pas pour nous tuer, il est bien permis de le repousser,* MAIS IL N'EST PAS PERMIS DE LE TUER.

Qui vous a donc donné le pouvoir de dire, comme font Molina, Reginaldus, Filiutius, Escobar, Lessius, et les autres: *Il est permis de tuer celuy qui vient pour nous frapper?* Et ailleurs: *Il est permis de tuer celuy qui veut nous faire un affront, selon l'avis de tous les Casuistes, Ex Sententiâ omnium,* comme dit Lessius, n. 78? Par quelle autorité, vous qui n'estes que des particuliers, donnez-vous ce pouvoir de tuer aux particuliers, et aux Religieux mesmes? Et comment osez-vous usurper ce droit de vie et de mort, qui n'appartient essentiellement qu'à Dieu, et qui est la plus glorieuse marque de la puissance souveraine? C'est sur cela qu'il falloit répondre; et vous pensez y avoir satisfait en disant simplement, dans vostre 13 imposture, *Que la valeur pour laquelle Molina permet de tuer un voleur qui s'enfuit sans nous faire aucune violence n'est pas aussi petite que j'ay dit, et qu'il faut qu'elle soit plus grande que six ducats.* Que cela est foible, mes Peres! Où voulez-vous la determiner? A 15 ou 16 ducats? Je ne vous en feray pas moins de reproches. Au moins vous ne sçauriez dire qu'elle passe la valeur d'un cheval; car Lessius, l. 2, c. 9, n. 74, decide nettement *qu'il est permis de tuer un voleur qui s'enfuït avec nostre cheval.* Mais je vous dis de plus que, selon Molina, cette valeur est determinée à 6 ducats, comme je l'ay rapporté; et, si vous n'en voulez pas demeurer d'accord, prenons un arbitre que vous ne puissiez refuser. Je choisis donc pour cela vostre Pere Reginaldus, qui, expliquant ce mesme lieu de Molina, l. 21, n. 68, declare *que Molina y* DETERMINE *la valeur pour*

1. Cela est faux *C.* 5. leur Censure *C.*

laquelle il n'est pas permis de tuer à 3 *ou* 4 *ou* 5 *ducats.* Et ainsi, mes Peres, je n'auray pas seulement Molina, mais encore Reginaldus.

Il ne me sera pas moins facile de refuter vostre 14 im-
5 posture, touchant la permission *de tuer un voleur qui nous veut oster un escu,* selon Molina. Cela est si constant qu'Escobar vous le témoignera, tr. 1, ex. 7, n. 44, où il dit que *Molina détermine regulierement la valeur pour laquelle on peut tuer à un escu.* Aussi vous me reprochez seulement,
10 dans la 14 Imposture, que j'ay supprimé les dernieres paroles de ce passage, *Que l'on doit garder en cela la moderation d'une juste defense.* Que ne vous plaignez-vous donc aussi de ce qu'Escobar ne les a point exprimées? Mais que vous estes peu fins! Vous croyez qu'on n'entend pas ce que
15 c'est, selon vous, que se defendre. Ne sçavons-nous pas que c'est user *d'une defense meurtriere ?* Vous voulez faire entendre que Molina a voulu dire par là que, quand on se trouve en peril de la vie en gardant son escu, alors on peut tuer, puisque c'est pour defendre sa vie. Si cela estoit vray,
20 mes Peres, pourquoy Molina diroit-il au mesme lieu, *Qu'il est contraire en cela à Carrerus et Bald,* qui permettent de tuer pour sauver sa vie? Je vous declare donc qu'il entend simplement que, si l'on peut garder son escu sans tuer le voleur, on ne doit pas le tuer, mais que, si l'on ne peut le
25 garder qu'en tuant, encore mesme qu'on ne coure nulle risque de la vie, comme si le voleur n'a point d'armes, qu'il est permis d'en prendre et de le tuer pour garder son escu, et qu'en cela on ne sort point, selon luy, de la moderation d'une juste defense. Et, pour vous le monstrer, laissez-le s'expli-
30 quer luy-mesme, tom. 4, tr. 3, d. 11, n. 5. *On ne laisse pas de demeurer dans la moderation d'une juste defense, quoy qu'on prenne des armes contre ceux qui n'en ont point, ou qu'on en prenne de plus avantageuses qu'eux. Je sçay qu'il y en a qui sont d'un sentiment contraire ; mais je n'approuve point leur*
35 *opinion, mesme dans le tribunal exterieur.*

Aussi, mes Peres, il est constant que vos Auteurs permettent de tuer pour la defense de son bien et de son honneur, sans qu'on soit en aucun peril de sa vie. Et c'est par ce mesme principe qu'ils autorisent les duels, comme je l'ay
40 fait voir par tant de passages, sur lesquels vous n'avez rien répondu. Vous n'attaquez dans vos écrits qu'un seul passage de vostre Pere Layman, qui le permet *lorsqu'autrement on*

16. voudriez *C.* 23, 24, 27. sauver son escu *C.*

seroit en peril de perdre sa fortune ou son honneur; et vous dites que j'ay supprimé ce qu'il ajoute : *Que ce cas là est fort rare.* Je vous admire, mes Peres; voilà de plaisantes impostures que vous me reprochez ! Il est bien question de sçavoir si ce cas là est rare ! Il s'agit de sçavoir si le duel y 5 est permis. Ce sont deux questions separées. Layman, en qualité de Casuiste, doit juger si le duel y est permis, et il declare que oüy. Nous jugerons bien sans luy si ce cas là est rare, et nous luy declarerons qu'il est fort ordinaire. Et si vous aimez mieux en croire vostre bon ami Diana, il vous 10 dira qu'*il est fort commun*, part. 5, tr. 14, Misc. 2, Resol. 99. Mais, qu'il soit rare ou non, et que Layman suive en cela Navarre, comme vous le faites tant valoir, n'est-ce pas une chose abominable qu'il consente à cette opinion, que, pour conserver un faux honneur, il soit permis en conscience 15 d'accepter un duel, contre les Edits de tous les Estats Chrestiens, et contre tous les canons de l'Eglise ; sans que vous aiez encore icy, pour autoriser toutes ces maximes diaboliques, ny loix, ny canons, ny autoritez de l'Escriture ou des Peres, ny exemple d'aucun saint, mais seulement ce raisonne- 20 ment impie : *L'honneur est plus cher que la vie. Or il est permis de tuer pour defendre sa vie. Donc il est permis de tuer pour defendre son honneur?* Quoy, mes Peres, parce que le dereglement des hommes leur a fait aimer ce faux honneur plus que la vie, que Dieu leur a donnée pour le 25 servir, il leur sera permis de tuer pour le conserver ? C'est cela mesme qui est un mal horrible, d'aimer cét honneur là plus que la vie. Et cependant cette attache vitieuse, qui seroit capable de soüiller les actions les plus saintes, si on les rapportoit à cette fin, sera capable de justifier les plus crimi- 30 nelles, parce qu'on les rapporte à cette fin ? Quel renversement, mes Peres ! et qui ne voit à quels excés il peut conduire ?

Car enfin il est visible qu'il portera jusqu'à tuer pour les moindres choses, quand on mettra son honneur à les con- 35 server ; je dis mesme jusqu'à tuer *pour une pomme.* Vous vous plaindriez de moy, mes Peres, et vous diriez que je tire de vostre doctrine des consequences malicieuses, si je n'estois appuyé sur l'autorité du grave Lessius, qui parle ainsi, n. 68 : *Il n'est pas permis de tuer pour conserver une chose de petite* 40 *valeur, comme pour un escu,* OU POUR UNE POMME, AUT PRO POMO ; *si ce n'est qu'il nous fust honteux de la perdre. Car*

10. *om.* mieux *C.*

alors on peut la reprendre, et mesme tuer, s'il est necessaire, pour la ravoir, et si opus est occidere ; parce que ce n'est pas tant defendre son bien que son honneur. Cela est net, mes Peres. Et, pour finir vostre doctrine par une maxime qui comprend 5 toutes les autres, écoutez celle-cy de vostre P. Hereau qui l'avoit prise de Lessius : *Le droit de se defendre s'estend à tout ce qui est necessaire pour nous garder de toute injure.*

Que d'estranges suites enfermées dans ce principe inhumain ! et combien tout le monde est-il obligé de s'y opposer, 10 et sur tout les personnes publiques ! Ce n'est pas seulement l'interest general qui les y engage, mais encore le leur propre, puisque vos Casuistes citez dans mes lettres estendent leurs permissions de tuer jusques à eux. Et ainsi les factieux qui craindront la punition de leurs attentats, lesquels ne leur 15 paroissent jamais injustes, se persuadant aisément qu'on les opprime par violence, croiront en mesme temps *que le droit de se defendre s'estend à tout ce qui leur est necessaire pour se garder de toute injure.* Ils n'auront plus à vaincre les remords de la conscience, qui arrestent la plupart des crimes dans leur 20 naissance, et ne penseront plus qu'à surmonter les obstacles du dehors.

Je n'en parleray point icy, mes Peres, non plus que des meurtres que vous avez permis, qui sont encore plus abominables et plus importans aux Estats que tous ceux-ci, dont 25 Lessius traitte si ouvertement dans les doutes 4 et 10, aussi bien que tant d'autres de vos Auteurs. Il seroit à desirer que ces horribles maximes ne fussent jamais sorties de l'enfer, et que le diable, qui en est le premier auteur, n'eust jamais trouvé des hommes assez devoüez à ses ordres pour les pub- 30 lier parmi les Chrestiens.

Il est aisé de juger par tout ce que j'ay dit jusques icy combien le relâchement de vos opinions est contraire à la severité des loix civiles et mesme payennes. Que sera-ce donc si on les compare avec les loix ecclesiastiques, qui doivent estre 35 incomparablement plus saintes ; puisqu'il n'y a que l'Eglise qui connoisse et qui possede la veritable sainteté ? Aussi cette chaste Espouse du Fils de Dieu, qui, à l'imitation de son Espoux, sçait bien répandre son sang pour les autres, mais non pas répandre pour elle celuy des autres, a une horreur toute 40 particuliere pour le meurtre, et proportionnée aux lumieres particulieres que Dieu luy a communiquées. Elle considere

8. sont enfermées *C.* 22. des autres meurtres *C* ; Je n'en parleray point icy des meurtres que *A.* 40. pour le meurtre une horreur toute particuliere *C.*

les hommes non seulement comme hommes, mais comme images du Dieu qu'elle adore. Elle a pour chacun d'eux un saint respect qui les luy rend tous venerables, comme rachetez d'un prix infiny, pour estre faits les Temples du Dieu vivant. Et ainsi elle croit que la mort d'un homme que l'on tuë sans 5 l'ordre de son Dieu n'est pas seulement un homicide, mais un sacrilege, qui la prive d'un de ses membres, puisque, soit qu'il soit fidele, soit qu'il ne le soit pas, elle le considere toûjours ou comme estant l'un de ses enfans, ou comme estant capable de l'estre. 10

Ce sont, mes Peres, ces raisons toutes saintes qui, depuis que Dieu s'est fait homme pour le salut des hommes, ont rendu leur condition si considerable à l'Eglise qu'elle a toûjours puny l'homicide, qui les destruit, comme un des plus grands attentats qu'on puisse commettre contre Dieu. Je 15 vous en rapporteray quelques exemples, non pas dans la pensée que toutes ces severitez doivent estre gardées : je sçay que l'Eglise peut disposer diversement de cette discipline exterieure ; mais pour faire entendre quel est son esprit immuable sur ce sujet. Car les penitences qu'elle ordonne pour 20 le meurtre peuvent estre differentes selon la diversité des temps ; mais l'horreur qu'elle a pour le meurtre ne peut jamais changer par le changement des temps.

L'Eglise a esté longtemps à ne reconcilier qu'à la mort ceux qui estoient coûpables d'un homicide volontaire, tels que 25 sont ceux que vous permettez. Le celebre concile d'Ancyre les soumet à la penitence durant toute leur vie, et l'Eglise a creu depuis estre assez indulgente envers eux en reduisant ce temps à un tres-grand nombre d'années. Mais, pour detourner encore davantage les Chrestiens des homicides volontaires, 30 elle a puny tres-severement ceux mesmes qui estoient arrivez par imprudence, comme on peut voir dans S. Basile, dans S. Gregoire de Nysse, dans les Decrets du Pape Zacharie et d'Alexandre II. Les Canons rapportez par Isaac, Evesque de Langres, t. 2, c. 13, *ordonnent* 7 *ans de penitence pour avoir* 35 *tué en se defendant.* Et on voit que S. Hildebert, Evesque du Mans répondit à Yves de Chartres, *qu'il a eü raison d'interdire un Prestre pour toute sa vie, qui avoit tué un voleur d'un coup de pierre pour se defendre.*

N'ayez donc plus la hardiesse de dire que vos decisions 40 sont conformes à l'esprit et aux Canons de l'Eglise. On vous défie d'en montrer aucun qui permette de tuer pour defen-

38. qui pour se defendre avoit tué un voleur d'un coup de pierre *C.*

dre son bien seulement, car je ne parle pas des occasions où on auroit à defendre aussi sa vie, SE SUAQUE LIBERANDO. Vos propres Auteurs confessent qu'il n'y en a point, comme entr'autres vostre Pere L'Amy, tom. 5, disput. 36, num. 136.
5 *Il n'y a*, dit-il, *aucun droit divin ny humain qui permette expressément de tuer un voleur qui ne se defend pas.* Et c'est neanmoins ce que vous permettez expressément. On vous défie d'en montrer aucun qui permette de tuer pour l'honneur, pour un soufflet, pour une injure, et une médisance. On
10 vous défie d'en montrer aucun qui permette de tuer les témoins, les juges et les Magistrats, quelque injustice qu'on en apprehende. Son esprit est entierement éloigné de ces maximes seditieuses, qui ouvrent la porte aux soulevemens, ausquels les peuples sont si naturellement portez. Elle a
15 toûjours enseigné à ses enfans qu'on ne doit point rendre le mal pour le mal, qu'il faut ceder à la colere, ne point resister à la violence, rendre à chacun ce qu'on luy doit, honneur, tribut, soumission ; obeïr aux Magistrats et aux Superieurs mesme injustes, parce qu'on doit toûjours respecter en eux
20 la puissance de Dieu, qui les a establis sur nous. Elle leur defend encore plus fortement que les loix civiles de se faire justice à eux-mesmes, et c'est par son esprit que les Rois Chrestiens ne se la font pas dans les crimes mesmes de leze-Majesté au premier chef, et qu'ils remettent les criminels
25 entre les mains des Juges pour les faire punir selon les loix et dans les formes de la Justice, qui sont si contraires à vostre conduite que l'opposition qui s'y trouve vous fera rougir. Car, puisque ce discours m'y porte, je vous prie de suivre cette comparaison entre la maniere dont on peut tuer ses
30 ennemis, selon vous, et celle dont les Juges font mourir les criminels.

Tout le monde sçait, mes Peres, qu'il n'est jamais permis aux particuliers de demander la mort de personne, et que, quand un homme nous auroit ruinez, estropiez, brûlé nos
35 maisons, tué nostre pere, et qu'il se disposeroit encore à nous assassiner et à nous perdre d'honneur, on n'écouteroit point en justice la demande que nous ferions de sa mort. De sorte qu'il a fallu établir des personnes publiques qui la demandent de la part du Roy, ou plûtost de la part de Dieu. A vostre
40 avis, mes Peres, est-ce par grimasse et par feinte que les Juges Chrestiens ont étably ce reglement? Et ne l'ont-ils pas fait pour proportionner les loix civiles à celles de l'Evan-

12. L'esprit de l'Eglise est *C.*

gile, de peur que la pratique exterieure de la justice ne fust contraire aux sentimens interieurs que des Chrestiens doivent avoir? On voit assez combien ce commencement des voyes de la justice vous confond, mais le reste vous accablera.

Supposez donc, mes Peres, que ces personnes publiques 5 demandent la mort de celuy qui a commis tous ces crimes, que fera-t-on là dessus? Luy portera-t-on incontinent le poignard dans le sein? Non, mes Peres: la vie des hommes est trop importante; on y agit avec plus de respect; les loix ne l'ont pas soûmise à toutes sortes de personnes, mais 10 seulement aux Juges dont on a examiné la probité et la suffisance. Et croyez-vous qu'un seul suffise pour condamner un homme à mort? Il en faut sept pour le moins, mes Peres. Il faut que de ces sept, il n'y en ait aucun qui ait esté offensé par le criminel, de peur que la passion n'altere 15 ou ne corrompe son jugement. Et vous sçavez, mes Peres, qu'afin que leur esprit soit aussi plus pur, on observe encore de donner les heures du matin à ces fonctions. Tant on apporte de soin pour les preparer à une action si grande, où ils tiennent la place de Dieu, dont ils sont les Ministres, pour 20 ne condamner que ceux qu'il condamne luy-mesme!

Et c'est pourquoy, afin d'y agir comme fideles dispensateurs de cette puissance divine d'oster la vie aux hommes, ils n'ont la liberté de juger que selon les dépositions des témoins, et selon toutes les autres formes qui leur sont pre- 25 scrittes; ensuite desquelles ils ne peuvent en conscience prononcer que selon les loix, ny juger dignes de mort que ceux que les loix y condamnent. Et alors, mes Peres, si l'ordre de Dieu les oblige d'abandonner au supplice les corps de ces miserables, le mesme ordre de Dieu les oblige de prendre 30 soin de leurs ames criminelles; et c'est mesme parcequ'elles sont criminelles qu'ils sont plus obligez à en prendre soin; de sorte qu'on ne les envoye à la mort qu'aprés leur avoir donné moyen de pourvoir à leur conscience. Tout cela est bien pur et bien innocent, et neanmoins l'Eglise abhorre 35 tellement le sang qu'elle juge encore incapables du ministere de ses Autels ceux qui auroient assisté à un arrest de mort, quoy qu'accompagné de toutes ces circonstances si religieuses: par où il est aisé de concevoir quelle idée l'Eglise a de l'homicide. 40

Voilà, mes Peres, de quelle sorte on dispose en justice de la vie des hommes; voyons maintenant comment vous en

29. le corps *C.* 41. sorte dans l'ordre de la justice on dispose *C.*

disposez. Dans vos nouvelles loix il n'y a qu'un juge, et ce juge est celuy-là mesme qui est offensé. Il est tout ensemble le juge, la partie, et le bourreau. Il se demande à luy-mesme la mort de son ennemy ; il l'ordonne, il l'execute sur le 5 champ, et, sans respect ny du corps ny de l'ame de son frere, il tuë et damne celuy pour qui JESUS-CHRIST est mort, et tout cela pour éviter un soufflet, ou une médisance, ou une parole outrageuse, ou d'autres offenses semblables, pour lesquelles un juge qui a l'autorité legitime seroit criminel 10 d'avoir condamné à la mort ceux qui les auroient commises, parceque les loix sont tres éloignées de les y condamner. Et enfin, pour comble de ces excés, on ne contracte ny peché ny irregularité en tuant de cette sorte sans autorité et contre les loix, quoy qu'on soit Religieux et mesme Prestre. Où en 15 sommes-nous, mes Peres ? Sont-ce des Religieux et des Prestres qui parlent de cette sorte ? Sont-ce des Chrestiens ? sont-ce des Turcs ? Sont-ce des hommes, sont-ce des demons ? Et sont-ce là des *mysteres revelez par l'Agneau à ceux de sa Societé*, ou des abominations suggerées par le 20 Dragon à ceux qui suivent son party ?

Car enfin, mes Peres, pour qui voulez-vous qu'on vous prenne ? pour des enfans de l'Evangile, ou pour des ennemis de l'Evangile ? On ne peut estre que d'un party ou de l'autre ; il n'y a point de milieu. *Qui n'est point avec Jesus-* 25 *Christ est contre luy.* Ces deux genres d'hommes partagent tous les hommes. Il y a deux peuples et deux mondes répandus sur toute la terre, selon S. Augustin : le monde des enfans de Dieu, qui forme un corps dont Jesus-Christ est le chef et le Roy ; et le monde ennemy de Dieu, dont le diable 30 est le chef et le Roy. Et c'est pourquoy Jesus-Christ est appelle le Roy et le Dieu du monde, parce qu'il a partout des sujets et des adorateurs, et le diable est aussi appellé dans l'Escriture le Prince du monde et le Dieu de ce siecle, parce qu'il a partout des supposts et des esclaves. Jesus-Christ a 35 mis dans l'Eglise, qui est son empire, les loix qu'il luy a plû selon sa sagesse eternelle ; et le diable a mis dans le monde, qui est son royaume, les loix qu'il a voulu y establir. Jesus-Christ a mis l'honneur à souffrir ; le diable, à ne point souffrir. Jesus-Christ a dit à ceux qui reçoivent un souflet de 40 tendre l'autre jouë ; et le diable a dit à ceux à qui on veut donner un souflet de tuer ceux qui voudront leur faire cette injure. Jesus-Christ declare heureux ceux qui participent à son

32. que le Diable *C.*

ignominie ; et le diable declare malheureux ceux qui sont dans l'ignominie. Jesus-Christ dit : *Malheur à vous quand les hommes diront du bien de vous ;* et le diable dit : *Malheur à ceux dont le monde ne parle pas avec estime.*

Voyez donc maintenant, mes Peres, duquel de ces deux 5 royaumes vous estes. Vous avez oüy le langage de la ville de paix, qui s'appelle la *Hierusalem mystique*, et vous avez oüy le langage de la ville de trouble, que l'Escriture appelle *la spirituelle Sodome :* lequel de ces deux langages entendez-vous ? lequel parlez-vous ? Ceux qui sont à Jesus-Christ 10 ont les mesmes sentimens que Jesus-Christ, selon S. Paul ; et ceux qui sont enfans du diable, *ex patre diabolo*, qui a esté homicide dés le commencement du monde, suivent les maximes du diable, selon la parole de Jesus-Christ. Escoutons donc le langage de vostre Escole, et demandons à vos 15 Auteurs : Quand on nous donne un souflet, doit-on l'endurer plûtost que de tuer celuy qui le veut donner ? ou bien est-il permis de tuer pour éviter cét affront ? *Il est permis*, disent Lessius, Molina, Escobar, Reginaldus, Filiutius, Baldellus, et autres Jesuites, *de tuer celuy qui nous veut donner un souflet.* 20 Est-ce là le langage de Jesus-Christ ? Répondez-nous encore : Seroit-on sans honneur en souffrant un souflet sans tuer celuy qui l'a donné ? *N'est-il pas veritable*, dit Escobar, *que, tandis qu'un homme laisse vivre celuy qui luy a donné un souflet, il demeure sans honneur ?* Oüy, mes Peres, *sans cét hon-* 25 *neur* que le diable a transmis de son esprit superbe en celuy de ses superbes enfans. C'est cét honneur qui a toûjours esté l'idole des hommes possedez par l'esprit du monde. C'est pour se conserver cette gloire, dont le demon est le veritable distributeur, qu'ils luy sacrifient leur vie par la 30 fureur des duels à laquelle ils s'abandonnent ; leur honneur, par l'ignominie des supplices ausquels ils s'exposent, et leur salut, par le peril de la damnation auquel ils s'engagent, et qui les a fait priver de la sepulture mesme par les Canons Ecclesiastiques. Mais on doit loüer Dieu de ce qu'il a éclairé 35 l'esprit du Roy par des lumieres plus pures que celles de vostre Theologie. Ses Edits si severes sur ce sujet n'ont pas fait que le duel fust un crime, ils n'ont fait que punir le crime qui est inseparable du duel. Il a arresté par la crainte de la rigueur de sa justice ceux qui n'estoient pas arrestez par la 40 crainte de la justice de Dieu ; et sa pieté luy a fait connoistre que l'honneur des Chrestiens consiste dans l'observation des ordres de Dieu et des regles du Christianisme, et non pas dans ce fantosme d'honneur que vous pretendez, tout vain qu'il soit, estre une excuse legitime pour les meurtres. Ainsi vos decisions meurtrieres sont maintenant en aversion à tout le monde, et vous seriez mieux conseillez de changer de 5 sentimens, si ce n'est par principe de Religion, au moins par maxime de Politique. Prevenez, mes Peres, par une condamnation volontaire de ces opinions inhumaines, les mauvais effets qui en pourroient naistre, et dont vous seriez responsables. Et, pour concevoir plus d'horreur de l'homi- 10 cide, souvenez-vous que le premier crime des hommes corrompus a esté un homicide en la personne du premier juste; que leur plus grand crime a esté un homicide en la personne du chef de tous les justes; et que l'homicide est le seul crime qui destruit tout ensemble l'Estat, l'Eglise, la 15 nature, et la pieté.

Je viens de voir la réponse de vostre Apologiste à la treiziéme Lettre. Mais, s'il ne répond pas mieux à celle-cy, qui satisfait à la pluspart de ses difficultez, il ne meritera pas de replique. Je le plains de le voir sortir à toute heure hors du 20 sujet, pour s'étendre en des calomnies et des injures contre les vivants et contre les morts. Mais, pour donner creance aux memoires que vous luy fournissez, vous ne deviez pas luy faire desavoüer publiquement une chose aussi publique qu'est le souflet de Compiegne. Il est constant, mes Peres, 25 par l'aveu de l'offensé, qu'il a receu sur sa joüe un coup de la main d'un Jesuite; et tout ce qu'ont pû faire vos amis a esté de mettre en doute s'il l'a receu de l'avant-main ou de l'arriere-main, et d'agiter la question, si un coup du revers de la main sur la joüe doit estre appelé souflet, ou non. Je ne 30 sçay à qui il appartient d'en decider; mais je croy cependant que c'est au moins un souflet probable. Cela me met en seureté de conscience.

16. ma treizieme.

QUINZIÉME LETTRE

ESCRITE PAR L'AUTHEUR DES LETTRES AU PROVINCIAL

AUX REVERENDS PERES JESUITES.

Du 25 Novembre 1656

MES REVERENDS PERES,

Puisque vos impostures croissent tous les jours, et que vous vous en servez pour outrager si cruellement toutes les personnes de pieté qui sont contraires à vos erreurs, je me sens obligé, pour leur interest et pour celuy de l'Eglise, de découvrir un mystere de vostre conduite que j'ay promis il y 5 a longtemps, afin qu'on puisse reconnoistre par vos propres maximes quelle foy l'on doit adjouter à vos accusations et à vos injures.

Je sçay que ceux qui ne vous connoissent pas assez ont peine à se determiner sur ce sujet, parce qu'ils se trouvent 10 dans la necessité ou de croire les crimes incroyables dont vous accusez vos ennemis, ou de vous tenir pour des imposteurs, ce qui leur paroist aussi incroyable. Quoy, disent-ils, si ces choses-là n'estoient, des Religieux les publieroient-ils, et voudroient-ils renoncer à leur conscience, et se damner 15 par ces calomnies? Voilà la maniere dont ils raisonnent; et ainsi, les preuves visibles par lesquelles on ruïne vos faussetez rencontrant l'opinion qu'ils ont de vostre sincerité, leur esprit demeure en suspens entre l'evidence de la verité, qu'ils ne peuvent dementir, et le devoir de la charité, qu'ils 20 apprehendent de blesser. De sorte que, comme la seule chose qui les empesche de rejetter vos médisances est l'estime qu'ils ont de vous, si on leur fait entendre que vous

Title. Ecrite à un Provincial par un de ses Amis aux B^2; *om.* Escrite . . . Provincial *C*.

n'avez pas de la calomnie l'idée qu'ils s'imaginent, et que vous croyez faire vostre salut en calomniant vos ennemis, il est sans doute que le poids de la verité les determinera incontinent à ne plus croire vos impostures. Ce sera donc, 5 mes Peres, le sujet de cette Lettre. Je ne feray pas voir seulement que vos écrits sont remplis de calomnies, je veux passer plus avant. On peut bien dire des choses fausses en les croyant veritables; mais la qualité de menteur enferme l'intention de mentir. Je feray donc voir, mes Peres, que 10 vostre intention est de mentir et de calomnier, et que c'est avec connoissance et avec dessein que vous imposez à vos ennemis des crimes dont vous sçavez qu'ils sont innocens, parceque vous croyez le pouvoir faire sans dechoir de l'estat de grace. Et, quoy que vous sçachiez aussi bien que moy ce 15 point de vostre Morale, je ne laisseray pas de vous le dire, mes Peres, afin que personne n'en puisse douter, en voyant que je m'adresse à vous pour vous le soûtenir à vous-mesmes, sans que vous puissiez avoir l'assurance de le nier qu'en confirmant par ce desaveü mesme le reproche que je vous en 20 fais. Car c'est une doctrine si commune dans vos escoles que vous l'avez soûtenuë non seulement dans vos livres, mais encore dans vos theses publiques, ce qui est la derniere hardiesse; comme entr'autres dans vos theses de Louvain de l'année 1645, en ces termes: *Ce n'est qu'un peché veniel* 25 *de calomnier et d'imposer de faux crimes pour ruiner de creance ceux qui parlent mal de nous: Quidni non nisi veniale sit, detrahentis autoritatem magnam, tibi noxiam, falso crimine elidere?* Et cette doctrine est si constante parmy vous que, quiconque l'ose attaquer, vous le traittez d'ignorant et de 30 temeraire.

C'est ce qu'a éprouvé depuis peu le P. Quiroga, Capucin alleman, lorsqu'il voulut s'y opposer. Car vostre Pere Dicastillus l'entreprit incontinent; et il parle de cette dispute en ces termes, *De Just.*, l. 2, tr. 2, disp. 12, n. 404: *Un certain* 35 *Religieux grave, piednu et encapuchonné, cucullatus gymnopoda, que je ne nomme point, eut la temerité de décrier cette opinion parmy des femmes et des ignorans, et de dire qu'elle estoit pernicieuse et scandaleuse, contre les bonnes mœurs, contre la paix des Estats et des Societez, et enfin contraire non seulement à* 40 *tous les Docteurs catholiques, mais à tous ceux qui peuvent estre catholiques. Mais je luy ay soûtenu, comme je soûtiens encore. que la calomnie, lorsqu'on en use contre un calomniateur, quoy*

1. s'imaginent que vous en avez *C*. 2. pouvoir faire *C*.

qu'elle soit un mensonge, n'est point neantmoins un peché mortel ny contre la justice ny contre la charité ; et, pour le prouver, je luy ay fourny en foule nos Peres et les universitez entieres qui en sont composées, que j'ay tous consultez, et entr'autres le R. Pere Jean Gans, Confesseur de l'Empereur, et le R. Pere 5 *Daniel Bastele, Confesseur de l'Archiduc Leopold ; le P. Henry, qui a esté Precepteur de ces deux Princes ; tous les professeurs publics et ordinaires de l'Université de Vienne* (toute composée de Jesuites), *tous les professeurs de l'Université de Grats* (toute de Jesuites), *tous les professeurs de l'Université de Prague* 10 (dont les Jesuites sont les maistres) ; *de tous lesquels j'ay en main les approbations de mon opinion, escrites et signées de leur main ; outre que j'ay encore pour moy le P. de Pennalossa, Jesuite, Predicateur de l'Empereur et du Roi d'Espagne ; le P. Pilliceroli, Jesuite, et bien d'autres qui avoient tous jugé cette* 15 *opinion probable avant nostre dispute.* Vous voyez bien, mes Peres, qu'il y a peu d'opinions que vous ayez pris si à tasche d'establir, comme il y en avoit peu dont vous eussiez tant de besoin. Et c'est pourquoy vous l'avez tellement autorisée que les Casuistes s'en servent comme d'un Principe indubi- 20 table. *Il est constant*, dit Caramouel, n. 1151, *que c'est une opinion probable qu'il n'y a point de peché mortel à calomnier faussement pour conserver son honneur. Car elle est soûtenuë par plus de vingt Docteurs graves, par Gaspard Hurtado et Dicastillus, Jesuites, etc. ; de sorte que, si cette doctrine n'estoit* 25 *probable, à peine y en auroit-il aucune qui le fust en toute la Theologie.*

O Theologie abominable et si corrompuë en tous ses chefs que, s'il n'estoit probable et seur en conscience qu'on peut calomnier sans crime pour conserver son honneur, à peine y 30 auroit-il aucune de ses decisions qui le fust ! Qu'il est vraysemblable, mes Peres, que ceux qui tiennent ce principe le mettent quelquefois en prattique ! L'inclination corrompuë des hommes s'y porte d'elle-mesme avec tant d'impetuosité qu'il est incroyable qu'en levant l'obstacle de la conscience, 35 elle ne se répande avec toute sa vehemence naturelle. En voulez-vous un exemple ? Caramouël vous le donnera au mesme lieu : *Cette maxime*, dit-il, *du P. Dicastillus, Jesuite, touchant la calomnie, ayant esté enseignée par une Comtesse d'Allemagne aux filles de l'Imperatrice, la creance qu'elles eurent* 40 *de ne pecher au plus que veniellement par des calomnies en fit tant naistre en peu de jours, et tant de médisances, et tant de*

29. si selon ses maximes il n'estoit *C.* 31. qui fust seüre *C.*

faux rapports, que cela mit toute la Cour en combustion et en alarme. Car il est aisé de s'imaginer l'usage qu'elles en sceurent faire : de sorte que, pour apaiser ce tumulte, on fust obligé d'appeler un bon Pere Capucin d'une vie exemplaire, nommé le
5 *P. Quiroga* (et ce fust surquoy le P. Dicastillus le querella tant), *qui vint leur declarer que cette maxime estoit tres pernicieuse, principalement parmy des femmes, et il eut un soin particulier de faire que l'Imperatrice en abolit tout à fait l'usage.* On ne doit pas estre surpris des mauvais effets que
10 causa cette doctrine. Il faudroit admirer au contraire qu'elle ne produisist pas cette licence. L'amour propre nous persuade tousjours assez que c'est avec injustice qu'on nous attaque ; et à vous principalement, mes Peres, que la vanité aveugle de telle sorte que vous voulez faire croire en tous vos
15 escrits que c'est blesser l'honneur de l'Eglise que de blesser celuy de vostre Societé. Et ainsi, mes Peres, il y auroit lieu de trouver estrange que vous ne missiez cette maxime en prattique. Car il ne faut plus dire de vous, comme font ceux qui ne vous connoissent pas : Comment voudroient-ils calom-
20 nier leurs ennemis, puisqu'ils ne le pourroient faire que par la perte de leur salut ? Mais il faut dire au contraire : Comment voudroient-ils perdre l'avantage de décrier leurs ennemis, puisqu'ils le peuvent faire sans hazarder leur salut ? Qu'on ne s'estonne donc plus de voir les Jesuites calomnia-
25 teurs : ils le sont en seureté de conscience, et rien ne les en peut empescher puisque, par le credit qu'ils ont dans le monde, ils peuvent calomnier sans craindre la justice des hommes, et que, par celuy qu'ils se sont donné sur les cas de conscience, ils ont estably des maximes pour le pouvoir faire
30 sans craindre la justice de Dieu.

Voila, mes Peres, la source d'où naissent tant de noires impostures. Voila ce qui en a fait répandre à vostre P. Brisacier, jusqu'à s'attirer la Censure de feu M. l'Archevesque de Paris. Voila ce qui a porté vostre P. d'Anjou à décrier en
35 pleine chaire dans l'Eglise de S. Benoist, le 8 mars 1655, les personnes de qualité qui recevoient les aumosnes pour les pauvres de Picardie et de Champagne, ausquelles ils contribuoient tant eux-mesmes ; et de dire, par un mensonge horrible et capable de faire tarir ces charitez, si on eust eu
40 quelque creance en vos impostures, *Qu'il sçavoit de science certaine que ces personnes avoient detourné cét argent pour*

8. abolist *C.* 17. missiez pas *B.* 19 and 22. ces bons Peres voudroient-ils *C.* 35. Benoist à Paris *C.*

l'employer contre l'Eglise et contre l'Estat. Ce qui obligea le curé de cette paroisse, qui est un Docteur de Sorbonne, de monter le lendemain en chaire pour démentir ces calomnies. C'est par ce mesme principe que vostre P. Crasset a tant presché d'impostures dans Orleans qu'il a fallu que M. l'Eves- 5 que d'Orleans l'ait interdit comme un imposteur public par son mandement du 9 sept. où il déclare *qu'il defend à Frere Jean Crasset, Prestre de la Compagnie de Jesus, de prescher dans son diocese, et à tout son peuple de l'oüir souz peine de se rendre coûpable d'une desobeïssance mortelle, sur ce qu'il a ap-* 10 *pris que ledit Crasset avoit fait un discours en chaire remply de fausseté et de calomnie contre les Ecclesiastiques de cette ville, leur imposant faussement et malitieusement qu'ils soutenoient ces propositions heretiques et impies : Que les commandemens de Dieu sont impossibles, que jamais on ne resiste à la* 15 *grace interieure, et que* JESUS-CHRIST *n'est pas mort pour tous les hommes ; et autres semblables, condamnées par Innocent X.* Car c'est là, mes Peres, vostre imposture ordinaire, et la premiere que vous reprochez à tous ceux qu'il vous est important de décrier. Et, quoy qu'il vous soit aussi impossible de le 20 prouver de qui que ce soit, qu'à vostre P. Crasset de ces Ecclesiastiques d'Orleans, vostre conscience neanmoins demeure en repos, *parce que vous croyez que cette maniere de calomnier ceux qui vous attaquent est si certainement permise* que vous ne craignez point de le declarer publiquement et à la veuë de 25 toute une ville.

En voicy un insigne témoignage dans le démeslé que vous eustes avec M. Puys, curé de S. Nisier à Lyon ; et, comme cette histoire marque parfaitement vostre esprit, j'en rapporteray les principales circonstances. Vous sçavez, mes 30 Peres, qu'en 1649 M. Puys traduisit en françois un excellent livre d'un autre Capucin *touchant le devoir des Chrestiens à leur paroisse contre ceux qui les en détournent,* sans user d'aucune invective, et sans designer aucun Religieux, ny aucun Ordre en particulier. Vos Peres neanmoins prirent 35 cela pour eux, et, sans avoir aucun respect pour un ancien Pasteur, Juge en la Primatie de France, et honnoré de toute la ville, vostre P. Alby fit un livre sanglant contre luy, que vous vendites vous-mesmes dans vostre propre eglise le jour de l'Assomption, où il l'accusoit de plusieurs choses, et entr' 40 autres de *s'estre rendu scandaleux par ses galanteries, et d'estre suspect d'impieté, d'estre heretique, excommunié, et enfin digne*

7. Sept. dernier *C.* 32. P. Capucin *C.*

du feu. A cela M. Puys répondit ; et le P. Alby soûtint par un second livre ses premieres accusations. N'est-il donc pas vray, mes Peres, ou que vous estiez des calomniateurs, ou que vous croyiez tout cela de ce bon Prestre, et qu'ainsi il
5 falloit que vous le vissiez hors de ses erreurs pour le juger digne de vostre amitié ? Escoutez donc ce qui se passa dans l'accommodement qui fut fait en presence d'un grand nombre des premieres personnes de la ville, dont les noms sont au bas de cette page, comme ils sont marquez dans l'acte qui en
10 fut dressé le 25 sept. 1650.* Ce fut en presence de tout ce monde que M. Puys ne fit autre chose que declarer, *Que ce qu'il avoit écrit ne s'adressoit point aux PP. Jesuites ; Qu'il avoit parlé en general contre ceux qui éloignent les fideles des paroisses, sans avoir pensée d'attaquer en cela la Societé, et*
15 *qu'au contraire il l'honnoroit avec amour.* Par ces seules paroles il revint de son apostasie, de ses scandales et de son excommunication, sans retractation, et sans absolution ; et le P. Alby luy dit ensuite ces propres paroles : *Monsieur, la creance que j'ay euë que vous attaquiez la Compagnie, dont*
20 *j'ay l'honneur d'estre, m'a fait prendre la plume pour y répondre ; et j'ay creû que la maniere dont j'ay usé* M'ESTOIT PERMISE. *Mais, connoissant mieux vostre intention, je viens vous declarer* QU'IL N'Y A PLUS RIEN *qui me puisse empescher de vous tenir pour un homme d'esprit tres éclairé, de doctrine*
25 *profonde et* ORTHODOXE, *de mœurs* IRREPREHENSIBLES, *et en un mot pour digne Pasteur de vostre Eglise. C'est une declaration que je fais avec joye, et je prie ces Messieurs de s'en souvenir.*

Ils s'en sont souvenus, mes Peres, et on fut plus scanda-
30 lisé de la reconciliation que de la querelle. Car qui n'admireroit ce discours du P. Alby ? Il ne dit pas qu'il vient

* Monsieur de Ville, Vicaire general de M. le cardinal de Lyon ; M. Scarron, Chanoine, et Curé de Saint-Paul ; M. Margat, Chantre ; Messieurs Bouvaud, Seve, Aubert, et Dervieu, Chanoines de S. Nisier ; M. du Gué, President des Tresoriers de France ; M. Groslier, Prevost des Marchands ; M. de Flechere, President et Lieutenant general ; Messieurs de Boissat, de S. Romain, et de Bartoly, Gentilshommes ; M. Bourgeois, premier Avocat du Roi au Bureau des Tresoriers de France ; Messieurs de Cotton pere et fils ; M. Boniel ; qui ont tous signé à l'original de la declaration, avec M. Puys et le P. Alby.

16. revient *C.*

se retracter, parce qu'il a appris le changement des mœurs et de la doctrine de M. Puys ; mais seulement *parceque, connoissant que son intention n'a pas esté d'attaquer vostre Compagnie, il n'y a plus rien qui l'empesche de le tenir pour catholique*. Il ne croyoit donc pas qu'il fust heretique en 5 effet ? Et neanmoins, apres l'en avoir accusé contre sa connoissance, il ne declare pas qu'il a failly ; et il ose dire, au contraire, *Qu'il croit que la maniere dont il en a usé luy estoit permise.*

A quoy songez-vous, mes Peres, de témoigner ainsi publi- 10 quement que vous ne mesurez la foy et la vertu des hommes que par l'intention qu'on a pour vostre Societé ? Comment n'avez-vous point apprehendé de vous faire passer vous-mesmes, et par vostre propre aveü, pour des imposteurs et des calomniateurs ? Quoy, mes Peres, un mesme homme, 15 sans qu'il se passe aucun changement en luy, selon que vous croyez qu'il honnore ou qu'il attaque vostre Compagnie, sera *pieux* ou *impie, irreprehensible* ou *excommunié, digne pasteur de l'Eglise* ou *digne d'estre mis au feu*, et enfin *catholique* ou *heretique* ? C'est donc une mesme chose, dans vostre 20 langage, d'attaquer vostre Societé et d'estre heretique ? Voilà une plaisante heresie, mes Peres ! Et ainsi, quand on voit dans vos escrits que tant de personnes catholiques y sont appellées heretiques, cela ne veut dire autre chose, sinon *que vous croyez qu'ils vous attaquent.* Il est bon, mes Peres, 25 qu'on entende cet estrange langage, selon lequel il est sans doute que je suis un grand heretique. Aussi c'est en ce sens que vous me donnez si souvent ce nom. Vous ne me retranchez de l'Eglise que parceque vous croiez que mes Lettres vous font tort ; et ainsi il ne me reste, pour devenir catho- 30 lique, ou que d'approuver les excés de vostre Morale, ce que je ne pourrois faire sans renoncer à tout sentiment de pieté, ou de vous persuader que je ne recherche en cela que vostre veritable bien, et il faudroit que vous fussiez bien revenus de vos égaremens pour le reconnoistre. De sorte que je 35 me trouve estrangement engagé dans l'heresie, puisque, la pureté de ma foy estant inutile pour me retirer de cette sorte d'erreur, je n'en puis sortir ou qu'en trahissant ma conscience, ou qu'en reformant la vostre. Jusques là je seray toûjours un méchant et un imposteur, et quelque fidele que j'aye esté 40 à rapporter vos passages, vous irez crier par tout, *Qu'il faut estre organe du demon pour vous imputer* des choses dont il

7. mais il ose *C*. 12. par les sentimens qu'ils ont *C*.

n'y a ny marque ny vestige dans vos livres ; et vous ne ferez rien en cela que de conforme à vostre maxime et à vostre pratique ordinaire, tant le privilege que vous avez de mentir a d'étenduë ! Souffrez que je vous en donne un exemple, 5 que je choisis à dessein, parceque je répondray en mesme temps à la 9 de vos impostures ; aussi bien elles ne meritent d'estre refutées qu'en passant.

Il y a dix ou douze ans qu'on vous reprocha cette maxime du P. Bauny, *qu'il est permis de rechercher directement,* PRIMO 10 ET PER SE, *une occasion prochaine de pecher pour le bien spirituel ou temporel de nous ou de nostre prochain,* tr. 4, q. 14, dont il apporte pour exemple, *Qu'il est permis à chacun d'aller en des lieux publics pour convertir des femmes perduës, encore qu'il soit vray-semblable qu'on y pechera, pour avoir desja ex-* 15 *perimenté souvent qu'on est accoustumé de se laisser aller au peché par les caresses de ces femmes.* Que répondit à cela vostre P. Caussin, en 1644, dans son *Apologie pour la Compagnie de Jesus,* p. 120 ? *Qu'on voye l'endroit du P. Bauny, qu'on lise la page, les marges, les avant-propos, les suites, tout* 20 *le reste et mesme tout le livre, on n'y trouvera pas un seul vestige de cette sentence, qui ne pourroit tomber que dans l'ame d'un homme extremement perdu de conscience, et qui semble ne pouvoir estre supposée que par l'organe du demon.* Et vostre P. Pintereau, en mesme style, 1 part., p. 24 : *Il faut estre* 25 *bien perdu de conscience pour enseigner une si detestable doctrine, mais il faut estre pire qu'un demon pour l'attribuer au P. Bauny. Lecteur, il n'y en a ny marque ny vestige dans tout son livre.* Qui ne croiroit que des gens qui parlent de ce ton là eussent sujet de se plaindre, et qu'on auroit en 30 effet imposé au P. Bauny ? Avez-vous rien assuré contre moy en de plus forts termes ? Et comment oseroit-on s'imaginer qu'un passage fust en mots propres au lieu mesme où l'on le cite, quand on dit *qu'il n'y en a ny marque ny vestige dans tout le livre ?*

35 En verité, mes Peres, voila le moyen de vous faire croire jusqu'à ce qu'on vous réponde ; mais c'est aussi le moyen de faire qu'on ne vous croye jamais plus, apres qu'on vous aura répondu. Car il est si vray que vous mentiez alors, que vous ne faites aujourd'huy aucune difficulté de reconnoistre 40 dans vos Réponses que cette maxime est dans le P. Bauny au lieu mesme qu'on avoit cité ; et ce qui est admirable, c'est qu'au lieu qu'elle estoit *detestable,* il y a douze ans, elle est maintenant si innocente que dans vostre 9 Impost., p. 10,

vous m'accusez *d'ignorance et de malice, de quereller le P. Bauny sur une opinion qui n'est point rejettée dans l'Escole.* Qu'il est avantageux, mes Peres, d'avoir affaire à ces gens qui disent le pour et le contre! Je n'ay besoin que de vous-mesmes pour vous confondre. Car je n'ay à monstrer que 5 deux choses: l'une, que cette maxime ne vaut rien; l'autre, qu'elle est du P. Bauny; et je prouveray l'un et l'autre par vostre propre confession. En 1644 vous avez reconnu qu'elle est *detestable*, et en 1656 vous avoüez qu'elle est du P. Bauny. Cette double reconnoissance me justifie assez, 10 mes Peres. Mais elle fait plus: elle découvre l'esprit de vostre Politique. Car, dites-moy, je vous prie, quel est le but que vous vous proposez dans vos escrits? Est-ce de parler avec sincerité? Non, mes Peres, puisque vos réponses s'entre destruisent. Est-ce de suivre la verité de la 15 Foy? Aussi peu; puisque vous autorisez une maxime qui est *detestable* selon vous-mesmes. Mais considerons que, quand vous avez dit que cette maxime est *detestable*, vous avez nié en mesme temps qu'elle fust du P. Bauny; et ainsi il estoit innocent; et quand vous avoüez qu'elle est de luy, 20 vous soûtenez en mesme temps qu'elle est bonne; et ainsi il est innocent encore. De sorte que l'innocence de ce Pere estant la seule chose commune à vos deux réponses, il est visible que c'est aussi la seule chose que vous y recherchez, et que vous n'avez pour objet que la deffense de vos Peres 25 en disant d'une mesme maxime qu'elle est dans vos livres, et qu'elle n'y est pas; qu'elle est bonne, et qu'elle est mauvaise; non pas selon la verité, qui ne change jamais, mais selon vostre interest, qui change à toute heure. Que ne pourrois-je vous dire là dessus, car vous voyez bien que cela 30 est convainquant? Cependant cela vous est tout ordinaire. Et, pour en omettre une infinité d'exemples, je croy que vous vous contenterez que je vous en rapporte encore un.

On vous a reproché en divers temps une autre proposition du mesme P. Bauny, tr. 4, q. 22, p. 100: *On ne doit ny* 35 *dénier ny refuser l'absolution à ceux qui sont dans les habitudes de crimes contre la loy de Dieu, de la nature et de l'Eglise, encore qu'on n'y voye aucune esperance d'amendement, etsi emendationis futuræ spes nulla appareat.* Je vous prie sur cela, mes Peres, de me dire lequel y a le mieux répondu 40 selon vostre goust, ou de vostre P. Pintereau ou de vostre P.

31. Cependant rien ne vous est plus ord. *C.* 36. differer l'absolution *BC.* 37. de nature *C.*

Brisacier, qui defendent le P. Bauny en vos deux manieres : l'un en condamnant cette proposition, mais en desavoüant aussi qu'elle soit du P. Bauny ; l'autre en avoüant qu'elle est du P. Bauny, mais en la justifiant en mesme temps ? Es-
5 coutez-les donc discourir. Voicy le P. Pintereau, page 18 : *Qu'appelle-t-on franchir les bornes de toute pudeur, et passer au delà de toute impudence, sinon d'imposer au P. Bauny comme une chose averée une si damnable doctrine ? Jugez, lecteur, de l'indignité de cette calomnie, et voyez à qui les*
10 *Jesuites ont affaire et si l'auteur d'une si noire supposition ne doit pas passer desormais pour le truchement du pere des mensonges.* Et voicy maintenant vostre P. Brisacier, 4 p., page 21. *En effet, le P. Bauny dit ce que vous rapportez.* C'est dementir le P. Pintereau bien nettement. *Mais*, adjoute-t-il
15 pour justifier le P. Bauny, *vous qui reprenez cela, attendez, quand un penitent sera à vos pieds, que son Ange gardien hypotheque tous les droits qu'il a au ciel pour estre sa caution. Attendez que Dieu le Pere jure par son chef que David a menty quand il a dit, par le saint Esprit, que tout homme est men-*
20 *teur, trompeur, et fragile ; et que ce penitent ne soit plus menteur, fragile, changeant, ny pecheur comme les autres, et vous n'appliquerez le sang de Jesus-Christ sur personne.*

Que vous semble-t-il, mes Peres, de ces expressions extravagantes et impies, que, s'il falloit attendre *qu'il y eust quelque*
25 *esperance d'amendement* dans les pecheurs pour les absoudre, il faudroit attendre *que Dieu le Pere jurast par son chef* qu'ils ne tomberoient jamais plus ? Quoy, mes Peres, n'y a-t-il point de difference entre l'*esperance* et la certitude ? Quelle injure est-ce faire à la grace de Jesus-Christ, de dire qu'il
30 est si peu possible que les Chrestiens sortent jamais des crimes contre la loy de Dieu, de la nature et de l'Eglise, qu'on ne pourroit l'esperer *sans que le saint Esprit eust menty :* de sorte que, selon vous, si on ne donnoit l'absolution à ceux *dont on n'espere aucun amendement*, le sang de
35 Jesus-Christ demeureroit inutile, et on ne *l'appliqueroit jamais sur personne ?* A quel estat, mes Peres, vous reduit le desir immoderé de conserver la gloire de vos Auteurs, puisque vous ne trouvez que deux voyes pour les justifier, l'imposture ou l'impieté ; et qu'ainsi la plus innocente maniere de
40 vous defendre est de desavoüer hardiment les choses les plus evidentes ?

De là vient que vous en usez si souvent. Mais ce n'est

31. de nature C.

pas encore là tout ce que vous sçavez faire. Vous forgez des escrits pour rendre vos ennemis odieux, comme la *Lettre d'un Ministre à M. Arnauld*, que vous debitastes dans tout Paris, pour faire croire que le livre de la *Frequente Communion*, approuvé par tant de Docteurs et tant d'Evesques, mais qui 5 à la verité vous estoit un peu contraire, avait esté fait par une intelligence secrete avec les Ministres de Charenton. Vous attribuez d'autres fois à vos adversaires des escrits pleins d'impieté, comme la *Lettre circulaire des Jansenistes*, dont le style impertinent rend cette fourbe trop grossiere, et 10 découvre trop clairement la malice ridicule de vostre P. Meynier, qui ose s'en servir, p. 28, pour appuyer ses plus noires impostures. Vous citez quelquefois des livres qui ne furent jamais au monde, comme les *Constitutions du saint Sacrement*, d'où vous rapportez des passages que vous fabri- 15 quez à plaisir, et qui font dresser les cheveux à la teste des simples, qui ne sçavent pas quelle est vostre hardiesse à inventer et publier des mensonges. Car il n'y a sorte de calomnie que vous n'ayez mise en usage. Jamais la maxime qui l'excuse ne pouvoit estre en meilleures mains. 20

Mais celles-là sont trop aisées à destruire ; et c'est pourquoy vous en avez de plus subtiles, où vous ne particularisez rien, afin d'oster toute prise et tout moyen d'y répondre, comme quand le P. Brisacier dit, *Que ses ennemis commettent des crimes abominables, mais qu'il ne les veut pas rapporter.* 25 Ne semble-t-il pas qu'on ne peut convaincre d'imposture un reproche si indeterminé ? Mais neanmoins un habile homme en a trouvé le secret ; et c'est encore un Capucin, mes Peres : vous estes aujourd'huy malheureux en Capucins, et je prevois qu'une autre fois vous le pourriez bien estre en Bene- 30 dictins. Ce Capucin s'appelle le P. Valerien, de la maison des Comtes de Magnis. Vous apprendrez par cette petite histoire comment il répondit à vos calomnies. Il avoit heureusement reüssi à la conversion du Landgrave de Darmstat. Mais vos Peres, comme s'ils eussent eü quelque peine 35 de voir convertir un Prince souverain sans les y appeler, firent incontinent un livre contre luy (car vous persecutez les gens de bien par tout), où, falsifiant un de ses passages, ils luy imputent une doctrine *heretique :* et certes vous aviez grand tort, car il n'avoit pas attaqué vostre Compagnie. Ils 40 firent aussi courir une lettre contre luy, où ils luy disoient :

5. tant d'Evesques et tant de Docteurs *C.* 20. meilleur main *C.*
27. un habile homme neanmoins en a *C.* 39. *om.* et certes . . . Compagnie *C.*

O que nous avons de choses à découvrir, sans dire quoy, *dont vous serez bien affligé ! Car, si vous n'y donnez ordre, nous serons obligez d'en avertir le Pape et les Cardinaux.* Cela n'est pas maladroit, et je ne doute point, mes Peres, que
5 vous ne leur parliez ainsi de moy ; mais prenez garde de quelle sorte il y répond dans son livre imprimé à Prague l'année derniere, page 112 et suiv. : *Que feray-je*, dit-il, *contre ces injures vagues et indeterminées ? Comment convaincray-je des reproches qu'on n'explique point ? En voicy neanmoins*
10 *le moyen. C'est que je declare hautement et publiquement à ceux qui me menacent que ce sont des imposteurs insignes et de tres-habiles et de tres-impudens menteurs, s'ils ne découvrent ces crimes à toute la terre. Paroissez donc, mes accusateurs, et publiez ces choses sur les toits, au lieu que vous les avez dites*
15 *à l'oreille, et que vous avez menti en assurance en les disant à l'oreille. Il y en a qui s'imaginent que ces disputes sont scandaleuses. Il est vray que c'est exciter un scandale horrible que de m'imputer un crime tel que l'heresie, et de me rendre suspect de plusieurs autres. Mais je ne fais que remedier à*
20 *ce scandale en soûtenant mon innocence.*

En verité, mes Peres, vous voila malmenez, et jamais homme n'a esté mieux justifié. Car il a fallu que les moindres apparences de crime vous ayent manqué contre luy puisque vous n'avez point répondu à un tel defy. Vous avez
25 quelquefois de fascheuses rencontres à essuyer, mais cela ne vous rend pas plus sages. Car, quelque temps aprés, vous l'attaquastes encore de la mesme sorte sur un autre sujet ; et il se défendit aussi de mesme, p. 151, en ces termes : *Ce genre d'hommes, qui se rend insupportable à toute la Chrestienté,*
30 *aspire, sous le pretexte des bonnes œuvres, aux grandeurs et à la domination, en détournant à leurs fins presque toutes les loix divines, humaines, positives, et naturelles. Ils attirent ou par leur doctrine, ou par crainte, ou par esperance, tous les grands de la terre, de l'autorité desquels ils abusent pour faire reüssir*
35 *leurs detestables intrigues. Mais leurs attentats, quoy que si criminels, ne sont ny punis ny arrestez ; ils sont recompensez au contraire ; et ils les commettent avec la mesme hardiesse que s'ils rendoient un service à Dieu. Tout le monde le reconnoist, tout le monde en parle avec execration ; mais il y en a peu*
40 *qui soient capables de s'opposer à une si puissante tyrannie, c'est ce que j'ay fait neantmoins. J'ay arresté leur impudence, et je l'arresteray encore par le mesme moyen. Je declare donc*

12. et tres-impudens *C.* 18. *om.* de *C.*

qu'ils ont menty tres impudemment, MENTIRIS IMPUDENTISSIMÉ. *Si les choses qu'ils m'ont reprochées sont veritables, qu'ils les prouvent donc, ou qu'ils passent pour convaincus d'un mensonge plein d'impudence. Leur procedé sur cela découvrira qui a raison. Je prie tout le monde de l'observer, et de remarquer* 5 *cependant que ce genre d'hommes, qui ne souffrent pas la moindre des injures qu'ils peuvent repousser, font semblant de souffrir tres patiemment celles dont ils ne se peuvent deffendre, et couvrent d'une fausse vertu leur veritable impuissance. C'est pourquoy j'ay voulu irriter plus vivement leur pudeur, afin que les* 10 *plus grossiers reconnoissent que, s'ils se taisent, leur patience ne sera pas un effet de leur douceur, mais du trouble de leur conscience.*

Voila ce qu'il dit, mes Peres. Et il finit ainsi : *Ces gens-là, dont on sçait les histoires partout le monde, sont si evidemment* 15 *injustes et si insolens dans leur impunité, qu'il faudroit que j'eusse renoncé à Jesus-Christ et à son Eglise si je ne detestois leur conduite, et mesme publiquement, autant pour me justifier que pour empescher les simples d'en estre seduits.*

Mes Reverends Peres, il n'y a plus moyen de reculer. Il 20 faut passer pour des calomniateurs convaincus, et recourir à vostre maxime, que cette sorte de calomnie n'est pas un crime. Ce Pere a trouvé le secret de vous fermer la bouche : c'est ainsi qu'il faut faire toutes les fois que vous accusez les gens sans preuves. On n'a qu'à répondre à chacun de vous, 25 comme le Pere Capucin : *Mentiris impudentissimè.* Car que répondroit-on autre chose quand vostre Pere Brisacier dit, par exemple, que ceux contre qui il escrit *sont des portes d'enfer, des Pontifes du diable, des gens décheus de la foy, de l'esperance et de la charité, qui bastissent le thresor de l'Ante-* 30 *christ ? Ce que je ne dis pas* (adjoute-t-il) *par forme d'injure, mais par la force de la verité.* S'amuseroit-on à prouver qu'on n'est pas *porte d'enfer et qu'on ne bastit pas le thresor de l'Antechrist ?*

Que doit-on respondre de mesme à tous les discours vagues 35 de cette sorte qui sont dans vos livres et dans vos Avertissemens sur mes Lettres : par exemple, *qu'on s'applique les restitutions en reduisant les creanciers dans la pauvreté ; Qu'on a offert des sacs d'argent à de sçavans Religieux qui les ont refusez ; Qu'on donne des benefices pour faire semer des here-* 40 *sies contre la foy ; Qu'on a des pensionnaires parmy les plus illustres Ecclesiastiques et dans les Cours Souveraines ; Que*

3. *om.* donc *C.* 14. *om.* il finit *C.*

je suis aussi pensionnaire de Port-Royal, et que je faisois des Romans avant mes Lettres, moy qui n'en ay jamais leü aucun et qui ne sçay pas seulement le nom de ceux qu'a faits vostre Apologiste ? Qu'y a-t-il à dire à tout cela, mes Peres, sinon :
5 *Mentiris impudentissimè*, si vous ne marquez toutes ces personnes, leurs paroles, le temps, le lieu ? Car il faut se taire, ou rapporter et prouver toutes les circonstances, comme je fais quand je vous conte les histoires de Jean d'Alba et du P. Alby. Autrement vous ne ferez que vous nuire à vous-
10 mesmes. Toutes ces fables pouvoient peut-estre vous servir avant qu'on sceust vos principes, mais à present que tout est découvert, quand vous penserez dire à l'oreille, *Qu'un homme d'honneur qui desire cacher son nom vous a appris de terribles choses de ces gens-là*, on vous fera souvenir incontinent du
15 *Mentiris impudentissimè* du bon Pere Capucin. Il n'y a que trop longtemps que vous trompez le monde, et que vous abusez de la creance qu'on avoit en vos impostures. Il est temps de rendre la reputation à tant de personnes calomniées. Car quelle innocence peut estre si generalement reconnuë
20 qu'elle ne souffre quelque atteinte par les impostures si hardies d'une Compagnie répanduë par toute la terre, et qui souz des habits religieux couvre des ames si irreligieuses qu'ils commettent des crimes tels que la calomnie, non pas contre leurs maximes, mais selon leurs propres maximes ! Ainsi
25 l'on ne me blasmera point d'avoir détruit la creance qu'on pouvoit avoir en vous, puisqu'il est bien plus juste de conserver à tant de personnes que vous avez decriées la reputation de pieté qu'ils ne meritent pas de perdre, que de vous laisser la reputation de sincerité que vous ne meritez pas
30 d'avoir. Et, comme l'un ne se pouvoit faire sans l'autre, combien estoit-il important de faire entendre qui vous estes ? C'est ce que j'ay commencé de faire icy ; mais il faut bien du temps pour achever. On le verra, mes Peres, et toute vostre Politique ne vous en peut garantir, puisque les efforts que
35 vous pourriez faire pour l'empescher ne serviroient qu'à faire connoistre aux moins clairvoyans que vous avez eu peur, et que, vostre conscience vous reprochant ce que j'avois à vous dire, vous avez tout mis en usage pour le prevenir.

10. vos fables *C*.

SEIZIÉME LETTRE

ESCRITE PAR L'AUTHEUR DES LETTRES AU PROVINCIAL

AUX REVERENDS PERES JESUITES.

Du 4 Decembre 1656

MES REVERENDS PERES,

Voici la suite de vos calomnies, où je répondray d'abord à celles qui restent de vos *Avertissemens.* Mais, comme tous vos autres livres en sont egalement remplis, ils me fourniront assez de matiere pour vous entretenir sur ce sujet autant que je le jugeray necessaire. Je vous diray donc, en un 5 mot, sur cette fable que vous avez semée dans tous vos écrits contre Mr d'Ipre, que vous abusez malicieusement de quelques paroles ambiguës d'une de ses lettres, qui, estant capables d'un bon sens, doivent estre prises en bonne part selon l'esprit charitable de l'Eglise, et ne peuvent estre pri- 10 ses autrement que selon l'esprit malin de votre Societé. Car pourquoy voulez-vous qu'en disant à son amy : *Ne vous mettez point tant en peine de vostre neveu, je luy fourniray ce qui est necessaire de l'argent qui est entre mes mains*, il ayt voulu dire par là qu'il prenoit cét argent pour ne le point 15 rendre, et non pas qu'il l'avançoit seulement pour le remplacer ? Mais ne faut-il pas que vous soyez bien imprudens, puisque vous avez fourny vous-mesmes la conviction de vostre mensonge par les autres lettres de Mr d'Ipre que vous avez imprimées, qui marquent parfaitement que ce n'estoit 20 en effet que des *avances*, qu'il devoit remplacer ? C'est ce qui paroist dans celle que vous rapportez du 3 juillet 1619, en ces termes, qui vous confondent : *Ne vous souciez pas* DES AVANCES, *il ne luy manquera rien tant qu'il sera icy.* Et

Title. *om.* Escrite . . . Provincial *C.* 10. *om.* charitable *C.* 11. *om.* malin *C.* 18. imprudens d'avoir fourny *C.* 20. marquent visiblement *C.*

par celle du 26 janvier 1620, où il dit : *Vous avez trop de haste ; et, quand il seroit question de rendre compte, le peu de credit que j'ay icy me feroit trouver l'argent au besoin.*

Vous estes donc des imposteurs, mes Peres, aussi bien sur 5 ce sujet que sur vostre conte ridicule du Tronc de S. Merry. Car quel avantage pouvez-vous tirer de l'accusation qu'un de vos bons amis suscita à cét Ecclesiastique que vous voulez déchirer ? Doit-on conclure qu'un homme est coupable, parce qu'il est accusé ? Non, mes Peres. Des gens de pieté 10 comme luy pourront toûjours estre accusez tant qu'il y aura au monde des calomniateurs comme vous. Ce n'est donc pas par l'accusation, mais par l'arrest, qu'il en faut juger. Or l'arrest qui en fust rendu le 23 Févr. 1656 le justifie pleinement : outre que celuy qui s'estoit engagé temerairement 15 dans cette injuste procedure fust desavoüé par ses Collegues, et forcé luy-mesme à la retracter. Et quant à ce que vous dites au mesme lieu de ce *fameux directeur qui se fit riche en un moment de neuf cent mille livres*, il suffit de vous renvoyer à Messieurs les Curez de S. Roch et de S. Paul, qui ren- 20 dront témoignage à tout Paris de son parfait desinteressement dans cette affaire, et de vostre malice inexcusable dans cette imposture. C'en est assez pour des faussetez si vaines. Ce ne sont là que les coups d'essay de vos Novices, et non pas les coups d'importance de vos grands Profés. J'y viens donc, 25 mes Peres ; je viens à cette calomnie, l'une des plus noires qui soient sorties de vostre esprit. Je parle de cette audace insupportable avec laquelle vous avez osé imputer à de saintes Religieuses et à leurs Directeurs *de ne pas croire le mystere de la Transsubstantiation, ny la presence reelle de J.-C.* 30 *dans l'Eucharistie.* Voila, mes Peres, une imposture digne de vous. Voila un crime que Dieu seul est capable de punir, comme vous seuls estes capables de le commettre. Il faut estre aussi humble que ces humbles calomniées pour le souffrir avec patience ; et il faut estre aussi méchant que de 35 si méchans calomniateurs pour le croire. Je n'entreprens donc pas de les en justifier ; elles n'en sont point suspectes. Si elles avoient besoin de defenseurs, elles en auroient de meilleurs que moy. Ce que j'en diray icy ne sera pas pour monstrer leur innocence, mais pour monstrer vostre malice. 40 Je veux seulement vous en faire horreur à vous-mesmes, et faire entendre à tout le monde qu'aprés cela il n'y a rien dont vous ne soyez capables.

22. En voila assez *C.* 28. Docteurs *C.*

Vous ne manquerez pas neantmoins de dire que je suis de Port-Royal, car c'est la premiere chose que vous dites à quiconque combat vos excés; comme si on ne trouvoit qu'à Port-Royal des gens qui eussent assez de zele pour defendre contre vous la pureté de la Morale chrêtienne. Je sçay, mes 5 Peres, le merite de ces pieux solitaires qui s'y estoient retirez, et combien l'Eglise est redevable à leurs ouvrages, si édifians et si solides. Je sçay combien ils ont de pieté et de lumiere. Car, encore que je n'aye jamais eu d'establissement avec eux, comme vous le voulez faire croire sans que vous 10 sçachiez qui je suis, je ne laisse pas d'en connoistre quelques-uns, et d'honorer la vertu de tous. Mais Dieu n'a pas renfermé dans ce nombre seul tous ceux qu'il veut opposer à vos desordres. J'espere avec son secours, mes Peres, de vous le faire sentir; et, s'il me fait la grace de me soutenir 15 dans le dessein qu'il me donne d'employer pour luy tout ce que j'ay receu de luy, je vous parleray de telle sorte que je vous feray peut-estre regreter de n'avoir pas affaire à un homme de Port-Royal. Et, pour vous le témoigner, mes Peres, c'est qu'au lieu que ceux que vous outragez par cette 20 insigne calomnie se contentent d'offrir à Dieu leurs gemissemens pour vous en obtenir le pardon, je me sens obligé, moy qui n'ay point de part à cette injure, de vous en faire rougir à la face de toute l'Eglise, pour vous procurer cette confusion salutaire dont parle l'Escriture, qui est presque l'unique 25 remede d'un endurcissement tel que le vostre: *Imple facies eorum ignominiâ, et quærent nomen tuum, Domine.*

Il faut arrester cette insolence, qui n'espargne point les lieux les plus saints. Car qui pourra estre en seureté aprés une calomnie de cette nature? Quoy, mes Peres, afficher 30 vous mesmes dans Paris un livre si scandaleux avec le nom de vostre Pere Meynier à la teste, et sous cét infame titre: *Le Port-Royal et Genéve d'intelligence contre le tres-saint Sacrement de l'Autel*, où vous accusez de cette apostasie non seulement M. de S. Cyran et M. Arnauld, mais aussi la 35 Mere Agnés sa sœur, et toutes les Religieuses de ce monastere, dont vous dites, page 96, *que leur foy est aussi suspecte touchant l'Eucharistie que celle de M. Arnauld*, lequel vous soûtenez, page 4, estre *effectivement Calviniste*. Je demande là dessus à tout le monde s'il y a dans l'Eglise des personnes 40 sur qui vous puissiez faire tomber un si abominable reproche

35. M. l'Abbé de S C.

avec moins de vray-semblance? Car dites moy, mes Peres, si ces Religieuses et leurs Directeurs estoient *d'intelligence avec Genéve contre le très saint Sacrement de l'Autel*, ce qui est horrible à penser, pourquoy auroient-elles pris pour le prin-
5 cipal objet de leur pieté ce Sacrement qu'elles auroient en abomination? Pourquoy auroient-elles joint à leur regle l'institution du S. Sacrement? Pourquoy auroient-elles pris l'habit du S. Sacrement, pris le nom de filles du S. Sacrement, appellé leur Eglise l'Eglise du S. Sacrement? Pourquoy
10 auroient-elles demandé et obtenu de Rome la confirmation de cette institution et le pouvoir de dire tous les jeudys l'office du S. Sacrement, où la foy de l'Eglise est si parfaitement exprimée, si elles avoient conjuré avec Genéve d'abolir cette foy de l'Eglise? Pourquoy se seroient-elles obligées, par une
15 devotion particuliere, approuvée aussi par le Pape, d'avoir sans cesse, nuit et jour, des Religieuses en presence de cette sainte hostie, pour reparer par leurs adorations perpetuelles envers ce sacrifice perpetuel l'impiete de l'heresie qui l'a voulu aneantir? Dites-moy donc, mes Peres, si vous le
20 pouvez, pourquoy, de tous les mysteres de nostre religion, elles auroient laissé ceux qu'elles croyent pour choisir celuy qu'elles ne croyroient pas; et pourquoy elles se seroient devoüées d'une maniere si pleine et si entiere à ce mystere de nostre foy, si elles le prenoient, comme les heretiques, pour
25 le mystere d'iniquité? Que répondez vous, mes Peres, à des témoignages si evidens, non pas seulement de paroles, mais d'actions, et non pas de quelques actions particulieres, mais de toute la suite d'une vie entierement consacrée à l'adoration de JESUS-CHRIST resident sur nos autels? Que répondez-
30 vous de mesme aux livres que vous appelez de Port-Royal, qui sont tous remplis de termes les plus precis dont les Peres et les Conciles se soient servis pour marquer l'essence de ce mystere? C'est une chose ridicule, mais horrible, de vous y voir répondre dans tout vostre libelle en cette sorte: M.
35 Arnauld, dites-vous, parle bien de *transsubstantiation*, mais il entend peut-estre *une transsubstantiation significative*. Il témoigne bien croire *la présence reelle;* mais qui nous a dit qu'il ne l'entend pas *d'une figure vraye et reelle?* Où en sommes-nous, mes Peres, et qui ne ferez-vous point passer
40 pour Calviniste quand il vous plaira, si on vous laisse la licence de corrompre les expressions les plus canoniques et les plus saintes par les malicieuses subtilitez de vos nouvelles

31. des termes B^2.

equivoques? Car qui s'est jamais servy d'autres termes que de ceux-là, et surtout dans de simples discours de pieté, où il ne s'agit point de controverses? Et cependant l'amour et le respect qu'ils ont pour ce saint mystere leur en a tellement fait remplir tous leurs écrits, que je vous defie, mes Peres, 5 quelque artificieux que vous soyez, d'y trouver la moindre ombre d'ambiguité et de convenance avec les sentimens de Genéve.

Tout le monde sçait, mes Peres, que l'heresie de Genéve consiste essentiellement, comme vous le rapportez vous 10 mesmes, à croire que Jesus-Christ n'est point enfermé dans ce Sacrement; qu'il est impossible qu'il soit en plusieurs lieux; qu'il n'est vrayement que dans le Ciel, et que ce n'est que là où on le doit adorer, et non pas sur l'Autel; que la substance du pain demeure; que le corps de Jesus-Christ 15 n'entre point dans la bouche, ny dans la poitrine; qu'il n'est mangé que par la foy, et qu'ainsi les méchans ne le mangent point, et que la Messe n'est point un sacrifice, mais une abomination. Escoutez donc, mes Peres, de quelle maniere *Port-Royal est d'intelligence avec Genéve dans leurs* 20 *livres.* On y lit, à vostre confusion, Que *la chair et le sang de* Jesus-Christ *sont contenus sous les especes du pain et du vin,* 2 Lettre de Mr Arnauld, p. 259; que *le Saint des Saints est present dans le Sanctuaire, et qu'on l'y doit adorer*, ibid. p. 243; que Jesus-Christ *habite dans les* 25 *pecheurs qui communient, par la presence reelle et veritable de son corps dans leur poitrine, quoy que non par la presence de son esprit dans leur cœur*, Freq. Comm., 3 part., ch. 16; que *les cendres mortes des corps des Saints tirent leur principale dignité de cette semence de vie qui leur reste de l'attouchement* 30 *de la chair immortelle et vivifiante de* Jesus-Christ, 1 part., ch. 40; que *ce n'est par aucune puissance naturelle, mais par la toutepuissance de Dieu, à laquelle rien n'est impossible, que le corps de* Jesus-Christ *est enfermé sous l'hostie et sous la moindre partie de chaque hostie*, Theolog. fam., leç. 35 15; que *la vertu divine est presente pour produire l'effet que les paroles de la consecration signifient*, ibid.; que Jesus-Christ, *qui est rabaissé et couché sur l'autel, est en mesme temps élevé dans sa gloire; qu'il est par luy mesme et par sa puissance ordinaire en divers lieux en mesme temps, au milieu* 40 *de l'Eglise triomphante et au milieu de l'Eglise militante et*

6. trouver ny la moindre apparence d'ambiguité, ny la moindre convenance *C*.

voyagere, De la Suspension, Rais. 21; que *les especes sacramentales demeurent suspenduës, et subsistent extraordinairement sans estre appuyées d'aucun sujet, et que le corps de* Jesus-Christ *est aussi suspendu sous les especes; qu'il ne dépend point d'elles comme les substances dépendent des accidens*, ib., 23; que *la substance du pain se change en laissant les accidens immuables*, Heures, dans la prose du Saint-Sacrement; que Jesus-Christ *repose dans l'Eucharistie avec la mesme gloire qu'il a dans le ciel*, Lettres de M. de Saint-Cyran, tom. 1, let. 93; que *son humanité glorieuse reside dans les tabernacles de l'Eglise sous les especes du pain, qui le couvrent visiblement, et que, sçachant que nous sommes grossiers, il nous conduit ainsi à l'adoration de sa divinité, presente en tous lieux, par celle de son humanité, presente en un lieu particulier*, ibid.; que *nous recevons le corps de* Jesus-Christ *sur la langue, et qu'il la sanctifie par son divin attouchement*, lett. 32; *qu'il entre dans la bouche du Prestre*, lett. 75; que, *quoy que* Jesus-Christ *se soit rendu accessible dans le S. Sacrement par un effet de son amour et de sa clemence, il ne laisse pas d'y conserver son inaccessibilité comme une condition inseparable de sa nature divine; parce qu'encore que le seul corps et le seul sang y soient par la vertu des paroles, vi verborum, comme parle l'Escole, cela n'empesche pas que toute sa divinité, aussi bien que toute son humanité, n'y soit par une suite et une conjonction necessaire*, Defense du Chapelet du Saint-Sacrement, p. 217; et enfin que *l'Eucharistie est tout ensemble sacrement et sacrifice*, Theol. fam., leç. 15, et *qu'encore que ce sacrifice soit une commemoration de celuy de la Croix, toutefois il y a cette difference que celuy de la Messe n'est offert que pour l'Eglise seule et pour les fideles qui sont dans sa communion, au lieu que celuy de la croix a esté offert pour tout le monde, comme l'Escriture parle.* Ib., p. 153. Cela suffit, mes Peres, pour faire voir clairement qu'il n'y eut peut-estre jamais une plus grande impudence que la vostre. Mais je veux encore vous faire prononcer cet arrest à vous-mesmes contre vous-mesmes. Car que demandez-vous afin d'oster toute apparence qu'un homme soit d'intelligence avec Genéve? *Si M. Arnauld*, dit vostre Pere Meynier, p. 83, *eust dit qu'en cét adorable mystere il n'y a aucune substance du pain sous les especes, mais seulement la chair et le sang de* Jesus-Christ, *j'eusse avoüé qu'il se seroit declaré entierement contre Genéve.* Avoüez-le donc, imposteurs, et faites luy une reparation publique de cette injure

24. *om.* suite et une *C.* 42. *om.* de . . . publique *C.*

publique. Combien de fois l'avez-vous veu dans les passages que je viens de citer? Mais de plus, la *Theologie familiere* de M. de S. Cyran estant approuvée par M. Arnauld, elle contient les sentimens de l'un et de l'autre. Lisez donc toute la leçon 15, et sur tout l'article second, et vous y trou- 5 verez les paroles que vous demandez encore plus formellement que vous-mesmes ne les exprimez. *Y a-t-il du pain dans l'hostie et du vin dans le calice? Non, car toute la substance du pain et celle du vin sont ostées pour faire place à celle du corps et du sang de* JESUS-CHRIST, *laquelle y demeure* 10 *seule couverte des qualitez et des especes du pain et du vin.*

Et bien, mes Peres, direz-vous encore que le Port-Royal n'enseigne rien *que Genéve ne reçoive*, et que M. Arnaud n'a rien dit dans sa seconde lettre *qui ne pust estre dit par un Ministre* de Charenton? Faites-donc parler Mestrezat comme 15 parle M. Arnauld dans cette lettre, page 237 et suiv. Faites luy dire *que c'est un mensonge infame de l'accuser de nier la transsubstantiation; Qu'il prend pour fondement de ses livres la verité de la presence reelle du Fils de Dieu, opposée à l'heresie des Calvinistes; Qu'il se tient heureux d'estre en un lieu où* 20 *l'on adore continuellement le Saint des Saints present dans le Sanctuaire;* ce qui est beaucoup plus contraire à la creance des Calvinistes que la presence reelle mesme, puisque, comme dit le cardinal de Richelieu dans ses *Controverses*, p. 536, *les nouveaux Ministres de France s'estant unis avec les Lutheriens* 25 *qui la croyent, ils ont declaré qu'ils ne demeurent separez de l'Eglise touchant ce mystere qu'à cause de l'adoration que les catholiques rendent à l'Eucharistie.* Faites signer à Genéve tous les passages que je vous ay rapportez des livres du Port-Royal, et non pas seulement les passages, mais les traitez 30 entiers touchant ce mystere, comme le livre de la *Frequente Communion, l'Explication des ceremonies de la Messe, l'Exercice durant la Messe, les Raisons de la suspension du S. Sacrement,* la traduction des hymnes dans les *Heures du Port-Royal*, etc. Et enfin faites establir à Charenton cette institution sainte 35 d'adorer sans cesse Jesus-Christ enfermé dans l'Eucharistie, comme on fait à Port Royal, et ce sera le plus signalé service que vous puissiez rendre à l'Eglise, puisqu'alors le Port-Royal ne sera pas *d'intelligence avec Genéve*, mais Genéve d'intelligence avec le Port-Royal et toute l'Eglise. 40

9. *om.* celle *C.* 14. en sa *B.* 21. *om.* present *C.* 26. qui croient la presence reelle de Jesus-Christ dans l'Eucharistie, ils *C.* 34. de Port Royal *B*².

En verité, mes Peres, vous ne pouviez plus mal choisir que d'accuser le Port-Royal de ne pas croire l'Eucharistie ; mais je veux faire voir ce qui vous y a engagez. Vous sçavez que j'entens un peu vostre Politique. Vous l'avez bien suivie
5 en cette rencontre. Si M. de S. Cyran et M. Arnauld n'avoient fait que dire ce qu'on doit croire touchant ce mystere, et non pas ce qu'on doit faire pour s'y preparer, ils auroient esté les meilleurs catholiques du monde, et il ne se seroit point trouvé d'equivoques dans leurs termes de *presence reelle et de trans-*
10 *substantiation.* Mais, parce qu'il faut que tous ceux qui combattent vos relâchemens soient heretiques, et dans le point mesme où ils les combattent, comment M. Arnauld ne le seroit-il pas sur l'Eucharistie, aprés avoir fait un livre exprés contre les profanations que vous faites de ce Sacrement?
15 Quoy, mes Peres, il auroit dit impunément *qu'on ne doit point donner le corps de Jesus-Christ à ceux qui retombent tousjours dans les mesmes crimes, et ausquels on ne voit aucune esperance d'amendement ; et qu'on doit les separer quelque temps de l'Autel, pour se purifier par une penitence sincere, afin de*
20 *s'en approcher en suite avec fruit ?* Ne souffrez pas qu'on parle ainsi, mes Peres ; vous n'auriez pas tant de gens dans vos confessionaux. Car vostre P. Brisacier dit que *si vous suiviez cette methode, vous n'appliqueriez le sang de Jesus-Christ sur personne.* Il vaut bien mieux pour vous qu'on suive la
25 pratique de vostre Societé, que vostre P. Mascarenhas rapporte dans un livre approuvé par vos Docteurs, et mesme par vostre R. P. General, qui est, *Que toute sorte de personnes, et mesme les Prestres, peuvent recevoir le corps de Jesus-Christ le jour mesme qu'ils se sont soüillez par des pechez abominables ; Que,*
30 *bien loin qu'il y ait de l'irreverence en ces communions, on est loüable au contraire d'en user de la sorte ; Que les confesseurs ne les en doivent point détourner, et qu'ils doivent au contraire conseiller à ceux qui viennent de commettre ces crimes de communier à l'heure mesme, parce qu'encore que l'Eglise l'ayt def-*
35 *fendu, cette deffense est abolie par la pratique universelle de toute la terre.*

Voila ce que c'est, mes Peres, d'avoir des Jesuites par toute la terre. Voila la pratique universelle que vous y avez introduite, et que vous y voulez maintenir. Il n'importe que
40 les tables de Jesus-Christ soient remplies d'abomination, pourveu que vos eglises soient pleines de monde. Rendez donc ceux qui s'y opposent heretiques sur le S. Sacrement.

5. M. l'Abbé de S. C. *C.* 36. terre. Masc. Tr. 4, Disp. 5, n. 284 et 285 *C.*

Il le faut, à quelque prix que ce soit. Mais comment le pourrez-vous faire aprés tant de témoignages invincibles qu'ils ont donnez de leur foy ? N'avez-vous point de peur que je rapporte les quatre grandes preuves que vous donnez de leur heresie ? Vous le devriez, mes Peres, et je ne dois point vous 5 en épargner la honte. Examinons donc la premiere.

M. de S. Cyran, dit le P. Meynier, *en consolant un de ses amis sur la mort de sa mere, tom. I, lettre 14, dit que le plus agreable sacrifice qu'on puisse offrir à Dieu dans ces rencontres est celuy de la patience : donc il est Calviniste.* Cela est bien 10 subtil, mes Peres, et je ne sçay si personne en voit la raison. Apprenons la donc de luy. *Parce*, dit ce grand Controversiste, *qu'il ne croit donc pas le sacrifice de la Messe. Car c'est celuy-là qui est le plus agreable à Dieu de tous.* Que l'on dise maintenant que les Jesuites ne sçavent pas raisonner ! Ils 15 le sçavent de telle sorte qu'ils rendront heretiques tels discours qu'ils voudront, et mesme l'Escriture sainte. Car n'est-ce pas une heresie de dire, comme fait l'Ecclesiastique : *Il n'y a rien de pire que d'aymer l'argent, nihil est iniquius quàm amare pecuniam*, comme si les adulteres, les homicides, et 20 l'idolatrie n'estoient pas de plus grands crimes ? Et à qui n'arrive-t-il point de dire à toute heure des choses semblables, et que, par exemple, le sacrifice d'un cœur contrit et humilié est le plus agreable aux yeux de Dieu, parce qu'en ses discours on ne pense qu'à comparer quelques vertus interieures les 25 unes aux autres, et non pas au sacrifice de la Messe, qui est d'un ordre tout different, et infiniment plus relevé ? N'estes-vous donc pas ridicules, mes Peres, et faut-il, pour achever de vous confondre, que je vous represente les termes de cette mesme lettre, où M. de S. Cyran parle du sacrifice de la 30 Messe comme du *plus excellent* de tous, en disant *qu'on offre à Dieu tous les jours et en tous lieux le sacrifice du corps de son fils, qui n'a point trouvé de* PLUS EXCELLENT MOYEN *que celuy-là pour honorer son Pere* ? Et en suite, *Que Jesus-Christ nous a obligez de prendre en mourant son corps sacrifié, pour* 35 *rendre plus agreable à Dieu le sacrifice du nostre, et pour se joindre à nous lorsque nous mourons, afin de nous fortifier en sanctifiant par sa presence le dernier sacrifice que nous faisons à Dieu de nostre vie et de nostre corps.* Dissimulez tout cela, mes Peres, et ne laissez pas de dire qu'il détournoit de com- 40 munier à la mort, comme vous faites, p. 33, et qu'il ne croyoit

16. heretiques tout ce qu'ils *C.* 17. Car ne seroit-ce pas *C.* 37. *om.* à nous *C.*

pas le sacrifice de la Messe. Car rien n'est trop hardy pour des calomniateurs de profession.

Vostre seconde preuve en est un grand témoignage. Pour rendre Calviniste feu M. de S. Cyran, à qui vous attribuez le
5 livre de *Petrus Aurelius*, vous vous servez d'un passage où Aurelius explique, page 89, de quelle maniere l'Eglise se conduit à l'egard des Prestres, et mesme des Evesques qu'elle veut deposer ou degrader. *L'Eglise*, dit-il, *ne pouvant pas leur oster la puissance de l'ordre, parce que le caractere est*
10 *ineffaçable, elle fait ce qui est en elle : elle oste de sa memoire ce caractere qu'elle ne peut oster de l'ame de ceux qui l'ont receu. Elle les considere comme s'ils n'estoient plus Prestres ou Evesques. De sorte que, selon le langage ordinaire de l'Eglise, on peut dire qu'ils ne le sont plus, quoy qu'ils le soient toûjours*
15 *quant au caractere : ob indelebilitatem caracteris.* Vous voyez, mes Peres, que cét Auteur, approuvé par trois assemblées generales du Clergé de France, dit clairement que le caractere de la Prestrise est ineffaçable, et cependant vous luy faites dire tout au contraire en ce lieu mesme *que le caractere de la*
20 *Prestrise n'est pas ineffaçable.* Voila une insigne calomnie, c'est à dire, selon vous, un petit peché veniel. Car ce livre vous avoit fait tort, ayant refuté les heresies de vos confreres d'Angleterre touchant l'authorité Episcopale. Mais voicy une insigne extravagance et un gros peché mortel contre la raison.
25 C'est qu'ayant faussement supposé que M. de S. Cyran tient que ce caractere est effaçable, vous en concluez qu'il ne croit donc pas la presence reelle de Jesus-Christ dans l'Eucharistie !

N'attendez pas que je vous réponde là dessus, mes Peres. Si vous n'avez pas de sens commun, je ne puis pas vous en
30 donner. Tous ceux qui en ont se moqueront assez de vous, aussi bien que de vostre troisiéme preuve, qui est fondée sur ces paroles de la *Freq. Com.*, 3e p., ch. 11, *Que Dieu nous donne dans l'Eucharistie* LA MESME VIANDE *qu'aux Saints dans le Ciel, sans qu'il y ait d'autre difference, sinon qu'icy il*
35 *nous en oste la veuë et le goust sensible, reservant l'un et l'autre pour le ciel.* En verité, mes Peres, ces paroles expriment si naïvement le sens de l'Eglise que j'oublie à toute heure par où vous vous y prenez pour en abuser. Car je n'y vois autre chose, sinon ce que le concile de Trente en-
40 seigne, sess. 13, c. 8, qu'il n'y a point d'autre difference entre Jesus-Christ dans l'Eucharistie et Jesus-Christ dans le ciel, sinon qu'il est icy voilé, et non pas là. M. Arnauld ne dit pas

24. *om.* et un . . . raison *C.* 29. n'avez point *C.*

qu'il n'y a point d'autre difference en la maniere de recevoir J.-C., mais seulement qu'il n'y en a point d'autre en Jesus-Christ que l'on reçoit. Et cependant vous voulez, contre toute raison, luy faire dire par ce passage qu'on ne mange non plus icy Jesus-Christ de bouche que dans le ciel : d'où 5 vous concluez son heresie.

Vous me faites pitié, mes Peres. Faut-il vous expliquer cela davantage ? Pourquoy confondez-vous cette nourriture divine avec la maniere de la recevoir ? Il n'y a qu'une seule difference, comme je le viens de dire, dans cette nourriture 10 sur la terre et dans le ciel, qui est qu'elle est icy cachée sous des voiles qui nous en ostent la veüe et le goust sensible. Mais il y a plusieurs differences dans la maniere de la recevoir icy et là, dont la principale est que, comme dit M. Arnaud, 3 part., ch. 16, *il entre icy dans la bouche et dans la* 15 *poitrine et des bons et des méchans*, ce qui n'est pas dans le ciel.

Et si vous ignorez la raison de cette diversité, je vous diray, mes Peres, que la cause pour laquelle Dieu a estably ces differentes manieres de recevoir une mesme viande est la 20 difference qui se trouve entre l'estat des Chrestiens en cette vie et celuy des Bienheureux dans le ciel. L'estat des Chrestiens, comme dit le cardinal du Perron apres les Peres, tient le milieu entre l'estat des Bienheureux et l'estat des Juifs. Les Bienheureux possedent Jesus-Christ reellement, sans 25 figures et sans voiles. Les Juifs n'ont possedé de Jesus-Christ que les figures et les voiles, comme estoient la manne et l'agneau Paschal. Et les Chrestiens possedent Jesus-Christ dans l'Eucharistie veritablement et reellement, mais encore couvert de voiles. *Dieu*, dit Saint Eucher, *s'est fait* 30 *trois tabernacles : la Synagogue, qui n'a eu que les ombres sans verité ; l'Eglise, qui a la verité et les ombres ; et le ciel, où il n'y a point d'ombres, mais la seule verité.* Nous sortirions de l'estat où nous sommes, qui est l'estat de foy, que S. Paul oppose tant à la loy qu'à la claire vision, si nous ne posse- 35 dions que les figures sans Jesus-Christ, parceque c'est le propre de la loy de n'avoir que l'ombre, et non la substance des choses ; et nous en sortirions encore, si nous le possedions visiblement, parceque la foy, comme dit le mesme Apostre, n'est point des choses qui se voyent. Et ainsi 40 l'Eucharistie est parfaitement proportionée à nostre estat de foy, parce qu'elle enferme veritablement Jesus-Christ, mais voilé. De sorte que cét estat seroit destruit, si Jesus-Christ n'estoit pas reellement sous les especes du pain et du vin, comme le pretendent les heretiques; et il seroit destruit encore, si nous le recevions à découvert, comme dans le ciel, puisque ce seroit confondre nostre estat avec l'estat du Judaïsme, ou avec celuy de la gloire. Voila, mes Peres, la raison mysterieuse et divine de ce mystere tout divin. Voila ce qui nous fait abhorrer les Calvinistes, comme nous reduisans à la condition des Juifs; et ce qui nous fait aspirer à la gloire des Bien-heureux, qui nous donnera la pleine et eternelle jouïssance de Jesus-Christ. Par où vous voyez qu'il y a plusieurs differences entre la maniere dont il se communique aux chrestiens et aux Bien-heureux, et qu'entr' autres on le reçoit icy de bouche, et non dans le ciel; mais qu'elles dependent toutes de la seule difference qui est entre l'estat de la foy, où nous sommes, et l'estat de la claire vision, où ils sont. Et c'est, mes Peres, ce que M. Arnauld a dit si clairement en ces termes: *Qu'il faut qu'il n'y ait point d'autre difference entre la pureté de ceux qui reçoivent Jesus-Christ dans l'Eucharistie et celle des Bien-heureux qu'autant qu'il y en a entre la foy et la claire vision de Dieu, de laquelle seule depend la differente maniere dont on le mange dans la terre et dans le ciel.* Vous devriez, mes Peres, avoir reveré dans ces paroles ces saintes veritez, au lieu de les corrompre pour y trouver une heresie qui n'y fut jamais, et qui n'y sçauroit estre, qui est qu'on ne mange Jesus-Christ que par la foy, et non par la bouche, comme le disent malicieusement vos Peres Annat et Meynier, qui en font le capital de leur accusation.

Vous voila donc bien mal en preuves, mes Peres; et c'est pourquoy vous avez eu recours à un nouvel artifice, qui a esté de falsifier le Concile de Trente, afin de faire que M. Arnauld n'y fust pas conforme, tant vous avez de moyens de rendre le monde heretique! C'est ce que fait le P. Meynier en cinquante endroits de son livre, et huit ou dix fois en la seule page 54, où il pretend que, pour s'exprimer en catholique, ce n'est pas assez de dire: *Je croy que Jesus-Christ est present reellement dans l'Eucharistie;* mais qu'il faut dire: *Je croy* AVEC LE CONCILE *qu'il y est present d'une vraie* PRESENCE LOCALE, *ou localement.* Et sur cela, il cite le Concile, sess. 13, can. 3, can. 4, can. 6. Qui ne croiroit, en voyant le mot de *presence locale* cité de trois canons d'un Concile universel, qu'il y seroit effectivement? Cela vous a pû ser-

4. estat ou avec C.

vir avant ma quinziéme lettre ; mais à present, mes Peres, on ne s'y prend plus. On va voir le Concile, et on trouve que vous estes des imposteurs. Car ces termes de *presence locale, localement, localité*, n'y furent jamais. Et je vous declare de plus, mes Peres, qu'ils ne sont dans aucun autre 5 lieu de ce Concile, ny dans aucun autre Concile precedent, ny dans aucun Pere de l'Eglise. Je vous prie donc sur cela, mes Peres, de dire si vous pretendez rendre suspects de Calvinisme tous ceux qui n'ont point usé de ce terme. Si cela est, le Concile de Trente en est suspect, et tous les Peres 10 sans exception. Vous estes trop equitables pour faire un si grand fracas dans l'Eglise pour une querelle particuliere. N'avez-vous point d'autre voye pour rendre M. Arnauld heretique, sans offenser tant de gens qui ne vous ont point fait de mal, entr'autres S. Thomas, qui est un des plus grands def- 15 fenseurs de l'Eucharistie, et qui s'est si peu servi de ce terme qu'il l'a rejetté, au contraire, 3 p., q. 76, a. 5, où il dit : *Nullo modo corpus Christi est in hoc sacramento localiter*? Qui estes-vous donc, mes Peres, pour imposer de vostre autorité de nouveaux termes, dont vous ordonnez de se servir pour 20 bien exprimer sa foy, comme si la profession de foy dressée par les Papes selon l'ordre du Concile, où ce terme ne se trouve point, estoit defectueuse, et laissoit une ambiguité dans la croyance des fideles que vous seuls eussiez découverte ? Quelle temerité de prescrire ces termes aux Docteurs mes- 25 mes ! quelle fausseté de les imposer à des Conciles generaux ! et quelle ignorance de ne sçavoir pas les difficultez que les Saints les plus éclairez ont fait de les recevoir ! *Rougissez*, mes Peres, *de vos impostures ignorantes*, comme dit l'Ecriture aux imposteurs ignorans comme vous : *De mendacio in-* 30 *eruditionis tuæ confundere.*

N'entreprenez donc plus de faire les maistres. Vous n'avez ny le caractere ny la suffisance pour cela. Mais si vous voulez faire vos propositions plus modestement, on pourra les écouter. Car, encore que ce mot de *presence locale* ayt esté 35 rejetté par S. Thomas comme vous avez veu, à cause que le corps de Jesus-Christ n'est pas en l'Eucharistie dans l'estenduë ordinaire des corps en leur lieu, neantmoins ce terme a esté reçeu par quelques nouveaux Auteurs de controverses, parce qu'ils entendent seulement par là que le corps de 40 Jesus-Christ est vrayment sous les especes, lesquelles estant

10. Saints Peres *C.* 11. *om.* Vous . . . particuliere *C.* 25. temerité de les prescrire aux *A.*

en un lieu particulier, le corps de Jesus-Christ y est aussi. Et en ce sens M. Arnauld ne fera point de difficulté de l'admettre, puisque M. de S. Cyran et luy ont declaré tant de fois que Jesus-Christ dans l'Eucharistie est veritablement
5 en un lieu particulier, et miraculeusement en plusieurs lieux à la fois. Ainsi tous vos rafinements tombent par terre, et vous n'avez pû donner la moindre apparence à une accusation qu'il n'eust esté permis d'avancer qu'avec des preuves invincibles.

10 Mais à quoy sert, mes Peres, d'opposer leur innocence à vos calomnies? Vous ne leur attribuez pas ces erreurs dans la creance qu'ils les soutiennent, mais dans la creance qu'ils vous font tort. C'en est assez, selon vostre Theologie, pour les calomnier sans crime, et vous pouvez sans confession ny
15 penitence dire la Messe en mesme temps que vous imputez à des Prestres, qui la disent tous les jours, de croire que c'est une pure idolatrie, ce qui seroit un si horrible sacrilege que vous-mesmes avez fait pendre en effigie vostre propre Pere Jarrige, sur ce qu'il avoit dit la Messe, *estant d'intelli-*
20 *gence avec Genéve.*

Je m'estonne donc non pas de ce que vous leur imposez avec si peu de scrupule des crimes si grands et si faux, mais de ce que vous leur imposez avec si peu de prudence des crimes si peu vray-semblables. Car vous disposez bien
25 des pechez à vostre gré, mais pensez-vous disposer de mesme de la creance des hommes? En verité, mes Peres, s'il falloit que le soupçon de Calvinisme tombast sur eux ou sur vous, je vous trouverois en mauvais termes. Leurs discours sont aussi catholiques que les vostres, mais leur conduite confirme
30 leur foy, et la vostre la dément. Car, si vous croyez aussi bien qu'eux que ce pain est reellement changé au corps de Jesus-Christ, pourquoy ne demandez-vous pas, comme eux, que le cœur de pierre et de glace de ceux à qui vous conseillez d'en approcher soit sincerement changé en un cœur de
35 chair et d'amour? Si vous croyez que Jesus-Christ y est dans un estat de mort pour apprendre à ceux qui s'en approchent à mourir au monde, aux pechez, et à eux-mesmes, pourquoy portez-vous à en approcher ceux en qui les vices et les passions criminelles sont encore toutes vivantes? Et comment
40 jugez-vous dignes de manger le pain du ciel ceux qui ne le seroient pas de manger celuy de la terre?

13. vous nuisent *C.* 19. Messe, au temps où il estoit *C.* 34. de s'en approcher *C.*

O grands venerateurs de ce saint mystere, dont le zele s'employe à persecuter ceux qui l'honnorent par tant de communions saintes, et à flatter ceux qui le deshonnorent par tant de communions sacrileges ! Qu'il est digne de ces defenseurs d'un si pur et si adorable sacrifice d'environner la 5 table de JESUS-CHRIST de pecheurs envieillis, tout sortans de leurs infamies, et de placer au milieu d'eux un prestre que son confesseur mesme envoie de ses impudicitez à l'autel, pour y offrir en la place de Jesus-Christ cette victime toute sainte au Dieu de sainteté, et la porter de ses mains soüil- 10 lées en ces bouches toutes soüillées ! Ne sied-il pas bien à ceux qui pratiquent cette conduite *par toute la terre*, selon des maximes approuvées de leur propre General, d'imputer à l'Auteur de la *Frequente Communion* et aux Filles du saint Sacrement de ne pas croire le saint Sacrement ? 15

Cependant cela ne leur suffit pas encore. Il faut, pour satisfaire leurs passions, qu'ils les accusent afin d'avoir renoncé à JESUS-CHRIST et à leur baptesme. Ce ne sont pas là, mes Peres, des contes en l'air comme les vostres. Ce sont les funestes emportemens par où vous avez comblé la mesure 20 de vos calomnies. Une si insigne fausseté n'eust pas esté en des mains dignes de la soutenir, en demeurant en celles de vostre bon ami Filleau, par qui vous l'avez fait naistre : vostre Societé se l'est attribuée ouvertement, et vostre P. Meynier vient de soutenir *comme une verité certaine* que Port-Royal 25 forme une cabale secrete depuis 35 ans, dont M. de S. Cyran et M. d'Ipre ont esté les chefs, *pour ruiner le mystere de l'Incarnation, faire passer l'Evangile pour une histoire apocryphe, exterminer la Religion chrestienne, et elever le Deisme sur les ruines du Christianisme.* Est-ce là tout, mes Peres ? Serez- 30 vous satisfaits si l'on croit tout cela de ceux que vous haïssez ? Vostre animosité seroit-elle enfin assouvie, si vous les aviez mis en horreur non seulement à tous ceux qui sont dans l'Eglise, par *l'intelligence avec Genéve*, dont vous les accusez, mais encore à tous ceux qui croyent en Jesus-Christ, quoy 35 que hors l'Eglise, par *le deisme* que vous leur imputez ?

Mais qui ne sera surpris de l'aveuglement de vostre conduite ? Car à qui pretendez-vous persuader, sur vostre seule parole, sans la moindre apparence de preuve, et avec toutes

5. de faire environner *C.* 37. Mais à qui pretendez-vous persuader sur vostre seule parole, sans la moindre apparence de preuve, et avec toutes les contradictions imaginables, que des Prestres qui ne preschent que la grace de Jesus-Christ, la pureté de l'Evangile, et les obligations du baptême ont renoncé à leur baptême, à l'Evangile, et à Jesus-Christ ? Qui le croira *C.*

les contradictions imaginables, que des Evêques et des Prêtres qui n'ont fait autre chose que prescher la grace de Jesus-Christ, la pureté de l'Evangile, et les obligations du baptême, avoient renoncé à leur baptesme, à l'Evangile et à
5 Jesus-Christ? qu'ils n'ont travaillé que pour establir cette apostasie, et que le Port-Royal y travaille encore? Qui le croira, mes Peres? Le croyez-vous vous-mesmes, miserables que vous estes? Et à quelle extremité estes-vous reduits, puisqu'il faut necessairement ou que vous prouviez cette
10 accusation, ou que vous passiez pour les plus abandonnez calomniateurs qui furent jamais? Prouvez-le donc, mes Peres; nommez *cét ecclesiastique de merite* que vous dites avoir assisté à cette assemblée de Bourg-Fontaine en 1621, et avoir découvert à vostre Filleau le dessein qui y fut pris de
15 destruire la Religion chrestienne. Nommez ces six personnes que vous dites y avoir formé cette conspiration. Nommez celuy *qui est designé par ces lettres A. A.*, que vous dites, p. 15, *n'estre pas Antoine Arnauld*, parce qu'il vous a convaincus qu'il n'avoit alors que neuf ans, *mais un autre qui est encore*
20 *en vie, et qui est trop bon amy de M. Arnauld pour luy estre inconnu.* Vous le connoissez donc, mes Peres, et par consequent, si vous n'estes vous-mesmes sans Religion, vous estes obligez de deferer cet impie au Roy et au Parlement, pour le faire punir comme il le meriteroit. Il faut parler,
25 mes Peres: il faut le nommer, ou souffrir la confusion de n'estre plus regardez que comme des menteurs indignes d'estre jamais creus. C'est en cette maniere que le bon P. Valerien nous a appris qu'il falloit *mettre à la gesne* et pousser à bout de tels imposteurs. Vostre silence là dessus
30 sera une pleine et entiere conviction de cette calomnie diabolique. Les plus aveugles de vos amys seront contraints d'avoüer *que ce ne sera point un effet de vostre vertu, mais de vostre impuissance;* et d'admirer que vous ayez esté si méchans que de l'estendre jusques aux Religieuses de Port-
35 Royal, et de dire, comme vous faites, p. 14, que le *Chappelet secret du S. Sacrement*, composé par l'une d'elles, a esté le premier fruit de cette conspiration contre Jesus-Christ; et, dans la p. 95, *qu'on leur a inspiré toutes les detestables maximes de cét écrit*, qui est selon vous une instruction de *Deisme.*
40 On a desja ruiné invinciblement vos impostures sur cét écrit dans la defense de la Censure de feu M. l'Archevesque de

9. prouviez qu'ils ne croient pas en J.-Christ, ou que *C.* 19. autre que vous dites estre encore en vie, et trop bon amy *C.*

Paris contre vostre P. Brisacier. Vous n'avez rien à y repartir, et vous ne laissez pas d'en abuser encore d'une maniere plus honteuse que jamais, pour attribuer à des filles d'une pieté connuë de tout le monde le comble de l'impieté. Cruels et lasches persecuteurs, faut-il donc que les cloistres 5 les plus retirez ne soient pas des asyles contre vos calomnies? Pendant que ces saintes Vierges adorent nuit et jour J.-C. au S. Sacrement, selon leur institution, vous ne cessez nuit et jour de publier qu'elles ne croyent pas qu'il soit ny dans l'Eucharistie, ny mesme à la droite de son Pere, et vous les 10 retranchez publiquement de l'Eglise, pendant qu'elles prient dans le secret pour vous et pour toute l'Eglise. Vous calomniez celles qui n'ont point d'oreilles pour vous oüir, ny de bouche pour vous répondre. Mais JESUS-CHRIST, en qui elles sont cachées pour ne paroistre qu'un jour avec luy, vous 15 écoute et répond pour elles. On l'entend aujourd'huy, cette voix sainte et terrible, qui estonne la nature et qui console l'Eglise. Et je crains, mes Peres, que ceux qui endurcissent leurs cœurs, et qui refusent avec opiniatreté de l'ouïr quand il parle en Dieu, ne soient forcez de l'ouïr avec effroy quand 20 il leur parlera en Juge.

Car enfin, mes Peres, quel compte lui pourrez-vous rendre de tant de calomnies, lorsqu'il les examinera non sur les fantaisies de vos PP. Dicastillus, Gans, et Pennalossa, mais sur les regles de sa verité eternelle et sur les saintes ordon- 25 nances de son Eglise, qui, bien loin d'excuser ce crime, l'abhorre tellement qu'elle l'a puny de mesme qu'un homicide volontaire. Car elle a differé aux calomniateurs, aussi bien qu'aux meurtriers, la communion jusques à la mort par le I et II Concile d'Arles. Le Concile de Latran a jugé 30 indignes de l'estat ecclesiastique ceux qui en ont esté convaincus, quoy qu'ils s'en fussent corrigez. Les Papes ont mesme menacé ceux qui auroient calomnié des Evesques, des Prestres, ou des Diacres, de ne leur point donner la communion à la mort. Et les auteurs d'un écrit diffamatoire qui 35 ne peuvent prouver ce qu'ils ont avancé sont condamnez par le Pape Adrien à estre *fouettez*, mes Reverends Peres, *flagellentur*. Tant l'Eglise a toujours esté éloignée des erreurs de vostre Societé si corrompuë qu'elle excuse d'aussi grands crimes que la calomnie, pour les commettre elle-mesme avec 40 plus de liberté.

Certainement, mes Peres, vous seriez capables de produire

6. le plus *C.* 24. Pennalossa, qui les excusent, mais *C.*

par là beaucoup de maux, si Dieu n'avoit permis que vous ayez fourny vous-mesmes les moyens de les empêcher, et de rendre toutes vos impostures sans effet. Car il ne faut que publier cette estrange maxime, qui les exempte de crime,
5 pour vous oster toute creance. La calomnie est inutile si elle n'est jointe à une grande reputation de sincerité. Un médisant ne peut reüssir s'il n'est en estime d'abhorrer la médisance, comme un crime dont il est incapable. Et ainsi, mes Peres, vostre propre principe vous trahit. Vous l'avez
10 estably pour assurer vostre conscience : car vous vouliez médire sans estre damnez, et estre *de ces saints et pieux calomniateurs* dont parle S. Athanase. Vous avez donc embrassé, pour vous sauver de l'enfer, cette maxime qui vous en sauve sur la foy de vos Docteurs ; mais cette maxime
15 mesme, qui vous garantit selon eux des maux que vous craignez en l'autre vie, vous oste en celle-cy l'utilité que vous en esperiez : de sorte qu'en pensant eviter le vice de la médisance, vous en avez perdu le fruit, tant le mal est contraire à soy-mesme, et tant il s'embarrasse et se détruit par sa pro-
20 pre malice.

Vous calomnierez donc plus utilement pour vous en faisant profession de dire, avec S. Paul, que les simples médisans, *maledici*, sont indignes de voir Dieu, puisqu'au moins vos médisances en seroient plutôt creuës, quoy que à la verité
25 vous vous condamneriez vous-mesmes ; mais en disant, comme vous faites, que la calomnie contre vos ennemis n'est pas un crime, vos médisances ne seront point creuës, et vous ne laisserez pas de vous damner. Car il est certain, mes Peres, et que vos Auteurs graves n'aneantiront pas la
30 Justice de Dieu, et que vous ne pouviez donner une preuve plus certaine que vous n'estes pas dans la verité qu'en recourant au mensonge. Si la verité estoit pour vous, elle combattroit pour vous, elle vaincroit pour vous, et, quelques ennemis que vous eussiez, *la verité vous en delivreroit*, selon
35 sa promesse. Vous n'avez recours au mensonge que pour soûtenir les erreurs dont vous flatez les pecheurs du monde, et pour appuyer les calomnies dont vous opprimez les personnes de pieté qui s'y opposent. La verité estant contraire à vos fins, il a fallu mettre *vostre confiance au mensonge*,
40 comme dit un prophete. *Vous avez dit : Les malheurs qui affligent les hommes ne viendront pas jusques à nous ; car nous avons esperé au mensonge, et le mensonge nous protegera.* Mais que leur répond le prophète ? *D'autant*, dit-il, *que vous avez*

mis vostre espérance en la calomnie et au tumulte, sperastis in calumniâ et in tumultu, cette iniquité vous sera imputée, et vostre ruine sera semblable à celle d'une haute muraille qui tombe d'une cheûte impreveuë, et à celle d'un vaisseau de terre, qu'on brise et qu'on écrase en toutes ses parties par un effort si 5 *puissant et si universel qu'il n'en restera pas un test où l'on puisse puiser un peu d'eau ou porter un peu de feu, parce que*, comme dit un autre prophète, *vous avez affligé le cœur du juste, que je n'ay point affligé moy-mesme, et vous avez flaté et fortifié la malice des impies. Je retireray donc mon peuple de vos mains,* 10 *et je feray connoistre que je suis leur seigneur et le vostre.*

Oüy, mes Peres, il faut esperer que, si vous ne changez d'esprit, il retirera de vos mains ceux que vous trompez depuis si longtemps, soit en les laissant dans leurs desordres par vostre mauvaise conduite, soit en les empoisonnant par 15 vos médisances. Il fera concevoir aux uns que les fausses regles de vos Casuistes ne les mettront point à couvert de sa colere, et il imprimera dans l'esprit des autres la juste crainte de se perdre en vous écoutant et en donnant creance à vos impostures, comme vous vous perdez vous-mesmes en 20 les inventant et en les semant dans le monde. Car, il ne s'y faut pas tromper : on ne se mocque point de Dieu, et on ne viole point impunément le commandement qu'il nous a fait dans l'Evangile de ne point condamner nostre prochain sans estre bien asseüré qu'il est coupable. Et ainsi, quelque pro- 25 fession de pieté que fassent ceux qui se rendent faciles à recevoir vos mensonges, et souz quelque pretexte de devotion qu'ils le fassent, ils doivent apprehender d'estre exclus du royaume de Dieu pour ce seul crime, d'avoir imputé d'aussi grands crimes que l'heresie et le schisme à des Prestres 30 catholiques et à des Religieuses, sans autres preuves que des impostures aussi grossieres que les vostres. *Le demon*, dit M. de Genéve, *est sur la langue de celuy qui médit, et dans l'oreille de celuy qui l'écoute. Et la médisance*, dit Saint Bernard, *Cant.* 24, *est un poison qui esteint la charité en l'un* 35 *et en l'autre. De sorte qu'une seule calomnie peut estre mortelle à une infinité d'ames, puisqu'elle tuë non seulement ceux qui la publient, mais encore tous ceux qui ne la rejettent pas.*

Mes Reverends Peres, mes Lettres n'avoient pas accoustumé 40 de se suivre de si pres, n'y d'estre si estenduës. Le peu de

6. avec lequel on puisse *C.* 13. Dieu retirera *C.* 19. en ajoutant foy à *C.* 31. de saintes Religieuses.

temps que j'ay eu a esté cause de l'un et de l'autre. Je n'ay fait celle-cy plus longue que parce que je n'ay pas eu le loisir de la faire plus courte. La raison qui m'a obligé de me haster vous est mieux connuë qu'à moy. Vos Responses vous re-
5 üssissoient mal. Vous avez bien fait de changer de methode, mais je ne sçay si vous avez bien choisi, et si le monde ne dira pas que vous avez eu peur des Benedictins.

Je viens d'apprendre que celuy que tout le monde faisoit Auteur de vos Apologies les desavouë, et se fasche qu'on les luy
10 *attribuë. Il a raison, et j'ay eü tort de l'en avoir soupçonné. Car, quelque assurance qu'on m'en eust donnée, je devois penser qu'il avoit trop de jugement pour croire vos impostures, et trop d'honneur pour les publier sans les croire. Il y a peu de gens du monde capables de ces excez qui vous sont propres, et qui*
15 *marquent trop vostre caractere pour me rendre excusable de ne vous y avoir pas reconnus. Le bruit commun m'avoit emporté. Mais cette excuse, qui seroit trop bonne pour vous, n'est pas suffisante pour moy, qui fais profession de ne rien dire sans preuve certaine, et qui n'en ay dit aucune que celle-la. Je m'en*
20 *repens, je la desadvoue, et je souhaite que vous profitiez de mon exemple.*

DIX-SEPTIÉME LETTRE

ESCRITE PAR L'AUTHEUR DES LETTRES AU PROVINCIAL

AU REVEREND P. ANNAT, JESUITE.

Ce 23 Janvier 1657.

MON REVEREND PERE,

Vostre procedé m'avoit fait croire que vous desiriez que nous demeurassions en repos de part et d'autre, et je m'y estois disposé. Mais vous avez depuis produit tant d'écrits en peu de temps qu'il paroist bien qu'une paix n'est guere assurée quand elle dépend du silence des Jesuites. Je ne 5 sçay si cette rupture vous sera fort avantageuse ; mais, pour moy, je ne suis pas fasché qu'elle me donne le moyen de destruire ce reproche ordinaire d'heresie dont vous remplissez tous vos livres.

Il est temps que j'arrèste une fois pour toutes cette har- 10 diesse que vous prenez de me traitter d'heretique, qui s'augmente tous les jours. Vous le faites, dans ce livre que vous venez de publier, d'une maniere qui ne se peut plus souffrir, et qui me rendroit enfin suspect, si je ne vous y répondois comme le merite un reproche de cette nature. J'avois mé- 15 prisé cette injure dans les écrits de vos confreres, aussi bien qu'une infinité d'autres qu'ils y meslent indifferemment. Ma 15 Lettre y avoit assez répondu ; mais vous en parlez maintenant d'un autre air ; vous en faites serieusement le capital de vostre deffense : c'est presque la seule chose que vous y 20 employez. Car vous dites, *Que, pour toute réponse à mes* 15 *lettres, il suffit de dire* 15 *fois que je suis heretique, et qu'estant declaré tel, je ne merite aucune creance.* Enfin vous ne mettez pas mon apostasie en question, et vous la supposez comme un

Title. *om.* Escrite . . . Provincial *C.*

principe ferme, sur lequel vous bastissez hardiment. C'est donc tout de bon, mon Pere, que vous me traittez d'heretique, et c'est aussi tout de bon que je vous y vas répondre.

Vous sçavez bien, mon Pere, que cette accusation est si 5 importante que c'est une temerité insupportable de l'avancer, si on n'a pas de quoy la prouver. Je vous demande quelles preuves vous en avez? Quand m'a-t-on vu à Charenton? Quand ay-je manqué à la Messe et aux devoirs des Chrestiens à leurs paroisses? Quand ay-je fait quelque action d'union 10 avec les heretiques, ou de schisme avec l'Eglise? Quel Concile ay-je contredit? Quelle Constitution de Pape ay-je violée? Il faut répondre, mon Pere, ou . . . vous m'entendez bien. Et que répondez-vous? Je prie tout le monde de l'observer. Vous supposez premierement, *Que celuy qui escrit* 15 *les Lettres est de Port-Royal.* Vous dites ensuite, *Que le Port-Royal est declaré heretique :* d'où vous concluez *que celuy qui écrit les Lettres est declaré heretique.* Ce n'est donc pas sur moy, mon Pere, que tombe le fort de cette accusation, mais sur le Port-Royal, et vous ne m'en chargez que parce que 20 vous supposez que j'en suis. Ainsi je n'auray pas grand peine à m'en defendre, puisque je n'ay qu'à vous dire que je n'en suis pas, et à vous renvoyer à mes Lettres, où j'ay dit *que je suis seul*, et, en propres termes, que *je ne suis point de Port-Royal*, comme j'ay fait dans la 16 qui a precedé vostre 25 livre.

Prouvez donc d'une autre maniere que je suis heretique, ou tout le monde reconnoistra vostre impuissance. Prouvez que je ne reçoy pas la Constitution par mes écrits. Ils ne sont pas en si grand nombre. Il n'y a que 16 Lettres à exa-30 miner, où je vous defie, et vous et toute la terre, d'en produire la moindre marque. Mais je vous y feray bien voir le contraire. Car quand j'ay dit par exemple dans la 14, *Qu'en tuant, selon vos maximes, ses freres en peché mortel, on damne ceux pour qui Jesus-Christ est mort*, n'ay-je pas visiblement 35 reconnu que Jesus-Christ est mort pour ces damnez, et qu'ainsi il est faux, *Qu'il ne soit mort que pour les seuls predestinez*, ce qui est condamné dans la cinquiéme Proposition? Il est donc seur, mon Pere, que je n'ay rien dit pour soustenir ces Propositions impies, que je deteste de tout mon 40 cœur. Et, quand le Port-Royal les tiendroit, je vous declare que vous n'en pouvez rien conclure contre moy, parceque,

9. leur paroisse *C.* 15. des lettres B^2. 20. grande *B.* 26. Prouvez par mes écrits que je ne recoy pas la Constitution *C.*

graces à Dieu, je n'ay d'attache sur la terre qu'à la seule Eglise Catholique, Apostolique et Romaine, dans laquelle je veux vivre et mourir, et dans la communion avec le Pape, son souverain Chef, hors de laquelle je suis tres-persuadé qu'il n'y a point de salut. 5

Que ferez-vous à une personne qui parle de cette sorte, et par où m'attaquerez-vous ; puisque ny mes discours ny mes écrits ne donnent aucun pretexte à vos accusations d'heresie, et que je trouve ma seüreté contre vos menaces dans l'obscurité qui me couvre ? Vous vous sentez frappez par une 10 main invisible qui rend vos égaremens visibles à toute la terre, et vous essayez en vain de m'attaquer en la personne de ceux ausquels vous me croyez uny. Je ne vous crains ny pour moy, ny pour aucun autre, n'estant attaché ny à quelque communauté ny à quelque particulier que ce soit. Tout le 15 credit que vous pouvez avoir est inutile à mon égard. Je n'espere rien du monde : je n'en apprehende rien, je n'en veux rien ; je n'ay besoing, par la grace de Dieu, ny du bien ny de l'autorité de personne. Ainsi, mon Pere, j'échappe à toutes vos prises. Vous ne pouvez me saisir, de quelque 20 costé que vous le tentiez. Vous pouvez bien toucher le Port-Royal, mais non pas moy. On a bien delogé des gens de Sorbonne, mais cela ne me deloge pas de chez moy. Vous pouvez bien preparer des violences contre des Prestres et des Docteurs, mais non pas contre moy, qui n'ay point ces qualitez. 25 Et ainsy peut-estre n'eustes-vous jamais affaire à une personne qui fust si hors de vos atteintes et si propre à combattre vos erreurs, estant libre, sans engagement, sans attachement, sans liaison, sans relation, sans affaires, assez instruit de vos maximes, et bien resolu de les pousser autant que je croiray 30 que Dieu m'y engagera, sans qu'aucune consideration humaine puisse arrester ny ralentir mes poursuites.

A quoy vous sert-il donc, mon Pere, lorsque vous ne pouvez rien contre moy, de publier tant de calomnies contre des personnes qui ne sont point meslées dans nos differens, 35 comme font tous vos Peres ? Vous n'échapperez pas par ces fuïtes. Vous sentirez la force de la verité que je vous oppose. Je vous dis que vous aneantissez la Morale Chrestienne en la separant de l'amour de Dieu, dont vous dispensez les hommes ; et vous me parlez de *la mort du P. Mester*, que 40 je n'ay veü de ma vie. Je vous dis que vos Auteurs permettent de tuer pour une pomme, quand il est honteux de la

20. ne me sçauriez prendre *C.*

laisser perdre ; et vous me dites *qu'on a ouvert un tronc à S. Merry*. Que voulez-vous dire, de mesme, de me prendre tous les jours à partie sur le livre *de la sainte Virginité*, fait par un P. de l'Oratoire que je ne vis jamais, non plus que 5 son livre ? Je vous admire, mon Pere, de considerer ainsi tous ceux qui vous sont contraires comme une seule personne. Vostre haine les embrasse tous ensemble, et en forme comme un corps de reprouvez, dont vous voulez que chacun réponde pour tous les autres.

10 Il y a bien de la difference entre les Jesuites et ceux qui les combattent. Vous composez veritablement un corps uny souz un seul chef ; et vos regles, comme je l'ay fait voir, vous deffendent de rien imprimer sans l'aveü de vos Superieurs, qui sont rendus responsables des erreurs de tous les 15 particuliers, *sans qu'ils puissent s'excuser en disant qu'ils n'ont pas remarqué les erreurs qui y sont enseignées, parce qu'ils les doivent remarquer*, selon vos Ordonnances et selon les lettres de vos generaux Aquaviva, Vitteleschi, etc. C'est donc avec raison qu'on vous reproche les égaremens de vos confreres, 20 qui se trouvent dans leurs ouvrages approuvez par vos Superieurs et par les Theologiens de vostre Compagnie. Mais, quant à moy, mon Pere, il en faut juger autrement. Je n'ay pas souscrit le livre *de la sainte Virginité*. On ouvriroit tous les troncs de Paris sans que j'en fusse moins catholique. 25 Et enfin je vous declare hautement et nettement que personne ne répond de mes Lettres que moy ; et que je ne répons de rien que de mes Lettres.

Je pourrois en demeurer là, mon Pere, sans parler de ces autres personnes que vous traitez d'heretiques pour me com- 30 prendre dans cette accusation. Mais, comme j'en suis l'occasion, je me trouve engagé, en quelque sorte, à me servir de cette mesme occasion pour en tirer trois avantages. Car c'en est un bien considerable de faire paroistre l'innocence de tant de personnes calomniées. C'en est un autre, et bien propre 35 à mon sujet, de monstrer toûjours les artifices de vostre politique dans cette accusation. Mais celuy que j'estime le plus est que j'apprendray par là à tout le monde, la fausseté de ce bruit scandaleux que vous semez de tous costés : *Que l'Eglise est divisée par une nouvelle heresie*. Et, comme vous abusez 40 une infinité de personnes en leur faisant accroire que les points sur lesquels vous essayez d'exciter un si grand orage sont essentiels à la foy, je trouve d'une extrême importance de détruire ces fausses impressions, et d'expliquer icy nettement en quoy ils consistent, pour monstrer qu'en effet il n'y a point d'heretiques dans l'Eglise.

Car n'est-il pas veritable que, si l'on demande en quoy consiste l'heresie de ceux que vous appellez Jansenistes, on répondra incontinent que c'est en ce que ces gens-là disent, 5 *Que les commandemens de Dieu sont impossibles; Qu'on ne peut resister à la grace; et qu'on n'a pas la liberté de faire le bien et le mal; Que* JESUS-CHRIST *n'est pas mort pour tous les hommes, mais seulement pour les predestinez; Et enfin qu'ils soûtiennent les cinq Propositions condamnées par le Pape?* Ne 10 faites-vous pas entendre que c'est pour ce sujet que vous persecutez vos adversaires? N'est-ce pas ce que vous dites dans vos livres, dans vos entretiens, dans vos catechismes, comme vous fistes encore aux festes de Noël, à S. Louis, en demandant à une de vos petites bergeres: *Pour qui est venu* 15 *Jesus-Christ, ma fille? Pour tous les hommes, mon Pere. Et quoy, ma fille, vous n'estes donc pas de ces nouveaux heretiques qui disent qu'il n'est venu que pour les predestinez?* Les enfans vous croyent là dessus, et plusieurs autres aussi, car vous les entretenez de ces mesmes fables dans vos ser- 20 mons, comme vostre P. Crasset à Orleans, qui en a esté interdit. Et je vous avouë que je vous ay creû aussi autrefois. Vous m'aviez donné cette mesme idée de toutes ces personnes-là. De sorte que, quand vous commençastes à les accuser de tenir ces Propositions, j'observois avec attention quelle 25 seroit leur réponse, et j'estois fort disposé à ne les voir jamais, s'ils n'eussent declaré qu'ils y renonçoient comme à des impietez visibles; mais ils le firent bien hautement. Car M. de Sainte-beuve, professeur du Roy en Sorbonne, censura dans ses écrits publics ces 5 propositions longtemps 30 avant le Pape, et ces Docteurs firent paroistre plusieurs écrits, et entr'autres celuy *de la Grace Victorieuse*, qu'ils produisirent en mesme temps, où ils rejettent ces propositions et comme heretiques et comme estrangeres. Car ils disent dans la Preface, *Que ce sont des propositions heretiques* 35 *et Lutheriennes, fabriquées et forgées à plaisir, qui ne se trouvent ny dans Jansenius ny dans ses defenseurs:* ce sont leurs termes. Ils se plaignent de ce qu'on les leur attribuë, et vous adressent pour cela ces paroles de S. Prosper, le premier disciple de S. Augustin, leur maistre, à qui les Semipelagiens 40 de France en imputerent de pareilles pour le rendre odieux. *Il y a,* dit ce saint, *des personnes qui ont une passion si aveugle*

3. vray *C.*   24. que, lorsque vous les pressiez sur ces *C.*

de nous décrier qu'ils en ont pris un moyen qui ruïne leur propre reputation. Car ils ont fabriqué à dessein de certaines propositions, pleines d'impietez et de blasphemes, qu'ils envoyent de tous costez, pour faire croire que nous les soûtenons au 5 *mesme sens qu'ils ont exprimé par leur écrit. Mais on verra, par cette réponse, et nostre innocence et la malice de ceux qui nous ont imputé ces impietez, dont ils sont les uniques inventeurs.*

En verité, mon Pere, lorsque je les ouïs parler de la sorte 10 avant la Constitution, quand je vis qu'ils la receurent en suite avec tout ce qui se peut de respect, qu'ils offrirent de la souscrire, et que M. Arnauld eut declaré tout cela, plus fortement que je ne le puis rapporter, dans toute sa seconde lettre, j'eusse creû pecher de douter de leur foy. Et en effet, 15 ceux qui avoient voulu refuser l'absolution à leurs amis avant la lettre de M. Arnauld ont declaré depuis, qu'aprés qu'il avoit si nettement condamné ces erreurs qu'on luy imputoit, il n'y avoit aucune raison de le retrancher, ny luy ny ses amis, de l'Eglise. Mais vous n'en avez pas usé de mesme. Et 20 c'est sur quoy je commençay à me defier que vous agissiez avec passion.

Car, au lieu que vous les aviez menacez de leur faire signer cette Constitution quand vous pensiez qu'ils y resisteroient, lorsque vous vistes qu'ils s'y portoient d'eux-mesmes, 25 vous n'en parlastes plus. Et quoy qu'il semblast que vous deussiez aprés cela estre satisfaits de leur conduite, vous ne laissastes pas de les traiter encore d'heretiques, *parce*, disiez-vous, *que leur cœur démentoit leur main, et qu'ils estoient Catholiques exterieurement, et heretiques interieurement*, comme 30 vous-mesme l'avez dit dans vostre *Resp. à quelques demandes*, p. 27 et 47.

Que ce procedé me parut étrange, mon Pere! Car de qui n'en peut-on pas dire autant? et quel trouble n'exciteroit-on point par ce pretexte? *Si l'on refuse*, dit S. Gregoire Pape, 35 *de croire la confession de foy de ceux qui la donnent conforme aux sentimens de l'Eglise, on remet en doute la foy de toutes les personnes Catholiques.* Je craignis donc, mon Pere, *que vostre dessein ne fust de rendre ces personnes heretiques sans qu'ils le fussent*, comme parle le mesme Pape sur une dispute 40 pareille de son temps: *parce*, dit-il, *que ce n'est pas s'opposer aux heresies, mais c'est faire une heresie que de refuser de croire ceux qui, par leur confession, témoignent d'estre dans la veri-*

26. satisfait *C.*

table foy : Hoc non est hæresim purgare, sed facere. Mais je connus, en verité, qu'il n'y avoit point en effet d'heretiques dans l'Eglise, quand je vis qu'ils s'estoient si bien justifiez de toutes ces heresies, que vous ne pustes plus les accuser d'aucune erreur contre la foy, et que vous fustes reduits à les en- 5 treprendre seulement sur des questions de fait touchant Jansenius, qui ne pouvoient estre matiere d'heresie. Car vous les voulustes obliger à reconnoistre *que ces propositions estoient dans Jansenius, mot à mot, toutes, et en propres termes*, comme vous l'écrivistes encore vous mesmes : *Singulares*, 10 *individuæ, totidem verbis apud Jansenium contentæ*, dans vos *Cavilli*, c. 39.

Dés-lors vostre dispute commença à me devenir indifferente. Quand je croyois que vous disputiez de la verité ou de la fausseté des Propositions, je vous escoutois avec attention ; 15 car cela touchoit la foy ; mais quand je vis que vous ne disputiez plus que pour sçavoir si elles estoient *mot à mot* dans Jansenius, ou non ; comme la religion n'y estoit plus interessée, je ne m'y interessay plus aussi. Ce n'est pas qu'il n'y eust bien de l'apparence que vous disiez vray : car de dire 20 que des paroles sont *mot à mot* dans un Autheur, c'est à quoy l'on ne peut se méprendre. Aussi je ne m'étonne pas que tant de personnes, et en France et à Rome, aient creû, sur une expression si peu suspecte, que Jansenius les avoit enseignées en effet. Et c'est pourquoy je ne fus pas peu sur- 25 pris d'apprendre que ce point de fait mesme, que vous aviez proposé comme si certain et si important, estoit faux, et qu'on vous défia de citer les pages de Jansenius où vous aviez trouvé ces Propositions *mot à mot*, sans que vous l'ayez jamais pu faire. 30

Je rapporte toute cette suite, parce qu'il me semble que cela decouvre assez l'esprit de vostre Societé en toute cette affaire, et qu'on admirera de voir que, malgré tout ce que je viens de dire, vous n'ayez pas cessé de publier qu'ils estoient tousjours heretiques ; mais vous avez seulement changé leur 35 heresie selon le temps. Car, à mesure qu'ils se justifioient de l'une, vos Peres en substituoient une autre, afin qu'ils n'en fussent jamais exempts. Ainsi, en 1653, leur heresie estoit sur la qualité des propositions. En suite elle fut sur le *mot à mot*. Depuis vous la mites dans le cœur. Mais 40 aujourd'huy on ne parle plus de tout cela, et l'on veut qu'ils

6. les questions *B*. 26. ce mesme point de fait *C*.

soient heretiques s'ils ne signent *que le sens de la doctrine de Jansenius se trouve dans le sens de ces cinq propositions.*

Voila le sujet de vostre dispute presente. Il ne vous suffit pas qu'ils condamnent les cinq Propositions, et encore
5 tout ce qu'il y auroit dans Jansenius qui pourroit y estre conforme et contraire à S. Augustin. Car ils font tout cela. De sorte qu'il n'est pas question de sçavoir, par exemple, *si Jesus-Christ n'est mort que pour les Predestinez.* Ils condamnent cela aussi bien que vous : mais si Jansenius est de ce
10 sentiment là, ou non. Et c'est sur quoy je vous declare plus que jamais que vostre dispute me touche peu, comme elle touche peu l'Eglise. Car, encore que je ne sois pas Docteur, non plus que vous, mon Pere, je vois bien neantmoins qu'il n'y va point de la foy; puisqu'il n'est question que de
15 sçavoir quel est le sens de Jansenius. S'ils croyoient que sa doctrine fust conforme au sens propre et litteral de ces Propositions, ils la condamneroient, et ils ne refusent de le faire que parce qu'ils sont persuadez qu'elle en est bien differente : ainsi, quand ils l'entendroient mal, ils ne seroient pas here-
20 tiques; puisqu'ils ne l'entendent qu'en un sens catholique.

Et, pour expliquer cela par un exemple, je prendray la diversité de sentimens qui fut entre saint Basile et saint Athanase touchant les Escrits de saint Denis d'Alexandrie, dans lesquels saint Basile croiant trouver le sens d'Arius contre
25 l'egalité du Pere et du Fils, il les condamna comme heretiques; mais S. Athanase, au contraire, y croiant trouver le veritable sens de l'Eglise, il les soûtint comme catholiques. Pensez-vous donc, mon Pere, que S. Basile, qui tenoit ces Escrits pour Ariens, eust droit de traiter S. Athanase d'here-
30 tique parce qu'il les defendoit? Et quel sujet en eust-il eû, puisque ce n'estoit pas l'Arianisme qu'il y defendoit, mais la verité de la foy qu'il pensoit y estre? Si ces deux Saints fussent convenus du veritable sens de ces Escrits, et qu'ils y eussent tous deux reconnu cette heresie, sans doute S. Atha-
35 nase n'eust pû les approuver sans heresie; mais, comme ils estoient en different touchant ce sens, S. Athanase estoit catholique en les soûtenant, quand mesme il les eust mal entendus; puisque ce n'eust esté qu'une erreur de fait, et qu'il ne defendoit dans cette doctrine que la foy catholique
40 qu'il y supposoit.

Je vous en dis de mesme, mon Pere. Si vous conveniez du sens de Jansenius, et qu'ils fussent d'accord avec vous,

31. *om.* y *ABC.* 42. que vos adversaires fussent *C.*

qu'il tient, par exemple, *qu'on ne peut resister à la grace*, ceux qui refuseroient de le condamner seroient heretiques. Mais, lors que vous disputez de son sens, et qu'ils croyent que selon sa doctrine *on peut resister à la grace*, vous n'avez aucun sujet de les traiter d'heretiques, quelque heresie que 5 vous luy attribuïez vous mesmes ; puisqu'ils condamnent le sens que vous y supposez, et que vous n'oseriez condamner le sens qu'ils y supposent. Si vous voulez donc les convaincre, monstrez que le sens qu'ils attribuent à Jansenius est heretique : car alors ils le seront eux-mesmes. Mais 10 comment le pourriez vous faire ; puisqu'il est constant, selon vostre propre aveü, que celuy qu'ils luy donnent n'est point condamné ?

Pour vous le monstrer clairement, je prendray pour principe ce que vous reconnoissez vous-mesmes, *que la doctrine* 15 *de la grace efficace n'a point esté condamnée, et que le Pape n'y a point touché par sa Constitution.* Et en effet, quand il voulut juger des 5 propositions, le point de la grace efficace fust mis à couvert de toute censure. C'est ce qui paroist parfaitement par les Avis des Consulteurs ausquels le Pape les 20 donna à examiner. J'ay ces Avis entre mes mains, aussi bien que plusieurs personnes dans Paris, et entr'autres M. l'Evesque de Montpelier, qui les apporta de Rome. On y voit que leurs opinions furent partagées, et que les principaux d'entr'eux, comme le Maistre du sacré Palais, le Commis- 25 saire du saint Office, le General des Augustins, et d'autres, croyant que ces propositions pouvoient estre prises au sens de la grace efficace, furent d'avis qu'elles ne devoient point estre censurées ; au lieu que les autres, demeurant d'accord qu'elles n'eussent pas deu estre condamnées si elles eussent 30 eü ce sens, estimerent qu'elles le devoient estre ; parce que, selon ce qu'ils declarent, leur sens propre et naturel en estoit tres-éloigné. Et c'est pourquoy le Pape les condamna, et tout le monde s'est rendu à son jugement.

Il est donc seür, mon Pere, que la grace efficace n'a point 35 esté condamnée. Aussi est-elle si puissamment soutenuë par S. Augustin, par S. Thomas et toute son Ecole, par tant de Papes et de Conciles, et par toute la Tradition, que ce seroit une impieté de la taxer d'heresie. Or tous ceux que vous traitez d'heretiques declarent qu'ils ne trouvent autre chose 40 dans Jansenius que cette doctrine de la grace efficace. Et c'est la seule chose qu'ils ont soutenuë dans Rome. Vous-mesme l'avez reconnu, *Cavilli*, p. 35, où vous avez declaré

qu'en parlant devant le Pape ils ne dirent aucun mot des Propositions, ne verbum quidem, et qu'ils employerent tout le temps à parler de la grace efficace. Et ainsi, soit qu'ils se trompent ou non dans cette supposition, il est au moins sans doute
5 que le sens qu'ils supposent n'est point heretique, et que par consequent ils ne le sont point. Car, pour dire la chose en deux mots, ou Jansenius n'a enseigné que la grace efficace, et en ce cas il n'a point d'erreurs ; ou il a enseigné autre chose, et en ce cas il n'a point de defenseurs. Toute la
10 question est donc de sçavoir si Jansenius a enseigné en effet autre chose que la grace efficace ; et si l'on trouve que oüy, vous aurez la gloire de l'avoir mieux entendu, mais ils n'auront point le malheur d'avoir erré dans la foy.

Il faut donc loüer Dieu, mon Pere, de ce qu'il n'y a point
15 en effet d'heresie dans l'Eglise ; puisqu'il ne s'agit en cela que d'un point de fait, qui n'en peut former. Car l'Eglise decide les points de foy avec une autorité divine, et elle retranche de son corps tous ceux qui refusent de les recevoir ; mais elle n'en use pas de mesme pour les choses de fait. Et
20 la raison en est que nostre salut est attaché à la foy, qui nous a esté revelée et qui se conserve dans l'Eglise par la tradition, mais qu'il ne depend point des autres faits particuliers, qui n'ont point esté revelez de Dieu. Ainsi on est obligé de croire que les commandemens de Dieu ne sont pas impossibles, mais
25 on n'est pas obligé de sçavoir ce que Jansenius a enseigné sur ce sujet. C'est pourquoy Dieu conduit l'Eglise, dans la determination des points de la foy, par l'assistance de son esprit qui ne peut errer ; au lieu que, dans les choses de fait, il la laisse agir par les sens et par la raison, qui en sont
30 naturellement les juges. Car il n'y a que Dieu qui ait pû instruire l'Eglise de la foy ; mais il n'y a qu'à lire Jansenius pour sçavoir si des propositions sont dans son livre. Et de là vient que c'est une heresie de resister aux decisions de foy, parce que c'est opposer son esprit propre à l'esprit de Dieu.
35 Mais ce n'est pas une heresie, quoy que ce puisse estre une temerité, que de ne pas croire certains faits particuliers ; parce que ce n'est qu'opposer la raison, qui peut estre claire, à une autorité qui est grande, mais qui en cela n'est pas infaillible.

40 C'est ce que tous les Theologiens reconnoissent, comme il paroist par cette maxime du cardinal Bellarmin, de vostre Societé : *Les Conciles generaux et legitimes ne peuvent errer en definissant les dogmes de foy ; mais ils peuvent errer en des*

questions de fait. Et ailleurs : *Le Pape comme Pape, et mesme à la teste d'un Concile universel, peut errer dans les controverses particulieres de fait, qui dependent principalement de l'information et du témoignage des hommes.* Et le cardinal Baronius de mesme : *Il faut se soûmettre entierement aux decisions des* 5 *Conciles dans les points de foy ; mais, pour ce qui concerne les personnes et leurs escrits, les censures qui en ont esté faites ne se trouvent pas avoir esté gardées avec tant de rigueur, parce qu'il n'y a personne à qui il ne puisse arriver d'y estre trompé.* C'est aussi pour cette raison que M. l'Archevesque de Toulouse 10 a tiré cette regle des lettres de deux grands Papes, Saint Leon et Pelage II, *Que le propre objet des Conciles est la foy, et que tout ce qui s'y resout hors la foy peut estre reveü et examiné de nouveau ; au lieu qu'on ne doit plus examiner ce qui a esté decidé en matiere de foy, parce que, comme dit Tertullien, la regle* 15 *de la foy est seule immobile et irretractable.*

De là vient qu'au lieu qu'on n'a jamais veu les Conciles generaux et legitimes contraires les uns aux autres dans les points de foy, *parce que*, comme dit M. de Toulouse, *il n'est pas seulement permis d'examiner de nouveau ce qui a esté desja* 20 *decidé en matiere de foy*, on a veu quelquefois ces mesme Conciles opposez sur des points de fait où il s'agissoit de l'intelligence du sens d'un Auteur *parce que*, comme dit encore M. de Toulouse, aprés les Papes qu'il cite, *tout ce qui se resout dans les Conciles hors la foy peut estre reveü et examiné de nouveau.* 25 C'est ainsi que le IV et le V Concile paroissent contraires l'un à l'autre en l'interpretation des mesmes Auteurs : et la mesme chose arriva entre deux Papes sur une proposition de certains Moynes de Scythie. Car, aprés que le Pape Hormisdas l'eut condamnée en l'entendant en un mauvais sens, le Pape Jean 30 II, son successeur, l'examinant de nouveau et l'entendant en un bon sens, l'approuva et la declara catholique. Diriez-vous pour cela qu'un de ces Papes fust heretique ? Et ne faut-il donc pas avoüer que, pourveu que l'on condamne le sens heretique qu'un Pape auroit supposé dans un escrit, on n'est 35 pas heretique pour ne pas condamner cét escrit en le prenant en un sens qu'il est certain que le Pape n'a pas condamné ; puisque autrement l'un de ces deux Papes seroit tombé dans l'erreur ?

J'ay voulu, mon Pere, vous accoustumer à ces contrarietez, 40 qui arrivent entre les catholiques sur des questions de fait

13. hors de la *ABC*. 26. conciles *AB*².

touchant l'intelligence du sens d'un autheur, en vous monstrant sur cela un Pere de l'Eglise contre un autre, un Pape contre un Pape, et un Concile contre un Concile, pour vous mener de là à d'autres exemples d'une pareille opposition, mais plus disproportionnée. Car vous y verrez des Conciles et des Papes d'un costé, et des Jesuites de l'autre, qui s'opposeront à leurs decisions touchant le sens d'un auteur, sans que vous accusiez vos confreres, je ne dis pas d'heresie, mais non pas mesme de temerité.

Vous sçavez bien, mon Pere, que les écrits d'Origene furent condamnez par plusieurs Conciles et par plusieurs Papes, et mesme par le V Concile general, comme contenant des heresies, et entr'autres celle *de la reconciliation des demons au jour du jugement.* Croyez-vous sur cela qu'il soit d'une necessité absoluë, pour estre catholique, de confesser qu'Origene a tenu en effet ces erreurs ; et qu'il ne suffise pas de les condamner sans les luy attribuer ? Si cela estoit, que deviendroit vostre Pere Halloix, qui a soûtenu la pureté de la foy d'Origene, aussi bien que plusieurs autres catholiques qui ont entrepris la mesme chose, comme Pic de la Mirande et Genebrard, Docteur de Sorbonne ? Et n'est-il pas certain encore que ce mesme V Concile General condamna les écrits de Theodoret contre S. Cyrille, *comme impies, contraires à la vraie foy, et contenant l'heresie Nestorienne ?* Et cependant le P. Sirmond, Jesuite, n'a pas laissé de le deffendre, et de dire, dans la vie de ce Pere, *que ces mesmes écrits sont exempts de cette heresie Nestorienne.*

Vous voyez donc, mon Pere, que, quand l'Eglise condamne des écrits, elle y suppose une erreur qu'elle y condamne, et alors il est de foy que cette erreur est condamnée ; mais qu'il n'est pas de foy que ces écrits contiennent en effet l'erreur que l'Eglise y suppose. Je croy que cela est assez prouvé ; et ainsi je finiray ces exemples par celuy du Pape Honorius, dont l'histoire est si connuë. On sçait qu'au commencement du VII siècle, l'Eglise estant troublée par l'heresie des Monothelites, ce Pape, pour terminer ce different, fit un Decret qui sembloit favoriser ces heretiques : de sorte que plusieurs en furent scandalisez. Cela se passa neantmoins avec peu de bruit souz son Pontificat ; mais, cinquante ans aprés, l'Eglise estant assemblée dans le VI Concile General, où le Pape Agathon presidoit par ses Legats, ce Decret y fust deferé ; et, aprés avoir esté leü et examiné, il fust condamné comme

22. condamne *B*².

contenant l'heresie des Monothelites, et brûlé en cette qualité en pleine assemblée avec les autres écrits de ces heretiques. Et cette decision fust receüe avec tant de respect et d'uniformité dans toute l'Eglise qu'elle fust confirmée ensuite par deux autres Conciles Generaux, et mesme par les Papes Leon 5 II et par Adrien II, qui vivoit deux cents ans aprés, sans que personne ait troublé ce consentement si universel et si paisible durant sept ou huit siecles. Cependant quelques auteurs de ces derniers temps, et entr'autres le cardinal Bellarmin, n'ont pas crû se rendre heretiques pour avoir soûtenu, contre tant 10 de Papes et de Conciles, que les écrits d'Honorius sont exempts de l'erreur qu'ils avoient declaré y estre, *parce*, dit-il *que, les Conciles Generaux pouvant errer dans les questions de fait, on peut dire en toute assurance que le VI Concile s'est trompé en ce fait là, et que, n'ayant pas bien entendu le sens* 15 *des lettres d'Honorius, il a mis à tort ce Pape au nombre des heretiques.*

Remarquez donc bien, mon Pere, que ce n'est pas estre heretique de dire que le Pape Honorius ne l'estoit pas, encore que plusieurs Papes et plusieurs Conciles l'eussent declaré, 20 et mesme aprés l'avoir examiné. Je viens donc maintenant à nostre question, et je vous permets de faire vostre cause aussi bonne que vous le pourrez. Que direz-vous, mon Pere, pour rendre vos adversaires heretiques? *Que le Pape Innocent X a declaré que l'erreur des cinq propositions est dans* 25 *Jansenius?* Je vous laisse dire tout cela. Qu'en conclurez-vous? *Que c'est estre heretique de ne pas reconnoistre que l'erreur des cinq propositions est dans Jansenius?* Que vous en semble-t-il, mon Pere? N'est-ce donc pas icy une question de fait de mesme nature que les precedentes? Le Pape a 30 declaré que l'erreur des cinq propositions est dans Jansenius, de mesme que ses predecesseurs avoient declaré que l'erreur des Nestoriens et des Monothelites estoit dans les écrits de Theodoret et d'Honorius. Surquoy vos Peres ont écrit qu'ils condamnent bien ces heresies, mais qu'ils ne demeurent 35 pas d'accord que ces Auteurs les aient tenuës: de mesme que vos adversaires disent aujourd'huy qu'ils condamnent bien ces cinq Propositions, mais qu'ils ne sont pas d'accord que Jansenius les ait enseignées. En verité, mon Pere, ces cas-là sont bien semblables; et, s'il s'y trouve quelque dif- 40 ference, il est aisé de voir combien elle est à l'avantage de la

6. et Adrien *C.* 13. des Conciles *ABC.*

question presente, par la comparaison de plusieurs circonstances particulieres qui sont visibles d'elles-mesmes, et que je ne m'arreste pas à rapporter. D'où vient donc, mon Pere, que, dans une mesme cause, vos Peres sont catholiques et 5 vos adversaires heretiques? Et par quelle estrange exception les privez-vous d'une liberté que vous donnez à tout le reste des fideles?

Que direz-vous sur cela, mon Pere? *Que le Pape a confirmé sa Constitution par un bref?* Je vous répondray que 10 deux Conciles generaux et deux Papes ont confirmé la condamnation des lettres d'Honorius. Mais quelle force pretendez-vous faire sur les paroles de ce Bref, par lesquelles le pape declare, *Qu'il a condamné la doctrine de Jansenius dans ces 5 propositions?* Qu'est-ce que cela ajoûte à la Constitution, 15 et que s'ensuit-il de là, sinon que, comme le VI concile condamna la doctrine d'Honorius parce qu'il croyoit qu'elle estoit la mesme que celle des Monothelites, de mesme le Pape a dit qu'il a condamné la doctrine de Jansenius dans ces cinq propositions, parce qu'il a supposé qu'elle estoit la 20 mesme que ces cinq propositions? Et comment ne l'eust-il pas creû? Vostre Societé ne publie autre chose; et vous-mesme, mon Pere, qui avez dit qu'elles y sont *mot à mot*, vous estiez à Rome au temps de la Censure, car je vous rencontre partout. Se fust-il défié de la sincérité ou de la 25 suffisance de tant de Religieux graves? Et comment n'eust-il pas creû que la doctrine de Jansenius estoit la mesme que celle des cinq propositions, dans l'assurance que vous luy aviez donnée qu'elles estoient *mot à mot* de cét Auteur? Il est donc visible, mon Pere, que, s'il se trouve que Jansenius 30 ne les ait pas tenuës, il ne faudra pas dire, comme vos Peres ont fait dans leurs exemples, que le Pape s'est trompé en ce point de fait, ce qu'il est toûjours fascheux de publier; mais il ne faudra que dire que vous avez trompé le Pape, ce qui n'apporte plus de scandale, tant on vous connoist maintenant.

35 Ainsi, mon Pere, toute cette matiere est bien éloignée de pouvoir former une heresie. Mais, comme vous voulez en faire une à quelque prix que ce soit, vous avez essayé de détourner la question du point de fait pour la mettre en un point de foy; et c'est ce que vous faites en cette sorte: *Le* 40 *Pape, dites-vous, declare qu'il a condamné la doctrine de Jan-*

21. The original issue had "autre chose partout . . . je vous rencontre toujours". In *S* "partout" is struck out in a contemporary hand and "toujours" is replaced by "partout". *B* and *C* follow this correction.

senius dans ces cinq Propositions : donc il est de foy que la doctrine de Jansenius touchant ces cinq propositions est heretique telle qu'elle soit. Voila, mon Pére, un point de foy bien estrange, qu'une doctrine est heretique telle qu'elle puisse estre. Et quoy, si selon Jansenius *on peut resister à la grace* 5 *interieure*, et s'il est faux, selon luy, *que Jesus-Christ ne soit mort que pour les seuls predestinez*, cela sera-t-il aussi condamné, parce que c'est sa doctrine ? Sera-t-il vray dans la Constitution du pape *que l'on a la liberté de faire le bien et le mal*, et cela sera-t-il faux dans Jansenius ? Et par quelle 10 fatalité sera-t-il si malheureux que la verité devienne heresie dans son livre ? Ne faut-il donc pas confesser qu'il n'est heretique qu'au cas qu'il soit conforme à ces erreurs condamnées ; puisque la Constitution du Pape est la regle à laquelle on doit appliquer Jansenius pour juger de ce qu'il est 15 selon le rapport qu'il y aura, et qu'ainsi on resoudra cette question, *sçavoir si sa doctrine est heretique*, par cette autre question de fait, *sçavoir si elle est conforme au sens naturel de ces Propositions :* estant impossible qu'elle ne soit heretique si elle y est conforme, et qu'elle ne soit catholique si elle y est 20 contraire. Car enfin, puisque selon le Pape et les Evesques *les Propositions sont condamnées en leur sens propre et naturel*, il est impossible qu'elles soient condamnées au sens de Jansenius, sinon au cas que le sens de Jansenius soit le mesme que le sens propre et naturel de ces propositions, ce 25 qui est un point de fait.

La question demeure donc toûjours dans ce point de fait, sans qu'on puisse en aucune sorte l'en tirer pour la mettre dans le droit. Et ainsi on n'en peut faire une matiere d'heresie ; mais vous en pourriez bien faire un pretexte de per- 30 secution, s'il n'y avoit sujet d'esperer qu'il ne se trouvera point de personnes qui entrent assez dans vos interests pour suivre un procedé si injuste, et qui veuillent contraindre de signer, comme vous le souhaittez, *que l'on condamne ces Propositions au sens de Jansenius*, sans expliquer ce que c'est que 35 ce sens de Jansenius. Peu de gens sont disposez à signer une confession de foy en blanc. Or ce seroit en signer une, que vous rempliriez ensuite de tout ce qu'il vous plairoit, puisqu'il vous seroit libre d'interpreter à vostre gré ce que c'est que ce sens de Jansenius qu'on n'auroit pas expliqué. 40 Qu'on l'explique donc auparavant : autrement vous nous

37. Or c'en seroit signer une en blanc, qu'on rempliroit ensuite *C.*

feriez encore icy un pouvoir prochain *abstrahendo ab omni sensu.* Vous sçavez que cela ne reüssit pas dans le monde. On y haït l'ambiguité, et surtout en matiere de foy, où il est bien juste d'entendre pour le moins ce que c'est que l'on
5 condamne. Et comment se pourroit-il faire que des Docteurs qui sont persuadez que Jansenius n'a point d'autre sens que celuy de la grace efficace consentissent à declarer qu'ils condamnent sa doctrine sans l'expliquer, puisque dans la creance qu'ils en ont, et dont on ne les retire point, ce ne
10 seroit autre chose que condamner la grace efficace, qu'on ne peut condamner sans crime? Ne seroit-ce donc pas une estrange tyrannie de les mettre dans cette malheureuse necessité, ou de se rendre coûpables devant Dieu s'ils signoient cette condamnation contre leur conscience, ou d'estre traitez
15 d'heretiques s'ils refusoient de le faire?

Mais tout cela se conduit avec mystere. Toutes vos démarches sont politiques. Il faut que j'explique pourquoy vous n'expliquez pas ce sens de Jansenius. Je n'écris que pour découvrir vos desseins, et pour les rendre inutiles en les
20 découvrant. Je dois donc apprendre à ceux qui l'ignorent que, vostre principal interest dans cette dispute estant de relever la grace suffisante de vostre Molina, vous ne le pouvez faire sans ruïner la grace efficace, qui est tout opposée. Mais, comme vous la voyez aujourd'huy autorisée à Rome et
25 parmy tous les sçavans de l'Eglise, ne la pouvant combattre en elle-mesme, vous vous estes avisez de l'attaquer, sans qu'on s'en aperçoive, souz le nom de la doctrine de Jansenius. Ainsi, il a fallu que vous ayez recherché de faire condamner Jansenius sans l'expliquer, et que, pour y reüssir,
30 vous ayez fait entendre que sa doctrine n'est point celle de la grace efficace, afin qu'on croye pouvoir condamner l'une sans l'autre. De là vient que vous essayez aujourd'huy de le persuader à ceux qui n'ont aucune connoissance de cét autheur; et c'est ce que vous faites encore vous-mesme, mon
35 Pere, dans vos *Cavilli*, p. 27, par ce fin raisonnement: *Le Pape a condamné la doctrine de Jansenius. Or le Pape n'a pas condamné la doctrine de la grace efficace: donc la doctrine de la grace efficace est differente de celle de Jansenius.* Si cette preuve estoit concluante, on monstreroit de mesme qu'Honor-
40 ius et tous ceux qui le soutiennent sont heretiques en cette sorte. Le VI Concile a condamné la doctrine d'Honorius. Or le Concile n'a pas condamné la doctrine de l'Eglise: donc

24. vous voyez aujourd'huy *C.* 28. *om.* Ainsi . . . Jansenius *C.*

la doctrine d'Honorius est differente de celle de l'Eglise; donc tous ceux qui la deffendent sont heretiques. Il est visible que cela ne conclut rien, puisque le Pape n'a condamné que la doctrine des cinq Propositions, qu'on luy a fait entendre estre celle de Jansenius. 5

Mais il n'importe, car vous ne voulez pas vous servir longtemps de ce raisonnement. Il durera assez, tout foible qu'il est, pour le besoin que vous en avez. Il ne vous est necessaire que pour faire que ceux qui ne veulent pas condamner la grace efficace condamnent Jansenius sans scrupule. Quand 10 cela sera fait, on oubliera bien tost vostre argument, et, les signatures demeurant en témoignage eternel de la condamnation de Jansenius, vous prendrez l'occasion pour attaquer directement la grace efficace par cét autre raisonnement bien plus solide, que vous en formerez en son temps: *La doctrine* 15 *de Jansenius*, direz-vous, *a esté condamnée par les souscriptions universelles de toute l'Eglise. Or cette doctrine est manifestement celle de la grace efficace;* et vous prouverez cela bien facilement. *Donc la doctrine de la grace efficace est condamnée par l'aveü mesme de ses defenseurs.* 20

Voilà pourquoy vous proposez de signer cette condamnation d'une doctrine sans l'expliquer. Voilà l'avantage que vous pretendez tirer de ces souscriptions. Mais, si vos adversaires y resistent, vous tendez un autre piege à leur refus. Car, ayant joint adroitement la question de foy à celle de 25 fait, sans vouloir permettre qu'ils l'en separent, ny qu'ils signent l'une sans l'autre, comme ils ne pourront souscrire les deux ensemble, vous irez publier partout qu'ils ont refusé les deux ensemble. Et ainsi, quoy qu'ils ne refusent en effet que de reconnoistre que Jansenius ait tenu ces Propositions 30 qu'ils condamnent, ce qui ne peut faire d'heresie, vous direz hardiment qu'ils ont refusé de condamner les Propositions en elles-mesmes, et que c'est là leur heresie.

Voila le fruit que vous tirerez de leur refus, qui ne vous sera pas moins utile que celuy que vous tirerez de leur con- 35 sentement. De sorte que si on exige ces signatures, ils tomberont toûjours dans vos embusches, soit qu'ils signent ou qu'ils ne signent pas; et vous aurez vostre compte de part ou d'autre: tant vous avez eü d'addresse à mettre les choses en estat de vous estre toûjours avantageuses, quelque pente 40 qu'elles puissent prendre.

13. d'attaquer *C*. 15. *om.* en *C*. 34, 35. tireriez . . . seroit . . . tireriez *C*.

Que je vous connois bien, mon Pere, et que j'ay de regret de voir que Dieu vous abandonne jusqu'à vous faire reüssir si heureusement dans une conduite si malheureuse ! Vostre bonheur est digne de compassion, et ne peut estre envié que 5 par ceux qui ignorent quel est le veritable bonheur. C'est estre charitable que de traverser celuy que vous recherchez en toute cette conduite, puisque vous ne l'appuyez que sur le mensonge, et que vous ne tendez qu'à faire croire l'une de ces deux faussetez : ou que l'Eglise a condamné la grace 10 efficace, ou que ceux qui la deffendent soutiennent les cinq erreurs condamnées.

Il faut donc apprendre à tout le monde et que la grace efficace n'est pas condamnée par vostre propre aveü, et que personne ne soûtient ces erreurs, afin qu'on sçache que ceux 15 qui refuseroient de signer ce que vous voudriez qu'on exigeast d'eux ne le refusent qu'à cause de la question de fait ; et qu'estant prests à signer celle de foy, ils ne sçauroient estre heretiques par ce refus, puisqu'enfin il est bien de foy que ces Propositions sont heretiques, mais qu'il ne sera jamais 20 de foy qu'elles soient de Jansenius. Ils sont sans erreur ; cela suffit. Peut-estre interpretent-ils Jansenius trop favorablement, mais peut-estre ne l'interpretez-vous pas assez favorablement. Je n'entre pas là dedans. Je sçay au moins que selon vos maximes vous croyez pouvoir sans crime pub- 25 lier qu'il est heretique contre vostre propre connoissance, au lieu que selon les leurs ils ne pourroient sans crime dire qu'il est catholique, s'ils n'en estoient persuadez. Ils sont donc plus sinceres que vous, mon Pere : ils ont plus examiné Jansenius que vous ; ils ne sont pas moins intelligens que 30 vous ; ils ne sont donc pas moins croyables que vous. Mais, quoy qu'il en soit de ce point de fait, ils sont certainement catholiques, puisqu'il n'est pas necessaire pour l'estre de dire qu'un autre ne l'est pas, et que sans charger personne d'erreur, c'est assez de s'en décharger soy-mesme.

35 Mon R. P., si vous avez peine a lire cette lettre, pour n'estre pas en assez beau caractere, ne vous en prenez qu'à vous-mesme. On ne me donne pas des privileges comme à vous. Vous en avez pour combattre jusqu'aux miracles, je n'en ay pas pour me defendre. On court sans cesse les imprimeries. Vous 40 ne me conseilleriez pas vous-mesmes de vous écrire davantage dans cette difficulté. Car c'est un trop grand embarras d'estre reduit à l'impression d'Osnabruk.

1. douleur de voir *C.* 35. Et dans la copie imprimée à Osnabruk est en ce lieu ce qui suit. Mon *AB* ; *om.* Mon R. P. . . . Osnabruk *C.*

DIX-HUITIÉME LETTRE

AU REVEREND PERE ANNAT, JESUITE.

Sur la copie imprimée à Cologne le 24 *Mars* 1657.

MON REVEREND PERE,

Il y a long-temps que vous travaillez à trouver quelque erreur dans vos adversaires ; mais je m'assûre que vous avoüerez à la fin qu'il n'y a peut-estre rien de si difficile que de rendre heretiques ceux qui ne le sont pas, et qui ne fuyent rien tant que de l'estre. J'ay fait voir dans ma derniere Lettre 5 combien vous leur aviez imputé d'heresies l'une aprés l'autre, manque d'en trouver une que vous ayez pû long-temps maintenir, de sorte qu'il ne vous estoit plus resté que de les en accuser sur ce qu'ils refusoient de condamner le sens de Jansenius, que vous vouliez qu'ils condamnassent sans qu'on 10 l'expliquast. C'estoit bien manquer d'heresies à leur reprocher que d'en estre reduits là. Car qui a jamais oüy parler d'une heresie que l'on ne puisse exprimer ? Aussi on vous a facilement répondu en vous representant que, si Jansenius n'a point d'erreurs, il n'est pas juste de le condamner, et que, s'il 15 en a, vous deviez les declarer, afin que l'on sceust au moins ce que c'est que l'on condamne. Vous ne l'aviez neanmoins jamais voulu faire, mais vous aviez essayé de fortifier vostre pretention par des Decrets qui ne faisoient rien pour vous, car on n'y explique en aucune sorte le sens de Jansenius qu'on 20 dit avoir esté condamné dans ces cinq Propositions. Or ce n'estoit pas là le moyen de terminer vos disputes. Si vous conveniez de part et d'autre du veritable sens de Jansenius, et que vous ne fussiez plus en different que de sçavoir si ce sens est heretique ou non, alors les jugemens qui declareroient 25 que ce sens est heretique toucheroient ce qui est veritablement

Title. D. L. Escrite par l'auteur des Lettres au Provincial au *B*; *om.* sur . . . Cologne *C*. 20. puisqu'on *C*. 26. qui seroit *C*.

en question. Mais la grande dispute estant de sçavoir quel est ce sens de Jansenius, les uns disant qu'ils n'y voient que le sens de S. Augustin et de S. Thomas, et les autres qu'ils y en voient un qui est heretique et qu'ils n'expriment point, il
5 est clair qu'une Constitution qui ne dit pas un mot touchant ce different, et qui ne fait que condamner en general le sens de Jansenius sans l'expliquer, ne decide rien de ce qui est en dispute.

C'est pourquoy l'on vous a dit cent fois que, vostre different
10 n'estant que sur ce fait, vous ne le finiriez jamais qu'en declarant ce que vous entendez par le sens de Jansenius. Mais, comme vous vous estiez toûjours opiniastrez à le refuser, je vous ay enfin poussé dans ma derniere Lettre, où j'ay fait entendre que ce n'est pas sans mystere que vous aurez en-
15 trepris de faire condamner ce sens sans l'expliquer, et que vostre dessein estoit de faire retomber un jour cette condamnation indeterminée sur la doctrine de la grace efficace, en monstrant que ce n'est autre chose que celle de Jansenius, ce qui ne vous seroit pas difficile. Cela vous a mis dans la
20 necessité de répondre. Car, si vous vous fussiez encore obstinez aprés cela à ne point expliquer ce sens, il eust parû aux moins éclairez que vous n'en vouliez en effet qu'à la grace efficace, ce qui eust esté la derniere confusion pour vous dans la veneration qu'a l'Eglise pour une doctrine si sainte.

25 Vous avez donc esté obligé de vous declarer, et c'est ce que vous venez de faire en répondant à ma Lettre, où je vous avois representé, *que si Jansenius avoit sur ces cinq propositions quelque autre sens que celuy de la grace efficace, il n'avoit point de defenseurs ; mais que, s'il n'avoit point d'autre sens*
30 *que celuy de la grace efficace, il n'avoit point d'erreurs.* Vous n'avez pû desavoüer cela, mon Pere ; mais vous y faites une distinction en cette sorte, p. 21 : *Il ne suffit pas*, dites-vous, *pour justifier Jansenius, de dire qu'il ne tient que la grace efficace, parce qu'on la peut tenir en deux manieres : l'une*
35 *heretique, selon Calvin, qui consiste à dire que la volonté meuë par la grace n'a pas le pouvoir d'y resister ; l'autre orthodoxe, selon les Thomistes et les Sorbonnistes, qui est fondée sur des principes établis par les Conciles, qui est que la grace efficace par elle-mesme gouverne la volonté de telle sorte qu'on a toûjours*
40 *le pouvoir d'y resister.*

On vous accorde tout cela, mon Pere ; et vous finissez en disant, *Que Jansenius seroit catholique s'il defendoit la grace efficace selon les Thomistes, mais qu'il est heretique parce qu'il est contraire aux Thomistes et conforme à Calvin, qui nie le pouvoir de resister à la grace.* Je n'examine pas icy, mon Pere, ce point de fait, sçavoir si Jansenius est en effet conforme à Calvin. Il me suffit que vous le pretendiez, et que vous nous fassiez sçavoir aujourd'huy que, par le sens de Jansenius, vous n'avez entendu autre chose que celuy de Calvin. N'estoit-ce donc que cela, mon Pere, que vous vouliez dire ? N'estoit-ce que l'erreur de Calvin que vous vouliez faire condamner souz le nom du sens de Jansenius ? Que ne le declariez-vous plûtost ? Vous vous fussiez bien épargné de la peine. Car, sans Bulles ny Brefs, tout le monde eust condamné cette erreur avec vous. Que cét éclaircissement estoit necessaire, et qu'il leve de difficultez ! Nous ne sçavions, mon Pere, quelle erreur les Papes et les Evesques avoient voulu condamner souz le nom du sens de Jansenius. Toute l'Eglise en estoit dans une peine extrême, et personne ne nous le vouloit expliquer. Vous le faites maintenant, mon Pere, vous que tout vostre parti considere comme le chef et le premier moteur de tous ses conseils, et qui sçavez le secret de toute cette conduite. Vous nous l'avez donc dit, que ce sens de Jansenius n'est autre chose que le sens de Calvin condamné par le Concile. Voila bien des doutes resolus. Nous sçavons maintenant que l'erreur qu'ils ont eü dessein de condamner souz ces termes du *sens de Jansenius* n'est autre chose que le sens de Calvin, et qu'ainsi nous demeurons dans l'obeïssance à leurs Decrets en condamnant avec eux ce sens de Calvin qu'ils ont voulu condamner. Nous ne sommes plus estonnez de voir que les Papes et quelques Evesques aient esté si zelez contre le sens de Jansenius. Comment ne l'auroient-ils pas esté, mon Pere, ayant creance en ceux qui disent publiquement que ce sens est le mesme que celuy de Calvin ?

Je vous declare donc, mon Pere, que vous n'avez plus rien à reprendre en vos adversaires, parce qu'ils detestent assurément ce que vous detestez. Je suis seulement estonné de voir que vous l'ignoriez et que vous ayez si peu de connoissance de leurs sentimens sur ce sujet, qu'ils ont tant de fois declarez dans leurs ouvrages. Je m'assure que, si vous en estiez mieux informé, vous auriez du regret de ne vous estre pas instruit avec un esprit de paix d'une doctrine si pure et si Chrestienne, que la passion vous fait combattre sans la connoistre. Vous verriez, mon Pere, que non seulement ils tiennent qu'on resiste effectivement à ces graces foibles, qu'on appelle excitantes ou inefficaces, en n'executant pas le bien

qu'elles nous inspirent, mais qu'ils sont encore aussi fermes à soutenir contre Calvin le pouvoir que la volonté a de resister mesme à la grace efficace et victorieuse qu'à deffendre contre Molina le pouvoir de cette grace sur la volonté, aussi jaloux
5 de l'une de ces veritez que de l'autre. Ils ne sçavent que trop que l'homme, par sa propre nature, a toûjours le pouvoir de pecher et de resister à la grace, et que, depuis sa corruption, il porte un fond malheureux de concupiscence qui luy augmente infiniment ce pouvoir ; mais que neanmoins, quand il
10 plaist à Dieu de le toucher par sa misericorde, il luy fait faire ce qu'il veut, et en la maniere qu'il le veut, sans que cette infaillibilité de l'operation de Dieu destruise en aucune sorte la liberté naturelle de l'homme, par les secrettes et admirables manieres dont Dieu opere ce changement, que S. Augustin a
15 si excellemment expliquées, et qui dissipent toutes les contradictions imaginaires que les ennemis de la grace efficace se figurent entre le pouvoir souverain de la grace sur le libre arbitre, et la puissance qu'a le libre arbitre de resister à la grace. Car, selon ce grand Saint, que les Papes et l'Eglise
20 ont donné pour regle en cette matiere, Dieu change le cœur de l'homme par une douceur celeste qu'il y répand, qui, surmontant la delectation de la chair, fait que l'homme, sentant d'un costé sa mortalité et son neant, et découvrant de l'autre la grandeur et l'éternité de Dieu, conçoit du dégoust pour les
25 delices du peché qui le separent du bien incorruptible ; et, trouvant la plus grande joye dans le Dieu qui le charme, il s'y porte infailliblement de luy-mesme, par un mouvement tout libre, tout volontaire, tout amoureux : de sorte que ce luy seroit une peine et un supplice de s'en separer. Ce n'est
30 pas qu'il ne puisse toûjours s'en éloigner, et qu'il ne s'en éloignast effectivement s'il le vouloit ; mais comment le voudroit-il, puisque la volonté ne se porte jamais qu'à ce qui luy plaist le plus, et que rien ne luy plaist tant alors que ce bien unique, qui comprend en soy tous les autres biens ?
35 *Quod enim amplius nos delectat, secundum id operemur necesse est*, comme dit S. Augustin.

C'est ainsi que Dieu dispose de la volonté libre de l'homme sans luy imposer de necessité, et que le libre arbitre, qui peut toûjours resister à la grace, mais qui ne le veut pas
40 toûjours, se porte aussi librement qu'infailliblement à Dieu, lors qu'il veut l'attirer par la douceur de ses inspirations efficaces.

25. *om.* et *C.*

Ce sont là, mon Pere, les divins principes de S. Augustin et de S. Thomas, selon lesquels il est veritable que *nous pouvons resister à la grace*, contre l'opinion de Calvin, et que neanmoins, comme dit le pape Clement VIII dans son écrit adressé à la Congregation *de Auxiliis : Dieu forme en nous le* 5 *mouvement de nostre volonté, et dispose efficacement de nostre cœur, par l'empire que sa Majesté supréme a sur les volontez des hommes, aussi bien que sur le reste des creatures qui sont souz le ciel, selon S. Augustin.*

C'est encore selon ces principes que nous agissons de 10 nous-mesmes, ce qui fait que nous avons des merites qui sont veritablement nostres, contre l'erreur de Calvin, et que neanmoins, Dieu estant le premier principe de nos actions, et *faisant en nous ce qui luy est agreable*, comme dit S. Paul, *nos merites sont des dons de Dieu*, comme dit le Concile de 15 Trente.

C'est par là qu'est destruite cette impieté de Luther, condamnée par le mesme Concile, *Que nous ne cooperons en aucune sorte à nostre salut non plus que des choses inanimées*, et c'est par là qu'est encore destruite l'impieté de l'école de 20 Molina, qui ne veut pas reconnoistre que c'est la force de la grace mesme qui fait que nous cooperons avec elle dans l'œuvre de nostre salut : par où il ruïne ce principe de foy estably par S. Paul : *Que c'est Dieu qui forme en nous et la volonté et l'action.* 25

Et c'est enfin par ce moyen que s'accordent tous ces passages de l'Escriture qui semblent le plus opposez : *Convertissez-vous à Dieu : Seigneur, convertissez-nous à vous. Rejettez vos iniquitez hors de vous : C'est Dieu qui oste les iniquitez de son peuple. Faites des œuvres dignes de penitence :* 30 *Seigneur, vous avez fait en nous toutes nos œuvres. Faites-vous un cœur nouveau et un esprit nouveau : Je vous donneray un esprit nouveau, et je creeray en vous un cœur nouveau*, etc.

L'unique moyen d'accorder ces contrarietez apparentes, qui attribuent nos bonnes actions tantost á Dieu et tantost à 35 nous, est de reconnoistre que, comme dit S. Augustin, *nos actions sont nostre à cause du libre arbitre, qui les produit, et qu'elles sont aussi de Dieu, à cause de sa grace, qui fait que nostre libre arbitre les produit ;* et que, comme il dit ailleurs, Dieu nous fait faire ce qu'il luy plaist en nous faisant vouloir 40 ce que nous pourrions ne vouloir pas : *A Deo factum est ut vellent, quod et nolle potuissent.*

39. *om.* libre *C.*

Ainsi, mon Pere, vos adversaires sont parfaitement d'accord avec les nouveaux Thomistes mesmes, puisque les Thomistes tiennent comme eux et le pouvoir de resister à la grace et l'infaillibilité de l'effet de la grace qu'ils font profession
5 de soutenir si hautement, selon cette maxime capitale de leur doctrine, qu'Alvarez, l'un des plus considerables d'entr'eux, repete si souvent dans son livre, et qu'il exprime, disp. 72, n. 4, en ces termes : *Quand la grace efficace meut le libre arbitre, il consent infailliblement, parce que l'effet de la grace est*
10 *de faire qu'encore qu'il puisse ne pas consentir, il consente neanmoins en effet :* dont il donne pour raison celle-cy de S. Thomas, son Maistre ; *Que la volonté de Dieu ne peut manquer d'estre accomplie, et qu'ainsi, quand il veut qu'un homme consente à la grace, il consent infailliblement, et mesme necessairement, non*
15 *pas d'une necessité absoluë, mais d'une necessité d'infaillibilité.* En quoy la grace ne blesse pas le *pouvoir qu'on a de resister si on le veut*, puisqu'elle fait seulement qu'on ne veut pas y resister, comme vostre P. Petau le reconnoist en ces termes t. 1, p. 602 : *La grace de Jesus-Christ fait qu'on persevere*
20 *infailliblement dans la pieté, quoy que non par necessité. Car on peut n'y pas consentir si on le veut, comme dit le Concile ; mais cette mesme grace fait que l'on ne le veut pas.*

C'est là, mon Pere, la doctrine constante de S. Augustin, de S. Prosper, des Peres qui les ont suivis, des Conciles,
25 de S. Thomas, de tous les Thomistes en general. C'est aussi celle de vos adversaires, quoy que vous ne l'ayez pas pensé ; et c'est enfin celle que vous venez d'approuver vous-mesme en ces termes : *La doctrine de la grace efficace, qui reconnoist qu'on a le pouvoir d'y resister, est orthodoxe, appuyée sur les*
30 *Conciles, et soutenuë par les Thomistes et les Sorbonnistes.* Dites la verité, mon Pere, si vous eussiez sceu que vos adversaires tiennent effectivement cette doctrine, peut-estre que l'interest de vostre Compagnie vous eust empesché d'y donner cette approbation publique ; mais, vous estant imaginé qu'ils
35 y estoient opposez, ce mesme interest de vostre Compagnie vous a porté à autoriser des sentimens que vous croyiez contraires aux leurs, et, par cette méprise, voulant ruïner leurs principes, vous les avez vous-mesme parfaitement establis. De sorte qu'on voit aujourd'huy, par une espece de prodige,
40 les defenseurs de la grace efficace justifiez par les defenseurs de Molina, tant la conduite de Dieu est admirable, pour faire concourir toutes choses à la gloire de sa verité.

Que tout le monde aprenne donc par vostre propre declaration que cette verité de la grace efficace, necessaire à toutes les actions de pieté, qui est si chere à l'Eglise, et qui est le prix du sang de son Sauveur, est si constamment catholique qu'il n'y a pas un catholique, jusques aux Jesuites mesmes, qui ne la reconnoisse pour orthodoxe. Et l'on 5 sçaura en mesme temps par vostre propre confession qu'il n'y a pas le moindre soupçon d'erreur dans ceux que vous en avez tant accusez: car, quand vous leur en imputiez de cachées sans les vouloir découvrir, il leur estoit aussi difficile de s'en deffendre qu'il vous estoit facile de les en accuser de 10 cette sorte; mais, maintenant que vous venez de declarer que cette erreur qui vous oblige à les combattre est celle de Calvin que vous pensiez qu'ils soutinssent, il n'y a personne qui ne voye clairement qu'ils sont exempts de toute erreur; puisqu'ils sont si contraires à la seule que vous leur 15 imposez, et qu'ils protestent par leurs discours, par leurs livres, et par tout ce qu'ils peuvent produire pour témoigner leurs sentimens, qu'ils condamnent cette heresie de tout leur cœur, et de la mesme maniere que font les Thomistes, que vous reconnoissez sans difficulté pour catholi- 20 ques, et qui n'ont jamais esté suspects de ne le pas estre.

Que direz-vous donc maintenant contr'eux, mon Pere? Qu'encore qu'ils ne suivent pas le sens de Calvin, ils sont neanmoins heretiques, parce qu'ils ne veulent pas reconnoistre que le sens de Jansenius est le mesme que celuy de 25 Calvin? Oseriez-vous dire que ce soit là une matiere d'heresie? Et n'est-ce pas une pure question de fait, qui n'en peut former? C'en seroit bien une de dire qu'on n'a pas le pouvoir de resister à la grace efficace; mais en est-ce une de douter si Jansenius le soutient? Est-ce une verité revelée? 30 Est-ce un article de foy qu'il faille croire sur peine de damnation? Et n'est-ce pas malgré vous un point de fait, pour lequel il seroit ridicule de pretendre qu'il y eust des heretiques dans l'Eglise?

Ne leur donnez donc plus ce nom, mon Pere, mais quelque 35 autre qui soit proportionné à la nature de vostre different. Dites que ce sont des ignorans et des stupides, et qu'ils entendent mal Jansenius: ce seront des reproches assortis à vostre dispute; mais de les appeler heretiques, cela n'y a nul rapport. Et comme c'est la seule injure dont je les veux 40 defendre, je ne me mettray pas beaucoup en peine de monstrer qu'ils entendent bien Jansenius. Tout ce que je vous en diray est qu'il me semble, mon Pere, qu'en le jugeant par vos propres regles, il est difficile qu'il ne passe pour catholique : car voicy ce que vous establissez pour l'examiner.

Pour sçavoir, dites-vous, *si Jansenius est à couvert, il faut sçavoir s'il defend la grace efficace à la maniere de Calvin, qui*
5 *nie qu'on ait le pouvoir d'y resister, car alors il seroit heretique ; ou à la maniere des Thomistes, qui l'admettent, car alors il seroit catholique.* Voyez donc, mon Pere, s'il tient qu'on a le pouvoir de resister, quand il dit dans des Traitez entiers, et entr'autres au to. 3, l. 8, c. 20, *qu'on a toûjours le pouvoir de*
10 *resister à la grace, selon le Concile ;* QUE LE LIBRE ARBITRE PEUT TOUJOURS AGIR ET N'AGIR PAS, *vouloir et ne vouloir pas, consentir et ne consentir pas, faire le bien et le mal, et que l'homme en cette vie a toûjours ces deux libertez, que vous appelez de contrarieté et de contradiction.* Voyez de mesme s'il
15 n'est pas contraire à l'erreur de Calvin, telle que vous-mesme la representez, luy qui montre dans tout le chap. 21 *que l'Eglise a condamné cét heretique, qui soustient que la grace efficace n'agit pas sur le libre arbitre en la maniere qu'on l'a crû si longtemps dans l'Eglise, en sorte qu'il soit ensuite au*
20 *pouvoir du libre arbitre de consentir ou de ne consentir pas ; au lieu que, selon S. Augustin et le Concile, on a toûjours le pouvoir de ne consentir pas si on le veut, et que, selon S. Prosper, Dieu donne à ses Eleus mesmes la volonté de perseverer, en sorte qu'il ne leur oste pas la puissance de vouloir le contraire.* Et enfin jugez
25 s'il n'est pas d'accord avec les Thomistes lors qu'il declare, c. 4, *que tout ce que les Thomistes ont écrit pour accorder l'efficacité de la grace avec le pouvoir d'y resister est si conforme à son sens qu'on n'a qu'à voir leurs livres pour y apprendre ses sentimens. Quod ipsi dixerunt, dictum puta.*

30 Voila comme il parle sur tous ces chefs, et c'est surquoy je m'imagine qu'il croit le pouvoir de resister à la grace ; qu'il est contraire à Calvin et conforme aux Thomistes, parce qu'il le dit, et qu'ainsi il est catholique selon vous. Que si vous avez quelque voye pour connoistre le sens d'un auteur
35 autrement que par ses expressions, et que, sans rapporter aucun de ses passages, vous vouliez soutenir contre toutes ses paroles qu'il nie le pouvoir de resister, et qu'il est pour Calvin contre les Thomistes, n'ayez pas peur, mon Pere, que je vous accuse d'heresie pour cela ; je diray seulement qu'il semble
40 que vous entendez mal Jansenius, mais nous n'en serons pas moins enfans de la mesme Eglise.

D'où vient donc, mon Pere, que vous agissez dans ce

12. mal, que l'homme *C.* 14. *om.* de contrarieté et *C.*

different d'une maniere si passionnée, et que vous traitez comme vos plus cruels ennemis, et comme les plus dangereux heretiques, ceux que vous ne pouvez accuser d'aucune erreur ny d'autre chose, sinon qu'ils n'entendent pas Jansenius comme vous? Car de quoy disputez-vous, sinon du 5 sens de cét Auteur? Vous voulez qu'ils le condamnent; mais ils vous demandent ce que vous entendez par là. Vous dites que vous entendez l'erreur de Calvin, ils répondent qu'ils la condamnent; et ainsi, si vous n'en voulez pas aux sillabes, mais à la chose qu'elles signifient, vous devez estre satisfait. 10 S'ils refusent de dire qu'ils condamnent le sens de Jansenius, c'est parce qu'ils croyent que c'est celuy de S. Thomas. Et ainsi ce mot est bien equivoque entre vous: dans vostre bouche, il signifie le sens de Calvin; dans la leur c'est le sens de S. Thomas: de sorte que, ces differentes idées que vous 15 avez d'un mesme terme causant toutes vos divisions, si j'estois maistre de vos disputes, je vous interdirois le mot de Jansenius de part et d'autre. Et ainsi, en n'exprimant que ce que vous entendez par là, on verroit que vous ne demandez autre chose que la condamnation du sens de Calvin, à 20 quoy ils consentent; et qu'ils ne demandent autre chose que la defense du sens de S. Augustin et de S. Thomas, en quoy vous estes tous d'accord.

Je vous declare donc, mon Pere, que pour moy je les tiendray toûjours pour catholiques, soit qu'ils condamnent Jan- 25 senius s'ils y trouvent des erreurs, soit qu'ils ne le condamnent point quand ils n'y trouvent que ce que vous-mesme declarez estre catholique, et que je leur parleray comme Saint Hierôme à Jean, Evesque de Jerusalem, accusé de tenir propositions d'Origene. *Ou condamnez Origene*, disoit ce Saint, *si vous* 30 *reconnoissez qu'il a tenu ces erreurs, ou bien niez qu'il les ait tenuës : Aut nega hoc dixisse eum qui arguitur, aut, si locutus est talia, eum damna qui dixerit.*

Voilà, mon Pere, comment agissent ceux qui n'en veulent qu'aux erreurs, et non pas aux personnes; au lieu que vous, 35 qui en voulez aux personnes plus qu'aux erreurs, vous trouvez que ce n'est rien de condamner les erreurs si on ne condamne les personnes à qui vous les voulez imputer.

Que vostre procedé est violent, mon Pere, mais qu'il est peu capable de reüssir! Je vous l'ay dit ailleurs, et je vous 40 le redis encore, la violence et la verité ne peuvent rien l'une sur l'autre. Jamais vos accusations ne furent plus outrageuses, et jamais l'innocence de vos adversaires ne fut plus

connuë ; jamais la grace efficace ne fut plus artificieusement attaquée, et jamais nous ne l'avons veuë si affermie. Vous employez les derniers efforts pour faire croire que vos disputes sont sur des points de foy, et jamais on ne connut
5 mieux que toute vostre dispute n'est que sur un point de fait. Enfin vous remüez toutes choses pour faire croire que ce point de fait est veritable, et jamais on ne fut plus disposé à en douter. Et la raison en est facile : c'est, mon Pere, que vous ne prenez pas les voyes naturelles pour faire croire un
10 point de fait, qui sont de convaincre les sens et de monstrer dans un livre les mots que l'on dit y estre. Mais vous allez chercher des moyens si éloignez de cette simplicité que cela frappe necessairement les plus stupides. Que ne preniez-vous la mesme voye que j'ay tenuë dans mes Lettres pour
15 découvrir tant de mauvaises maximes de vos auteurs, qui est de citer fidelement les lieux d'où elles sont tirées? C'est ainsi qu'ont fait les Curez de Paris, et cela ne manque jamais de persuader le monde. Mais qu'auriez-vous dit et qu'auroit-on pensé, lors qu'ils vous reprocherent, par exem-
20 ple, cette proposition du P. L'Amy, *Qu'un religieux peut tuer celuy qui menace de publier des calomnies contre luy ou contre sa Communauté, quand il ne s'en peut deffendre autrement*, s'ils n'avoient point cité le lieu où elle est en propres termes ; que, quelque demande qu'on leur en eust faite, ils se fussent
25 toûjours obstinez à le refuser, et qu'au lieu de cela ils eussent esté à Rome obtenir une Bulle qui ordonnast à tout le monde de le reconnoistre? N'auroit-on pas jugé sans doute qu'ils auroient surpris le Pape, et qu'ils n'auroient eu recours à ce moyen extraordinaire que manque des moyens naturels que
30 les veritez de fait mettent en main à tous ceux qui les soutiennent? Aussi ils n'ont fait que marquer que le P. L'Amy enseigne cette doctrine au to. 5, disp. 36, n. 118, page 544 de l'Edition de Doüay ; et ainsi tous ceux qui l'ont voulu voir l'ont trouvée, et personne n'en a pû douter. Voila une
35 maniere bien facile et bien prompte de vuider les questions de fait où l'on a raison.

D'où vient donc, mon Pere, que vous n'en usez pas de la sorte? Vous avez dit dans vos *Cavilli*, *Que les 5 propositions sont dans Jansenius mot à mot, toutes, en propres termes, toti-*
40 *dem verbis*. On vous a dit que non. Qu'y avoit-il à faire là-dessus, sinon ou de citer la page, si vous les aviez veuës en effet, ou de confesser que vous vous estiez trompé? Mais

39. iisdem verbis *C*.

vous ne faites ny l'un ny l'autre, et, au lieu de cela, voyant bien que tous les endroits de Jansenius que vous alleguez quelquefois pour éblouïr le monde ne sont point les *Propositions condamnées, individuelles, et singulieres,* que vous vous estiez engagé de faire voir dans son livre, vous nous presentez 5 des Constitutions qui declarent qu'elles en sont extraites, sans marquer le lieu.

Je sçay, mon Pere, le respect que les Chrestiens doivent au S. Siege, et vos adversaires témoignent assez d'estre tres-resolus à ne s'en departir jamais ; mais ne vous imaginez pas 10 que ce fust en manquer que de representer au Pape, avec toute la soumission que des enfans doivent à leur Pere, et les membres à leur Chef, qu'on peut l'avoir surpris en ce point de fait ; Qu'il ne l'a point fait examiner depuis son Pontificat, et que son Predecesseur Innocent X avoit fait seulement ex- 15 aminer si les Propositions estoient heretiques, mais non pas si elles estoient de Jansenius. Ce qui a fait dire au Commissaire du S. Office, l'un des principaux examinateurs : *Qu'elles ne pouvoient estre censurées au sens d'aucun Auteur : non sunt qualificabiles in sensu proferentis, parce qu'elles leur* 20 *avoient esté presentées pour estre examinées en elles-mesmes et sans considerer de quel auteur elles pouvoient estre : in abstracto et ut præscindunt ab omni proferente ;* comme il se voit dans leurs suffrages nouvellement imprimez : Que plus de soixante Docteurs et un grand nombre d'autres personnes habiles et 25 pieuses ont lu ce livre exactement sans les y avoir jamais veuës, et qu'ils y en ont trouvé de contraires ; Que ceux qui ont donné cette impression au Pape pourroient bien avoir abusé de la creance qu'il a en eux, estant interessez, comme ils le sont, à décrier cét auteur, qui a convaincu Molina de 30 plus de 50 erreurs : Que ce qui rend la chose plus croiable est qu'ils ont cette maxime, l'une des plus autorisées de leur Theologie, *qu'ils peuvent calomnier sans crime ceux dont ils se croyent injustement attaquez ;* et qu'ainsi, leur témoignage estant si suspect, et le témoignage des autres estant si con- 35 siderable, on a quelque sujet de supplier sa Sainteté, avec toute l'humilité possible, de faire examiner ce fait en presence des Docteurs de l'un et de l'autre party, afin d'en pouvoir former une decision solennelle et reguliere. *Qu'on assemble des juges habiles,* disoit S. Basile sur un semblable sujet, *Ep.* 40 75 ; *que chacun y soit libre ; qu'on examine mes écrits ; qu'on voye s'il y a des erreurs contre la foy ; qu'on lise les objections et les réponses, afin que ce soit un jugement rendu avec connoissance de cause et dans les formes, et non pas une diffamation sans examen.*

Ne pretendez pas, mon Pere, de faire passer pour peu soumis au S. Siege ceux qui en useroient de la sorte. Les
5 Papes sont bien éloignez de traiter les Chrestiens avec cét empire que l'on voudroit exercer souz leur nom. *L'Eglise,* dit le Pape S. Gregoire, *in Job*, lib. 8, c. 1, *qui a esté formée dans l'école d'humilité, ne condamne pas avec autorité, mais persuade par raison ce qu'elle enseigne à ses enfans qu'elle croit
10 engagez dans quelque erreur : Recta quæ errantibus dicit, non quasi ex auctoritate præcipit, sed ex ratione persuadet.* Et, bien loin de tenir à deshonneur de reformer un jugement où l'on les auroit surpris, ils en font gloire au contraire, comme le témoigne S. Bernard, *Ep.* 180. *Le Siege Apostolique*, dit-il,
15 *a cela de recommandable qu'il ne se picque pas d'honneur, et se porte volontiers à revoquer ce qu'on en a tiré par surprise : aussi est-il bien juste que personne ne profite de l'injustice, et principalement devant le S. Siege.* Voila, mon Pere, les vrais sentimens qu'il faut inspirer aux Papes, puisque tous les
20 Theologiens demeurent d'accord qu'ils peuvent estre surpris, et que cette qualité supréme est si éloignée de les en garentir qu'elle les y expose au contraire davantage, à cause du grand nombre des soins qui les partagent. C'est ce que dit le mesme S. Gregoire à des personnes qui s'estonnoient de ce qu'un
25 autre Pape s'estoit laissé tromper. *Pourquoy admirez-vous,* dit-il, l. 1, *Dial.*, *que nous soyons trompez, nous qui sommes des hommes ? N'avez-vous pas veu que David, ce Roy qui avoit l'esprit de prophetie, ayant donné creance aux impostures de Siba, rendit un jugement injuste contre le fils de Jonathas ? Qui
30 trouvera donc estrange que des imposteurs nous surprennent quelquefois, nous qui ne sommes point prophetes ? La foule des affaires nous accable, et nostre esprit, qui, estant partagé en tant de choses, s'applique moins à chacune en particulier, en est plus aisément trompé en une.* En verité, mon Pere, je croy
35 que les Papes sçavent mieux que vous s'ils peuvent estre surpris ou non. Ils nous declarent eux mesmes que les Papes et les plus grands Roys sont plus exposez à estre trompez que les personnes qui ont moins d'occupations importantes. Il les en faut croire, et il est bien aisé de s'imaginer par quelle
40 voye on arrive à les surprendre. S. Bernard en fait la description dans la lettre qu'il écrivit à Innocent II, en cette sorte : *Ce n'est pas une chose estonnante ny nouvelle que l'esprit de l'homme puisse tromper et estre trompé. Des Religieux sont*

venus à vous dans un esprit de mensonge et d'illusion ; ils vous ont parlé contre un Evesque qu'ils haïssent, et dont la vie a esté exemplaire. Ces personnes mordent comme des chiens, et veulent faire passer le bien pour le mal. Cependant, tres-saint Pere, vous vous mettez en colere contre vostre fils. Pourquoy avez-vous donné un sujet de joye à ses adversaires ? Ne croyez pas à tout esprit, mais esprouvez si les esprits sont de Dieu. J'espere que, quand vous aurez connu la verité, tout ce qui a esté fondé sur un faux rapport sera dissipé. Je prie l'esprit de Verité de vous donner la grace de separer la lumiere des tenebres, et de reprouver le mal pour favoriser le bien. Vous voyez donc, mon Pere, que le degré eminent où sont les Papes ne les exempte pas de surprise, et qu'il ne fait autre chose que rendre leurs surprises plus dangereuses et plus importantes. C'est ce que S. Bernard represente au Pape Eugene, *De Consid.*, lib. 2, c. ult. *Il y a un autre defaut si general que je n'ay veü personne des grands du monde qui l'evite. C'est, saint Pere, la trop grande credulité, d'où naissent tant de desordres. Car c'est de là que viennent les persecutions violentes contre les innocens, les prejugez injustes contre les absens, et les coleres terribles pour des choses de neant, pro nihilo. Voila, saint Pere, un mal universel, duquel, si vous estes exempt, je diray que vous estes le seul qui ayez cét avantage entre tous vos confreres.*

Je m'imagine, mon Pere, que cela commence à vous persuader que les Papes sont exposez à estre surpris : mais, pour vous le montrer parfaitement, je vous feray seulement ressouvenir des exemples, que vous-mesme rapportez dans vostre livre, de Papes et d'Empereurs que des heretiques ont surpris effectivement. Car vous dites qu'Apollinaire surprit le Pape Damase, de mesme que Celestius surprit Zozime. Vous dites encore qu'un nommé Athanase trompa l'Empereur Heraclius, et le porta à persecuter les catholiques, et qu'enfin Sergius obtint d'Honorius ce Decret qui fust brûlé au 6 concile, *en faisant*, dites-vous, *le bon valet auprés de ce pape.*

Il est donc constant par vous-mesme que ceux, mon Pere, qui en usent ainsi auprés des Roys et des Papes, les engagent quelquefois artificieusement à persecuter la verité de la foy en pensant persecuter des heresies. Et de là vient que les Papes, qui n'ont rien tant en horreur que ces surprises, ont fait d'une lettre d'Alexandre III une loy ecclesiastique,

38. persecuter ceux qui defendent *A.*

inserée dans le droit canonique, pour permettre de suspendre l'execution de leurs bulles et de leurs decrets, quand on croit qu'ils ont esté trompez. *Si quelquefois*, dit ce Pape à l'Archevesque de Ravennes, *nous envoions à vostre fraternité*
5 *des decrets qui choquent vos sentimens, ne vous en inquietez pas. Car ou vous les executerez avec reverence, ou vous nous manderez la raison que vous croyez avoir de ne le pas faire, parce que nous trouverons bon que vous n'executiez pas un decret qu'on auroit tiré de nous par surprise et par artifice.* C'est ainsi
10 qu'agissent les Papes qui ne cherchent qu'à éclaircir les differens des Chrestiens, et non pas à suivre la passion de ceux qui veulent y jetter le trouble. Ils n'usent pas de domination, comme disent S. Pierre et S. Paul apres JESUS-CHRIST ; mais l'esprit qui paroist en toute leur conduite est
15 celuy de paix et de verité, ce qui fait qu'ils mettent ordinairement dans leurs lettres cette clause, qui est sousentenduë en toutes : *Si ita est, si preces veritate nitantur : si la chose est comme on nous la fait entendre : si les faits sont veritables.* D'où il se voit que, puisque les Papes ne donnent de force à leurs
20 Bulles qu'à mesure qu'elles sont appuyées sur des faits veritables, ce ne sont pas les Bulles seules qui prouvent la verité des faits ; mais qu'au contraire, selon les Canonistes mesmes, c'est la verité des faits qui rend les Bulles recevables. D'où apprendrons-nous donc la verité des faits ? Ce sera des
25 yeux, mon Pere, qui en sont les legitimes juges, comme la raison l'est des choses naturelles et intelligibles, et la foy, des choses surnaturelles et revelées. Car, puisque vous m'y obligez, mon Pere, je vous diray que, selon les sentimens de deux des plus grands Docteurs de l'Eglise, S. Augustin et
30 S. Thomas, ces trois principes de nos connoissances, les sens, la raison, et la foy, ont chacun leurs objets separez et leur certitude dans cette étenduë. Et, comme Dieu a voulu se servir de l'entremise des sens pour donner entrée à la foy, *fides ex auditu :* tant s'en faut que la foy détruise la certitude
35 des sens, que ce seroit, au contraire, détruire la foy que de vouloir revoquer en doute le rapport fidele des sens. C'est pourquoy S. Thomas remarque expressément que Dieu a voulu que les accidens sensibles subsistassent dans l'Eucharistie, afin que les sens, qui ne jugent que de ces accidens,
40 ne fussent pas trompez : *Ut sensus à deceptione reddantur immunes.*

Concluons donc de là que, quelque proposition qu'on

30. *om.* les sens, la raison, et la foy *A*.

nous presente à examiner, il en faut d'abord reconnoistre la nature, pour voir auquel de ces trois principes nous devons nous en rapporter. S'il s'agit d'une chose surnaturelle, nous n'en jugerons ny par les sens, ny par la raison, mais par l'Escriture et par les decisions de l'Église. S'il s'agit d'une 5 proposition non revelée et proportionnée à la raison naturelle, elle en sera le propre juge; et, s'il s'agit enfin d'un point de fait, nous en croirons les sens, ausquels il appartient naturellement d'en connoistre.

Cette regle est si generale que, selon S. Augustin et 10 S. Thomas, quand l'Escriture mesme nous presente quelque passage dont le premier sens litteral se trouve contraire à ce que les sens ou la raison reconnoissent avec certitude, il ne faut pas entreprendre de les desavoüer en cette rencontre pour les soumettre à l'autorité de ce sens apparent 15 de l'Escriture, mais il faut interpreter l'Escriture, et y chercher un autre sens qui s'accorde avec cette verité sensible, parce que, la parole de Dieu estant infaillible dans les faits mesmes, et le rapport des sens et de la raison agissans dans leur estenduë estant certains aussi, il faut que ces deux veri- 20 tez s'accordent; et comme l'Escriture se peut interpreter en differentes manieres, au lieu que le rapport des sens est unique, on doit en ces matieres prendre pour la veritable interpretation de l'Escriture celle qui convient au rapport fidele des sens. *Il faut*, dit S. Thomas, 1 p., q. 68, a. 1, 25 *observer deux choses selon S. Augustin : l'une, que l'Escriture a toûjours un sens veritable ; l'autre, que, comme elle peut recevoir plusieurs sens, quand on en trouve un que la raison convainc certainement de fausseté, il ne faut pas s'obstiner à dire que c'en soit le sens naturel, mais en chercher un autre qui* 30 *s'y accorde.*

C'est ce qu'il explique par l'exemple du passage de la Genese où il est escrit *que Dieu crea deux grands luminaires, le soleil et la lune, et aussi les estoiles :* par où l'Escriture semble dire que la lune est plus grande que toutes les estoi- 35 les; mais, parce qu'il est constant par des demonstrations indubitables que cela est faux, on ne doit pas, dit ce Saint, s'opiniastrer à defendre ce sens litteral; mais il faut en chercher un autre conforme à cette verité de fait, comme en disant *que le mot de grand luminaire ne marque que la* 40 *grandeur de la lumiere de la lune à nostre égard, et non pas la grandeur de son corps en luy-mesme.*

Que si l'on vouloit en user autrement, ce ne seroit pas

rendre l'Escriture venerable, mais ce seroit au contraire l'exposer au mépris des infideles : *parce*, comme dit S. Augustin, *que, quand ils auroient connu que nous croyons dans l'Escriture des choses qu'ils sçavent parfaitement estre fausses, ils se* 5 *riroient de nostre credulité dans les autres choses qui sont plus cachées, comme la resurrection des morts et la vie eternelle.* Et ainsi, adjoûte S. Thomas, *ce seroit leur rendre nostre Religion méprisable, et mesme leur en fermer l'entrée.*

Et ce seroit aussi, mon Pere, le moyen d'en fermer l'entrée 10 aux heretiques, et de leur rendre l'autorité du Pape méprisable, que de refuser de tenir pour catholiques ceux qui ne croiroient pas que des paroles sont dans un livre où elles ne se trouvent point, parce qu'un Pape l'auroit declaré par surprise. Car ce n'est que l'examen d'un livre qui peut faire 15 sçavoir que des paroles y sont. Les choses de fait ne se prouvent que par les sens. Si ce que vous soûtenez est veritable, monstrez-le, sinon ne sollicitez personne pour le faire croire : ce seroit inutilement. Toutes les puissances du monde ne peuvent par autorité persuader un point de 20 fait, non plus que le changer : car il n'y a rien qui puisse faire que ce qui est ne soit pas.

C'est en vain, par exemple, que des Religieux de Ratisbonne obtinrent du Pape S. Leon IX un Decret solennel par lequel il declara que le corps de S. Denys, premier Evesque 25 de Paris, qu'on tient communement estre l'Areopagite, avoit esté enlevé de France et porté dans l'Eglise de leur monastere. Cela n'empesche pas que le corps de ce saint n'ayt toûjours esté et ne soit encore dans la celebre Abbaye qui porte son nom, dans laquelle vous auriez peine à faire rece- 30 voir cette Bulle, quoy-que ce Pape y témoigne avoir examiné la chose *avec toute la diligence possible, diligentissimè, et avec le conseil de plusieurs Evesques et Prelats : de sorte qu'il oblige estroitement tous les françois, districtè præcipientes, de reconnoistre et de confesser qu'ils n'ont plus ces saintes reliques.* 35 Et neanmoins les François, qui sçavoient la fausseté de ce fait par leurs propres yeux, et qui, ayant ouvert la chasse, y trouverent toutes ces reliques entieres, comme le témoignent les historiens de ce temps-là, crûrent alors, comme on l'a tousjours crû depuis, le contraire de ce que ce S. Pape leur 40 avoit enjoint de croire, sçachant bien que mesme les Saints et les Prophetes sont sujets à estre surpris.

Ce fust aussi en vain que vous obtintes contre Galilée ce

4. sçavent certainement *C.*

Decret de Rome qui condamnoit son opinion touchant le mouvement de la terre. Ce ne sera pas cela qui prouvera qu'elle demeure en repos ; et, si l'on avoit des observations constantes qui prouvassent que c'est elle qui tourne, tous les hommes ensemble ne l'empescheroient pas de tourner, 5 et ne s'empescheroient pas de tourner aussi avec elle. Ne vous imaginez pas de mesme que les lettres du Pape Zacharie pour l'excommunication de S. Virgile, sur ce qu'il tenoit qu'il y avoit des antipodes, ayent aneanti ce nouveau monde ; et qu'encore qu'il eust declaré que cette opinion 10 estoit une erreur bien dangereuse, le Roy d'Espagne ne se soit pas bien trouvé d'en avoir plûtost cru Christophe Colomb, qui en venoit, que le jugement de ce Pape qui n'y avoit pas esté, et que l'Eglise n'en ait pas receu un grand avantage, puisque cela a procuré la connoissance de l'Evan- 15 gile à tant de peuples qui fussent peris dans leur infidelité.

Vous voyez donc, mon Pere, quelle est la nature des choses de fait, et par quels principes on en doit juger : d'où il est aisé de conclure sur nostre sujet que, si les cinq propositions ne sont point de Jansenius, il est impossible qu'elles 20 en ayent esté extraites, et que le seul moyen d'en bien juger et d'en persuader le monde est d'examiner ce livre en une conference reglée, comme on vous le demande depuis si long-temps. Jusques là vous n'avez aucun droit d'appeller vos adversaires opiniastres, car ils seront sans blasme sur ce 25 point de fait, comme ils sont sans erreurs sur les points de foy ; catholiques sur le droit, raisonnables sur le fait, et innocens en l'un et en l'autre.

Qui ne s'estonnera donc, mon Pere, en voyant d'un costé une justification si pleine, de voir de l'autre des accusations 30 si violentes ? Qui penseroit qu'il n'est question entre vous que d'un fait de nulle importance, qu'on veut faire croire sans le monstrer ? Et qui oseroit s'imaginer qu'on fist par toute l'Eglise tant de bruit pour rien, *pro nihilo*, mon Pere, comme le dit S. Bernard ? Mais c'est cela mesme qui est le 35 principal artifice de vostre conduite, de faire croire qu'il y va de tout en une affaire qui n'est de rien, et de donner à entendre aux personnes puissantes qui vous écoutent, qu'il s'agit dans vos disputes des erreurs les plus pernicieuses de Calvin et des principes les plus importans de la foy ; afin 40 que, dans cette persuasion, ils emploient tout leur zele et toute leur autorité contre ceux que vous combattez, comme si le salut de la Religion catholique en dependoit ; au lieu que, s'ils venoient à connoistre qu'il n'est question que de ce petit point de fait, ils n'en seroient nullement touchez, et ils auroient au contraire bien du regret d'avoir fait tant d'efforts pour suivre vos passions particulieres en une affaire 5 qui n'est d'aucune consequence pour l'Eglise.

Car enfin, pour prendre les choses au pis, quand mesme il seroit veritable que Jansenius auroit tenu ces propositions quel malheur arriveroit-il de ce que quelques personnes en douteroient, pourveu qu'ils les detestent, comme ils le font 10 publiquement? N'est-ce pas assez qu'elles soient condamnées par tout le monde sans exception, au sens mesme où vous avez expliqué que vous voulez qu'on les condamne? En seroient-elles plus censurées quand on diroit que Jansenius les a tenuës? A quoy serviroit donc d'exiger cette reconnais-15 sance, sinon à décrier un Docteur et un Evesque qui est mort dans la communion de l'Eglise? Je ne voy pas que ce soit là un si grand bien, qu'il faille l'acheter par tant de troubles. Quel interest y a l'Estat, le Pape, les Evesques, les Docteurs, et toute l'Eglise? Cela ne les touche en aucune 20 sorte, mon Pere, et il n'y a que vostre seule Societé qui recevroit veritablement quelque plaisir de cette diffamation d'un auteur qui vous a fait quelque tort. Cependant tout se remuë, parce que vous faites entendre que tout est menacé. C'est la cause secrete qui donne le branle à tous ces grands 25 mouvemens, qui cesseroient aussi-tost qu'on auroit sçeu le veritable estat de vos disputes. Et c'est pourquoy, comme le repos de l'Eglise depend de cét éclaircissement, il estoit d'une extrême importance de le donner, afin que, tous vos déguisemens estant découverts, il paroisse à tout le monde que vos 30 accusations sont sans fondement, vos adversaires sans erreur, et l'Eglise sans heresie.

Voila, mon Pere, le bien que j'ay eu pour objet de procurer, qui me semble si considerable pour toute la Religion que j'ay de la peine à comprendre comment ceux à qui vous 35 donnez tant de sujet de parler peuvent demeurer dans le silence. Quand les injures que vous leur faites ne les toucheroient pas, celles que l'Eglise souffre devroient, ce me semble, les porter à s'en plaindre; outre que je doute que les Ecclesiastiques puissent abandonner leur reputation à la 40 calomnie, sur tout en matiere de foy. Cependant ils vous laissent dire tout ce qu'il vous plaist, de sorte que, sans l'occasion que vous m'en avez donnée par hasard, peutestre que rien ne se seroit opposé aux impressions scandaleuses que vous semez de tous costez. Ainsi leur patience m'estonne, et d'autant plus qu'elle ne peut m'estre suspecte ny de timidité ny d'impuissance, sçachant bien qu'ils ne manquent ny de raisons pour leur justification ny de zele pour la verité. Je les vois neanmoins si religieux à se taire que je 5 crains qu'il n'y ayt en cela de l'excés. Pour moy, mon Pere, je ne croy pas le pouvoir faire. Laissez l'Eglise en paix, et je vous y laisseray de bon cœur. Mais pendant que vous ne travaillerez qu'à y entretenir le trouble, ne doutez pas qu'il ne se trouve des enfans de la paix qui se croiront obligez 10 d'employer tous leurs efforts pour y conserver la tranquillité.

10. *om.* ne . . . trouve *A* ; les enfans *A*.

DIX-NEUVIÈME LETTRE.

MON REVEREND PERE,

Si je vous ay donné quelque deplaisir par mes autres Lettres en manifestant l'innocence de ceux qu'il vous importoit de noircir, je vous donneray de la joye par celle cy en vous faisant paroistre la douleur dont vous les avez remplis.
5 Consolez vous, mon Pere, ceux que vous haïssez sont affligez. Et si MM. les Evesques executent dans leurs Dioceses les conseils que vous leur donnez de contraindre à jurer et à signer qu'on croit une chose de fait qu'il n'est pas veritable qu'on croye et qu'on n'est pas obligé de croire, vous reduirez
10 vos adversaires dans la derniere tristesse de voir l'Eglise en cet estat. Je les ay vûs, mon Pere, et je vous avouë que j'en ay en une satisfaction extreme. Je les ay vûs non pas dans une generosité philosophique, ou dans cette fermeté irrespectueuse qui fait faire imperieusement ce qu'on croit
15 estre de son devoir; non aussi dans cette lascheté molle et timide qui empesche ou de voir la verité ou de la suivre, mais dans une pieté douce et solide, pleins de defiance d'eux mesmes, de respect pour les puissances de l'Eglise, d'amour pour la paix, de tendresse et de zele pour la verité, de desir de
20 la connoistre et de la defendre, de crainte pour leur infirmité, de regret d'estre mis dans ces épreuves,et d'esperance neanmoins que Dieu daignera les y soûtenir par sa lumiere et par sa force, et que la grace de J.-C. qu'ils soûtiennent et pour laquelle ils souffrent sera elle mesme leur lumiere et leur force.
25 Je les ay trouvez environnez des personnes de leur connoissance qui estoient aussi venuës sur ce sujet pour les porter a ce qu'ils croyoient le meilleur dans l'estat present des choses. J'ay ouy les conseils qu'on leur a donnez; j'ay remarqué la maniere dont ils les ont reçûs et les reponses
30 qu'ils y ont faites; mais en verité, mon Pere, si vous y aviez esté present, je croy que vous avoüeriez vous mesme qu'il n'y a rien dans tout leur procedé qui ne soit infiniment eloigné de l'air de revolte et d'heresie, comme tout le monde pourra connoistre pour les temperamens qu'ils ont apportez, et
35 que vous allez voir icy, pour conserver tout ensemble les deux choses qui leur sont infiniment cheres, le paix et la verité.

Car apres qu'on leur a representé en general les peines qu'ils se vont attirer par leur refus si on leur presente cette nouvelle Constitution à signer, et le scandale qui en pourra
40 naistre dans l'Eglise, ils ont fait remarquer. . . .

NOTES

NOTES

Pensées = *Pensées de Pascal*, ed. L. Brunschvicg, in "Les Grands Écrivains de la France" (1904), or for nos. 1-924, the volume *Pensées et Opuscules* by the same editor, 2nd edition, "Classiques Français" (Hachette), 1900.

Œuvres de Pascal = *Œuvres*, edd. MM. Brunschvicg, Boutroux & Gazier, in "Les Grands Écrivains de la France".

Nicole = The translation of the *Provinciales* into Latin by Nicole (Wendrockius), 1658.

Œuvres d'Arnauld = *Œuvres*, ed. Lausanne, 43 vols., 1775-1783.

P.R. = Sainte-Beuve, *Port-Royal*, 6th edition, 1901.

Haase = *Syntaxe française du XVIIe siècle*, nouvelle édition, traduite et remaniée par M. Obert, Paris (Delagrave), 1914. Nearly all purely grammatical points are referred to this book.

References to the Psalms are according to the English Bible unless otherwise noted.

LETTER I.

Title. Who invented the title of the Letters? Nicole, in the *Advertissement* to his edition of 1657, says it was the printer. Pascal himself in one of his *Pensées* (no. 52) says, "Je gagerois que c'est l'imprimeur qui l'a mis au titre des Lettres au Provincial". But it is difficult to believe that the author should have had no hand in so important a matter. Probably the title was chosen in consultation with the printer, and with a recollection of the anonymous *Lettre d'un jurisconsulte à un Provincial de ses amis sur l'usure* (Mons, 1598).

No doubt the "Provincial," or country friend, who is here addressed, was Pascal's brother-in-law, Florin Perier, councillor at the *Cour des Aides* at Clermont in Auvergne.

Date. Arnauld was condemned on the "point de fait" (the heresy of Jansen) on 14 January, 1656. The Sorbonne hesitated a moment before passing to the more important "point de droit" (Arnauld's own orthodoxy), and the Thomist party was prepared to treat with him. But the Jesuits were determined to see the thing through, and the negotiations broke down on 17 January. It was upon their failure that Pascal struck in. The First Letter must therefore have been composed within five days, between the 18th and the 23rd of January.

P. 1, l. 2. *j'ay pensé.* Cf. Haase, § 65, Rem. III.

P. 1, l. 2. *Sorbonne.* The Sorbonne was founded in 1257 by Robert de Sorbon, chaplain to Louis IX, as a college for students of theology. By the sixteenth century the staff of the Sorbonne had come to be practically identical with the University faculty of theology.

P. 1, l. 4. *Tant d'assemblées.* The Sorbonne began its consideration of Arnauld's case on 1 December, 1655, and discussed it every working day for six weeks from 8 a.m. to 12.30.

P. 1, l. 5. *où.* The antecedent is *tant d'assemblées.*

P. 1, l. 6. *si extraordinaires*, etc. The anomalies were (1) the excessive and irregular number of "friar-doctors" present and voting, viz. more than forty instead of the statutable eight (two from each of the Mendicant Orders, Dominicans, Franciscans, Augustinians, and Carmelites). (2) A rigid closure, viz., half an hour for each speaker. This was put into practice and regulated by a sand-glass during the discussion on the "question de droit". (See Letter II.) Arnauld himself was subjected to special disabilities. He must swear to conform to the censure, if it was issued; he must not attempt to argue, but must simply state his opinion. The result was that he did not speak at all, but only wrote. (3) The intrusion of the lay power into the theological debate in the person of Séguier, the Chancellor. He terrorized the assembly and managed the sand-glass. Arnauld's friends protested and withdrew, and Séguier, having done his work, found it convenient to be confined to his house with a cold during the last five sittings, which were accordingly far less temptestuous than the earlier ones.

P. 1, l. 13. *Fait . . . Droit.* Pascal returns to the questions of "Fait" and "Droit" in Letters XVII. and XVIII.

P. 1, l. 15. *temeraire.* A recognized term of ecclesiastical censure. A proposition may be *haeretica*, *erronea*, *haeresi proxima*, *errori proxima*, or merely *temeraria.*

P. 1, l. 15. *sa seconde Lettre*, i.e. the *Lettre à un duc et pair* (1655). See Introduction, p. xxiv. Pascal gives the sense, but not the precise words of Arnauld.

P. 1, l. 16. *le livre de Jansenius.* The *Augustinus.* See Introduction, p. xxi.

P. 1, l. 17. *le feu Pape.* Innocent X., *ob.* 7 January, 1655.

P. 2, l. 5. *Messieurs les Evesques*, etc. There was an assembly of thirty-eight bishops held at the Louvre under the presidency of Cardinal Mazarin on 28 March, 1654. All of them signed the declaration in question, but four at least did so under protest. Mazarin lightened the deliberations by a sumptuous banquet at which, says Godefroy Hermant, "ceux qui aimoient l'Eglise eurent tout le loisir d'avaler une infinité de couleuvres". Cf. H.'s *Mémoires* (ed. A. Gazier), t. iii., p. 471 f.; and see *Œuvres d'Arnauld*, t. xix., p. xxvi.

P. 2, l. 9. *tant d'escrits.* Arnauld's *Première Lettre* drew no less than nine replies from the Jesuits.

P. 2, l. 12. *de Jansenius . . . qu' elles y sont.* On this phrase Père Daniel, in the *Entretiens de Cleandre et Eudoxe* (1694), remarks: "Pascal auroit eu besoin d'étudier sa grammaire françoise sur cette particule *y:* il n'entend point du tout l'usage". "Il falloit dire . . . dans Jansénius."

P. 2, l. 13. *quelques-uns mesme.* E.g. Doctor Claude Cordon. His opinion and that of Dr. Claude Tristan are quoted in *Œuvres de Pascal*, t. iv., p. 109.

P. 2, l. 16. *de toutes contraires.* The defenders of Jansen referred to the following passages of the *Augustinus* as being contrary to the Five Propositions :—

I. "Praecepta Dei sunt homini possibilia. . . . Totam legem implere potest." *Aug.*, III., xv., p. 145.

II. "Constat multos divinitus mente collustrari imo vero et in ipsa voluntate motibus divinae gratiae percelli, qui tamen ab ejus interna suasione et inclinatione dissentiunt." *Ib.*, II., xxvii., p. 86.

III. "Hominum viatorum non solum coactionis expertem esse libertatem, sed etiam necessitatis immutabilis voluntariae, hoc est, eam ad utrumque indifferentius esse fatemur perlibenter." *Ib.*, VI., xxxiv., p. 304.

IV. "Augustino Dominus ita movet voluntatem ut quamvis infallibiliter convertatur et operetur, possit tamen motioni Dei refragari aut obtemperare seu ut Conc. Trid. loquitur illi dissentire si velit." *Ib.*, VIII., xxi., p. 376.

V. "Christus se dedit redemptionem seu pretium pro omnibus sufficienter, quia sufficiens pretium obtulit; non tamen pro omnibus omnino efficienter, quia non omnibus applicatur ista redemptio." *Ib.*, III., xx., p. 162. Cf. A. Gazier's edition of Racine's *Abrégé* (1908), *s.v.* "Propositions".

P. 2, l. 23. *quelques.* Cf. Haase, § 48, B. *Moines* (see critical note) had a touch of contempt which it did not seem necessary to press.

P. 2, l. 34. *ny si gros.* Yet the *Augustinus* is a volume of 1073 folio pages in double column. Dr. Tristan (see above, note on l. 13) mentions its accessibility, but not its size.

P. 2, l. 40. *se défier du contraire*, trs. "suspect the contrary". Cf. "Une chose vous manque ; vous ne vous en défiez pas" (La Bruyère).

P. 3, l. 5. *toute opposée.* Cf. Haase, § 46.

P. 3, l. 6. *ne croit les choses*, etc. This is the very spirit of Descartes, whose watchword was "certainty". Cf. his first rule: "Ne recevoir jamais aucune chose pour vraie, que je ne la connusse évidemment estre telle". *Discours de la Méthode*, 2e partie.

P. 3, l. 15. *Que la grace*, etc. Again Pascal gives the sense, but not the exact words of Arnauld.

P. 3, l. 19. *efficace.* See Introduction, p. xx.

P. 3, l. 20. *grand Theologien en peu de temps.* Pascal's opponents make great play with this admission, and entirely miss its irony. He was no doubt first and foremost a man of science, but he was better versed in theology than they thought or is generally supposed to-day. Cf. E. Jovy, *Pascal Inédit*, Vitry-le-François, 1908, t. 1, p. 6 ff.

P. 3, l. 22. *Docteur de Navarre.* The Collège de Navarre, founded by Jeanne de Navarre, wife of Philippe le Bel, in 1304, was one of the residential colleges of the University of Paris. It stood on the site of the present École Polytechnique.

P. 3, l. 34. *Saint Augustin.* Cf. *Ep.* 217, *ad Vitalem*, c. 5; a passage repeatedly quoted by Arnauld.

P. 4, l. 2. *Sorbonique.* The *Sorbonique* was one of the theses which a candidate for the doctorate had to support before the Faculty of Theology.

P. 4, l. 6. *ce me dit-il.* Cf. Haase, § 18, B.

P. 4, l. 40. *le fin*, trs. "the subtle point".

P. 5, l. 6. *prochain*, "Pouvoir prochain," "proxima" or "expedita potestas" = "immediate power," is an orthodox catholic expression which Pascal himself adopts elsewhere. Cf. *Lettre sur les commandemens de Dieu* (*Œuvres de Pascal*, t. xi., p. 157). What he protests against here is not so much the phrase itself as the dishonest agreement on the part of Molinists and Thomists to use it for the overthrow of Arnauld, although they understood by it two very different things. To the Thomists it meant an inherent power which requires external help in order to pass into action: to the Molinists it meant a power which contains within itself all that is necessary for action. For the Thomist and Neo-Thomist view of "proxima potestas" cf. St. Thomas, *S. th.* I, q. 83, art. 2, ad. 2, and Alvarez (the founder of the Neo-Thomists), *De Auxiliis. lib* XII., disp. CXVII., art. 11. Nicole, in his Latin translation of the *Provinciales*, published in 1658 under the pseudonym of Willelmius Wendrockius, devotes an elaborate note to the defence of Pascal's rejection of the term.

P. 5, l. 26. *Je les luy offris tous ensemble*, etc. Pascal is a little hasty. When we come to Letters XVII. and XVIII. we shall find him distinguishing between the different parties. And in any case M. le Moine, who appears in the next paragraph, was not an ordinary Molinist.

P. 5, l. 26. *ne faisans.* Cf. Haase, § 91, A.

P. 6, l. 2. *une repugnance*, trs. "a diversity".

P. 6, l. 6. *Monsieur le Moine.* Alphonse le Moine (*ob.* 2 Aug., 1659), formerly curé of the Madeleine, Doctor and Professor of the Sorbonne and one of Nicole's teachers there. "Ingenium inter mediocra optimum" (cf. Hermant, *Mém.* t. i., p. 172), he invented a compromise between the strict grace-doctrine of St. Augustine and that of Molina, and secured a large following. He recognized the necessity of "grâce efficace en elle-même," but allowed in all men a "grâce suffisante" of prayer, whereby the gift of "grâce suffisante" leading to "grâce efficace," can be obtained. Nicole turned against his teacher in his 3rd note on the First Letter, where he exposes his false system of grace, records its defeat at the hands of Nicole, and le Moine's consequent rancour.

P. 6, l. 6. *le Pere Nicolai.* Jean Nicolai (1594-1673), the most prominent Dominican of his time.

P. 6, l. 11. *nouveaux Thomistes.* The name given by the Jansenists to the disciples of Diego Alvarez (1550-1635), Archbishop of Trani. Pascal's attitude towards the Neo-Thomists here is very different from that which he takes up in Letter XVIII.

P. 6, l. 18. *pour la faire.* Cf. Haase, § 48, C.

P. 6, l. 26. *sans quoy.* Cf. Haase, § 34.

P. 6, l. 40. *Jacobins.* I.e. the Dominicans, whose Paris home was in the rue St. Jacques, at the angle of the rue des Grès, parallel to the rue du Panthéon and looking east at St. Étienne du Mont.

P. 7, l. 8. *Oüy dea.* "Dea" = "dà". A yet older form "diva," declares the most probable etymology of this emphatic particle, viz., the two imperatives "di!" (dis) and "va!"

P. 7, l. 34. *arriva.* Cf. Haase, § 65, Rem. I.

P. 8, l. 5. *Distinguo.* This is a hit at M. le Moine who was notorious for his hair-splitting. Nicole says of him that no one ever invented so many distinctions, and that his object was rather to evade the truth than to find it. Cf. his note IV. to Letter I.

P. 8, l. 26. *n'ayant point esté expliquées.* Cf. Haase, § 95, B.

P. 9, l. 8. *Cordeliers*, i.e. Franciscans, whose brown frock was girt by a thrice knotted cord.

Pascal here alludes to a passage between the Queen, Anne of Austria, and the Princesse de Guémené, a fervent partisan of Port-Royal. "Vos docteurs parlent trop," said the Queen. To which Madame Guémené replied: "Vous ne vous en souciez guère, Madame, car vous ferez venir tant de Cordeliers et de moines mendiants que vous en aurez de reste". Whereupon the Queen remarked, "Nous en faisons venir encore tous les jours". Cf. Beaubrun, *Mémoires*, quoted in *Œuvres de Pascal*, t. iv., p. 110.

P. 9, l. 23. *l'Academie.* The great Dictionary of the Academy, begun in 1638, was making slow progress. In 1651 it had got no further than the Letter "I".

P. 9, l. 24. *ce mot barbare de Sorbonne qui.* Cf. Haase, § 156, D.

P. 9, l. 26. *méprisable*, trs. "negligeable".

P. 9, l. 30. *mon prochain* (see critical note). Pascal allowed his harmless pun (Daniel calls it a "turlupinade") to be withdrawn. It was restored in 1659.

LETTER II.

P. 10, l. 2. *Monsieur N.* The "docteur de Navarre" of Letter I.

P. 11, l. 25 ff. (see critical note). This passage is a good example of the way in which Pascal allowed Port-Royal to doctor his original draft to its obvious disadvantage.

P. 11, l. 33. *cette necessité excluroit*, etc. "If efficacious grace is necessary, what becomes of sufficient grace?"

P. 12, l. 9. *Clement VIII et Paul V*, under whom the Congregation *de Auxiliis* was held from 1598 to 1606. See Introduction, p. xx.

P. 12, l. 11. *leur opinion*, i.e. the Dominicans' theory of efficacious grace + sufficient grace. See Introduction, p. xx.

P. 13, l. 3. *toute ma demy-heure.* See above, note on p. 1, l. 6.

P. 13, l. 5. *Il opine du bonnet*, etc. To this day Proctors in the Senate-House at Cambridge register assent to "graces" by raising their caps.

P. 13, l. 33. *un autre.* Cf. Haase, § 54, A.

P. 13, l. 39. *ce bon homme = ce vieillard.* There was no derogatory sense attaching to "bonhomme" at this time.

P. 15, l. 26. *Une peinture de l'Eglise.* "Fas est et ab hoste doceri"—Pascal appears to have borrowed his parable from the Anti-Augustinian A. le Moine. See Molinier *ad loc.*

P. 15, l. 35. *insulta contre*, trs. "attacked". The use of "contre" after "insulter" is a recollection of the Latin construction "insultare in". It occurs in old French, meaning "to rise up against". Cf. "faire insulter la commune de Milan contre les françoys".

P. 16, l. 42. *Abbeville.* This incident is apparently historic. A certain Dominican was banished from Paris in 1655 for maintaining a Jansenist thesis. Cf. Hermant, *Mém.*, t. iii., ch. 16.

P. 17, l. 6. *Molina.* Luis de Molina (1535-1601). See Introduction, p. xx.

P. 17, l. 12. *l'heresie de Luther.* The Society of Jesus was not founded till twenty years after Luther's excommunication in 1520; but his doctrines were only let loose in Europe in 1552, so that Pascal cannot fairly be charged with inaccuracy.

P. 17, l. 18. *en estat d'estre décriez comme des Calvinistes.* As in fact they were described. See Introduction, p. xx.

P. 17, l. 29. *elle seroit perie.* The use of "être" with "périr" is apparently confined nowadays to legal phraseology.

P. 17, l. 29. *vous avez receu*, etc. "You have admitted into the Church a term which is hostile to the truth: the thing it signifies will soon follow."

P. 18, l. 13. *Saint Bernard*, of Clairvaux (1091-1153).

P. 18, l. 14. *L'ange de l'école.* St. Thomas, "Doctor Angelicus".

P. 18, l. 14. *transmise de luy.* Cf. Haase, § 113.

P. 18, l. 23. *Docteur de la grace.* Cf. Introduction, p. xv.

P. 19, l. 6. *la censure est faite.* The censure was not pronounced till 31 January.

P. 20. *Response du Provincial.*

There is little doubt that Pascal himself wrote this delicious reply. It is quite probable that the two letters which he quotes are genuine. Who wrote them? For the Academician, Chapelain has been suggested, and the conjecture is borne out by the description of the writer and the style of the writing. Ever since the report of the Academy on the *Cid* he had been regarded as the prince of critics: he was soon to be the first of French poets, and "head of the French Parnassus". Cf. Tilley, *From Montaigne to Molière*, p. 111.

For the lady, the choice lies between Mlle de Scudéry, Mme de Longueville, and Mme de Sablé. In favour of the former is quoted a fling of Racine's in his cruel letter to Port-Royal (1666), "Ne lui (i.e. Mlle de Scudéry) a-t-on pas même rendu les louanges dans l'une des Provinciales. N'est-ce pas elle que l'auteur entend lorsqu'il parle d'une Personne qu'il admire sans la connoître?" Against her it may be urged that Pascal would not have been at the pains of so much mystery, if the writer had not been some really great lady; that Nicole in his translation uses the words "insignis fœmina" which do not apply to the novelist but which do apply to Mme de Sablé, and still more to Mme de Longueville. The latter is described by a contemporary as reading the *Lettres au Provincial* "avec un grand plaisir". The lady to whom the letter was addressed is no doubt Pascal's sister, Gilberte, wife of Florin Perier.

With regard to the Academician, Pascal had reason to be pleased with the success of his appeal to the Academy at the end of Letter I., if this Réponse is a genuine document; and with his own skill in parodying Chapelain, if it is a "pastiche". In this last case one may believe that he took special pleasure in singing the praises of the Academy in terms which could be seriously used only by a "précieux" or by a country cousin, dazzled by everything that hailed from Paris.

P. 20, l. 9. *feu Mr le Cardinal.* Richelieu displayed his favour towards the Sorbonne by building a church for it in 1635, and by leaving to it his splendid library.

P. 20, l. 17. *J'en suis marry.* Sainte-Beuve (*P.R.*, t. iii., p. 67) considers this phrase and the form "die" a few lines earlier to be deliberate archaisms and signs of Pascal's impatience with the old-fashioned ways of the Academy. But Pascal himself uses "marri" on his own account at the end of Letter V.

LETTER III.

P. 22, l. 2. *Une copie manuscrite.* The Censure was voted on 31 January, but did not appear in print until 17 February, a fortnight's grace being allowed in case Arnauld chose to recant. Declining to do so, he was duly degraded on 15 February.

P. 22, l. 3. *Je me suis trouvé*, etc. Notice the academic tone of this paragraph, suitable in a reply to an academic letter.

P. 22, l. 27. *on les accusoit ouvertement*, etc. For the story of the Conference at Bourg-Fontaine in 1621, see Letter XVI. and notes.

P. 23, l. 4. *si atroces;* l. 7. *detestables* (see critical notes). The softening of the vigour of Pascal's original expressions throughout this Letter is to be noted.

P. 23, l. 8. *ses plus declarez ennemis.* Cf. Haase, § 155, B.

P. 23, l. 8. *tout leur estude.* The amateur philologists of the sixteenth century tried to make masculine nouns of "étude" and other words derived from feminine plurals, e.g. "œuvre". They partly succeeded, but Vaugelas in 1647 fixed the gender of "étude" as feminine for all senses, while Malherbe distinguished between "étude" masc. = "the action of study," and "étude" fem. = "the place of study".

P. 23, l. 27. *ses Apologies . . . en plusieurs colonnes*, viz., the *Epistola et alter Apologeticus . . . ad sacram facultatem Parisiensem*, 17 January, 1656 (*Œuvres d'Arnauld*, t. xix., pp. 628 ff.), in which Arnauld set out in three columns the incriminated passage from his second Letter and the texts of St. Augustine and St. Chrysostom which support it. This *Ecrit à trois Colonnes* must be distinguished from the more famous one presented to the Pope in 1653 by M. Lalane, one of the Jansenists who went to Rome to plead the cause of the *Augustinus*. Cf. Sainte-Beuve, *P.R.*, t. iii., p. 17. Arnauld's *Epistola* is preceded by a really noble covering letter (16 January) from which Pascal borrows the passage of St. Augustine "que Jesus Christ nous montre un juste," etc.

P. 24, l. 7. *autant differente*. Cf. Haase, § 98, A.

P. 25, l. 7. *les plus horribles qu'on pourroit former*. Cf. Haase, § 75, Rem. III.

P. 25, l. 26. *La verité est si delicate*. Contrast with this ironical passage the serious treatment of the same theme in the *Pensées:* "La justice et la verité sont deux pointes si subtiles que nos instrumens sont trop mousses pour y toucher exactement. S'ils y arrivent, ils en ecachent la pointe, et appuyent tout autour, plus sur le faux que sur le vray" (No. 82).

P. 26, l. 7. *la premiere question*, i.e. "de fait".

P. 26, l. 35. *on crie dans les rues*. Arnauld's censure was cried in the streets from 22 February.

P. 27, l. 8. *par un catechisme*. Such as were frequently held in the church of St. Louis (the present church of Saint-Paul-Saint-Louis in the rue Saint-Antoine). Pascal gives an example of a catechism in Letter XVII.

P. 27, l. 10. *Une procession*. Pascal refers to a procession through the streets of Mâcon on Shrove Tuesday, 1651. A schoolboy dressed up as "Sufficient Grace" dragged after him a bishop of Ypres with blackened face and a paper mitre. Cf. Hermant, *Mém.*, t. i., p. 521.

P. 27, l. 11. *une comedie*. Nicole tells us that this was a play produced at the Collège de Clermont.

P. 27, l. 12. *un Almanach*. The Almanach in question was issued in December, 1653. It represented the Rout and Confusion of the Jansenists. Jansen, furnished with bats' wings, is followed by Error, Ignorance, and Fraud. The Pope, escorted by Religion and the Church, blasts him with thunder. The King, surrounded by Zeal, Piety, and Concord, smites him with sword and sceptre. Jansen's followers flee for refuge to Calvin. Port-Royal replied to this explosion of bad taste by a set of verse entitled *Les Enlumineures du fameux almanach des Pères Jesuites*, first edition, January 15, second edition (2,200 execrable lines), 10 February, 1654. Here is an example :—

"Enfin Molina, plein de gloire,
Triomphe avec sa bande noire,
Le titre arbitre audacieux
Domine la grâce des cieux,
Et l'humble Augustin en déroute
Crie en vain qu'au moins on l'écoute. . . ."

The discredit of the *Enlumineures* belongs to the gentle M. de Saci, one of Arnauld's nephews, and a "solitary". That Pascal's taste was offended thereby is evident from the *Pensées*: "les Enlumineures m'ont fait tort" (No. 925).

P. 27, l. 19. *un sçavant Theologien.* Was this Pascal himself? Cf. "Ce sont d'habiles gens. Ils ont craint que les lettres qu'on escrit aux provinciaux" (*Pensées*, No. 925).

P. 27, l. 24. *pour exposer simplement*, etc. See above, note on p. 1, l. 6.

P. 27, l. 26. *s'estant voulu . . . écarter.* Cf. Haase, § 68, Rem. II.

P. 27, l. 28. *le second apologetique.* See above, note on p. 23, l. 27.

P. 27, l. 40. *l'acte de M. Arnauld.* See above, note on p. 1, l. 6.

P. 28, l. 27. *Ce n'est que dans M. Arnauld.* Cf. "Une proposition est bonne dans un autheur et meschante dans un autre. Ouy: mais il y a donc d'autres mauvaises propositions" (*Pensées*, No. 925).

P. 28, l. 40. *Ce n'est que sa personne.* See Introduction, p. xxv.

P. 29. *E.A.A.B.P.A.F.D.E.P.* The most probable expansion of these initials is "Et Ancien Ami Blaise Pascal Auvergnat Fils De Etienne Pascal". A contemporary but unlikely suggestion is that the letters "E.A.A." represent "Et Antoine Arnauld"; that they originally came at the end of the series and were shifted to the front in order either to baffle curiosity or to do honour to Arnauld. In any case Arnauld's share in the Letter, whether direct or indirect, is apparent throughout.

LETTER IV.

With the Fourth Letter Pascal changes his venue. So far he has been concerned with Arnauld's case, and the attitude of the Thomists, his object being to convince these last of the unreality and dishonesty of their alliance with the Jesuits. Now that this alliance has succeeded in its object and that Arnauld is definitely disgraced, Pascal turns from the Thomists and attacks the Jesuits. According to an old story, his friend the Chevalier de Méré had pointed out to him that the theological topics of the first Three Letters were too dry for the general public whose suffrages he was seeking: that a rich field lay before him in the "morale relachée" of the Jesuits: that the time was come when attack should replace defence. But the intervention of Méré was not necessary. The last paragraph of Letter III. betrays a weariness of the scholastic dispute and prepares us, not for a cessation of hostilities, but for a different warfare. With bitter irony Pascal declares that the only chance of destroying Molinism is to get Arnauld to adopt it. Wroth with the Jesuits as he is for working the ruin of his friend, it is natural that he should cast about for a means of avenging him, and this he finds in the Casuists. As he reads them, he discovers that a greater cause than Arnauld's is at stake, nothing less than that of his Master, Christ. The Jesuit morality threatens to lower, and so lose, the teaching of the Gospel. From this time forward his principal care is the defence of Christian purity of life. It is this that accounts for the heightened tone of his writing. He is now in deadly earnest and, we must admit, somewhat blinded by his zeal. Cf. Introd., p. xxxiv. He found his material in Arnauld's *Apologie des saints pères* (1651) and *Théologie morale des Jesuites* (1643), which latter drew his attention to Bauny and served him as an arsenal throughout his attack on Jesuit morality.

P. 30, l. 1. *rien tel que les Jesuites.* Cf. Haase, § 116, A.

P. 30, l. 1. *Jacobins.* See above, note on p. 6, l. 40.

P. 30, l. 9. *grace actuelle.* The first occurrence of "actualis" applied to "gratia" which I have found is in the *De Causa Dei* of Thomas of Bradwardine, Archbishop of Canterbury (*ob.* 1349). But the doctrine of a transient grace bestowed "ad actum," i.e. for the performance of a meritorious act, as distinguished from habitual grace, ensuring a permanent state ("habitus"), was current scholastic doctrine. Cf. St. Thomas, *Ia IIae*, q. 109, a. 9, and Introduction, p. xviii f.

P. 30, l. 14. *Une inspiration*, etc. This is Arnauld's own definition in the *Apologie des saints pères*, very slightly altered.

P. 31, l. 4. *la definition à la place du defini.* Cf. "il n'y a rien de plus permis que de donner à une chose qu'on a clairement designée un nom tel que l'on voudra. Il faut seulement prendre garde qu'on n'abuse de la liberté . . . en donnant le mesme (nom) à deux choses differentes . . . mais si l'on tombe dans ce vice on peut luy opposer un remède très seur et tres infaillible: c'est de substituer mentalement la definition à la place du defini. . . ." (*De l'Esprit geometrique* in *Pensées*, p. 166.)

P. 31, l. 22. *Faites estat*, "be sure". Cf. "Faites état qu'il ne lui mangeroit rien" (La Fontaine).

P. 31, l. 30. *La Somme des Pechez*, by Etienne Bauny, S.J. (1564-1649). 1st ed., Paris, 1630; 5th ed. Censured at Rome, 1640; at Mantes by the *Assemblée du Clergé*, 1641; by the Sorbonne, 1641 (Richelieu prevented the publication of this censure); by Louvain, 1657 and 1659.

P. 31, l. 31. *la cinquieme edition.* Apparently some scandalous propositions were omitted in the 6th edition of 1643. Cf. Sommervogel, *Bibl. de la comp. de Jés.*, *s.v.* Bauny. But Pascal takes no risks and quotes the book at its worst.

P. 32, l. 3. *M. Hallier.* François Hallier commenced as a Jansenist and helped Arnauld in his *Théol. mor. des Jesuites*, but he turned Molinist in 1649, and was one of the party that went to Rome in 1652 to procure the condemnation of the Five Propositions.

P. 32, l. 3. *avant qu'il fust.* See critical note, and cf. Haase, § 84, Rem. III.

P. 32, l. 4. *Ecce qui tollit.* Cf. John i. 29. Applied by Caramuel to Diana in all seriousness. See Letter VI.

P. 32, l. 9. *P. Annat.* Francois Annat (1590-1670). If Ménage may be trusted, his real name was Canard, which to avoid impertinent jesting he latinized as Annatius. Cf. *Menagiana*, t. i., p. 285 (2nd edition). *Anas* = duck. He had been professor of theology at Toulouse, but was at this time confessor to the King. Sommervogel (*Bibl. de la comp. de Jés.*, *s.v.* Annat) says that Annat gave up his charge when Mme La Vallière became the King's mistress (about 1661). This statement apparently reposes on the sole authority of the scandalous *Amours du Palais Roial* (*ca.* 1665), and it is tacitly abandoned by Sommervogel himself when he comes to speak of Jean Ferrier who, he says, succeeded Annat in the Royal Household in 1670. It is in direct contradiction with the statement of "Sotwel" (i.e. "Southwell," i.e. Nath. Bacon, S.J.) in the *Bibl. scriptorum Soc. Jes.* (1676), according to whom Annat continued his function until within four months of his death in 1670, when increasing deafness compelled him to seek a release which was reluctantly granted by his royal master. However this may be, strictness is not among the many good qualities ascribed to Annat by Southwell. His freedom from nepotism and his zeal against Jansenism are selected for especial praise. The King's remark that he did not know that Annat had any relations is evidence of the former virtue, as the polemic against Arnauld and Pascal is of the latter.

P. 32, l. 9. *le dernier qu'il a fait contre M. Arnauld*, i.e. *Réponse à quelques demandes, dont l'éclaircissement est nécessaire au temps présent, 2e edition, augmentée des reflexions sur la seconde lettre du sieur Arnaud, 1656;* to which is appended *Examen de ce qui a été avancé par le sieur Arnaud dans sa seconde Lettre sur le sujet de la première proposition condamnée.*

P. 32, l. 12. *Celuy qui n'a aucune pensée de Dieu*, etc. Annat is here maintaining the doctrine of "invincible ignorance," i.e. ignorance which does not yield before moral diligence and which, according to Roman teaching, excuses from all culpability. Calvin denied the existence of such ignorance; Luther, and Jansen after him, allowed it only in case of breaches of human law. Our ignorance of divine law and of God is due, they held, to original sin and is therefore sinful. Jansen's proposition on the subject (not one of the Five) was condemned by Alexander VIII. in 1690.

P. 32, l. 13. *apprehension* = *connoissance.* The more ordinary meaning is "fear as to what may happen," and Pascal uses the verb in this sense a few lines later.

P. 32, l. 34. *Je crains à force de desirer*, i.e. "My desire that the doctrine should be true makes me fear lest it should prove false".

P. 32, l. 36. *Monsieur le Moyne:* Alphonse le Moine. See above, note on p. 6, l. 6.

P. 32, l. 41. *en François.* This passage from le Moine had already been signalized and translated by Arnauld in his *Apologie pour les saints pères*, but Pascal gives his own rendering.

P. 33, l. 32. *celles qu'on auroit crû.* Cf. Haase, § 92, A.

P. 33, l. 35. *pensoit le moins.* Cf. Haase, § 29, Rem. I.

P. 34, l. 1. *de s'y abandonner.* Cf. Haase, § 10, II.

P. 34, l. 33. *ces libertins,* i.e. Free-thinkers. This is the regular meaning of the word in the seventeenth century. Cf. "Je le soupçonne d'être un peu libertin: je ne remarque point qu'il hante les églises" (Molière, *Tart.*, Act II., sc. 2). "Deux sortes de gens fleurissent dans les cours . . . les libertins et les hypocrites" (La Bruyère).

P. 35, l. 14. *ces Philosophes*, e.g. Cicero and Seneca, whom Arnauld has cited in the *Apologie pour les saints pères.*

P. 35, l. 17. *Dieu ne donne point la vertu.* Cf. *virtutem . . . nemo unquam acceptam deo rettulit.* Cicero, *De Nat. Deor.*, III., 36.

P. 35, l. 22. *L'implorer dans nos besoins.* Cf. *De Nat. Deor.*, I., 20. and Horace, *Ep.*, I., 18, 111-112.

P. 35, l. 28, 29. *veritable . . . veritables.* See critical note. E. Havet suggests that the change to "vrai" was due to the feeling that "véritable" has the sense of "sincere". Yet Mme de Sévigné says to her daughter "que vous êtes vraie!" and La Rochefoucauld called Mme de la Fayette, "vraie".

P. 36, l. 5. *Que Dieu n'a pas revelé*, etc. Ps. cxlvii. 20; Acts xiv. 15.

P. 36, l. 7. *les Livres sacrez.* Cf. Eph. iv. 17-18; Luke i. 79; Matt. iv. 16; Ps. lxxxviii. 6.

P. 36, l. 10. *le premier des pecheurs.* 1 Tim. i. 13.

P. 36, l. 13. *par l'Evangile.* Luke xxiii. 34.

P. 36, l. 16. *selon S. Paul.* 1 Cor. ii. 8.

P. 36, l. 24. *Jesus Christ luy mesme.* John xv. 20, 21; xvi. 2; Luke xii. 47, 48.

P. 37, l. 9. *quelques sobres.* Cf. Haase, § 48, B.

P. 37, l. 11. *Confessions.* Cf. Aug., *Conf.* X. 31. This is Pascal's own quotation.

P. 37, l. 23. *pechez cachez.* Cf. Ps. xix. 12.

P. 37, l. 26. *digne d'amour ou de haine.* Cf. Eccles. ix. 1.

P. 37, l. 29. *S. Paul.* Phil. ii. 12. Cf. 1 Cor. iv. 4.

P. 37, l. 37. *selon l'Escriture.* Cf. Prov. xxiv. 16.

P. 38, l. 17. *Necesse est. . . .* Cf. Aug., *Op. imperf. in Julian.*, I., 108, quoted by Arnauld in his *Apologie pour les saints pères.*

P. 38, l. 41. *Voluntarium*, etc. This is the translation of Aristotle, *Nic. Eth.*, III., 1, by William of Moerbeke (Am. Jourdain believed it to be by Grossetête; cf. *Recherches sur les anciennes traditions d'Aristote*), which St. Thomas used for his commentary on the *Ethics*, and which figures as the *Vetus* or *antiqua translatio* in modern editions of that work.

P. 39, l. 6. *perquisition* = "research".

LETTER V.

Between 25 February and 20 March the storm gathered which was to break upon Port-Royal. Doctors and bachelors who refused to subscribe to Arnauld's censure were expelled from the Sorbonne. The Court determined to break up the boys' school and to remove the Solitaries. On 18 March "on commença à déménager". The children, Jean Racine among them, were sent home. The nuns were left alone to their prayers and tears.

These circumstances explain the bitter tone of Pascal's new Letter. Arnauld, who was hiding in Paris, supplied him with material, and introduced him to Escobar.

P. 42, l. 7. The *Imago primi saeculi societatis Jesu a Provincia Flandro Belgica eiusdem societatis repraesentata* was printed by the Plantin press, and published at Antwerp in 1640. It was a memorial volume for the centenary of the founding of the Order, and is a farrago of Latin, Greek, and Hebrew which has been condemned for its extravagance and want of taste even by friends of the Society. Cf. A. Brou, *Les Jésuites de la légende* (1906), t. i., p. 364.

P. 42, l. 10. *Isaïe.* Cf. Is. xviii. 2.

P. 43, l. 2. *aussi severes.* Is Pascal serious here, or is he merely using a rhetorical device, setting up Jesuit severity to be knocked down by his friend in the next paragraph? As a matter of fact strict Jesuits were not rare; but Pascal takes the Society at its worst. He was not bound to take it at its best, for he honestly believed its principles to be rotten.

P. 43, l. 3. *il me découvrit l'esprit de la Societé.* Here is where Pascal goes wrong. He does not accuse the Jesuits of deliberately corrupting morals, but of deliberately allowing laxity, with a political object, viz., the aggrandizement of their own power and influence. He does not prove the charge.

P. 43, l. 14. *ils n'en souffriroient pas.* "En" refers to "pères," "y" to "maximes évangéliques" in l. 16. Trs. "They would not suffer such amongst them as are so opposed to the Gospel".

P. 43, l. 23. *sans l'aveu de leurs Superieurs.* Cf. Letter IX., where the theme is developed.

P. 44, l. 12. *obligeante et accommodante.* The expression in question, which de Sacy had already ridiculed in his ninth *Enlumineure*, occurs in Petau's *De la pénitence publique et de la préparation à la Communion, contre le livre de M. Arnauld* (*La Fréquente Communion*), Paris, 1644. Jesus is "si accommodant"; the method of the doctors of mystical theology is "obligeante et raisonnable".

P. 44, l. 12. *le P. Petau.* Denis Petau (1583-1652) was a great scholar and theologian, the fellow student of Saint-Cyran and the friend of Casaubon. He was professor of philosophy at Bourges at the age of nineteen, and afterwards at Paris, where he won such fame that according to the story the first visit of certain Polish ambassadors in

1645 was to the Jesuit College which they entered crying "Volumus videre clarissimum Petavium!" He was indeed one of those who justify Selden's remark: "The Jesuits and the Lawyers of France and the Low-country men have engrossed all learning". His *Rationarium temporum* was translated into French and English and continued down to 1745.

P. 44, l. 30. *un Dieu crucifié.* Cf. 1 Cor. i. 23.

P. 44, l. 31. *le scandale de la Croix.* Cf. Gal. v. 11.

P. 44, l. 36. *enseignent de rapporter.* Cf. Haase, § 112, *s.v.* "enseigner" (p. 289).

P. 44, l. 38. *Chacim-choan* is obviously Ch'eng-Huang, the tutelary deity, sometimes called guardian angel, of every Chinese city. The name means "Wall-moat".

P. 44, l. 38. *Keum-fucum* is Confucius.

P. 44, l. 38. *Gravina*, a Neapolitan who died at Rome in 1643.

P. 44, l. 42. *Thomas Hurtado.* Franciscan "regular", professor of theology at Rome, died 1659. The work of Hurtado from which Pascal quotes is *Resolutiones orthodoxo-morales de vero . . . catholico martyrio fidei, sanguine sanctorum rubricato . . . quibus junguntur digressiones . . . de restrictione mentali* (Cologne, 1655). It was written in reply to the Jesuit Théophile Raynaud's *De Martyrio per pestem*, Lyons, 1630. Raynaud maintained that a missionary's death by plague was martyrdom: Hurtado, that a martyr must have shed his blood for the Faith. Hurtado's sixty-ninth *Resolutio* considered *utrum in catechesi Indorum et Chinesium crucis mysterium ante baptismum debeat edoceri, et Christi crucifixi imago in publico monstrari.* He reproaches the Jesuit missionaries with the practices described by Pascal, and quotes in support a report addressed to Philip IV. by Capuchins (not Cordeliers) of the Philippines. The genuineness of this report, which Hurtado claims to have been communicated to him by a Capuchin friar of Seville, has been questioned but not disproved, and it is a fact that the practices denounced in it were expressly condemned by the Congregation *de propaganda* in 1645. Pascal quotes accurately from Hurtado, and the two slips which he makes (Cordeliers, and 9 July, 1646, the date of the copy, instead of 12 September, 1645, the date of the original decree) are trifling. The Roman Curia withdrew its strictures in May, 1656, two months after Pascal's Letter, but they were renewed in 1674, 1704, 1710, and 1715.

The fact of the matter is that the Jesuits in China, fortified by Elisha's permission to Naaman to "bow down in the house of Rimmon," tolerated and "baptized" many heathen practices. In doing so, they only followed or extended the advice given by Gregory the Great to Mellitus. Cf. Beda, *Hist. Eccl.*, i., 30.

For the whole story of the "Rites Controversy" cf. Brou, *op. cit.*, t. ii., p. 49 ff. Jacqueline Pascal remembers her brother's Letter when *à propos* of devices for avoiding subscription to the Formulary of 1661 (see Introduction, p. xxxv) she writes, "quelle difference . . . entre ces deguisemens et donner de l'encens à une idole sous prétexte d'une croix qu'on a dans sa manche ?" (Lettre à la Mère Angélique, 22 June, 1661).

P. 45, l. 10. *Caponi.* It has been objected that there was no Cardinal of this name; but there was a "cardinal priest" (i.e. a priest in charge of one of the parish churches instituted by Pope Marcellus in A.D. 304), named Aloysio Caponi. See Molinier, *ad. loc.*

P. 45, l. 12. *opinions probables.* See Introduction, pp. xxix ff.

P. 45, l. 21. *au sujet,* i.e. the person who is subject to the rule.

P. 45, l. 23. *la loy du Seigneur.* Cf. Ps. xix. 7. It must be remembered that Probabilists to-day expressly recognize the higher law of God which overrides all doubtful cases.

P. 45, l. 37. *d'autres vertus,* i.e. virtues other than merely natural ones.

P. 45, l. 38. *guerir les vices par d'autres vices,* e.g. to cover the sin of idolatry by that of dissimulation.

P. 45, l. 41. *la raison,* i.e. the light of nature.

P. 46, l. 11. *J'estimay . . . de.* For this construction cf. "M. qui tant dit qu'il l'estime de deux choses: l'une est d'être bon cocher," etc. (Mme de Sévigné).

P. 46, l. 18. *du temps où nous sommes,* i.e. Lent.

P. 46, l. 27. *Collation* etc. Fasting in the Roman Catholic Church consists essentially in eating but one full meal in twenty-four hours, and that about noon. Besides the one meal a "collation" is permitted, generally taken in the evening. The hour for the midday meal and for the collation may for good reason be inverted without violence to conscience.

P. 46, l. 33. *Escobar.* Antonio de Escobar y Mendoza, 1589-1669. His *Examen de Confessores y practica de Penitentes* went through thirty-seven editions in Spanish before it was translated into Latin under the title *Liber Theologiae Moralis XXIV. societatis Jesu doctoribus reseratus.*

The frontispiece to which Pascal refers first occurs in the third edition, Lyons, 1644 (see plate).

The work was well suited to Pascal's purpose, as the "cases" cited are all decided by Jesuits. The author did not personally merit the odium which Pascal's Satire won for him. He was a man of blameless life. But his name, thanks to the *Provinciales,* has enriched the French language with a synonym for hypocrite. Cf. La Fontaine, *Ballade à Arnauld* (1664); *Dict. de l'Acad.;* Littré, *s.v.* "escobarder, escobarderie".

P. 46, l. 37. *celuy de l'Apocalypse.* Cf. Rev. iv. 4, 6; v. 1, 6.

P. 46, l. 38. *animaux.* The original word is ζῷα, Latin "animantia". Pascal, not without mischief, prefers a word of less dignity than "êtres vivants".

P. 46, l. 38. *Suarez.* Francisco Suarez (1548-1617). He taught philosophy and theology in half a dozen cities, including Paris, Rome, and Salamanca, and was the chief propounder of the subtle theory known as Congruism, according to which God bestows on those who by his decree are not fit for congruous or efficacious grace an incongruous grace, which because their wills are bad will never become efficacious. The learning and piety of Suarez were unbounded. Paul V. invited him to write against the oath of allegiance required of his subjects by James I. He did so, and his *Defensio Catholicae fidei contra anglicanae sectae errores* was burnt not only by James but by the Parlement of Paris (1614) as inimical to royal prerogative. The Jesuits in France were at the same time commanded to teach a contrary doctrine.

P. 46, l. 39. *Vasquez:* Gabriel Vásquez (1549-1604). He taught for twenty-nine years at Rome and won for himself the title of the Augustine of Spain from his contemporaries, and of "Lumen theologiae" from Benedict XIV. He commented largely on St. Thomas and on St. Paul's Epistles.

P. 46, l. 39. *Valentia:* Gregorio Valentia (1551-1603), professor in turn at Rome, Dillingen, and Ingoldstadt. In 1598 he was recalled to Rome by Clement VIII. to occupy the chair of theology at the Roman College. He took an active part in the Congregation *De Auxiliis* (see Introduction, p. xvi), but succumbed before the terrific eloquence of the Dominican champion Tomás de Lemos, and died the next year.

P. 46, l. 42. *cet ouvrage.* See critical note. "Ouvrage" was generally of both genders till the seventeenth century, and is still feminine in popular usage.

P. 47, l. 17. *on le peut*, etc. Because drunkenness violates the duty of temperance, but not the rule of fasting.

P. 47, l. 18. *de l'hypocras* = "spiced wine". Escobar allows "clarea seu hipocras seu aloxa" (a mixture of honey and water and spices), but not milk, which is a food and breaks the fast. He goes on to discuss the question of chocolate, and decides that it too is a food.

P. 47, l. 19. *honneste homme*, in the 17th cent. sense of "gentleman".

P. 47, l. 33. *Filiutius.* Vicentio Filiucci (1566-1622), professor of philosophy and mathematics at Siena, and of moral theology in the Jesuit college at Rome, for whose benefit the *Morales Quaestiones* (Lyons, 1622) were composed. Pascal has been generally blamed, even by Sainte-Beuve (*P.R.*, t. iii., 123) for omitting an all-important reservation made by Filiucci, viz. that although the person of this particular "case" would not have been guilty of breaking his fast, he would still be guilty of sin in pursuing an evil object. But Pascal has the example of Escobar himself in making the omission, and what is omitted by the fellow Casuist may fairly be omitted by the controversialist. Cf. Strowski, *Pascal et son temps*, t. iii., pp. 98 ff. Apologists for the Jesuits further call out that Pascal not only makes Filiucci condone debauchery but even allow a man deliberately to seek an occasion for sinning, whereas he expressly states that fatigue counted for the purpose of escaping the obligation to fast is to be regarded as sinful. But Pascal does nothing of the sort. He merely sets in relief the disproportion of the Casuist's decision whereby the breaking of the fast appears as a sin of equal gravity with debauchery. He might have added, "with murder," for that is in Filiucci's text. The remark about the avoidance of sinful occasions "Et est-il permis de rechercher les occasions de pécher, etc.," arises naturally from Escobar's statement, "If he has fatigued himself on purpose to avoid the obligation to fast, a learned doctor (Filiucci) gives him dispensation: but following Azor my opinion is that such an intention is a breach of the fast," and it gives Pascal the opportunity of drawing his Jesuit on to quote Bauny's view with approval.

P. 47, l. 38. *ait eu ce dessein formé.* Cf. Haase, § 153, C.

P. 48, l. 8. *Bauny . . . Pa. 1084*, i.e. *Somme des Pechez*, ch. xlvi., pp. 1083, 1084, where various opinions are advanced. Pascal does not quote Bauny verbatim. He arranges his clauses and polishes his clumsy French, substituting "donner sujet" for the old-fashioned "bailler sujet": and he omits the provision that the sinners who seeks absolution ought to have a firm resolve not to continue in sin—"dummodo firmiter proponant non peccare"—but in all essential particulars he is exact.

P. 48, l. 9. *qui demeurent dans les occasions prochaines*, trs. "who dwell on the confines of sin".

P. 48, l. 11. *sujet au monde de parler.* Cf. Haase, § 156, C.

P. 48, l. 17. *Bazile Ponce.* Basilio Ponce de León, Augustinian (1571-1629), professor at Salamanca: famous (or notorious) as the author of *De Sacramento Matrimonii* (1624).

P. 48, l. 17. *le cite*, not in his *Somme des Pechez*, but in *De sacramentis ac personis sacris . . . theologia moralis* (Lyons, 1640).

P. 48, l. 18. *on peut rechercher*, etc. This proposition was condemned as dangerous and immoral by Innocent XI. in 1679.

P. 48, l. 31. *rechercher les occasions de pecher.* Note that Pascal does not name Filiucci in this connection, a fact which justifies the view advanced above, note on p. 47, l. 33.

P. 48, l. 37. *je cherche le seur.* Cf. *Pensées*, No. 908.

P. 49, l. 6. *princ. ex. 3, n. 9* = *Principia generalia* (introductory to the *Moralis Theologia*) *examen* 3, *numerus* 9. Pascal's translation is accurate.

P. 49, l. 18. *Sanchez:* Tomás Sanchez (1550-1610), professor of canon law and theology at Granada. Pascal takes evident delight in calling him "un des plus célèbres de nos Pères". He was notorious for the indecencies contained in his *Disputationes de matrimonio.*

The work from which this passage is culled is, however, the *Opus morale in praecepta decalogi sive summa casuum conscientiae*, Paris, 1615.

P. 49, l. 21. *Angelus:* Angelus de Clavasio or Angelo di Chivasso the Blessed (1411-1495), Minorite, author of the celebrated *Summa de casibus conscientiae* or *Summa angelica* (1476), a dictionary of moral theology which by 1520 had seen thirty-one editions.

P. 49, l. 21. *Sylv.* Silvestro Mazzolini of Priero, hence known as

Prierias (1460-1523), Dominican, author of the famous *Summa Silvestrina* (1515, and forty times reprinted), an alphabetical dictionary of theology. The art. on "opinio" is divided into two *quaestiones*, (1) "op. doctoris an excuset," (2) "op. cui sit adhaerendum". Nicole strangely expands *Sylv.* = Silvestrio into Sylvius, i.e. Fr. Du Bois, professor at Douai and commentator on St. Thomas, and Havet follows this false lead. But a reference to the text of Sanchez leaves no room for doubt. It may be remarked that Prierias gives only a qualified assent to the doctrine in favour of which he is quoted: he prefers to follow St. Thomas.

P. 49. l. 22. *Navarr.* Martino de Azpilcueta (1493-1586), called Navarrus from his birthplace: Augustinian canon, professor at Salamanca, Papal penitentiary. Died at Rome.

P. 49, l. 22. *Emmanuel Sa.* Manoel de Sa (1530-1596), a Portuguese theologian who spent forty years in Italy promoting the interests of his order, collaborating in the Sixtine edition of the Vulgate (1590), and preparing *inter alia* the *Aphorismi confessariorum ex doctorum sententiis collecti* (Venice, 1592), from which the censor made him omit some eighty passages as being inconsistent with the Bible and the Fathers.

P. 49, l. 22. *etc.* Why did Pascal here content himself with an *etc*? The next name in Sanchez's list is that of the Angelic Doctor himself, and the sentence continues (after *Sa*), "et favet D. Th. quodlib. 3, a. 10 ubi ait posse quenquam amplecti opinionem quam a magistro audivit in iis quae ad mores pertinent".

Pascal has been blamed, even by his admirers, for this failure to register the name of a really great authority in support of Probabilism. Thus Molinier, in his note *ad loc.* (t. ii., p. 236), says: "Le procédé est, en somme, peu loyal". It is not certain that the omission is due to Pascal and that the truncated quotation was not supplied to him by the Port-Royalists. But in any case there is a difference between the attitude of St. Thomas and that of the four other theologians. They affirm the proposition without qualification: he approves of it so far as it concerns morals and does not extend it, as they do, to things pertaining to God. Thus he really belongs to the "certains Autheurs" of l. 29.

P. 49, l. 30. *La plaisante comparaison*, etc., i.e. what possible comparison is there between the scruples of a tender conscience and the trifling occurrences of everyday life?

P. 50, l. 8. *Diana.* Antonio Diana, Theatin (1595-1663), his *Resolutionum moralium Partes duodecim* (Palermo, 1629-1656), reprinted under the title *Summa Dianae* (Antwerp, 1656) and again as *Diana Coordinatus* (Lyons, 1667, 9 vols.). The edition of 1635 describes the author as a Diana of the Crossways who will show the right path to those in difficulty. Caramuel applied to him the words of John i. 29 (see above, note on p. 32, l. 4). But he is blamed as too lax by St. Alphonso.

P. 50, l. 34. *Laiman.* Paul Laymann, Tyrolese (1574-1635), a prolific writer. The *Theologia Moralis*, the most important of his thirty-three works, was first published at Munich in 1625, and went through many editions. He stood up for the milder treatment of those accused of witchcraft.

P. 51, l. 12. *Diana . . . Bauny . . . Lugo.* Cf. *Diana Coordinatus*, t. ii., p. 303 (i.e. P.V., tr. XIII. res. 93), where Diana quotes Hurtado, who quotes the line of Ovid. The question is of *declarationes cardinalium inter se pugnantes*, which makes it likely that by Lugo Pascal means Cardinal Juan de Lugo (1583-1660) rather than his brother Francisco, who never rose to that honour. Neither Bauny nor Lugo is mentioned in the passage of Diana.

P. 51, l. 13. *Saepe premente*, etc. Ovid., *Trist.*, I., ii., 4.

P. 52, l. 11. *Cellot:* Louis Cellot (1588-1658), Provincial of the French Jesuits. He wrote his *De hierarchia et hierarchis* (Rouen, 1641), in favour of Papal Supremacy, against the *Petrus Aurelius* of Saint-Cyran, for which see below, note on p. 200, l. 5.

The *de Hier.* was put on the Index "donec corrigatur," in 1642, and the Sorbonne was on the point of censuring it in 1641, when Cellot recanted.

P. 52, l. 13. *Reginaldus.* Valère Regnault, or Renaud (1545-1623), who is not to be confounded with the great Italian Jesuit Teofilo Rainaudo (Th. Raynaud) (1587-1663), enjoyed an immense reputation as teacher of moral theology at Dôle in the Jura, his classes being crowded by foreigners as well as Frenchmen. His *Praxis fori poenitentialis* (2 vols. 1616), translated into French, 1617, won the praise of St. François de Sales in his *Avis aux Confesseurs.*

Nouet, in his *XIXe Imposture*, accuses Pascal of mistranslating "veteres" by "anciens pères". According to him Regnault was thinking of the early scholastics. But Annat, coming to the defence of Regnault, gives the case away by quoting, in support, St. Augustine and the Cappadocian Fathers. However, it may be admitted that in point of practice Cellot and Regnault are right; experience teaches.

P. 52, l. 16. *Beneficiers*, "beneficed clergymen".

P. 52, l. 18. Diana gives a long list of authorities. Pascal summarily classifies them as "anciens" and "nouveaux". There is, of course, no question here of Church fathers, who wrote before benefices came into existence.

P. 52, l. 22. *La Positive.* Positive theology is the science which deals with sacred history and criticism. A nephew of Père Annat (see note on p. 32, l. 9) wrote an *Apparatus methodicus ad positivam theologiam* (Paris, 1700).

P. 52, l. 35. *C'est Villalobos*, etc. This list of names is taken from Diana's Index: *Opera et Nomina Authorum recentiorum quae in hoc volumine citantur ad construendam optimam casuum conscientiae Bibliothecam.*

Pascal rearranges them so as to increase the cacophony, and is not in the least careful to get them right. There is not a French name among them. By way of reprisals Nouet, in his *XIXe Imposture*, draws up a catalogue of Protestant and Jansenist worthies, beginning with

Luther and ending with Sharpius. He makes almost as many blunders as Pascal, and his list sounds less strange to us, for it includes a dozen good English names—Whittaker, Usher, Philpot, Hall, etc.

P. 53, l. 13. No one has yet found the place in Diana which contains these laudatory terms applied to Vasquez.

LETTER VI.

The most important event for Port-Royal between the publication of the Fifth and Sixth Letters was the Miracle of the Holy Thorn. On 24 March Margot Perier, Pascal's niece, a *pensionnaire* of Port-Royal, was cured of a lachrymal ulcer after the application of a relic which had just been presented to the convent in the chapel of the Paris house. The miracle was generally accepted, not only by the Jansenists but, when it became known, by everyone except the Jesuits. The measures of persecution were suspended. The Solitaries returned to their lodgings beside Port-Royal des Champs.

The effect upon Pascal's mind was immense. If confirmation were needed of the justice of the cause in which he was engaged, here was ample. Henceforth he adopted as his device a crown of thorns with the motto *scio cui credidi.*[1] He records his confidence in more than one *Pensée*, e.g. "Les propheties estoient equivoques ; elles ne le sont plus . . . les cinq propositions estoient equivoques : elles ne le sont plus" (Nos. 830 and 831). His Letters do not indeed refer to the miracle until he comes in Letter XVI. to the defence of the nuns. At present he is concerned with retorting the charge of heresy which the Jesuits urged with acrimony and persistence, by showing how little they themselves cared for the Pope. Pascal's personal devotion and obedience to Rome were profound. They have an important bearing on the sudden cessation of the "Little Letters" and on the question of his ultimate attitude towards Jansenism.

P. 55, l. 6. *Je le feray . . . facilement.* See critical note. The reason for the suppression of this paragraph in *C* is obvious. Pascal had not given his references in the first draft of the first Five Letters. Now that they were supplied this excuse for their omission became unnecessary.

P. 55, l. 16. *Gregoire XIV.* In his Bull of 24 May, 1591, "Cum alias nonnulli," Gregory denies the right of asylum to footpads, highwaymen, treacherous murderers, *assassins*, heretics, traitors, and regicides.

In the *XIXe Imposture* Nouet defends Escobar's definition of assassin as hired murderer. Nicole refutes him in his note *ad loc.* by quoting the French Dictionary of Ménage (1650) : "En France et en Italie on appelle ainsi ceux qui tuent de sang froid". But, as Molinier points out, in Spain and Italy where the point of honour was so jealously guarded, a distinction was natural between the hired assassin or

[1] A crown of thorns is still to be seen carved on the panels of the western door of the Chapel of Port-Royal de Paris.

common murderer and the grandee who avenges his honour by the sword or dagger.

Pascal accepts the challenge in Letter VII., where he deals faithfully with gentlemen murderers.

P. 56, l. 3. *Donnez l'aumosne de vostre superflu.* The Greek of Luke xi. 41, is πλὴν τὰ ἐνόντα δότε ἐλεημοσύνην. The Vulgate has "Verumtamen quod superest date eleemosynam". Molinier says that Pascal's rendering is wrong, and that "quod superest" = "au reste, au surplus". It is true that the Greek will not bear the meaning which the French expresses—τὰ ἐνόντα means either "the contents of the vessel," or "what ye can"—but Pascal has the authority of Bede for his translation of the Latin. Cf. "quod necessario victui et vestimento superest date pauperibus" (Beda, *Expos. in Luc.*).

P. 56, l. 10. *traité de l'aumosne*, i.e. *De praec. eleemosyne* (*Op. mor.*).

P. 56, l. 13. *dans les gens.* Cf. Haase, § 126, C, "dans" Rem. I.

P. 56, l. 15. *Diana.* Pascal uses this comment of Diana upon Vasquez with great effect in Letter XII.

P. 56, l. 24. *assez d'ambition*, etc., i.e. the Gospel teaches us to say goodbye to money and ambition; Vasquez teaches us to cling to both.

P. 56, l. 36. *nos 24 vieillards*, i.e. Escobar's book.

P. 56, l. 37. *En quelles occasions*, etc. No doubt there is a difference between quitting the ecclesiastical habit for doctrinal reasons and for immoral purposes: and the Pope's excommunications certainly only concern the former case. But the apparent equanimity with which the Casuists contemplate the latter deserves Pascal's ire, and his account of the reasons that lie behind the ruling of the *Praxis* is as natural as it is skilful.

P. 57, l. 17. *Contra solicitantes.* Bull of Gregory XV., 30 August, 1622.

P. 57, l. 19. *Contra Clericos.* Bull of Pius V., 30 August, 1560.

On these Bulls see *Œuvres de Pascal*, t. 5, p. 9 ff.

P. 57, l. 33. *trois Papes.* Paul V., Gregory XV., Urban VIII.

P. 57, l. 35. *la vie quadragesimale*, "life of lenten abstinence".

P. 57, l. 37. *que nonobstant*, etc. This sentence is not a quotation and has no business to be in italics. Nicole prints it in Roman type. It is Pascal's summary of Diana quoted in the next paragraph.

P. 57, l. 40. *le plus fin*, "the quintessence".

P. 58, l. 12 *R. 65 sur un autre sujet.* A subject so indecent that Pascal does not discuss it.

P. 58, l. 15. *la sphere de probabilité. . . .* Diana's own illustration is the following. The Pope can beatify a human being in virtue of his headship of the Church: but it is only a probable opinion that the object of beatification is worthy of it.

P. 58, l. 24. *Monsieur Hallier.* Hallier (see above, note on p. 32, l. 3), wrote, controverting Bauny, an *Extrait d'un livre intitulé Somme des pechez.*

The Jansenists, as a rule, laid little stress on Papal censure. But the

Jesuits, who were the devoted servants of Rome, also took refuge in the assertion of Gallican liberty when it suited them. Thus Bauny on this occasion; and Père Daniel, when his *Entretiens*, translated into Latin, was put upon the Index said, " De ce qu'un livre est mis à l'Indice il ne s'en suit pas toujours qu'il contienne une mauvaise doctrine. Il ne faut pas pour cela qu'avoir manqué à observer certaines rubriques que le saint Siège a autrefois sagement prescrites et qui ne sont point en usage en France." Cf. *Recueil de divers ouvrages*, 1724, t. ii., p. 565.

P. 59, l. 15. *relinquo tempori maturandam.* The phrase is not found in Diana by recent editors. But it has never been contested.

P. 59, l. 18. *qu'une opinion*, etc. This proposition of Bauny's was condemned by the 27th article of the decree of Alexander III. and by the 121st of the Assembly of Clergy in 1700.

P. 59, l. 29. *Caramuel.* Juan Lobkowitz Caramuel (1606-1682), Cistercian, Bishop of Vigevano, author, *inter alia*, of *Theologiae moralis fundamentalis decalogica* (Frankfort, 1652-3), which was reprinted at Rome in 1656 with many expurgations in the preface, and a public apology for former laxity. It was in this connection that Caramuel applies to Diana the same text that Hallier uses of Bauny (see above, note on p. 32, l. 4) : " si eiusmodi peccata ab orbe litterario Diana sustulit merito dicatur esse Agnus Dei, etc."

In general we may say of Diana that he misses the saving point of "Probabilism" by allowing the higher law to be overridden. But *n.b.* Diana was not a Jesuit.

P. 59, l. 40. *prevaricateurs*, " transgressors ". Cf. Rom. iv. 15. " Lex enim iram operatur. Ubi enim non est lex, nec praevaricatio."

P. 60, l. 9. *par condescendance.* The personal goodness of many Casuists which Pascal, whether seriously or ironically, admits (*vide supra*), only renders their " condescendance " more dangerous.

P. 60, l. 32. *quel trafic.* So Nicole, in the course of a note on the authority of the Canons, says that " disorders such as simony, ambition, and intrigue to obtain livings are universal to-day and universally tolerated ". So Bourdaloue, in his *Exhortation sur la dignité et les devoirs des prêtres*, laments the disorder daily growing in the Church to such an extent that the priesthood seems the prey of every base desire. " Pour les pauvres, c'est une fortune et un moyen de se garantir de la misère. Pour les riches c'est une voie à des rangs honorables et à des distinctions éclatantes. De là combien voyons-nous de prêtres intéressés, de prêtres ambitieux," etc.

One of the objects of the famous secret society *La Compagnie du Saint Sacrement* was the removal of scandals in church administration. Cf. M. Allier, *La Cabale des Dévots*, 1902, ch. viii., and A. Tilley, *op. cit.*, pp. 69-73.

P. 60, l. 33. *les anciens*, i.e. the early Casuists.

P. 60, l. 37. *Valentia.* Valentia deals with simony in Vol. III. of his *Commentaria theologica* (Lyons, 1603), Disp. vi., quaest. xvi.

P. 61, l. 2. *non tanquam.* See critical note. These words do not occur in Valentia's text. Havet conjectures that Pascal had before him a *résumé* of Valentia's opinion by some other writer and mistook it for Valentia's own. It represents the opinion accurately enough.

P. 61, l. 5. *Tannerus.* Adam Tanner (1571-1632), like Laiman, a Tyrolese. Appointed Chancellor of Prague University by Ferdinand II. The work from which the quotation following is taken is: *Universa theologia scholastica, speculatio practica ad methodum S. Thomae*, 4 vols., Ingolstadt, 1626. See Letter XII. for Pascal's reply to Nouet's charge of false citation here.

P. 61, l. 22. *de l'argent pour dire une messe.* Technically known as a Mass stipend. This is an offering in money made to a priest who in return for it must celebrate mass in accordance with the intention of the donor. In this he applies the special fruit of the sacrifice (which is to be distinguished from the general fruit of benefit to all mankind). See below, note on p. 62, l. 17.

The justification of the Mass stipend is found in 1 Cor. ix. 13. The practice of offering money dates from the eighth century (see below). It is regulated by the Council of Trent, Sess. xxii. Abuses such as Pascal indicates are safeguarded by the rule that no priest may accept more "intentions" that he can satisfy in a reasonable time: he must conscientiously fulfil all the appointed conditions.

P. 61, l. 28. *comme pour un tiers. . . .* This opinion was condemned by Alexander VII. in 1665 and 1666.

P. 62, l. 1. *que les Prestres*, etc. Cf. Heb. vii. 27.

P. 62, l. 4. *fruit du sacrifice.* This is twofold, "fructus generalis" and "fructus specialis". See above, note on p. 61, l. 5.

P. 62, l. 17. *le traité 10*, i.e. of Bauny's *De sacramentis.*

P. 62, l. 27. *celuy qui leur fait dire la messe.* Bauny is more careful of the convenience of the worshipper than of the dignity of the sacrament.

P. 62, l. 31. *un peché mortel*, etc. Pascal through modesty refrains to give all the details which Bauny describes.

P. 62, l. 32. *Villalobos.* Enrico de Villalobos (*ob.* 1637), Franciscan, wrote in Spanish a *Summa* and a Manual for confessors.

P. 62, l. 33. *Sancius.* This is not the great Tomás Sanchez, but Dr. Juan Sanchez, who wrote a work of moral theology (*Selectae et practicae disputationes*, etc., Madrid, 1624), which Diana praised as worthy of immortality, but which was condemned by the Inquisition "donec corrigatur" in 1646.

P. 63, l. 11. *perdent leur force.* Nicole devotes a long note to the question of the abrogation of canons by non-user, with the object of proving that non-user cannot touch what has been ordained by the divine law, but only precepts as to ceremonies, etc.

P. 63, l. 12. *tom. 2*, etc., i.e. of the *Morales quaestiones.*

P. 63, l. 30. *Castrus Palaüs.*. Ferdinando de Castro Pallao (1581-1633), professor at Valladolid, Compostella, and Salamanca.

P. 63, l. 30. *Op. mor.* = *Opus morale de virtutibus et vitiis* in seven parts or vols. 1631-1664.

P. 63, l. 36. *Sanchez.* This is Tomás Sanchez.

P. 64, l. 8. *Molina assure.* Maynard is at pains to prove that Escobar has here misread Molina who maintained the exact opposite of the opinion he attributed to him. But Pascal translates Escobar accurately, and he was not bound to turn up the passage in Molina.

P. 64, l. 16. *Il falloit. . . .* Cf. Haase, § 66, D.

P. 65, l. 12. *Les valets*, etc. This opinion was censured by the Sorbonne in 1641 and by Louvain in 1649.

P. 65, l. 13. *les croistre.* Cf. Haase, § 59, *s.v.* "croître".

P. 65, l. 20. *Jean d'Alba.* Pascal's account of this affair is substantially correct, though it is wrong in some particulars. For instance, Jean d'Alba did not undergo the indignity of a public whipping, but got off with a formal reproof and banishment from Paris.

P. 65, l. 30. *servant vos Peres.* He was apparently usher, or rather executioner, in the school, his duty being to chastise naughty boys.

P. 66, l. 1. *M. de Montrouge*, brother of the Bishop of Flours. See Hermant, *Mém. s.v.* He was counsellor of the Châtelet from 1614 to 1650.

P. 66, l. 2. *cette Compagnie*, i.e. the bench of judges.

P. 66, l. 4, 10. *contenans.* Cf. Haase, § 91, A.

P. 66, l. 18. *Chastelet.* The Châtelet, opposite the Pont au Change, "rive droite," was the seat of royal justice down to the Revolution. Its precious collection of registers were transferred to the *Archives.*

This *procès verbal* was extracted from the Châtelet Registers and published by order of Choiseul in the *Annales de la société des soidisans Jésuites* (1767).

LETTER VII.

The Seventh Letter continues the theme of Letter VI. and is in some ways complementary to it. Pascal has already dealt with assassins: he now comes to gentleman murderers. He makes large use of the *Requête* of the University of Paris against the teaching of Père Héreau (1643), and Hermant's reply (1644) to the Apology put forth by Caussin.

P. 68, l. 7. *ce point d'honneur.* The majority of the Casuists with whom Pascal deals are Spanish Jesuits. Spain was the land where the point of honour was most sedulously observed, and where "it exercised a sway even more potent than that of religion" (Tilley, *op. cit.*, p. 233).

P. 68, l. 26. *La loy de l'Evangile.* Cf. Rom. xii. 17, 19, referring to Matt. v. 38.

Molinier, the most acute and balanced of Pascal's editors, remarks that the teaching of Christ has not prevented men from continuing to shed torrents of human blood, and he reproaches Pascal for taking as reality what has never been anything but a sublime ideal. This is unfair both to Pascal and to Christianity. Pascal seeks to enforce the spirit of the Sermon on the Mount, whose object was not to give rules for social conduct, but to purify the heart, in the case before us by stifling the instinct of revenge. In proportion as the principles laid down by Christ are adopted social conduct improves. It may be remarked that the Casuists by the distinction which they admitted between *gens d'honneur* et *le bas peuple* surrendered the moral progress achieved by Christianity, or indeed by the Decalogue. It was not Moses but Hammurabi who distinguished between injury done to a peasant and to a gentleman.

P. 69, l. 15. *nostre grande méthode de diriger l'intention*, i.e. to set before the will, contemplating an action, some object different from the obvious one.

On this point Pascal will probably command the assent of all right-thinking persons. There can only be one intention in any act. To substitute another for it is only to practise self-deceit, and absolution obtained for a wrong action where such substitution has been made, is obtained under false pretences.

Pascal's opponents went off on a side issue, and in the *XXIV[e] Imposture* they laboured to prove the importance of the intention in every human action—which nobody would deny. Nicole in a note to this Letter shows the impertinence of this attempt.

P. 70, l. 5. *nous purifions . . . l'intention*, etc. The Casuist answer to Pascal is that while no intention can justify a bad action, i.e. one which is mortally sinful, yet there may be elements of venial sin in an action which can be rectified by purity of intention. But Pascal had on his side both Molière and popular feeling.

Cf. " Selon divers besoins, il est une science
D'étendre les liens de notre conscience,
Et de rectifier le mal de l'action,
Avec la pureté de notre intention."
(*Le Tartufe*, Act IV., sc. 5)

and a popular song (1652) set to a well-known tune—

" Le péché n'est plus qu'une fable,
Escobar en est caution,
Et l'on prend pour dupe le diable
En dirigeant l'intention."

P. 70, l. 31. *Eccl.* = Ecclesiasticus xxviii. 1.

P. 70, l. 39. *sur l'heure.* This is the condition upon which Regnault lays stress. The retribution, which he classes as self defence, must be made immediately after the offence, and not upon reflection. This no doubt lessens to some extent the enormity of his opinion, but it does not bring it any closer to the teaching of Christ.

P. 71, l. 3. *Lessius.* Léonard Leys (1554-1623), professor in the Jesuit College at Louvain, and a great opponent of Baianism. His book here quoted, *De Justitia et Jure actionum humanarum* (Paris, 1605), was much esteemed by St. Francois de Sales.

P. 71, l. 4. *Celuy qui a reçu*, etc. The opinion quoted is not that of

Leys himself, but of the Dominican Victoria. Nicole makes this clear in his translation: "Vide enim quid referat et probet ex Victoria Lessius".

P. 71, l. 16. *Hurtado de Mendoza.* Pedro Hurtado (1578-1651).

P. 71, l. 18. *De Spe = De spe et charitate* (Salamanca, 1630).

P. 71, l. 24. *le Breviaire.* Maynard rightly points out that the Breviary contains many Psalms which breathe the spirit of vengeance. And these are a source of difficulty to many Christians. But the Church has always emphasized the fact that those whose death the Psalmist desires were God's enemies. The real danger is lest revenge be acted under the pretence of piety.

P. 71, l. 26. Gaspard Hurtado. G. Hurtado, Jesuit, †1647, author of *De sacramentis. ib., De Sub. Pecc.* = De Subjecto peccatorum.

P. 71, l. 27. *cité par Diana.* The editors of the Letters in *Œuvres de Pascal*, say they have been unable to find this passage in Diana. But it is there. See tom. i., tr. 7, res. 100, of the edition of 1667 (*Diana coordinatus*), which has a table justifying the rearrangement of topics. All that Pascal has done is to put the beneficiary before the son. It is not clear from the text of Diana whether the instances of the beneficiary and the son are adduced by Hurtado or by himself: but the principle governing the opinion is attributed by him to Hurtado, and it is this. The wickedness of an *ineffective* bad desire, unlike that of an *effective* bad desire is derived not from the object of desire, but from the manner or motive with which the object is regarded.

Maynard maintains that there is some force in the distinction, but he admits that precision in such a case being impossible this kind of proposition deserves the condemnation it has received, e.g. by Innocent XI. in his decree of 1679.

P. 71, l. 39. *se battre en duel.* All through the sixteenth and at intervals during the seventeenth century, duelling flourished exceedingly in France and was a veritable plague. Th. Rainaudo (see note on p. 52, l. 13) says that within the space of thirty years more men of rank were slain in duels than would have been needed to make up a whole army. The Council of Trent had pronounced excommunication against Emperors, Kings, nobles, and all and sundry who sanctioned duelling. Such an encroachment of the spiritual upon the temporal power was doubtless one reason why France declined to receive the decrees of the Council. But the Church having spoken, kings followed her example. From the time of Henri II. onwards, ordinances and royal edicts against duels were multiplied: but they were not strictly applied, and duelling went on until at length Louis XIV., prompted and supported by the Compagnie du Saint Sacrement, succeeded in checking (1641) and finally in almost abolishing the practice. It was a topic in the first speech which he made on assuming the reins of government. But it broke out again with renewed virulence after Louis's death.

Benedict XIV., in the Bull "Detestabilem" (1752), condemned propositions concerning duelling similar to those which Pascal cites.

P. 71, l. 39. *nostre grand Hurtado.* Pedro Hurtado. If Pascal had read further in Diana he would have seen that Hurtado regarded the opinion which he set forth at immense length as difficult in practice though probable in speculation, and therefore to be avoided.

P. 72, l. 8. *toute indifferente.* Cf. Haase, § 46.

P. 72, l. 9. *Car quel mal y a-t-il d'aller dans un champ*, etc. Cf. "Vous savez que je ne manque point de cœur, et que je sais me servir de mon épée quand il le faut. Je m'en vais passer tout à l'heure dans cette petite rue écartée qui mène au grand convent; mais je vous déclare, pour moi, que ce n'est point moi qui me veux battre: le Ciel m'en défend la pensée: et si vous m'attaquez, nous verrons ce qui en arrivera" (Molière, *Don Juan*, Act V., sc. 3).

P. 72, l. 22. *nostre Père Layman.* In *Theol. Moral.*

P. 72, l. 36. *la piété du Roy.* See above, note on p. 71, l. 39, and cf. Allier, *La Cabale des Dévots*, ch. xiv., and Rapin, *Mém.*, t. ii., p. 145.

P. 72, l. 41. *Sanchez.* Tomás Sanchez in his *Opus Morale.*

P. 73, l. 12. *Navarrus.* Not the N. of p. 49, but Pedro de Navarra (? author of *De ablatorum restitutione* . . ., lib. iv, 1594).

P. 73, l. 26. *Apprenez d'Escobar.* Pascal here returns to the question of homicide raised in Letter VI.

P. 74, l. 5. *Molina.* Cf. *De justitia et jure*, where he maintains that you are justified in getting in your blow first against a man who has not yet attacked your life, but means to do so.

P. 74, l. 10. *s'il est de leur intelligence.* "If he acts in concert with them." For *leur intelligence*, cf. Haase, § 16, Rem. II.

P. 74, l. 11. *Voicy ses mots*, i.e. Tanner's in *Univ. theol. scholastica*, tom. iii. (not tractatus 3 as the early editions have it).

P. 74, l. 15. *au moins pour ce qui touche la conscience.* They cannot escape the law, if they are caught. But their conscience is clear.

P. 74, l. 32. *avec quelle mesure.* "How far he may go."

P. 74, l. 34. *Henriquez.* Enrique Henriquez (1552-1608), professor of theology at Cordova and Salamanca. He left the Company in 1593, because he could not bear to cancel a page at the bidding of Aquaviva. But he returned to the Jesuits before his death.

P. 74, l. 35. *d'autres de nos Peres*, i.e. Leys.

P. 75, l. 11. *Azor.* Juan Azor (*ob.* 1603), professor at Alcalá and afterwards at Rome, where he died. *Inst. Mor.* = *Institutiones morales*, 3 parts (Rome, Paris, Lyons, 1600, 1606, 1611). Maynard pleads that the question raised by Azor is a common-place of the schools. This only strengthens Pascal's attack on casuistry, though it weakens his attack on the Jesuits as the sole offenders.

P. 75, l. 18. *quand on ne peut l'éviter autrement.* Azor counsels flight when possible. This is always possible for a cleric or an inferior, who are not bound by the ordinary code of gentlemanlike honour.

P. 75, l. 21. *Le P. Hereau.* The "affaire Héreau" which Hermant calls "une des plus grandes de nostre siècle à l'égard des Jésuites" was as follows; Père Héreau (Hérault or Ayrault), lecturer on moral theology in the Collège de Clermont, delivered himself in the course of the years 1642, 1643, of certain opinions concerning revenge for calumny, duelling, procuring of abortion, etc., which were delated to the University. That body presented a request to the Parlement for the general prohibition of Jesuit teaching. The "Requeste" and "Procez-verbaux," together with two pamphlets[1] on the subject, were printed and are the source of our knowledge of Héreau's teaching, as also of Pères Flahaut and le Court, professors at the Collège de Caen. Judgment was passed, not by the Parlement, but by the Conseil du Roi in May, 1644. The Jesuits were forbidden to teach the incriminated doctrines, and Héreau was confined to his College until further orders. Cf. Hermant, *Mém.*, t. i., p. 256 ff.

P. 75, l. 22. *Hurtado*, quoted by Diana, *Res. Mor.*, p. 5, tr. 14, res. 99.

P. 75, l. 23. *Becan.* Martinus Becanus (1561-1624), an indefatigable controversialist, who engaged in turn almost all the Protestant champions, including Lancelot Andrewes. *Somm.* is the Collection of his treatises collected as *Summa theol. schol.* (Mainz, 1630).

P. 75, l. 28. See critical note. The corrections introduced by *C* were necessitated by Pascal's mistake in attributing this opinion to Leys instead of to Pedro de Navarra. He was led astray by Hermant, who in his *Response* to Caussin's apology omits Pedro's name. As a matter of fact, Leys says a little later that the opinion in question is not to be followed.

P. 76, l. 1. *Baldelle.* Nicoló Baldelli (1573-1655). Taught at Rome for sixteen years.

P. 76, l. 31. *on peut tuer le monde*, "kill people".

P. 77, l. 18. *C'est qu'on seroit puni*, etc. Pascal imports his own meaning into Filiucci's dry statement "unde etiam in foro externo talis puniretur". These words do not forbid the act for fear of punishment, but simply announce that it is a breach of social order and as such is open to punishment.

P. 77, l. 35. *encore que l'on ne craigne plus*, etc. This passage has no right to be printed as a quotation. It is Pascal's summary. What Azor says in the text of his *Instit. Moral.* is that you may only kill a thief if the theft is of your necessary goods which cannot be recovered otherwise.

P. 78, l. 13. *à 6 ou 7 ducats.* What Molina says is that you must not kill a thief for a matter of 4 or 5 ducats. Pascal leaps to the conclusion which is justified by the passage quoted next "Then you may kill him for 6 or 7". A gold ducat = ca. 10 fr., an écu = 3 to 6 fr.

P. 78, l. 15. *t. 4, tr. 3*, etc., i.e. of *De justitia ét jure* (1597).

[1] (*a*) "Advertisement contre une doctrine préjudiciable à la vie de tous les hommes et particulierement des roys et princes souverains, enseignée à Paris au college de Clermont, occupé par les Jesuites."

(*b*) "Second Advertisement contre une doctrine, etc." (1644). Titles as in Hermant, *loc. cit.*

P. 78, l. 17. *condamner d'aucun peché.* Note *de* used to denote a cause when a periphrasis would now be preferred.

Apart from the un-Christian character of their decisions, the Casuists have committed the logical fault of confounding defence of the person with defence of property.

P. 79, l. 1. *P. L'Amy.* Francesco Amico (1578-1651), professor of theology first in Italy and then in Austria.

P. 79, l. 5. *t. 5, disp. 36, n. 118*, i.e. of *Cursus Theologicus juxta scholasticam hujus temporis societatis Jesu methodum*, Vienna, 1630. This proposition was given in the first edition only, and was withdrawn before its condemnation by Alexander VII. Amico states that he only put it forward *disputandi gratia.* But it was playing with fire.

P. 79, l. 7. *publier des crimes scandaleux.* This is a mistranslation of "gravia crimina spargere" which means "to spread grave accusations".

P. 79, l. 17. *elle ne permet pas seulement aux juges ecclésiastiques d'assister*, etc. Cf. Council of Toledo (675), Canon 6; Synod of London (1102), Canon 8; Lateran Council (1215), Canon 18. The ecclesiastical judges kept the letter of the decrees of these Councils by passing on the case to lay judges for the pronouncement and execution of sentence.

P. 79, l. 21. *Caramoüel.* See above, note on p. 59, l. 29. Notice that Caramuel is a defender, but not a member of the Jesuit Order.

P. 79, l. 30. *Sçavoir si les Jesuites*, etc. Pascal affects to take seriously what is really a piece of grim humour.

P. 80, l. 4. *tuables:* the word was admitted by the Dict. of the Academy in 1672.

P. 80, l. 28. *n'en tirast de vos principes. En* refers to "*leurs paroles*". *de vos principes* = selon vos principes.

P. 80, l. 28. *quelque mechante conclusion*, i.e. a conclusion that might prove fatal to me.

LETTER VIII.

P. 81, l. 2. *qui nous sommes. Nous* is editorial plural. Pascal always asserts that he is fighting single-handed.

P. 81, l. 5. *à quatre ou cinq personnes.* Among others, Arnauld himself was suggested, and his nephew, Antoine Le Maître, who was not in orders.

P. 81, l. 24. See critical note. Pascal's original phrase "la bourse," etc., was apparently thought undignified. So with "Valets" 12 lines later.

P. 82, l. 15. *Castro Palao.* Pascal quotes correctly this opinion of Castro Palao (which was condemned by Innocent XI. in 1679), but he omits the important qualification "provided that the probability be concerning legal interpretation (*jus*) and not matter of fact (*factum*), for in the latter case the more probable opinion must be followed".

P. 82, l. 36. *Les juges peuvent recevoir*, etc. Molina in his *De Justitia et Jure* does not settle the question at issue as concisely and definitely as Pascal's summary, which is not, however, unfair to him, would lead one to suppose. In the course of the long *Disputatio* 88 ("Quae contra leges a ministris publicis accipiuntur, quousque et cui in conscientiae foro sint restituenda"), from which Pascal selects one passage, he distinguishes between bribes and gifts offered out of mere liberality or gratitude. His opinion is that the former must be returned. The latter he proceeds to consider according to certain principles. They need not be returned when there is no positive law forbidding them, nor even when there is such prohibition, until the court has pronounced judgment in the suit at issue. They are not null in themselves, and to retain them is no violation of justice, but only of the law, if it exists, which forbids them. Restitution in this case would satisfy a breach of law, but not repair an injustice. It must be remembered that Molina's object is to give practical advice to confessors how to deal with difficult cases, and not to outline an ideal morality. (See Introduction, p. xxxii.) It is not difficult to imagine circumstances, especially in the seventeenth century, when gifts might be innocently offered and accepted. For instance Bacon, when charged with bribery, claimed clean hands and a clean heart, and only admitted carelessness in not observing that the suit, in respect of which he had received money, was still pending. But it is evident that any passage of money between suitor and judge tends to corrupt the purity of the Bench and deserves to be pilloried.

P. 83, l. 3. *Non certainement, selon Layman.* Nothing can be said in defence of this proposition of Layman's, endorsed by Escobar, which was condemned by Alexander VII. in 1659.

P. 83, l. 14. *Monsieur le Premier President.* Nicolas Pomponne de Bellièvre, one of a famous family of magistrates, succeeded Matthieu Molé as "Premier Président" in 1653. He had served as ambassador at St. James's, and displayed his powers of diplomacy in keeping the balance between prince and people after the Fronde. He was always favourable to the Jansenists, and when the printing press of Petit and Desprez was shut down after the First Letter, he permitted it to be re-opened. He died ten months after this praise of him was sung by Pascal.

P. 83, l. 33. *l'usure.* The medieval Church, under the influence of Scripture (cf. Deut. xxiii. 19, 20; Luke vi. 34, 35) and Aristotle (cf. *Pol.*, i., 10, 5: "Money is barren by nature: therefore to extract offspring from it is a crime against nature"); (cf. Shakespeare, *Merchant of Venice*, Act I., sc. 3—

"when did friendship take
A breed of barren metal of his friend?")

was extremely severe against usury, or indeed any taking of interest on money lent. It continued in its position long after loans of money had ceased to be confined to the relief of destitution and had become necessary for the development of industry. In this latter case it is obviously right and proper that reasonable payment should be made for accommodation.

Instead of frankly recognizing this and reforming the canon law which forbade the taking of interest, recourse was had to all sorts of legal fictions in order to modify its strictness, and meet a growing and quite legitimate practice. Bauny and Escobar, in the devices which they recommended and which Pascal ridicules, were only carrying on what Canonists had been doing ever since Christians began to borrow from Christians for commercial purposes. Their ingenious suggestions are in no sense fraudulent. Yet they are immoral because they are subterfuges invented for the purpose of evading the law which they pretend to keep.

P. 84, l. 14. *en françois.* Pascal takes evident delight in poking fun at Bauny's clumsy French.

P. 84, l. 15. *Celuy à qui on demande*, etc. Bauny's "method" is the well-known Triple Contract (*Trinus Contractus*) which was brought into vogue by Navarrus, but which can be traced back to the eleventh century. A enters into partnership with B, and the expectation of both is a profit of, say, 30 per cent. (first contract). A insures his principal by relinquishing to B 10 per cent. of his expectation (second contract). He then insures his resulting expectation of 20 per cent. by relinquishing a further 10 per cent. (third contract), and is left with an immediate profit of 10 per cent.

What is blameworthy here is not the transaction itself, but the motive with which it may be undertaken, viz. the evasion of a plain law.

P. 84, l. 17. *si ay bien.* *si* = pourtant.

P. 84, l. 22. *quant et quant.* The usual form is *quand et quand*, "at the same time".

P. 84, l. 22. *mon sort principal*, "my principal".

P. 84, l. 23. *qu'il ne coure fortune*, "so that it runs no risk".

P. 84, l. 29. *se provoquent*, "provoke against themselves".

P. 85, l. 10. *Mohatra.* This is a Spanish word, appearing here for the first time in French literature, derived from the Arabic "Mukhatura," "risk," i.e. a bargain involving risk. But the thing itself is much older. It was formerly known as "barat, baratum," a word of uncertain origin, perhaps from the Celtic *brad* "fraud," whence comes Fr. "baraterie," Eng. "barratry," for which see *Oxford Eng. Dict.* A needs cash and is willing to pay for it. This is forbidden by the Church (see note on p. 83, l. 33). So borrower and lender combine in a fictitious commercial transaction which is really a loan at interest. B sells to A for, say £110, to be repaid within the year, goods which he immediately buys back for £100, money down. Thus A secures his 10 per cent. and B gets his cash. Molinier quotes a case from the fourteenth century, where a man was fined 45 *francs d'or* for selling two measures of cloth for 7 *florins d'or* and, without delivering the goods, immediately repurchasing them for 5. The interest in this case was 30 per cent.; in that quoted by Pascal from the *Epilogum* (p. 113, l. 8) it is 50 per cent. After the definition (p. 112, l. 14 ff.) Escobar continues "Rebello . . . observes that the contract is forbidden by Castilian law under heavy penalties. Yet it is equitable if the following conditions are observed.

No bargain, explicit or implicit, must be formed. The price at which the goods are sold must not exceed the highest market price : nor that at which they are resold the lowest : for then a fair price is secured in both cases. But Molina requires further that the goods shall not be sold with the intention of buying back at the lowest price. Yet, on the other hand, Salis . . . asserted that this was no objection, because when nothing beyond the principal is introduced into the contract and there is no expectation of legal reward or obligation in the bargain there is no question of usury, even if interest be the intention of the parties." It is clear in "Mohatra" as in the "trinus contractus" everything depends on the motive. If A, in need of cash, is ready to pay for the accommodation, he is conniving with B who supplies it in a breach of the law against usury. The selling and buying back of goods which are never delivered is a mere cover for a usurious transaction. The conditions laid down by Escobar and Molina only secure the form of a legitimate transaction, for if more than the highest market price were paid the breach of the law would be glaring. No one could pay more unless for an ulterior motive, viz. to obtain cash.

"Mohatra" was condemned, as a form of usury, by Innocent XI. in 1679. It may be noted that in modern Spanish *mohatrar* is to make a deceitful sale, and *mohatrero* is an extortioner.

P. 85, l. 23. *Epilogus Summarum. Sive compendium Theol. Moralis ex variorum praecipueque Henr. de Villalobos scriptis* (Cuenca, 1650 : Paris, 1656), by Juan de Soria Buitron, Franciscan, professor at Cuenca.

P. 85, l. 25. *Fagundez.* Estevan Fagundez (1557-1645), Head of the Jesuit College at Lisbon, author of *Tractatus in quinque ecclesiae Praecepta* (1626), condemned by the Spanish Inquisition, and successfully defended by the author in an apology (1630).

P. 85, l. 33. *des loix que le deffendent.* Escobar's words are "Notat Rebellus, p. 2, lib. 9, q. 7, n. 7 (i.e. *opus de obligationibus Justitiae*, etc., Lyons, 1608), in legibus Castellae gravissimis poenis prohiberi".

P. 86, l. 19. *avec honneur, ne indecorè vivat.* Critics in chorus, including Molinier, accuse Pascal of straining, if not of mistranslating, the Latin which is asserted to mean "that he be not reduced to beggary". But the phrase means what he says. It is beside the point to bring forward passages from other Casuists, quoted by Leys, to the effect that the object of his indulgence is lest the debtor fall into want or a disreputable state ("ut non egeat . . . ne aliquatenus indecenter vivat"). "Ut non indecore vivat" is Leys's expression, and that Pascal hits the mark is shown by the additional qualification "pro sua conditione". In another passage Leys remarks that there are nobles who contract endless debts in order to maintain a state above their condition (*De Just.*, 2, c. 16, d. 1, n. 28). "Avec honneur" is the exact description of the state which Leys would allow them to maintain out of monies due to their creditor.

It is true that Leys's full opinion concerning bankrupts is not given in the paragraph before us, but the fault is not Pascal's but Escobar's, who fails to chronicle the exception made by Leys in the case of fraudulent bankrupts and spendthrift nobles. Nouet in his *IIIe Imposture* points out the injustice done to Leys by Escobar. And Pascal answers him in Letter III.

P. 86, l. 36. *Castro Palao.* Cf. *Opus morale de virtutibus et vitiis*, i. 666. Pascal omits to say that Castro Palao does not endorse the opinion of Vasquez, which differs from all other doctors. But Escobar, with whom he is chiefly concerned, has no hesitation in accepting it. Escobar adds that the rich victim could not reasonably refuse the ruling, in consideration of the confessor who offers it, supposing that the thief cannot otherwise be prevented from robbing a poor man ("qui non esset invitus respectu suadentis, posito quod fur a furto aliter non posset absterreri").

P. 87, l. 11. *quelqu'un prie. . . .* The quotation from Bauny is in all essentials exact. The French Casuist, before expressing his own opinion, quotes Cajetanus and Jean de la Cruz on the opposite side.

Bauny's extravagance, which is admitted by Maynard ("décision ridicule"), is happily characterized by Pascal in a *Pensée*: "Ils raisonnent comme ceux qui montrent qu'il est nuit à midy. Bauny: brûleur de granges" (No. 926).

P. 87, l. 34. *Lessius, l. 2, c. 12, n. 12.* The right reference is *l.* 2, *c.* 12, *d.* 12.

P. 87, l. 36. *une necessité grave.* Leys qualifies the grave necessity by adding "morbi, famis, nuditatis". But even so his opinion did not escape its deserved condemnation by Innocent XI.

P. 88, l. 12. *l'ordre de la charité.* A person who innocently acquires the goods of a fraudulent bankrupt may be able by Roman Law to establish right of possession (cf. Maynard, *ad loc.*), but it is little short of blasphemy to introduce the Order of Charity in such a connexion.

P. 88, l. 26 ff. See critical note. The corrections were rendered necessary by Pascal's error in attributing to Leys the opinion of Escobar. The mistake is explained, if not justified, by the form in which Escobar's statement is presented: "At Lessius, lib. 2, cap. 10, dub. 6, num. 46, contrarium probabilius, docuit: quia injuria adulterii non est pecunia compensabilis, et mulier quamvis ex fornicatione illicitè acquirat, licitè retinit acquisita". But there is no doubt that Escobar accurately sums up Leys's opinion, and if Pascal had been at the pains of turning up the original text of *De jure et justitia*, and if his sense of decency had allowed it, he would have found rich material for his sarcasm. At the same time it is true that the principle that money paid for a sinful act may be, in some cases, legitimately retained, is recognized by St. Thomas, and was not a Jesuit invention. Cf. *II^a II^ae*, q. 32, art. 7, where, it is said, that an act may be shameful and against God's law, but a gift after its accomplishment can be made without injustice to anyone, and may therefore be retained, and even applied in alms.

P. 89, l. 28. *point . . . aucune.* Cf. Haase, § 102, A.

P. 90, l. 25. *si on n'a pas fait l'action*, etc. We are here concerned with what Roman Law calls "condictio ob turpem causam," i.e.

action to recover money paid for a disgraceful purpose. And Molina was right to say "Distinguendum". There were (and are) cases when the receiver of money so bestowed is not bound to restore it. If he alone is *turpis*, and the gift is made in innocence or ignorance, it is recoverable. But if both parties are *turpes*, then the principle *in pari delicto melior est conditio possidentis* comes into play, and the receiver is not bound to restore. Both being rogues, the law allows the receiver to keep what he has. Cases have been decided according to this principle even in English law. The main authorities on "turpis causa" are *Cod. Just.*, iv., 7 and 9; *Digest.*, xii., 5.

P. 91, l. 5. *Qu'un Juge*, etc. On this and the other instances of *turpitudo*, cf. Nicole's notes i., ii., iii., to this Letter.

P. 91, l. 14. *Un homme qui se mesle de deviner.* Astrology and Magic although condemned by the Church were patronized even by kings in the seventeenth century. Henri IV. sent for the astrologer Larivière when Louis XIII. was born; and when Anne of Austria was brought to bed of Louis XIV., the astrologer, Morin, was hidden in the room to draw the horoscope.

P. 91, l. 16. *ce qu'il vous plaira . . . ce qui me plaira.* Cf. Haase, § 35, C, Rem. I.

P. 91, l. 21. *Sanchez.* Tomás Sanchez. See above, note on p. 49, l. 18. Sanchez compares the magician who contents himself with astrology to a physician who does not bring into play all the resources of his art. Cf. Molinier, *ad loc.*

P. 93, l. 13. *Conjurons . . . ceux qui blasment.* Pascal generalizes a particular apostrophe to Petrus Aurelius (Saint-Cyran) against whom Cellot was writing: "Amabo te, Petre Aureli, tu qui dives es et nullius eger, ne, per Christi viscera pauperibus invide librum unum, quem ipsis aeterna Dei electio, Sanguis Christi comparavit".

P. 93, l. 37. *oublié à.* Cf. Haase, § 124, 1°, B.

LETTER IX.

We learn from Hermant (*Mém.*, iii., pp. 71 ff.) of desperate efforts made after Letter VIII. to prevent the printing of any more, four Jesuits betaking themselves to the censor and threatening punishment by superior authority if he did not interfere. Meanwhile belief in the miracle of 24 March gained ground; Mazarin instituted a formal inquiry, and even a Jesuit preacher, in the midst of fulminations against Port-Royal, admitted it as one of the wonders which Scripture prophesied would be wrought by false apostles.

The plan of Letter IX. is said to have been drawn by Nicole, who in his translation supplies a long note on the right kind of devotion to be offered to the Virgin.

P. 94, l. 2. *m'en fit.* Cf. Haase, § 104, A.

P. 94, l. 11. *P. Barry.* Paul de Barry (1585-1663), author of some twenty-five books of popular devotion, such as *La solitude de Philagie;*

Les saintes intentions de Ph. Les saints accords de Ph. La dévotion à S. Joseph, dedicated to Saint Teresa, translated into English in 1835 and since reprinted.

Le Paradis ouvert à Philagie ran through seventeen editions between 1636 and 1678 and was translated into Dutch, German, Italian, and Latin.

Philagie = "lover of holy things".

P. 94, l. 24. *au rencontre. Rencontre* was at one time masculine as well as feminine. It is still masculine in heraldry, e.g. *au rencontre du cerf* = a stag's head caboched.

P. 94, l. 25. *le petit chapelet.* I do not know the particular rosary recommended by Barry, but the ordinary Devotion of the Rosary consists of 3 chaplets of 15 decades of *Aves* with *Paters* and *Glorias*. In the first chaplet the 5 Joyful Mysteries are contemplated, in the second the 5 Sorrowful, in the third the 5 Glorious.

P. 95, l. 36. *l'exemple de la p. 34.* Barry gives as his authority for this story Vincent de Beauvais. It was a common theme in the devotional literature of the Middle Ages. As a matter of fact Pascal is unfair in accusing the Jesuits of having invented the kind of devotion which with sound moral instinct he derides; but it is certain that they gave a great impulse to their production.

P. 96, l. 13. *P. Binet.* Étienne Binet (1569-1639). He enjoyed the friendship of St. François de Sales, whose fellow-pupil he had been at the Collège de Clermont, and he won the praise of Mme de Chantal: "Je n'ai jamais ouï un esprit plus conforme en solide dévotion à celui de Monseigneur (i.e. St. François) en la conférence particulière des choses de l'âme". Apart from his works of devotion, he is a curious and interesting writer. Cf. his *Les Merveilles de la Nature*, 1621, a sort of *Enquire Within* or gentleman's manual of knowledge, which went through twenty-one editions in the course of the century, and then disappeared. Rhetoric was his undoing. There is an excellent chapter on Binet in H. Bremond's, *L'humanisme dévot*, t. i., pp. 128-148.

P. 96, l. 14. *de la Marque de Prédestination.* The full title is, *De la devotion à la glorieuse Vierge Marie, Mere de Dieu, vraye marque de nostre Predestination* (Arras, 1619).

P. 96, l. 15. *soit de bond ou de volée.* Terms of tennis: "Off the floor (lit. at the bounce), or at the volley". The impropriety of the image no doubt pleased Pascal.

P. 96, l. 22. *la petite republique*, etc. A piece of real "préciosité".

P. 96, l. 36. *sans l'approbation*, etc. This rule is not peculiar to the Company of Jesus but applies to all religious Orders.

P. 96, l. 42. *particulier à nostre Compagnie.* The *Privilège* in question, which was called forth by conspiracies laid or supposed to be laid by the Jesuits against Henri III. and Henri IV., was no doubt peculiar to the Company; but the custom was general. See preceding note.

P. 97, l. 13. *à la plus grande Gloire de Dieu.* The Jesuit motto, "Ad majorem Dei gloriam".

P. 97, l. 18. *le P. le Moyne.* Pierre Le Moine (1602-1672), poetaster and theologian. His Epic, *Saint Louis* (1658), in eight books, enjoyed an immense vogue during the Reign of Bad Taste (see Tilley, *op. cit.*, ch. ix.). Boileau said of him, "Il est trop poëte pour que j'en dise du mal; il est trop fou pour que j'en dise du bien".

La Dévotion aisée (1652), enjoyed two editions in the seventeenth century and six in the nineteenth, of which one was edited by L. Veuillot. The book was attacked on its appearance by the Oratorian Toussaint Desmares in his *Lettre à un ecclesiastique*, which contains many of the passages signalized by Pascal.

P. 97, l. 25. *grimper sur son rocher.* Cf. a passage of Montaigne (*Essais*, i., 25) to which Pascal himself refers in his *Entretien avec Saci.* "Elle (la philosophie) a pour son but la Vertu, qui n'est pas, comme dit l'eschole, plantée à la teste d'un mont coupé, rabotteux et inaccessible," etc.

P. 98, l. 8. *Peintures morales. Les Peintures morales où les Passions sont representées par Tableaux, par Characteres et par questions nouvelles et curieuses* (1640). The form of this book is a mixture of prose and verse (*Satura Menippea*), a type of which the most famous instance is the *De consolatione philosophiae* of Boethius (A.D. 525).

P. 98, l. 9. *Il est sans yeux*, etc. One may believe that the Port-Royalists in general and Pascal in particular were pricked by this description of exaggerated austerity. For Pascal's attitude towards human affections, beauty, etc., cf. his Life by his sister.

P. 98, l. 16. *idoles . . . pour lesquels. Idole* was masculine in the seventeenth century. Cf. "Et Pison ne sera qu'un idole sacré" (Corneille, *Othon*).

P. 99, l. 8. *L'ambition*, etc. The phrase "un appetit desordonné" is no doubt what drew Pascal's ire. Cf. "C'est une sottise de chercher les grandeurs" (*Pensées*, No. 161). Escobar's distinction between simple ambition and treacherous or irreligious ambition is really unexceptionable.

P. 99, l. 15. *Je sçay que les riches*, etc. The quotation from Escobar is correct, so far as it goes, but it is incomplete. The Casuist continues, "I ask whether, supposing him (the rich man) to be bound under penalty of mortal sin, to give alms, he would be obliged to seek out the poor? (Ans.) He need only give alms to those whom he comes across. (Q.) All of them? (Ans.) Some of them. (Q.) By removing all their want? (Ans.) It is enough to give something."

The text in the abbreviated form quoted by Pascal is given by Arnauld, *Theol. Morale.*

P. 99, l. 28. *Garasse.* François Garasse (1585-1631). A very vigorous controversialist, equally severe against Pasquier, Balzac, and the *libertin* poet Théophile de Viaud. His *Somme theologique des Veritez capitales de la religion chrestienne* (Paris, 1625), censured by the Sorbonne in 1626, was the occasion of a reply by Saint-Cyran. Thus Garasse, in Bayle's phrase, was the Helen of the war between the Jesuits and the Jansenists.

He was not a great man, but he died a hero's death, tending the plague-stricken poor of Poitiers.

P. 99, l. 30. *justice commutative*, i.e. justice as between man and man.

P. 99, l. 34. *quand un pauvre esprit*, etc. The modern reader will probably regard Garasse's excuse for mild self-complacency with less rigour than Pascal who could write "L'admiration gaste tout de l'enfance," etc. (*Pensées*, No. 151).

P. 100, l. 22. *La paresse*, etc. Molinier (*ad loc.*) says that Pascal displays an ignorance of theology in rendering "acedia" (Escobar's word) by "paresse". This is hard to follow. The fact that he so translated it shows that he knew what he was talking about. And he was quite within his rights in using "paresse". It is the lay equivalent of the ecclesiastical term "acedia, accidie," and denotes the fourth (some say the seventh) of the Seven Deadly Sins. Cf. "Le quart pechié de parece con apele en clerkois accide" (*Miroir de l'âme*; cf. Ducange, *s.v. Acedia*). So in English "the sinne of accidie or slouth" (Chaucer, *Parson's Tale*). It is true that "acedia" means properly spiritual sloth, *taedium cordis* (cf. St. Thomas *IIa IIae*, q. 35; Dante, *Purg.*, canto xvii.; Dr. F. Paget, *The Spirit of Discipline*, 2nd edition, 1891), i.e. the state of ἀκήδεια, "I don't care," regarding spiritual things; but if Pascal's readers did not recognize this in his translation of Escobar, it was not his fault. Madame de Sévigné is plainly speaking humorously when she writes to her daughter (21 July, 1680), "Ne craignez point la paresse, ma belle: vous savez bien qu'il n'est pas aisé de commettre ce péché, puis que, selon un célèbre Casuiste, La paresse est une tristesse," etc. Pascal was fighting for more than a passing victory in extending sloth beyond the limited sphere to which Escobar's definition of the ecclesiastical vice confined it, for on more than one occasion he states his conviction that pride and sloth, in the most general sense of the term, are the sources of all sin. Cf. *Pensées*, Nos. 395 and 497.

P. 100, l. 39. *qui est sans doute. . . .* See critical note. The correction is most likely Pascal's own. He was himself abstemious to the point of extravagance. Cf. *Life*: "Jamais il n'a dit: Voilà qui est bon: et encore, lorsqu'un luy servoit quelque chose selon les saisons, si on luy demandoit après le repas s'il l'avait trouvé bon, il disoit simplement: Il falloit m'en avertir devant, car je vous avoue que je n'y ay point pris garde . . . il disoit que c'était une marque qu'on mangeoit pour contenter le goût; ce qui étoit toujours mal".

P. 101, l. 2. *selon nostre Pere Sanchez.* It is Juan Sanchez (see note on p. 62, l. 33) who is responsible for this decision of Escobar's, which was defended by Pirot in his *Apologie pour les Casuistes* but condemned by Innocent XI. in 1659. Nicole has a note on the subject.

P. 101, l. 14. *se gorgeoit.* See critical note. The correction gives a wrong sense, *s'égorger = se couper la gorge.*

P. 101, l. 23. *nostre doctrine des equivoques.* Here again Pascal is unfair to the Jesuits. It was not they who introduced Equivocation and Mental Reservation, nor were they the sole supporters of the practice. Père Daniel devotes the last forty-five pages of his *Entretiens de Cléandre et d'Eudoxe* to this point, and he has no difficulty in finding instances of saintly prevarication in the Bible, and of ingenious justifications of it in the writings of the Fathers. He does not cite the one which is probably most shocking to us and which most closely resembles the subterfuge recommended by Filiucci, viz. the explanation of John vii. 8, offered by St. Cyril of Jerusalem. "I go not up to this feast, *to keep it as a feast*." Nor does he see that the Bible itself, unlike its early commentators, nowhere palliates prevarication. The fact is that rigid veracity was not a characteristic even of the greatest of the Fathers. Against this Pascal's moral instinct rebelled. With all his faults he was a passionate lover of truth, and he was ready to denounce any paltering with it whether by friend or foe. Daniel took up the quarrel again in a letter to Père Serry (1705) in which for the quotation from Jesuit writers he substitutes passages of the same tenor from great Dominicans. The device is effective; but a still more telling retort lay to his hand. Mental reservation had been frankly recommended by the Jansenists themselves in connexion with the Formulary of 1661. See Sainte-Beuve, *P.R.*, t. iii., p. 127.

Prevarication cannot be defended on the ground that it differs in principle from lying; but if it is to be in any way justified, it must be on the view that, like simple lying, it may be inevitable when there is conflict with a higher law, e.g. the law of charity. But the danger of its growing into a habit is a real one which the Jesuit system tended to encourage rather than to avoid, and Pascal's satire acts as a wholesome corrective.

P. 101, l. 32. *au mesme lieu.* The quotations are not all from the same passage, but they are all in the same chapter of the *Opus Morale.*

P. 102, l. 2. *Filiutius . . . tr. 25 . . .*, i.e. of the *Morales Quaestiones.*

P. 102, l. 17. *pourvu qu'ils ayent . . . donneroit.* This passage, although printed by Pascal in italics, is not a literal quotation, but a summary of Filliucci's rule.

P. 102, l. 26. *Les Promesses . . . en les faisant.* Pascal abbreviates Escobar's phrase and omits an important qualification; "unless the circumstances have entirely changed". The text runs: "Obligat quidem promissio nisi res sint ita mutatae, ut si cogitasses ita futurum, non promisisses, aut si non habuisti animum te obligandi sed solum proposuisti facere". The *animus obligandi* is doubtless a necessary condition of a valid promise, but the distinction between a promise and the proposal to do a thing is extremely elusive, and Pascal does no harm in disregarding it.

P. 102, l. 35. *la direction d'intention.* See above, Letter VI.

P. 103, l. 17. *quand cela se fait*, etc. Molinier points out that Bauny is here discussing a point of law rather than of morality. Pascal would have answered: "Then leave it to the law-books and do not introduce it into a French book of moral theology".

P. 103, l. 24. *un poëte payen.* Catullus. The lines translated are from Cat. LXII., v., 62-65:—

> Virginitas non tota tua est; ex parte parentum est,
> Tertia pars data patri, pars data tertia matri,
> Tertia sola tua est. . . .

P. 104, l. 5. *aux passages de l'Escriture.* The passages to which Leys refers are 1 Peter iii. 3; 1 Tim. ii. 9, 10.

P. 104, l. 15. *il ne le veut point du tout souffrir aux vieilles.* Cf. Saint François de Sales: "On se moque toujours des vieilles gens, quand ils veulent faire les jolys: c'est une folie qui n'est supportable qu'à la jeunesse" (*Introd. à la vie devote*, ch. xxv.: "De la bienséance des habits"), a passage which should be consulted for the common-sense view of the question, which the Jansenists were apt to miss.

P. 104, l. 27. *je vous diray*, etc. See critical note. The correction was rendered necessary by the interpretation ("se parer") which Pascal originally put upon Escobar's "pro veste" which need not mean more than decent clothing.

P. 105, l. 1. *la manière d'assister à la Messe.* By the decree of the Council of Trent (Sess. xxii., cap. 9) bishops are required to admonish the faithful to repair frequently to their parish churches for the purpose of hearing Mass, at least on the Lord's Days and the greater festivals. To omit to attend without legitimate cause is a mortal sin. Cf. Escobar, tr. 1, ex. ii., c. 3, n. 27.

P. 105, l. 2. *Conninch.* Gilles de Conninck (1571-1633), born at Bailleul; professor of theology at Louvain.

P. 105, l. 10. *ceux qu'on meine à la Messe par force*, e.g. an unwilling child.

P. 105, l. 21. *Turrianus.* Luis de Torres (1582-1655), professor at Alcalá.

P. 105, l. 22. *la moitié d'une Messe.* Escobar's "notes" on this point are intéresting (n. 28). "Num totum sacrum audiendum? Ita planè, et si notabilis pars non audiatur, v. gr. maior parte quarta, videlicet ab introitu usque ad Evangelium exclusivè, praecepto non satisfacis (n. 29). Quid si notabilis pars omissa est? Si involuntariè omittitur, suppleatur per aliam: si voluntariè, animo non audiendi aliam, ultra mortalem culpam, manet obligatio praeceptum implendi, si nondum tempus sit elapsum. Impleturne auditione partis alterius Missae? Ita planè, etsi consultius esset unius integram audire."

P. 105, l. 36. *De là je conclus*, etc. Maynard blames Pascal for not taking into account the omission of this extraordinary opinion from the editions of 1614 and 1656. But as I have said Pascal was not likely to forego the opportunity of a legitimate hit; and Escobar himself in 1659 records the opinion which he had suppressed. He had in view the case of a man on whom the obligation of hearing, say, three masses, has been imposed by way of penance.

LETTER X.

By the time Letter X. was written, war was engaged between the parish clergy and the Jesuits. Brisacier, rector of the Jesuit college at Rouen, moved by the sermons of the curé of Saint Maclou in that city, addressed a petition to the archbishop urging the prohibition of the Letters in his diocese. On 2 August the archbishop referred the matter to his council.

P. 107, l. 1. *ce n'est pas encore la politique.* Cf. the end of Letter IX.

P. 107, l. 13. *l'unique remede est la Confession.* The Council of Trent declares the sacrament of Penance to be absolutely necessary for the forgiveness of post-baptismal sin. All mortal sins committed after baptism must be confessed so far as the penitent is able to recall them (Sess. XIV., canon 7).

P. 107, l. 26. *Piam et religiosam calliditatem.* The expression is applied in the first instance to the word of God who, in order to win men, took their nature upon Him, and offered His Humanity as a bait by which to allure them. "Pia et religiosa calliditas quam eius socii feliciter imitarentur!" It will be seen that it is the good taste of the authors of the *Imago* which is defective rather than their good will.

P. 108, l. 24. *deux confesseurs.* In early days, before Penance was definitely established as a sacrament, it was common enough to divide confession among several confessors. But St. Thomas is quite clear that this dividing is hypocrisy and overthrows the sacrament by destroying its integrity. Nor will he recognize the difference in this matter between mortal and venial sins. All must be confessed. Cf. *Supplem.*, q. ix., art. 2, and q. vi., art 3.

P. 109, l. 10. *Jesus Christ dont le Prestre tient la place.* Pascal here echoes the noble words of St. Thomas: "Sacerdos confessionem audiens vicem Dei gerit," etc. (*Supplem.*, q. ix., art. 3).

P. 109, l. 17. *qui est à mon sens.* The antecedent is "une autre de leurs regles".

P. 109, l. 24. *les circonstances qui changent l'espèce*, etc. This is in accordance with the decision of Trent, Session XIV., canon 5. But it is obvious that aggravation may sometimes result in a change of species. For instance, habitual drunkenness is a different kind of sin from occasional excess.

P. 109, l. 26. *Granados.* Diego Granado (1574-1632), author of a commentary in eight volumes (1623-1633) of the *Summa* of St. Thomas.

P. 109, l. 27. *que, si on a mangé*, etc. But abstinence, i.e. refraining from meat, is a different species from fasting, i.e. restriction in the amount of food. It is quite possible to imagine a case where a man will not shrink from a breach of the fasting obligation, of which he alone is cognizant, and be very strict to observe abstinence, which openly proclaims him a Catholic.

P. 109, l. 34. *un pacte avec le demon.* Raynaud, in his *Praxis fori poenitentialis*, does not mention the Devil, but Escobar in introducing the reference does: "Seu an divinaverit cum pacto daemonis necne? Negat Reginaldus," etc.

P. 109, l. 35. *Le rapt n'est pas une circonstance*, etc. Escobar quotes Fagundez amiss. Fagundez expressly says that the circumstances must be stated.

P. 110, l. 4. *Nos Theses*, etc. These Theses are only known to us through Nicole, who gives the passages in question.

P. 110, l. 9. *que si le penitent declare*, etc. Maynard, in his note *ad loc.* (t. ii., p. 16), makes an astonishing admission: "Ce n'est pas vrai en principe, quoiqu'en fait il en soit presque toujours ainsi, d'après l'usage universel où on est dans l'Eglise de n'imposer que des pénitences légères". It is precisely this divorce between principle and practice that Pascal is concerned to combat.

P. 110, l. 12. *l'integrité du sacrement*, which consists of contrition, confession, and satisfaction. Cf. Council of Trent, Session XIV., canon 4.

P. 110, l. 26. *si Jesus Christ délie.* Maynard sees here the specifically Jansenist doctrine of absolution, according to which the priest merely declares God's willingness to absolve, as distinguished from the Catholic doctrine whereby the priest bestows absolution which is subsequently ratified by God. But in Pascal's view there is no before or after, but perfect harmony and coincidence between the earthly sentence and the heavenly will.

P. 111, l. 7. *Le Confesseur n'a qu'à luy demander.* Maynard (t. ii., p. 19) asks why would not the confessor trust the penitent's promises? Nicole had, however, pointed out with great effect (note *ad loc.*) that verbal protestations are not as a rule considered enough to give an applicant a place in any civil employ, nor a postulant admission to a religious order. At least equal care ought to be exercised in the solemn matter of absolution.

P. 112, l. 10. *Petau.* For Petau, see note on p. 44, l. 12. The *De la Penitence publique* was written in answer to *La Fréquente* of Arnauld. Petau admits (and no one could speak with more authority than he) that the Fathers are at one with Arnauld on the main thesis, but he maintains that ancient discipline is not suited to modern conditions.

P. 112, l. 37. *on peut absoudre*, etc. Maynard admits that Bauny is here "un peu relâché".

P. 112, l. 40. *Caussin.* Nicolas Caussin (1583-1651), the famous confessor of Louis XIII. He had the courage to oppose Richelieu, but the Cardinal broke him, and he was dismissed the court with contumely. His most celebrated work is *La cour sainte*, translated into English (1631). His *Response au libelle intitulé, la Théologie Morale des Jésuites*, appeared in 1644.

P. 113, l. 4. *poenitentium numero obruimur.* The words in the *Imago* are put into the mouths of the parish clergy: but the Jesuit panegyrists had already said the same thing of themselves a few lines earlier in the book.

Before quitting this section of the Letter it is only fair to record the complaint of a great Jesuit, Bellarmin, against the facility of absolution prevalent even in his time. "Confessors, by their ignorance and pride, corrupt the people and close to them the way of real penitence. For there would not be to-day such readiness to sin if there were not such readiness to absolve. Men come laden with sins into which they have fallen a thousand times, and they come without a sign of sorrow, and we, heedless judges, lay our hands on all and say to all "Ego te absolvo, vade in pace," *Concio*, viii., *De dominica 4 Adventus*.

P. 113, l. 14. *les occasions prochaines*. See Letter V, pp. 47 ff.

P. 113, l. 43. *Elle propose*. Cf. Haase, § 61, *s.v.* "proposer".

P. 114, l. 25. *l'Evangile*. Matth. v. 29.

P. 114, l. 35. *Pintereau*. François Pinthereau (1603-1664), the indefatigable foe of Port-Royal. He procured the publication of letters which had passed between Saint-Cyran and Arnauld d'Andilly and between Jansen and Saint-Cyran and used them to prove the charge of treason under which Saint-Cyran spent three years in prison. Pinthereau also, under the pseudonym of "l'abbé de Boisic," wrote *Les Impostures et les Ignorances du Libelle intitulé, la Theologie Morale des Jesuites* (1644), from which Pascal's free, but on the whole accurate, quotation is taken.

P. 114, l. 37. *la contrition . . . l'attrition*. Speaking in general terms Contrition is real sorrow for sin, proceeding from love to God, while Attrition is imperfect sorrow, proceeding from fear of hell and from hatred of the vileness of sin. The early schoolmen taught that "contritio" was an integral element in Penance. So Hildebert of Tours (A.D. 1055-1133), cf. *Serm.*, iv. and xv. (*MPL*, clxxi.); Peter Lombard (*Sent.*, iv., d. 16, A); St. Thomas (*III^a*, q. xc., artt. 1, 2, 3), Council of Florence (1439).

The Council of Trent declared that perfect contrition, i.e. Contrition *plus* charity and the desire for absolution, may justify the sinner before Penance, while on the other hand mere Attrition does not justify him.

The question in debate here, viz. whether Attrition *plus* the sacrament of penance and without Contrition suffices for justification, was decided in the negative by the Universities of Paris and Louvain and by the Assembly of Clergy in 1700. But the affirmative, viz. that Attrition and Penance suffice, is now universal in the Roman Church, having been declared "certain" by St. Alphonso. The ripening of the modern doctrine is sufficiently indicated by the passages quoted by Pascal; the principal argument by which it is supported to-day is that Penance would lose all its force if Contrition were required in addition to it. Pascal's view is that Love to God is the all-embracing Law, the life and soul of all the rest, and not a separate or separable ordinance. To ask how often or when must we love God seemed to him a paltering with the one great commandment. For poetic illustration of his view, cf. the XIIth *Epître* of Boileau: for relief from the severe theology involved, cf. Mme de Sévigné's letter to her daughter, 16 January, 1694, where it is told how Boileau's zeal for Pascal got the better of his logic.

P. 115, ll. 6 and 7. *soit . . . suffit.* Cf. Haase, § 80, Rem. II.

P. 115, l. 19. *Comitolus.* Paolo Comitolo, S.J. (1544-1626). The quotation is from his *Consilia seu responsa moralia in vii. libr. digesta*, Lyons, 1609.

P. 116, l. 11. *mesme à la mort*, "in articulo mortis" are Escobar's words. In support of his decision Escobar quotes the Council of Trent: "Tridente asserente, sufficit ad salutem attritio cognita cum sacramento". But all that the Council (Sess. XIV., c. 4) says is that Attrition, if it excludes the purpose of sinning and includes the hope of pardon, is a true gift of God, and an impulse of the Holy Spirit. It says nothing about death-bed repentance. Escobar, it should be noted, adds that Granado and Fagundez advise the confessor to try and induce an act of contrition on the part of the penitent.

P. 116, l. 37. *attritio naturalis.* If Attrition is simply due to a consideration of the natural results of sin, such as disease or dishonour, it is "natural": but it may be suggested to the conscience and will by a divine operation, when it is "supernatural" and may be regarded as a first step towards Contrition.

P. 117, l. 2. *tom. 4, disp. 7*, etc., i.e. of the *Commentarii theologici.* In the passage from which Pascal quotes, Valentia goes on to compare the Confessor insisting on Contrition before Penance with a doctor who should advise a patient not to take medicine until he had tried to cure himself without it; a notable example of the danger of analogy.

P. 117, l. 9. *la seule crainte des peines.* This is the so-called "servilis attritio" which had not been alleged by any of the Jesuit authorities quoted.

P. 117, l. 17. *Vous deviez l'avoir compris.* Cf. Haase, § 68.

P. 117, l. 23. *Quand est-on obligé*, etc. Pascal summarizes rapidly and makes Escobar speak more decidedly than he really does in either of the two passages here combined.

P. 117, l. 39. *Antoine Sirmond.* Antoine Sirmond (1591-1643), nephew of the great scholar, Jacques Sirmond. His *Deffense de la Vertu* (1631) was refuted by Arnauld in 1641, by Camus, bishop of Belley, in 1643, and condemned by Alex. VII. in 1665 and by Innocent XI. in 1679.

P. 118, l. 1. *S. Thomas dit*, etc. Similar utterances concerning Love to God by the Jesuits Moya and Tresse were censured in 1665 by the Sorbonne and by Alexander VII., and in 1690 by Alexander VIII.

Pascal's quotation from Sirmond is substantially accurate, but he gives it a cavalier air which it has not in the original.

P. 118, l. 33. *A. Sirmond mesme.* On the strength of the "même," Daniel, Maynard, and Sommervogel accuse Pascal of wilfully confounding uncle and nephew, and of attributing the remarks of an obscure member of the Company as that of one of its greatest ornaments. But all that Pascal means is what he says, viz. that "even A. Sirmond (of whom I have been speaking) has defended this doctrine".

P. 119, l. 16. Cf. Rom. i. 32.

P. 119, l. 33. Cf. Matth. xxii. 36-40.

P. 119, l. 41. Cf. John iii. 16.

P. 120, l. 2. Cf. 1 Cor. xvi. 22.

P. 120, l. 3. Cf. 1 John iii. 14.

P. 120, l. 5. Cf. John xiv. 24.

Nicole supplies a theological dissertation (note iii.), written by Arnauld, on the commandment to love God.

LETTER XI.

Between the date of the Tenth Letter and that of the Eleventh (18 August), belief in the reality of the Miracle of the Holy Thorn had gathered strength. On 2 August, Queen Henrietta Maria began a *neuvaine* at Port-Royal de Paris; on 4 August, Mlle. de Rouannez kissed the relic and felt the first promptings to a religious life, which were fostered by Pascal himself in a series of wonderful letters, and which found fulfilment a year later, in July, 1657. On 8 August the doctors drew up their certificates as to the cure of Margot Perier. Owing partly perhaps to the popularity which Port-Royal gained by these incidents and partly to the curiosity awakened by the Letters, the process of printing was henceforward somewhat easier to accomplish. Arnauld invented a practical device which covered the expense and left something in hand. For all this see *Œuvres de Pascal*, t. v., p. 279.

Meanwhile the clergy of Rouen rallied to their brother of St. Maclou, attacked by the Jesuit Brisacier, and addressed a petition to their archbishop that he would publicly censure the Casuists. Their petition was endorsed by the clergy of Paris in an Assembly held on 7 August, and printed by these last in the course of the next month.

The Eleventh Letter is founded on Arnauld's *Response à la Lettre d'une personne de condition touchant les regles de la conduitte des Saints Pères dans la composition de leurs ouvrages* (March, 1654). Pascal adopts Arnauld's arguments and authorities, and casts them into literary form.

P. 121, l. 1. *mes Reverends Peres.* Pascal now begins a frontal attack, addressing the Jesuits by name.

P. 121, l. 2. *les lettres.* See below, Appendix B. "Answers to the Provinciales."

P. 121, l. 6. *que j'ay tourné . . . en raillerie.* Nouet's words (*Première Response*, p. xvii.) are "Aussi est-ce une espèce de blaspheme que de traiter les choses saintes en raillerie". Pascal silently corrects the slipshod "traiter". On the whole question of the use of ridicule in religious controversy, cf. Dr. Hey, *Lectures in Divinity* (1822), vol. i., bk. ii., cc. 3 and 4.

P. 122, l. 20. *impertinence* = irrelevance.

P. 122, l. 23. *la crainte qui en est le principe.* Cf. Ps. cxi. 10.

P. 122, l. 41. *In interitu.* Prov. i. 26.

P. 123, l. 4. *Videbunt justi.* Ps. li. 8 (Vulg.).

P. 123, l. 5. *Innocens subsannabit eos.* Job xxii. 19.

P. 123, l. 7. *paroles que Dieu a dit.* Cf. Haase, § 92, C.

P. 123, l. 15. *Ecce Adam. . . .* Gen. iii. 22.

P. 123, l. 17. *S. Chrysostome. Hom. xviii. in Gen.*, and *v. in Matth.* This and the following references are supplied by Nicole in his translation.

P. 123, l. 18. *Rupert.* Rupert of Deutz, O.S.B., † 1129 (*MPL*, clxvii., col. 315).

P. 123, l. 21. *Hugue de S. Victor.* Hugh of Saint Victor (1098-1141).

P. 123, l. 22. *que cette ironie*, etc. Havet says these words have no right to be marked as a quotation but he is mistaken. They are a conflation of two contiguous passages from Hugh of Saint Victor's *Annotationes elucidatoriae in Pent.* (*MPL*, clxxv., col. 43).

P. 123, l. 28. *Jeremie.* Cf. Jer. li. 18.

P. 123, l. 31. *S. Augustin.* Cf. *Sermo* xxii., 8, where the object of the divine ridicule is the Foolish Virgins.

P. 123, l. 37. *Daniel.* Cf. Dan. xiv. 18.

P. 123, l. 37. *Elie.* Cf. 2 Kings, xviii. 27.

P. 123, l. 38. *S. Augustin.* Cf. *Tr. XII. in Joan.*

P. 124, l. 4. *S. Chrysostome.* Cf. *In Joan. Hom.* xxv.

P. 124, l. 4. *S. Cyrille.* Cyril of Alexandria. Cf. *In Joan.* lib. ii., cap. i. (*MPG*, lxxiii., col. 44).

P. 124, l. 9. *ignoroient . . . soutenoient.* Cf. Haase, § 81, A.

P. 124, l. 10. *qu'on peut estre sauvé*, etc. See above, Letter X.

P. 124, l. 18. *S. Hierome dans ses lettres.* Cf. *Epist.*, lxxxiv., xcix., ci.

P. 124, l. 19. *Tertullien dans son Apologetique*, etc., i.e. *Apol. adv. gentes.*

P. 124, l. 20. *contre les religieux d'Afrique.* Cf. *De opere monachorum*, c. xxiii., xxxi., xxxii.

P. 124, l. 21. *les chevelus* = *criniti fratres.* Cf. Aug., *op. cit.*, c. xxxi. Long hair was reckoned effeminate, contrary to the apostolic decree, and deserving of ridicule.

P. 124, l. 22. *contre les Gnostiques*, i.e. Ἔλεγχος καὶ ἀνατροπὴ τῆς ψευδωνύμου γνώσεως (*Adv. Haer.*).

P. 124, l. 22. *S. Bernard.* Cf. *Epist.*, 236.

P. 124, l. 30. *Ce que j'ay fait*, etc. Cf. "Congressioni lusionem deputa, lector, ante pugnam" (*Adv. Valentin.*, c. vi.).

P. 125, l. 11. *que Jesus-Christ*, etc. Cf. "testatur (Ignatius) ad se frequenter venisse meditationes quarum nomine Jesum designat et Mariam . . ." (*Imago primi saeculi*, l. c. 5).

P. 125, l. 13. *qu'un Prestre*, etc. Cf. Letter VI. and Letter IX.

P. 125, l. 27. *c'est tuer son ennemi en trahison*, etc. Cf. Letter VI., VII.

P. 126, l. 1. *Haec tu misericorditer irride.* Cf. Aug., *Contra Parmeniarum*, iii., c. 4.

P. 126, l. 4. *L'esprit de charité*, etc. Cf. Greg. Naz., *Or.*, xli., *In Pentecosten.*

P. 126, l. 5. *qui oseroit dire*, etc. Cf. Aug., *De doctr. Christ*, iv., 1.

P. 126, l. 17. *qu'on peut tuer*, etc. See above, p. 74, l. 36.

P. 126, l. 20. *qu'un juge*, etc. See above, p. 82, l. 36.

P. 126, l. 23. *avec privilege*, i.e. the *privilège du roi*, or right to print and protection against piracy, as regulated by an ordinance of Louis XIII. in 1629. The allusion is to Sirmond's *Defense de la Verité* (see above, note on p. 117, l. 39).

P. 127, l. 5. *que leur ressentiment part.* See critical note and cf. Haase, § 81, A.

P. 128, l. 2. *Malheur aux aveugles*, etc. Cf. Aug., *Contra Epist. Parmen.*, iii., 4.

P. 128, l. 14. *Splendentia*, etc. Cf. Aug., *De doctr. christ.*, iv., 28.

P. 128, l. 21. *reüssir.* Here in the etymological sense, "issue forth" from Latin *re-exire.*

P. 128, l. 21. *la verité de Dieu*, etc. Job xiii. 7.

P. 128, l. 22. *Il est du devoir*, etc. "Veritatis enim ministros decet vera proferre." Hilar. Pictav., *Contra Constant.*, vi.

P. 128, l. 42. *Les méchans*, etc. A free paraphrase of Aug., *Epist.*, 48 (93).

P. 129, l. 8. *de sçavans hommes et tres catholiques.* Cf. Haase, § 156, B.

P. 129, l. 9. *autrefois.* From 1554 onwards the Sorbonne had repeatedly censured Jesuit doctrine and practice.

P. 129, l. 16. *à moins qu'il y en ait.* Cf. Haase, § 104, A.

P. 129, l. 32. *porte à avoir*, "incites to".

P. 129, l. 35. *On doit toujours*, etc. Cf. Aug., *Epist.*, 138 (5).

P. 130, l. 16. *Binet.* See above, note on p. 96, l. 13. The work in question is *Consolation et resjouissance pour les malades et personnes affligées*, par Etienne Arviset, prédicateur du Roy.

P. 130, l. 20. *Devotion aisée.* See above, note on p. 27, l. 18.

P. 130, l. 23. *Peintures Morales.* See above, note on p. 98, l. 8.

P. 130, l. 26. *Eloge de la pudeur*, etc. Once more it is Jesuit taste that is most at fault. Sainte-Beuve has some trenchant observations on Le Moyne in *Port-Royal*, t. iii., pp. 285 ff. Molinier thinks that the Jansenist criticism of the Jesuit poet is too severe: but to a man of Pascal's austere enthusiasm such *jeux d'esprit* were nothing short of blasphemy.

P. 131, l. 2. *Delphine.* Delphine (who in a later edition of the Ode becomes Lucréce) was Lucrèce de Quincampoix, step-mother of S. J.

Du Cambout, abbé de Pontchâteau, an ardent Jansenist, for whom see Sainte-Beuve, *op. cit.*, *passim*.

P. 131, l. 16. *Que l'eau*, etc. . . . This passage is from *livre* 1.

P. 131, l. 20. *P. Garasse.* See above, note on p. 98, l. 28. The author of the *Somme des Veritez* had been rebuked by Saint-Cyran, who quoted the passages here incriminated, and his book was censured by the Sorbonne in 1626.

P. 131, l. 21. *l'heresie*, i.e. Nestorianism, which held that there were two Persons in Jesus Christ, whereas the Church teaches two Natures in One Person. Garasse tacitly accepted the impeachment by substituting on a cancel *substance* for *personnalité*. But the Sorbonne censured his book on account of "une infinité de paroles de boufonnerie indignes d'estre escrites et d'estre leues par des Chrestiens et des Theologiens". Nouet, in his *Response à l'Onzieme Lettre des Jansenistes*, quoted in defence of the simile used by Garasse a passage of St. Paulinus of Nola, *Epist.* 4, where Christ is compared to the Good Samaritan who set the wounded traveller on his own beast. "Hic hominem saucium . . . miseratus accessit et jumento suo, hoc est Verbi Incarnatione suscepit." Nicole meets this plea by pointing out that in the one case it is Divinity, and in the other only Humanity that is compared to a horse. (Note iii., *ad. loc.*)

P. 131, l. 28. *un Jesus dévalisé:* "robbed of his baggage". The phrase in Garasse continues, "faisant comme par mystère de toute antiquité les armes de la ville de Genève"—to which Nouet, who quotes it, adds, "vostre chère Genève".

P. 131, l. 34. *Pere Brisacier.* Jean de Brisacier (1603-1668), author, together with Annat, Lingendes, and Nouet, of the *Responses aux Lettres provinciales.* The book referred to here is *Le Jansenisme confondu dans l'advocat du sieur Callaghan* (1651). Callaghan was an Irish priest, who came to France in 1627, studied under Jesuit teachers, became Doctor of the Sorbonne in 1634, turned towards Jansenism, and was given a *cure* near Blois by a great Jansenist lady. Him Brisacier attacked publicly at Blois in a sermon preached in March, 1651. A Provençal friend came to Callaghan's help and Brisacier replied with the *Jansenisme confondu.* This was denounced to the Archbishop of Paris by the Mère Angélique and prohibited in the diocese. Arnauld supported the censure and refers to the incident several times in his Second Letter. But Brisacier was not daunted, and returned to the charge against Jansenism at Rouen, under the circumstances already described. His attack against Callaghan seems to have been quite unjustified. Callaghan was a blameless man of good family, and not at all the Irish rogue described by Brisacier. The only real cause of complaint against him was that he was exceedingly scrupulous (*à la Jansen*) in admitting penitents to absolution and Communion.

P. 132, l. 2. *feu M. l'archevesque de Paris.* Jean François de Gondi (1584-1654), the first Archbishop of Paris, uncle of the Cardinal de Retz.

P. 132, l. 11. *une autre fois.* See Letter XV.

P. 132, l. 32. *des vœux pour leur damnation.* These took the form of a set of Latin Alcaics recited in the Jesuit College at Caen in June, 1653. Amongst other things, Christ is besought to exclude from the number of the elect the man who persists in denying that the Precious Blood was shed for each and all, i.e. who maintains Proposition V. Arnauld refers repeatedly to this *Vœu de Caen* (" ad beatam Virginem votum ") in his Second Letter, where he gives an extract from it.

P. 132, l. 40. *de ce qu' entre*, etc. Cf. Haase, § 109, D.

P. 133, l. 12. *tant esté imprimé de fois.* See above, note on p. 46, l. 33.

P. 133, l. 13. *Bagot.* Jean Bagot (1580-1664), author of *Defensio juris episcopalis* (1655), which only escaped the censure of the Sorbonne thanks to his friends in the Faculty and the Court.

P. 133, l. 26. *complimens*, " flattering words ".

P. 133, l. 31. *deü à la vanite*, etc. Cf. Tert., *Adv. Valentin.*, c. 6.

P. 133, l. 36. *rideam vanitatem*, etc. Cf. *Ad nationes*, ii., 12.

P. 133, l. 38. *Hæc tolerabilius*, etc. Cf. *Contra Faustum*, xx., 16.

P. 133, l. 39. *un temps de rire*, etc. Eccles. iii. 4.

P. 133, l. 41. *ces paroles des Proverbes.* Prov. xxix. 9.

P. 134, l. 1. *En achevant cettre lettre*, etc. This postscript is omitted in the edition of 1659.

P. 134, l. 1. *un escrit que vous avez publié.* This was the first instalment of the *Response aux Lettres des Jansenistes* by Jacques Nouet, which was published some time before August 23. He followed it up by a *Response à l'Onzieme Lettre des Jansenistes.*

LETTER XII.

Pascal proceeds to fulfil the promise of his last postscript.

P. 135, l. 2. *dans vos escrits*, e.g. *Première Response aux Lettres des Jansenistes ;* and *Seconde Response* (*Lettre ecrite à une Personne de Condition . . .*), which appeared after the Seventh and Eighth Letters respectively, and were incorporated with the *Impostures* in the volume of the completed *Responses aux Lettres of* 1657.

P. 135, l. 4. *disciple de Du Moulin.* The Jesuits tried hard to make out that Pascal in his attacks against them had borrowed Protestant weapons which had been forged against the Catholic religion in general by the great Calvinist Pierre Du Moulin. Du Moulin (1568-1658), who on account of the part of his adventurous life which he spent in England has a place in the *Dictionary of National Biography* (see *s.v.* Moulin), studied at Sedan, Paris, and Cambridge. I do not know whether he matriculated here, for our records are defective for the years 1589-1602, but James I., his consistent patron, obtained for him the degree of D.D. *honoris causa* on the occasion of the royal visit in 1615. He was the grandfather of Jurieu, the stalwart of Calvinism.

P. 135, l. 9. *vos responses*, i.e. the first six *Impostures*. See above, note on l. 2.

P. 135, l. 16. *estant seul, comme je suis.* Could Pascal honestly say that he was single-handed, when, as we know, Nicole and Arnauld were at his elbow, supplying him with munitions of war? Yes, for apart from the fact that he made the material his own by stamping it with his own genius, he never regarded himself as a member of the Port Royalist party which he was defending. He took all the responsibility of his acts upon himself and he rejoices in his loneliness. "And yet I am not alone," he says, "for I have the truth with me." Cf. *Pensées*, No. 94.

P. 135, l. 19. *Il est trop aisé*, etc. The common-sense and unanswerable reply to those who accuse him of garbling quotations.

P. 136, l. 1. *je ne dois pas estre peu retenu*, "I ought to be extremely careful".

P. 136, l. 17. *l'opinion de Vasquez.* See above, Letter VI., p. 56, and cf. note on p. 46, l. 39.

P. 136, l. 21. *l'un de donner*, etc. The quotation is from Cajetanus's *Tractatus V de praecepto eleemosynae ad mentem S. Thomae. Opuscula* (1498), tom. ii.

P. 136, l. 24. *Cajetan.* Tommaso de Vio (1470-1532), O.P., Cardinal and legate for Leo X. in Germany. In the passage in question Cajetanus combats the lax opinions of a certain Sicilian abbot, of St. Antonio of Florence, and of Baptista Trovamala, opposing to them the sound doctrine of St. Thomas.

P. 136, l. 31. *dans mes Lettres.* See above, p. 56, l. 10 ff.

P. 136, l. 42. *c. 1, n. 32*, i.e. of the *De Eleemosyna* (*Opuscula moralia*, Antwerp, 1621).

P. 136, l. 42. *Corduba.* Antonio de Cordova (1559-1634), S.J., author of *Instructio confessariorum in tribus partibus* (Granada, 1621).

P. 137, l. 24. *où il dit.* Vasquez, in the passage quoted, sets forth the opinion of other canonists without committing himself.

P. 137, l. 34. *aux ecclesiastiques.* While the effect, if not the purpose, of Vasquez's reasoning is to exempt the laity from the obligation of almsgiving, he insists in the name of charity that ecclesiastical persons are bound to give in relief not only of extreme but of ordinary necessity. Nouet, in answering the charge against Vasquez in Letter VI. (*Première Imposture*), maintains that Vasquez only denies the obligation to give alms *ex superfluo* in order to found it on a larger basis, viz. the law of charity. But it is obvious that the distinctions laid down by Vasquez and adopted by Nouet open the door to all sorts of excuses on the part of the rich, and shut it against a very natural means of inculcating the practice of almsgiving and the elements of the law of charity. Cf. the Refutation of the Reply to Letter XII. which is sometimes included with the *Lettres Provinciales*, but which is almost certainly by Nicole.

P. 137, l. 36. *j'en parleray.* This Pascal never did, but Nicole devotes a note to the subject in his edition of the Letters.

P. 138, l. 10. *Vasquez . . . le Phœnix des esprits.* See above, note on p. 46, l. 39.

P. 138, l. 12. *dans la question*, etc. Cf. Diana, *Quaestiones morales*, ii., p. 2.

P. 138, l. 19. *tres-commodes pour les riches.* Diana's words are "quae quidem confessariis divitum multum plausibilia erunt," so that the convenience of the rich is mediate and not direct.

P. 138, l. 26. *dans le rapport*, i.e. in their quotation.

P. 138, l. 30. *tandis que = tant que*, "so long as".

P. 138, l. 39. *omnia pro tempore*, etc. Optatus of Milevi, *De schism. Donatistarum*, i., c. 28 (*MPL*, xl., col. 940).

P. 139, l. 23. *ne . . . ny.* Cf. Haase, § 102, C.

P. 139, l. 32. *Qu'on est obligé. . . .* Nicole quotes Cajetanus's own words, which are even stronger than this summary of Pascal's: "Dives . . . mortaliter peccat contra proximorum indigentiam, occupando superflua quae pauperibus debentur, ex hoc ipso quod superflua sunt".

P. 140, l. 2. *De Eleem.* See above, note on p. 136, l. 42.

P. 140, l. 3. *ces paroles de Jésus Christ.* Matt. xix. 24.

P. 140, l. 6. *cette parole.* Matt. xv. 14.

P. 140, l. 22. *S. Gregoire.* Cf. *Liber Curae Past.*, pars. 3, admon. 22.

P. 140, l. 39. *S. Augustin.* Cf. *Ennar. in Ps.* 147.

P. 141, l. 7. *les saintes règles de l'Evangile.* For Pascal's obedience to Christ's Law of Charity, cf. (1) his own words "J'ayme la pauvreté parce qu'il l'a aymée. J'ayme les biens parce qu'ils donnent le moyen d'en assister les miserables" (*Pensées*, No. 550), and (2) his sister's description in her *Life*: "Il avoit toujours eu un si grand amour pour a pauvreté qu'elle luy estoit continuellement presente; de sorte que, des qu'il vouloit entreprendre quelque chose . . . la premiere pensée qui luy montoit du cœur à l'esprit estoit de voir si la pauvreté pouvoit y estre pratiquée. . . . Il disoit encore que la frequentation des pauvres estoit extremement utile, par ce que, voiant continuellement la misere dont ils sont accablez, et que souvent mesme ils manquent des choses les plus necessaires, il faudroit estre bien dur pour ne pas se priver volontairement des commoditez inutiles et des ajustements superflus."

In the light of these passages Pascal's scathing rebuke of those who would excuse the wealthy from charitable application of their superfluity becomes intelligible.

P. 141, l. 9. *la simonie.* See above, pp. 60 ff.

P. 141, l. 12. *les Canons de l'Eglise.* Du Pré (see below, note on p. 144, l. 26) quotes sixty church councils which fulminated decrees against simony.

P. 141, l. 13. *d'horribles peines . . .*, e.g. the Roman Council of 1061. Nicholas II. applies all the maledictions of Ps. cix. against simoniacs.

P. 141, l. 32. *Valentia.* See above, note on p. 60, l. 37.

P. 142, l. 10. *theses de Caen.* Professed by P. Érard Bille for whom see below, note on p. 144, l. 23.

P. 142, l. 13. *Tannerus.* See above, note on p. 64, l. 5.

P. 142, l. 22. *au moins en conscience.* The Latin text has "in foro conscientiae". The *forum conscientiae* or *forum internum* is that inward tribunal in which the confessor sits as judge. The *forum externum* is the court either of the secular judge, or of the bishop, which determines questions of irregularity, excommunication, etc.

P. 142, l. 31. *Vous n'avez rien dit sur l'opinion de Valentia.* Nouet, in effect, declines to discuss the opinions of Valentia or Sanchez, and contents himself with abuse; which gives away his case. At the same time it must be noted that the early Church and the Canonists regarded many things as simoniacal which would hardly come into that category to-day, e.g. the sale of tithes, fees for confession, absolution, marriage, burial, etc. The principle underlying the Church's ruling is that no contract or bargain is permissible in spiritual things. A priest may not say a mass for money, but in virtue of the precept *de evangelio vivendum* (1 Cor. ix. 13) he may receive money for his maintenance during the discharge of his spiritual office.

P. 142, l. 33. *celle de Tannerus.* Tanner's text, quoted by Nouet, supplies Pascal with the matter for his gibes about "droit positif," "cas exprimez," etc.

P. 142, l. 39. *droit positif = jus positivum,* i.e. founded on human discipline and not on divine institution.

P. 142, l. 41. *in casibus à jure expressis,* i.e. cases upon which the law has expressed itself.

P. 143, l. 13. *presomption de tribunal exterieur.* Pascal intentionally jumbles together the technical terms in a way to make nonsense of them.

P. 144, l. 23. *Erade Bille.* Érard Bille (1591-1650), S.J., native of Avallon in Burgundy, teacher of philosophy, mathematics, and casuistry at Caen.

P. 144, l. 26. *ses écrits. . . .* These were not books, but lectures dictated to his pupils. Some students of the University of Caen protested and issued pamphlets against his teaching, and Jacques Du Pré, Oratorian, delivered an *Oratio contra doctrinam simoniacam*, i.e. "cette belle harangue imprimée," which was published in 1645.

P. 144, l. 30. *le P. Milhard.* Pierre Milhard, O.S.B., Prior of Sainte-Dôde in the Gers; author of *La grande Guide des Curez, vicaires et Confesseurs* (1617), which was censured by the Sorbonne in 1620.

P. 144, l. 31. *suspecte de simonie et punie en justice.* An instance of (1) *praesumptio juris* and (2) *jus positivum.*

P. 145, l. 4. *Giezi.* Cf. 2 Kings v. 20 ff.

P. 145, l. 7. *dans les Actes.* Cf. Acts viii. 18.

P. 145, l. 24. *en ridicules.* Note the plural. Trs. "make fools of you".

P. 145, l. 34. *que du faux d'or n'est pas. . . .* Cf. Haase, § 102, D.

P. 145, l. 39. *troisieme calomnie*, i.e. the *IIIe Imposture* "Que les Jesuites favorisent les banqueroutes".

P. 145, l. 40. *banqueroutiers*. See above, note on p. 86, l. 19.

P. 146, l. 13. *dans ma lettre*. See above, note on p. 86; l. 19.

P. 146, l. 27. *injures au monde*. . . . See critical note. "Au monde" seemed rather undignified.

P. 146, l. 30. *des nouvelles de Valladolid*, etc. The editors of Pascal's *Œuvres* (v. p. 384) quote a personal description of Escobar from the pen of a French traveller, *s.d.* 25 December, 1659: "Il me parut un fort bon homme agé d'environ 54 à 55 ans. Je disputay contre luy sur la question de l'homicide et des autres qui sont dans les Lettres au Provincial, et il ne me rendit point d'autres raisons de ses maximes, sinon qu'il y avoit des Docteurs encore plus relaschez que luy. Comme il n'avoit point veu ces lettres . . . je luy promis de luy en envoyer de France." According to a book quoted by Sainte-Beuve (*P.R.*, t. iii., p. 117, note 2), Escobar was astonished to hear of the sensation which his writings had caused.

P. 146, l. 31. *sa Grande Theologie Morale*, of which volume i. appeared in 1652, volume ii. in 1655, and the remaining four volumes in 1663.

P. 146, l. 38. *Idem colligitur apertè*, etc. Trs. "This evidently appears from the judgments cited, especially as far as concerns goods acquired after bankruptcy, whereof even a fraudulent debtor can retain sufficient to enable him to live honourably, according to his rank. It is asked whether the laws permit this in the case of the goods which he had at the moment of bankruptcy? An affirmative answer can be gathered from the decision of Doctors."

P. 147, l. 27. *au Parlement*. It must always be remembered that the *Parlement* was a judicial and not a legislative body.

P. 147, l. 32. *les Avertissemens*. Each *Imposture* ends with an *Avertissement aux Jansenistes* containing by way of refrain an accusation of heresy and calumny, e.g. "La main de ce Secretaire qui feint d'avoir tant de peur qu'on n'épanche le sang humain, ne craint-elle pas de renouveller les hérésies, qui l'ont tiré avec inhumanité de toutes les vaines de la France?" etc.

P. 147, l. 34. *la Lettre ou j'espere monstrer*, i.e. Letter XV.

P. 148, l. 7. *la violence et la verité ne peuvent rien l'une sur l'autre.* Cf. "On appelle juste ce qu'il est forcé d'observer. De la vient le droit de l'espée, car l'espée donne un veritable droit; autrement on verroit la violence d'un costé et la justice de l'autre. . . . Fin de la 12me Provinciale" (*Pensées*, No. 878). See Brunschvicg's note, *ad loc.*

LETTER XIII.

September, 1656, saw an attempt on the part of the parish clergy to combat the lax morality revealed by the *Lettres Provinciales.* On the 13th the curés of Paris, prompted by those of Rouen, summoned their brethren throughout the kingdom to bear their part. The *Avis de Messieurs les Curez de Paris à Messieurs les Curez des autres Diocèses de France ; sur les mauvaises maximes de quelques nouveaux casuistes,* 1656, has been attributed to Pascal himself; but there is nothing in this *Premier Avis* that recalls the writer of the *Provinciales*, except its zeal. It was probably the work of the Curé of Saint-Roch. Meanwhile Nouet wrote a *Response à la Douzieme Lettre des Jansenistes* and Nicole (?) answered by a *Refutation de la Reponse.* This latter document, whose author admits that it is "fort eloignée de la beauté des autres," is often included with the *Provinciales* and appears as a note to Letter XII. in Nicole's (Wendrock) edition. Nicole is credited with having drawn up the plan of Letters XIII. and XIV.

P. 149, l. 2. *vostre dernier écrit*, i.e. *Deuxième Response ou les Impostures Provinciales du sieur de Montalte, secretaire des Jansenistes, decouvertes et refutées par un Père de la Compagnie de Jésus.*

P. 149, l. 3. *jusqu'à la vingtième*, i.e. up to but not including *Imposture XX.*

P. 149, l. 4. *la seconde*, i.e. *Seconde Partie des Impostures que les Jansenistes publient dans leurs Lettres contre les Jesuites.*

P. 149, l. 5. *une nouvelle maniere.* There is nothing new in Nouet's manner. He simply proceeds to show that the doctrines attacked by Pascal are "receuës dans l'Echole, et approuvées par les plus celebres Docteurs".

P. 149, l. 18. *une lettre suivante*, i.e. Letter XIV.

P. 150, l. 3. *Vostre quatrieme imposture*, viz. "que les Jesuites favorisent les vengeances," answering Letter VII. *ad fin.*

P. 150, l. 5. *Lessius.* See above, note on p. 71, ll. 3 and 4. Pascal gives a rapid résumé of the Casuist's argument and slightly varies his translation of the Latin. His treatment of the whole topic is masterly and quite unanswerable, as a comparison with the passages from Leys will show.

P. 150, l. 6. *à l'heure mesme.* The Latin has "posse statim repercutere".

P. 150, l. 10. *répugnance*, "contradiction".

P. 150, l. 11. *Victoria.* Francisco de Victoria (1480?-1546), Dominican, Professor at Salamanca. He printed nothing during his lifetime. His *Theologicae Selectiones* were published posthumously in 1557.

P. 150, l. 20. *qui est l'action.* Cf. Haase, § 35, A.

P. 151, l. 21. *Vostre doctrine des équivoques.* See above, note on p. 101, l. 23.

P. 151, l. 35. *vous ne l'eussiez pas*, etc. Cf. Haase, § 154, C.

P. 151, l. 42. *Cette opinion*, etc. "Ob has rationes haec sententia est speculativè probabilis tamen in praxi non videtur facile permittenda. Primo ob periculum odii vindictae et èxcessus, secundo ob periculum pugnarum et caedum: unde qui tali casu occideretur puniretur in foro externo." As Havet remarks, it is curious that Pascal should have omitted the last words, which tally so closely with those of Filliucci in Letter VII.

P. 152, l. 34. *soufflet de Compiegne.* Nicole, in his Latin translation, gives some details: "Nostis (he makes Pascal say) ut Compendii nuper coquorum regionum praefecto nomine Guillio, Christine Suediae Reginae in collegio vestro Regis jussu prandium paranti, Pater Borinus violari aedes suas ratus gravem alapam infregerit". In 1656, Christina, Queen of Sweden (who six years before had caused the death of Descartes by making him rise at 5 a.m. to give her lessons in philosophy), paid her first visit to France. She reached Paris on September 8, where she had a *succès de spectacle*, went on to see the King at Compiègne three or four days later. Jacques Guille, whom Nicole designates as *chef*, was a famous caterer, of the parish of Saint-Merry in Paris (see below, note on p. 192, l. 5). Of P. Borin who slapped him, I know nothing.

P. 152, l. 40. *Officiers. . . .* Here probably in the technical sense of butler, i.e. a functionary in charge of the *office* or pantry in a great house. Cf. "Le cuisinier de M. le Cardinal de Retz ne le quitte point ni son officier," Mme. de Sévigné, 26 June, 1675. It has been observed that Guille, not being of noble birth, did not come within the scope of the doctrine laid down by Leys.

P. 153, l. 30. *vos Peres à Caen.* See above, note on p. 142, l. 10.

P. 153, l. 32. *l'homicide*, etc. See critical note. The book in question is the *Response de l'Université de Paris à l'Apologie pour les Jesuites*, for which see above, note on p. 75, l. 21.

P. 155, l. 8. *la pratique exterieure.* For a distinction between the "forum internum" and the "forum externum," see above, note on p. 142, l. 22. Cf. "*Politique.* Nous avons trouvé deux obstacles au dessein de soulager les hommes: l'un des lois interieures de l'Evangile; l'autre des lois exterieures de l'Esprit et de Religion. Les unes nous en sommes maistres: les autres, voici comme nous avons fait; amplianda, restingenda, a majori ad minus" (*Pensées*, No. 926).

P. 155, l. 21. *grande Theologie morale.* See above, note on p. 146, l. 31.

P. 155, l. 30. *in Prœloq.*, i.e. *Prœloquium*, cap. iii., "de problematibus seu de quaestionibus in utrumvis probabilibus".

P. 156, l. 18. *une permission pareille*, i.e. the same permission as is granted to murder for a blow.

P. 156, l. 22. *Qu'il n'y pas un Jesuite*, etc. Cf. "J'assure donc tous les Catholiques, qu'il n'y a pas un Theologien ny Jesuite ny autre qui permette de tuer pour de simples médisances," *XVe Imp.*

P. 156, l. 30. *P. Hereau.* See above, note on p. 75, l. 21.

P. 156, l. 31. *le Roy le fit mettre en arrest.* The words of the Order are "Ordonne que ledit P. Hereau demeure en avant en la maison de leur collège de Clermont jusqu'à autrement par sa majesté sera ordonné".

P. 156, l. 36. *P. L'Amy.* See above, note on p. 79, l. 1.

P. 156, l. 39. *Pere des Bois.* He was denounced to the Archbishop of Rouen by 28 curés of that city who referred the case to his "promoteur" or procurator fiscal.

P. 157, l. 4. *L'affaire en est à l'Officialité,* "the matter lies before the episcopal court". What its fate was there is unknown.

P. 157, l. 19. *p. 28, l. 3,* i.e. of the *XVme Imposture.*

P. 158, l. 1. *quoy qu'il ne soit pas certain.* *Il* replaces *cela.*

P. 159, l. 30. *dans vos impostures.* Cf. *IVme Imposture.*

P. 161, l. 8. *de S. Ignace et de vos premiers generaux,* i.e. Claudio Aquaviva, General from 1581 to 1615, and Muzio Vitelleschi, General from 1615 to 1645. See the following note.

P. 161, l. 10. *je vous en parleray peutestre quelque jour.* Pascal did not fulfil his threat. But there is a page in the manuscript of the *Pensées* containing references, apparently in the hand of Arnauld, to Letters addressed to the Provincials, Superiors, Fathers, and Brethren of the Company, by Aquaviva and Vitelleschi, together with brief notes in Pascal's own writing. These Letters and others by St. Ignatius, Lainez, Borgia, and Mercurianus were collected into a volume under the title *Epistolae Praepositorum Generalium ad Patres et Fratres Societatis Jesu,* and published at Antwerp in 1635. The passages which Pascal had in mind when he wrote the thirteenth *Provinciale* are:—

(*a*) "Quarto nonnullorum ex Societate sententiae, in rebus praesertim ad mores spectantibus, plus nimio libere, non modo periculum est ne ipsum evertant, sed ne ecclesiae etiam Dei universae insignia afferant detrimenta. Omni itaque studio perficiant ut qui docent scibuntve, minime hac regula et norma in delectu sententiarum utantur: Tueri quis potest: probabilis est; auctore non caret: verum ad eas sententias accedant, quae tutiores, quae graviores, majorisque nominis Doctorum suffragiis sunt frequentatae, quae bonis moribus conducunt magis, quae denique pietatum alere, et prodesse quaerunt non vastare, non perdere." Vitelleschi, *Epist.* 2 (4 Jan., 1617). Upon which Pascal's remark is: "Probabilité. Tueri quis potest, probabilis est, auctore non caret."

(*b*) "atenim si altera ex parte conjiciatur oculos in materiam ipsam ex qua corpus hoc constat, scilicet in personas tot, tamque diversarum nationum, affectionum, morum, volentatum; jure timendum est ne nostra culpa regularum sanctorum disrupta sepe, dicatur aliquando: Exterminavit eam aper de silva, etc. Atque utinam iste ex parte nihil jam detrimenti (societas) acceperit!" Vitelleschi, *Epist.* 3 (17 March, 1619). Pascal's note is "Que la societé ne se gaste". The Letters from which these passages are taken breathe a real love of souls and a great zeal for the welfare of the Company. They are indeed a monument of fatherly wisdom. Vitelleschi is well aware of the dangers to which his brethren are exposed in the world. But while conscious of the possibility of failure (cf. (*b*) *ad fin.*) he thanks God in the same Letter that the Body as a whole is sound: "Crederim equidem, posse me vere affirmare quod non mediocri RR.VV. ac mihi pariter esse debeat consolationi universum hoc societatis corpus (Deo sint laudes) recte habere, vegetumque esse ac firmum in procuranda tum propria, tum proxima salute atque perfectione". We may fairly suppose that the irregularities against which he raises his voice of warning were sporadic and individual. It was inevitable that the lofty standard set by St. Ignatius and his lieutenants should not in all cases have been maintained. The *Lettres Provinciales* provide us with plenty of instances. But there is no evidence of any change of policy in the conduct of the Company. And it is here that Pascal, led by Arnauld, has gone wrong.

P. 161, l. 27. *que c'est une opinion payenne. . . .* Nouet (*IVme Imposture*) quotes from Vásquez, *De restitutione* (*Opuscula Moralia*), c. 2, dub. 9, n. 37.

P. 162, l. 14. *Vae duplici corde.* Ecclus., ii. 14.

LETTER XIV.

P. 163, l. 1. *trois impostures*, viz. *XIe* ("Imposture des duels"); *XIIIe* ("Imp. du droit de tuer en defendant son bien"); *XIVe* ("Imp. du droit de tuer un voleur pour un escu").

P. 163, l. 17. *dit S. Chrysostome.* Cf. Hom. xii. *ad populum Antiochorum* (*MPG*, xlix., col. 131).

P. 163, l. 22. *l'Evangile.* Cf. Matt. xxvi. 52; l. 23, *le decalogue.* Cf. Exod. xx. 13.

P. 164, l. 2. *Je demanderay compte*, etc. Cf. Gen. ix. 5, 6.

P. 164, l. 7. *Dieu se l'est tellement reservé à luy seul.* The *le* refers rather loosely to *tout pouvoir.* For the supreme ownership of Almighty God over all His creatures, cf. St. Thomas, *IIaIIae*, q. 64, art. 5.

P. 164, l. 8. *fausses maximes du paganisme.* The Stoics advocated suicide when life became intolerable, but Aristotle regarded it as cowardice (cf. *Nic. Eth.*, iii., 7). He would, however, certainly have granted man power over his own life; so Pascal's assertion is roughly true.

P. 164, l. 17. *au 1 l. de la cité de Dieu, ch. 21.* Pascal runs together the opening and ending of the chapter in which Molinier finds the germ of Mariana's whole theory of tyrannicide. But it must be noted that St. Augustine gives as instances of killing ordered by God, Abraham, Jephthah (with a query), and Samson, for whom as Bible personages he claims the admonition of the Spirit of God; that he does not raise the question of deliverance from tyranny; and that his whole argument is directed against suicide.

P. 164, l. 32. *ce n'est pas en vain*, etc. Rom. xiii. 4.

P. 164, l. 38. *Les Princes*, etc., *ib.* 3. For the Right of the Sword, see Letter XII. *ad fin.*

P. 165, l. 2. *impuissant pour faire.* Cf. Haase, § 134, B.

P. 165, l. 4. *impuissans pour le bien.* Cf. Haase, § 134, B.

P. 165, l. 12. *ils sont tellement ministres . . . que.* "For though they are ministers . . . yet they are no gods." "Tellement . . . que" is an echo of the Latin "ita . . . ut".

P. 165, l. 26. *S. Augustin.* Cf. *Ep.* 204 (*MPL*, xxiii., col. 940).

P. 165, l. 38. *Ciceron.* Cf. *Pro Milone*, iii., 9.

P. 166, l. 8. *la loy des 12 Tables.* The earliest codifications of Roman Law were engraved or written on ten tabulæ (two more were added later). They formed the basis of all writings on the *jus civile.* Fragments of them are preserved in Cicero, Aulus Gellius, etc.

P. 166, l. 11. *la loy Furem ad legem Corneliam.* A quotation from the *Digest*, xlviii., 8, 9: "Ulpianus ad Edictum Furem nocturnum si quis occiderit, ita demum impune feret, si parcere ei sine periculo suo non potuit".

P. 166, l. 14. *Cujas*, i.e. *Comment. in tit. Digesti de Justitia et Jure ad legem iii.*

P. 166, l. 17. *Lessius.* See above, note on p. 71, l. 3. Leys's authorities for this opinion are St. Antonio of Florence, Cajetanus and the Roman Penitentiary as contained in the Decretals (v., t. xii., c. ii.). But Molinier points out that in the following chapter of the Decretals the opinion of a higher authority than the Roman Penitentiary, viz. of St. Augustine, is quoted to the effect that anyone who kills a thief by day deserves death according to the civil law as well as Moses. It is significant that of the two authorities available the Casuist should have recourse to the laxer.

P. 166, l. 29. *pour detruire la loy*, etc. Cf. Matt. v. 17.

P. 166, l. 39. *Les loix, dites-vous*, etc. Pascal summarizes the argument of Imposture XIV. but does not quote *litteratim.*

P. 167, l. 5. *la censure.* For this censure (6 Sept. and 8 Oct., 1649), see above, p. 156, l. 37.

P. 167, l. 28. *que la valeur*, etc. This ought not to have been marked as a quotation. It is Pascal's summary of Nouet's translation of Molina, with the stress shifted from the value for which you may not kill to the price at which (Pascal infers) you may. See above, note on p. 78, l. 13.

P. 167, l. 38. *comme je l'ay rapporté.* In Letter VII. See above, p. 78.

P. 167, l. 42. *l. 21, n. 68.* See above, p. 77, l. 41.

P. 168, l. 18. *en gardant son escu* = en sauvant son escu. See below, note on l. 23.

P. 168, l. 21. *à Carrerus et Bald.* Cf. Haase, § 145.

P. 168, l. 23, 24, 27. *garder.* See critical note. The editor is now awake to the possible ambiguity of "garder," which he missed on its first occurrence, l. 11.

P. 168, l. 26. *qu'il est permis.* Note the repetition of *que* which is not logically necessary but helps the reader through the long period.

P. 168, l. 39. *comme je l'ay fait voir.* Pascal is now replying to the *XIe Imposture* ("que les Jesuites favorisent les duels").

P. 169, l. 11. *vostre bon ami Diana* . . . See above, p. 71, l. 41. Diana's words are "Doctus Hurtadus casum excogitat qui facile potest evenire in practicum".

P. 169, l. 13. *vous le faites tant valoir*, i.e. in the *XIVe Imposture.*

P. 169, l. 40. *Il n'est pas permis*, etc., L.'s words are, "Dixi . . . si res illae sint magni momenti, quia pro re minima non videtur concessum jus defensionis cum tanto alterius malo. Est enim valde iniquum, ut pro pomo vel etiam uno aureo servando alicui vita auferatur. Si tamen tibi verteretur probro, nisi rem furi extorqueas, posses conari, et si opus est occidere, juxta Sotum : tunc enim non tam rei quam honoris esset defensio."

P. 170, l. 10. *les personnes publiques*, i.e. persons in a public position, e.g. judges.

P. 170, l. 23. *des meurtres*, etc. The reference is to supposed Jesuit theories of regicide and abortion which the University of Paris had condemned in 1643 and 1640.

P. 170, l. 25. *dans les doutes 4 et 10.* The titles of the *Dubitationes* are *Dub.* 4: "Utrum homino privato liceat interficere tyrannum". *Dub.* 10: "Utrum ad conservationem vitae matris liceat praebere pharmacum quo proles putetur moritura".

P. 171, l. 4. *les Temples de Dieu vivant.* Cf. 2 Cor. vi. 16.

P. 171, l. 6. *son Dieu.* *Son* refers to *Eglise.*

P. 171, l. 13. *leur condition*, "the existence of men".

P. 171, l. 24. *reconcilier*, "readmit to communion".

P. 171, l. 26. *le celebre concile d'Ancyre.* These quotations from Councils and the Fathers were apparently supplied by Godefroy Hermant (see above, note on p. 2, l. 5). At any rate the editors of *Œuvres de Pascal* print from a manuscript collection of Hermant's, references to the Council of Ancyra, St. Basil, St. Gregory of Nyssa, Pope Zachary, and Isaac of Langres; and they draw the justifiable conclusion that the canon of Beauvais had his share in ammunitioning Pascal.

Ancyra. Council of Ancyra, A.D. 314, canon xxii. περὶ ἑκουσίων φόνων. In the matter of wilful murder, the perpetrators must be *substrati* (the third order of penitents), and not deemed worthy of perfection (admitted to Communion) until the end of their life.

P. 171, l. 32 ff. *S. Basile.* Cf. *Epist. 217* (*MPG*, xxxii. col. 795 *seqq.*).

S. Gregoire de Nysse. Cf. *Epist. canon.* (*MPG*, xlv., col. 230 *seqq.*).

Pape Zacharie . . . Alexandre II. Cf. Zach. *Epist. VIII. ad Pippium* (*MPL*, lxxxix., col. 937 *seqq.*); Alexandre II., *Epist. CXVII.* (*MPL*, cxlvi., col. 1405).

Isaac Evesque de Langres. Cf. *Canones, tit. II. de homicidiis*, cap. xiii. (*MPL*, cxxiv., col. 1087).

S. Hildebert. Hildebert, bishop of Mantes and afterwards archbishop of Tours (1055-1133), was never canonized, and the passage in question is in his letter to Emery, bishop of Clermont (*MPL*, clxxi., col. 267). A thief had attacked a priest who had defended himself. It was not certain that he killed the thief; but Hildebert does not advise the remission of his punishment.

P. 172, l. 2. *se suaque liberando.* The reference is to a quotation made by Molina from the *Corpus juris canon.* (Decret. Greg. tit. xii., cap. 2), and used by Nouet in the *XIVth Imposture*, "Si sine odii meditatione te tuaque liberando ejusmodi diaboli membra interfecisti," etc. Cf. Molina, *De Justitia et jure*, t. 4, tr. 3, disp. 16, n. 4.

P. 172, l. 4. *Pere l'Amy.* See above, note on p. 79, l. 1. In the passage referred to (*Cursus theologicus*, t. v., p. 414) Amico goes on to give his reasons. It is not that the laws do not allow you to defend your property from a day-thief even at the cost of his life, but because they suppose that he may easily be taken alive and the goods saved without bloodshed. Even a night-thief is to be taken without injury to him, if it be possible.

P. 172, l. 18. *obeir aux magistrats.* Cf. Rom. xii. 17-19; xiii. 7; 1 Peter ii. 13-18.

P. 172, l. 23. *crimes de . . . leze-Majesté au premier chef*, "attempts against the person of the Prince," "high treason". *lèze* is an adjective = "wounded," "violated".

P. 172, l. 34. *nous auroit ruinés*, etc. Cf. Haase, § 148, A.

P. 172, l. 36. *perdre d'honneur*, "dishonour". Cf. "Je suis perdue d'honneur" (Mme de Sévigné); "Voulez-vous que pour luy je me perde d'honneur?" (Corneille, *Pulchérie*, Act I., sc. 5).

P. 172, l. 39. *ou plûtost de la part de Dieu.* Cf. "Sciendum tamen quod quamvis apud Deum remaneat primaeva auctoritas judicandi, hominibus tamen committitur a Deo judiciaria potestas respectu eorum qui eorum jurisdictioni subjiciuntur" (St. Thomas, *Summa*, iii., q. lix., art. 2 (see below, l. 32)).

P. 173, l. 3. *ce commencement des voyes de la justice*, "these beginnings of legal justice".

P. 173, l. 13. *Il en faut sept.* Havet refers, for confirmation of Pascal's statement, to B. de la Laroche-Flavin, *Treize livres des Parlemens de France* (1621), ix., ch. 27: "Bien que le nombre de six opinions suffise au Parlement de Paris, et de sept autres Parlemens pour faire un arrest: toutefois le jugement des grands procez et affaires a accoustumé et se doit faire la Chambre pleine," etc.

P. 173, l. 18. *les heures du matin.* Cf. "La deliberation et jugement dans plus grandes affaires se doivent faire le matin . . . les jugemens des criminels aussi, où il eschoit peine capital se faire le matin et non l'apresdinée. Car on ne doit pas tenir pour advis bien digéré ce qui se fait l'apresdiner, comme le dit Philippe de Commines, et mesmement au pays ou les hommes sont sujets au vin" (Laroche-Flavin, *op. cit.*, ix., ch. 8).

P. 173, l. 19. *une action si grande.* Cf. Haase, § 155, A.

P. 173, l. 31. *prendre soin de leurs ames criminelles.* Cf. "A ce moyen, incontinent après le sentence prononcée, l'on baille un confesseur au condamné, et le sacrement de confession luy est administré, et la question à luy baillée" (Jean Imbert, *Pratique civile et criminelle* (1611), iv., ch. 6).

P. 173, l. 35. *l'Eglise abhorre tellement le sang*, etc. On this principle clerics were by canon law forbidden to meddle with capital punishment, which was always the business of secular officers. Even in cases of heresy the function of ecclesiastics was always confined to ascertaining the fact of heresy. Its treatment was left to the civil arm. Cf. Lateran Council of 1215, canon xviii.

P. 174, l. 6. *celuy pour qui Jesus Christ est mort.* Pascal vindicates *en passant* the Jansenists from the charge of holding the heretical Fourth Proposition, "that Christ did not die for all men". See Letter XVII.

P. 174, l. 13. *irregularité.* Technical term: "incapacity for holy orders".

P. 174, l. 18. *mysteres revelez par l'Agneau.* Quotation from the preface to Esobar's *Theol. Moral.* See note on p. 46, l. 33.

P. 174, l. 18. *le Dragon.* Cf. Rev. xii. and xiii.

P. 174, l. 24. *qui n'est point avec Jesus Christ.* Cf. Matt. xii. 30.

P. 174, l. 27. *selon S. Augustin.* Cf. *Enarr. in Ps.* 141, No. 15.

P. 174, l. 31. *Jesus Christ . . . le Roy et le Dieu du monde*, etc. Note that Pascal does not say that Jesus Christ is so called in Scripture. There the contrast is between the prince of the world (John xii. 31 xiv. 30) and the Prince or Author of Life (Acts iii. 15). In Rev. i. 5, He is the Ruler of the Kings of the earth.

P. 174, l. 34. *supposts*, "agents," "ministers". The modern familiar phrase "suppôt de Satan" = imp.

P. 174, l. 38. *a mis l'honneur à souffrir.* Cf. Luke xxiv. 26.

P. 174, l. 40. *de tendre l'autre joue.* Cf. Matt. v. 39.

P. 175, l. 2. *Malheur à vous*, etc. Cf. Luke vi. 26.

P. 175, l. 7. *la Hierusalem mystique—la spirituelle Sodome.* Καὶ τὴν πόλιν τὴν ἁγίαν Ἱερουσαλὴμ . . . εἶδον. Et civitatem sanctam Hierusalem vidi (Rev. xxi. 2). . . . τῆς πόλεως τῆς μεγάλης, ἥτις καλεῖται πνευματικῶς Σόδομα. Civitatis magnae quae vocatur spiritaliter Sodoma, *ib.*, xi. 8.

P. 175, l. 11. *selon S. Paul.* Cf. Rom. viii. 9.

P. 175, l. 12. *ex patre diabolo.* Cf. John viii. 44.

P. 175, l. 23. *dit Escobar.* See above, Letter VII., p. 75.

P. 175, l. 34. *par les Canons Ecclesiastiques*, e.g. "si in ipso conflictu decesseruit perpetuo careant ecclesiastica sepultura" (Council of Trent, Sess. xxv., c. 19).

P. 175, l. 37. *Ses Edits*, viz. in 1643 and 1651.

P. 176, l. 11. *en la personne du premier juste.* Cf. ἀπὸ τοῦ αἵματος Ἄβελ τοῦ δικαίου, Matt. xxiii. 35; ἐφονεύσατε τὸν δίκαιον, James v. 6; and ἐκεῖνος δικαιός ἐστιν, 1 John iii. 7, etc.

P. 176, l. 16. *la reponse de votre Apologiste*, in which Nouet says:

"il est faux qu'un Jesuite ait blessé la charité en donnant un soufflet à Guille : mais il est vray qu'un Janseniste en l'écrivant a donné un soufflet à la verité".

P. 176, l. 27. *s'il a receu de l'avant-main ou de l'arrière-main*, etc. The best (and only) counter which Nouet could make to this rapier thrust is, "Dites-nous enfin ce que vous trouvez d'horible dans la Doctrine des Casuistes: mais dites le nettement: car je me defie toujours de cette arrière-main, qui d'un revers vous absout sans scrupule de vostre Imposture de Compiègne et vous met, comme vous croyez, en secureté de conscience" (*Response à la XIVe Lettre*).

LETTER XV.

A note in Mlle. Joncoux's edition of "Wendrock" states that Arnauld collaborated with Pascal in this letter; but Jacques Fouillou (1670-1736), a Jansenist of the second generation, in a MS. belonging to M. A. Gazier, records a different tradition: "la 15e est toute de Pascal". Cf. *Œuvres*, t. iv., p. ix.

P. 177, l. 5. *que j'ay promis*. Cf. Haase, § 35, C.

P. 178, l. 4. *à ne plus croire vos impostures*. See *Pensées*, No. 921.

P. 178, l. 15. *ce point de vostre morale*, i.e. the venial character of calumny.

P. 178, l. 17. *je m'adresse à vous*, etc. See *Pensées*, No. 921.

P. 178, l. 18. *sans que vous puissiez*, etc., trs. "defying your own confidence to deny it without owning at the same time the very thing with which I reproach you".

P. 178, l. 23. *vos theses de Louvain*. Maynard questions the authenticity of these exercises, but Arnauld gives chapter and verse for them in his *Reflexions sur un Decret de l'Inquisition* (1651) and in his *Remonstrance aux Peres Jesuites* (1651), and the proposition in question was condemned by the Archbishop of Louvain in 1654. Cf. Reusch, *Index*, ii., 516; Argentré, *Collectio Judiciorum*, iii., 6, 267, 283.

P. 178, l. 26. *quidni non nisi veniale. . .* The exact words as twice quoted by Arnauld are "Non est peccatum saltem lethale detrahentis," etc. The exact translation is "It is not indeed a deadly sin to ruin by a false accusation the authority of your detractor if that authority is weighty and harmful to you".

P. 178, l. 30. *temeraire*. See above, note on p. 1, l. 15.

P. 178, l. 31. *Quiroga*. Diego Quiroga (1566-1648), a Spanish Capuchin, long resident in Austria.

P. 178, l. 32. *Dicastillus*. Juan de Dicastillo (1585-1653), professor of theology at Toledo and Vienna, died at Ingolstadt; author of *De justitia et jure ceterisque cardinalibus virtutibus* (Antwerp, 1641). Nicole gives in full the passage which Pascal summarizes.

P. 179, l. 5. *Jean Gans*. Johann Gans (1591-1662), confessor of the Emperor Ferdinand III.

P. 179, l. 6. *Daniel Bastele.* Daniel Bastelio is known to have been confessor of Leopold, brother of Ferdinand III., in 1640.

P. 179, l. 6. *le P. Henry* is not mentioned in Sommervogel.

P. 179, l. 13. *P. de Pennalossa.* Ambrosio de Penalosa (1588-1605), preacher to Philip IV. of Spain.

P. 179, l. 15. *le P. Pilliceroli*, not in Sommervogel.

P. 179, l. 21. *Caramouel.* See above, note on p., 59, l. 29. The work quoted is the *Theologia moralis.*

P. 179, l. 28. *ses chefs*, "its capital points".

P. 179, l. 40. *l'Imperatrice.* Maria, daughter of Philip III. of Spain.

P. 180, l. 25. *en seureté de conscience.* Cf. *Pensées*, No. 895.

P. 180, l. 32. *P. Brisacier.* See above, note on p. 131, l. 34.

P. 180, l. 34. *P. d'Anjou.* Jean Danjou (1611-1683).

P. 180, l. 35. *dans l'Eglise de S. Benoist*, etc. The incident is referred to by Arnauld in his *Seconde Lettre.*

P. 180, l. 37. *les pauvres de Picardie et de Champagne.* There had been terrible want in these provinces during the winter of 1649, and the harvest of 1650 had been pillaged by the Spanish troops under Turenne. A handsome collection was made in Paris between September, 1650, and May, 1651, to relieve this distress.

P. 181, l. 2. *le curé de cette paroisse.* M. Grenet.

P. 181, l. 4. *P. Crasset.* Jean Crasset (1618-1692), a great preacher and a prolific author, who between 1641 and 1689 wrote a vast number of devotional books (some of which were translated into various languages, including English) and also a History of the Church in Japan. The story of his adventure at Orleans is told by Rapin in his *Mémoires*, t. ii., p. 166. A summary of Crasset's sermon was printed by the Jesuits at Rouen, and the bishop of Orleans (Alphonse d'Elbène, nephew of the historian) renewed his censure in yet more stringent terms.

P. 181, l. 28. *M. Puys.* Benoit Puys, Oratorian, † 1654. His book was entitled *Le théophile parroissial de la messe de paroisse* (Lyons, 1649) and purported to be a translation of a Latin work by a Capuchin. The Jesuit Henri Albi answered it by *L'Anti-theophile Parroissial . . . traduit en françois du latin d'un auteur Flamand*, which contains the passage signalized by Pascal. Puys then wrote under his own name a *Response Chrestienne a un libelle anonyme, honteux et diffamatoire*, etc., upholding the rights of the secular clergy against the regulars. Albi had the last word in the *Apologie pour l'anti-parroissial*, etc., in which he allowed himself a clever but very impertinent play on Puys' name, quoting Gen. xxvi. 20: "quamobrem nomen putei ex eo quod acciderat, vocavit calumniam". All these pamphlets were issued at Lyons in 1649. The parties were reconciled in the following year, as Pascal describes.

P. 181, l. 32. *d'un autre capucin*, i.e. other than P. Quiroga, recently mentioned.

P. 181, l. 36. *ancien Pasteur*, ancien here = "venerable," not "former".

P. 181, l. 37. *juge de la Primatie de France.* The full title was "Juge lieutenant (or surrogate) en la Primatie de France". *Primatie* is the sphere of a Primate's jurisdiction. There were three "primaties" in France, viz. Lyons = p. des Gaules; Bourges = p. d'Aquitaine; Rouen = p. de Normandie.

P. 181, l. 40. *jour de l'Assomption*, i.e. 15 August.

P. 182, l. 5. *il falloit que vous le vissiez*, etc., trs. "You ought to have seen him acquitted of his errors before judging him worthy of your friendship".

P. 183, l. 8. *il a failly*, "he made a mistake".

P. 183, l. 28. *vous me donnez si souvent ce nom.* The refrain of the *Premiere Response* is "The Jansenists are heretics," "L'on pouvoit ne donner autre reponse à ces mauvaises Lettres que ces trois mots, les Jansenists sont heretiques".

P. 183, l. 34. *il faudroit que vous fussiez bien revenus*, etc., trs. "You must needs be wonderfully recovered from your errors if you own *that*". There is no reason to doubt Pascal's sincerity, though his method of seeking the good of his adversaries is a severe one.

P. 184, l. 1. *ni marque ni vestige.* Pascal gives the reference for this quotation on the next page.

P. 184, l. 6. *la 9e de vos impostures*, i.e. "Impostures des occasions de pecher," in answer to Letter V.

P. 184, l. 6. *aussi bien*, etc., trs. "and indeed they none of them need more than a cursory refutation".

P. 184, l. 9. *Bauny.* See above, note on p. 48, l. 18.

P. 184, l. 15. *on est accoustumé de.* Cf. Haase, § 112, B.

P. 184, l. 17. *Caussin.* See above, note on p. 112, l. 40. Caussin's *Apologie pour les Religieux de la Compagnie de Jésus* is dedicated to the Queen Regent.

P. 184, l. 24. *Pintereau.* See above, note on p. 114, l. 35.

P. 184, l. 24. *1 Part, p. 24*, of *Les Impostures et les Ignorances par l'abbe de Boisic*, written in answer to Arnauld's *Theologie Morale des Jesuites.*

P. 184, l. 30. *imposé au P. Bauny*, "unjustly accused P. Bauny".

P. 185, l. 2. *l'Eschole*, i.e. the scholastic system of divinity.

P. 185, l. 8. *en 1644*, i.e. by Caussin and Pinthereau.

P. 185, l. 10. *cette reconnoissance*, "this confession".

P. 185, l. 28. *non pas selon la verité*, etc. Cf. "Le changement de leur stile n'est pas l'effet de la conversion de leur cœur". . . . *Second Ecrit des Curez de Paris*, which there is good reason for attributing to Pascal.

P. 185, l. 35. *tr. 4*, etc. See above

P. 186, l. 5. *page 18* should be *page 19.*

P. 186, l. 19. *tout homme est menteur.* Cf. Ps. cxvi. 11.

P. 187, l. 2. *Lettre d'un Ministre.* The title of this pamphlet is *Copie d'une Lettre du Sr. D. H. Ministre, au Sr. Arnauld, docteur de Sorbonne* (18 June, 1644).

P. 187, l. 9. *Lettre circulaire. Lettre circulaire à Messieurs les disciples de Saint Augustin*, incorporated in *Les Inconveniences d'Estat du Jansenisme*, 1654. Arnauld complains of this book in his *Seconde Lettre.*

P. 187, l. 12. *P. Meynier . . . p. 28.* Bertrand Meynier (1604-1682). Meynier's book is *Port-Royal et Geneve d'intelligence contre le très Saint Sacrement de l'Autel*, etc. (1656), to which Pascal returns in Letter XVI.

P. 187, l. 14. *les Constitutions du Saint Sacrement.* This imaginary work was referred to in the *Response du Sieur Arnauld ou Analysie* (? by P. Séguin).

P. 187, l. 30. *Benedictins.* See Letter XVI., postscript. Pascal and his friends were evidently expecting help from the other Orders in their warfare with the Company. Thus Nicole in his notes to the Latin translation of the *Provinciales* says: "Nec obscurè tota sancti Benedicti et sancti Dominici familia ac congregationis. Oratorii presbyteri quam ab istis sententiis alieni sunt passim significant."

P. 187, l. 31. *Valerien.* Valeriano Magni (1587-1661). A scion of the noble Milanese house of Magni, who assumed the name of Valerianus on entering the order of Capucins. Urban VIII. made him apostolic missionary for Germany, Poland, Bohemia, and Hungary. He was engaged in long and bitter controversy with the Jesuits, whom he accused of heresy and lax morality, and whom he enraged by his attacks on Aristotle, and especially by procuring in 1631 the suppression of the "Jesuitissae," founded by Mary Ward in 1609 (see *D.N.B.*, Supplement, Vol. III., *s.v.*). He was thrown into prison at Vienna for conceding to the Protestants that papal supremacy was founded on tradition; but Ferdinand III. released him just in time to die. Besides controversy, he busied himself with physical experiments.

P. 187, l. 34. *reussi à la conversion.* Cf. Haase, § 121, A.

P. 187, l. 34. *le Landgrave de Darmstadt.* Valeriano's illustrious convert was not the Landgrave of Darmstadt, but Ernest, Landgrave of Hesse-Rheinsfeld, who became the friend of Arnauld and kept him in touch with Leibniz.

P. 187, l. 37. *un livre contre luy.* This was an open letter bearing date 8 July, 1653.

P. 187, l. 37. *son livre imprimé à Prague*, i.e. *Apologia Valeriani Magni contra Imposturas Jesuitarum*, written in answer to the letter above mentioned. Pascal translates freely.

P. 188, l. 10. *je declare hautement*, etc. The Latin is "Pronuncio viros illos (fortassis innoxios) esse nebulones spectatissimos, doctissimosque mentiri impudentissime, si crimina illa non propalaverint".

P. 188, l. 29. *Ce genre d'hommes*, etc. This passage is taken from Valeriano's *Commentarium de homine infami personato sub titulis M. Jocosi Severii medii.* Here again Pascal's translation is free, erring if anything on the side of mildness.

P. 189, l. 1. *mentiris impudentissimè.* Cf. *Pensées*, No. 921.

P. 189, l. 28. *sont des portes d'Enfer.* These are Brisacier's words in *Le Jansenisme confondu* (1652).

P. 189, l. 36. *Avertissemens.* See above, note on p. 147, l. 32.

P. 190, l. 2. *que je faisois des Romans.* Cf. "C'est pourquoy je ne m'etonne pas si l'on croit dans le monde que l'auteur de ces Lettres a passé toute sa vie à faire des Romans," *VIII*^e^ *Imposture*, at the beginning of the *Response.* The Jesuits, hunting for the author of the Little Letters, fastened for a moment upon Gomberville, the Academician, author of *La Carithée, Polexandre, Cytherée*, etc., who had a house near Port-Royal des Champs, and was known to be on good terms with the Solitaires, despite his romances which they abhorred.

P. 190, l. 2. *moy qui n'en ay jamais leü aucun.* To this Pascal's critics object (1) Racine's statement that all Port-Royal read with eagerness the flattering portrait of the establishment painted by Mlle Scudéry in *Clélie*, and (2) Pascal's own reference to Cléobuline, a heroine of *Le grand Cyrus.* See *Pensées*, No. 13. But (1) the sixth volume of *Clélie* which contains the portrait did not appear till 1657, and (2) the *Pensées* cannot be used to fix a date.

P. 190, l. 3. *ceux qu'a fait vostre Apologiste.* Pascal here is as much at sea as his antagonists in attributing the Impostures to the maniac Desmarets de Saint-Sorlin. He admits his mistake, and apologizes handsomely in his postscript to Letter XVI.

P. 190, l. 34. *les efforts . . . pour l'empescher.* Pascal is genuinely afraid that the publication of his Letters will be forbidden, as indeed happened after Letter XVI.

LETTER XVI.

P. 191, l. 1. *Voicy la suite de vos calomnies où*, etc. The sentence is close packed and obscure. The adverb *où* is made to carry a great deal. Trs. "I come now to the rest of your calumnies, and herein I shall reply first to those that remain to be dealt with in your warnings"; or, "In this letter I shall continue to deal with your calumnies and in it I shall first reply," etc.

P. 191, l. 7. *Mr. d'Ipre.* Cornelius Jansen was bishop of Ypres from 1636 to 1638. Nouet, in his *Response à la XV*^e^ *Lettre*, chose to revive an ancient calumny against Jansen: "Donc," he cries ironically, "Jansenius ne promet pas à cet abbé (Saint-Cyran) d'entretenir son neveu Barcos des biens d'un college qu'il a entre ses mains, sans qu'aux contes qu'il en doit rendre, personne du monde n'en sçache rien?" The story first took shape in *La Naissance du Jansenisme découverte à Monseigneur le Chancelier* (1654), by François Pinthereau, in which extracts are given from letters addressed by Jansen to Saint-Cyran, the originals being preserved in the Collège de Clermont. One of these letters refers to Martin de Barcos, Saint-Cyran's nephew, whom his uncle was sending to the college of Sainte Pulchérie at Louvain, of which Jansenius was then Principal. On 19 May, 1617, Jansen writes to his friend, "Il n'estoit pas besoin que vous ou Monsieur vostre frère se mist en peine avec tant de soin. Car je luy fourniray tant que vous voudrez tout ce qu'il luy faudra de l'argent du college, je le dis naïvement, que j'ay entre les mains." . . . Pinthereau leapt to the conclusion that Jansen was promising to misappropriate college funds, and he backed his conclusion by reference to a passage in another letter, two years later: "Quant à Barcos, vous vous mettez trop en peine du fournissement de ce qu'il aura besoin . . . je vous ay tant de fois repeté que cela ne m'incommode aucunement, et le dirois franchement, s'il estoit autrement: non pas que j'aye tant de moyens de moy-mesme qui n'ay rien sinon ma vie, mais c'est l'argent du College qui est en mes mains qui permet bien cela et davantage, sans qu'aux comptes que j'en rends toutes les années personne du monde en sçache rien." Pascal silences the accusation of embezzlement by quoting a passage from a third letter of a later date, which makes it quite clear that Jansen was only proposing a loan from monies over which he had undisputed control.

P. 192, l. 5. *vostre conte ridicule du Tronc de S. Merry.* Cf. *VII*[e] *Imposture*, "Nous n'approuverons jamais celle (i.e. la methode) du Prestre Janseniste, qui inventa l'an passé la methode d'ouvrir le tronc des Eglises, et qui en fit l'essay dans la cave de St. Merderic". . . . The priest was Dr. J. E. Ariste, chaplain of St. Merri in the Quartier du Temple, who was accused in 1655 by the churchwardens of theft from, and appropriation of, the poor box. The Parlement dismissed the first charge, but, by confirming the church in possession of the box, it gave colour to the belief that the chaplain had for some reason removed it. It seems to have been a trumpery charge.

P. 192, l. 17. *Ce fameux directeur*, etc. This was a graver business. The "famous director" is M. Singlin of Port-Royal, to whom a certain M. de Chavigny had, without the consent of his parish priest and without the knowledge of his wife, made a death-bed confession. On Singlin's advice Chavigny handed to him a considerable sum of conscience money, to be applied in making restitution, for much of his large fortune had been made by moneylending, and we know how the seventeenth century regarded that practice. Singlin informed the widow, who protested vigorously. The case was referred to arbitrators, who decided that Madame de Chavigny should give up 100,000 livres and keep the rest. In this arrangement the foes of Port-Royal smelt captation; but there is no manner of doubt that Singlin and the arbitrators were actuated by the highest motives.

P. 192, l. 24. *vos grands Profès.* The Jesuit novice becomes after two years a "scholastic" and takes the vows of poverty, chastity, and obedience. Some years later he takes a fourth vow, that he will go wherever he is told, and he is ranked as "coadjutor" or "professed".

P. 192, l. 27. *vous avez osé imputer*, etc., in Meynier's pamphlet, *Le Port-Royal et Genève d'intelligence* . . . for which see below, note on p. 193, l. 33.

P. 193, l. 2. *de Port-Royal.* Almost a technical expression. The

Solitaries were "of Port-Royal"; the convent had many friends who were not "of it," as, for instance, the Duc de Liancourt, who was the accidental cause of the *Lettres provinciales* and a "Solitaire amateur". No more than he, was Pascal "of Port-Royal". The distinctive feature of the Solitaires was complete renunciation of the world, and Pascal, when he wrote the *Provinciales*, had by no means accomplished this. He was still an "honnête homme" in the seventeenth century sense. He did renounce the world before his death, but by that time he had come very near to renouncing Port-Royal and the cause for which in the Letters he so vigorously fights. See Strowski, *Pascal et son temps*, t. iii., p. 210; and Stewart, *The Holiness of Pascal*, Lecture I., and notes.

P. 193, l. 6. *ces pieux solitaires qui s'y estoient retirez.* The period of the Solitaries extended from 1637, when Antoine Le Maître and M. de Séricourt were provided with lodgings in the Court of Port-Royal de Paris, till March, 1656, when "les Messieurs" were driven from Port-Royal des Champs by order of the King.

P. 193, l. 7. *leurs ouvrages.* The writers, *par excellence*, of Port-Royal were Arnauld, Nicole, and M. de Saci.

P. 193, l. 17. *tout ce que j'ay receu de luy.* There seems no need to read into these words, as Havet does, a note of personal pride. The most modest of men may openly dedicate himself to God and his gifts to His service. Nicole's rendering is simply *quicquid de illo accepi.*

P. 193, l. 22. *pour vous en obtenir le pardon.* Havet and Molinier regard this passage as mere rhetoric, not far removed from hypocrisy. "(Ces prières) ressemblaient sans doute à celle que l'Eglise elle-même fait pour les Juifs le vendredi saint" (Havet). "Si jamais il y eut de théologiens batailleurs, pour ne pas dire aggressifs, ce fut bien à Port-Royal" (Molinier). No doubt; but it should be remarked that Pascal has here in mind, not the great polemists of Port-Royal, Arnauld and Nicole, but the nuns and their Directors; and the character of no one of these last is open to the charge of harshness or insincerity—not M. Singlin, forced into the priesthood against his will by Saint-Cyran; not M. de Saci, despite the *Enlumineures* ("seule erreur," says Sainte-Beuve, *P.-R.*, ii., 87); not M. Sainte-Marthe, because of his *Défense des Religieuses* (see Sainte-Beuve, *ib.*, iv., p. 345). These men who were the "directors" known to Pascal, were human, but they were profoundly Christian, and we may believe that they would and did pray for their enemies, and would teach those whom they directed to do the same.

P. 193, l. 23. *point de part a cette injure*, "no share in that calumny".

P. 193, l. 26. *Imple facies eorum ignominiâ*, Ps. lxxxii. 17 (Vulg.).

P. 193, l. 33. *Le Port-Royal et Genève*, etc. In this gross and stupid libel Meynier accused Saint-Cyran and Arnauld of having corrupted the faith of the Port-Royal nuns by means of the *Chapelet du Saint Sacrement* (a series of meditations invented by the Mère Agnès) and the *Fréquente Communion.* For *le Port-Royal*, cf. Haase, § 31, C, Rem. II.

P. 194, l. 7. *L'institution du S. Sacrement*, etc. An *Institut* for the perpetual adoration of the Blessed Sacrament was founded by Madame de Longueville under a Bull of Urban VIII. in 1627. It was housed in the *Maison du Saint Sacrement* in a street near the Louvre, and la Mère Angélique was appointed superior, with three sisters of Port-Royal. They stayed here till 1633, when, the founders having died without securing sufficient maintenance for them, they had to return to Port-Royal, taking with them the property and privileges of the Devotion. By the sale of the house they were enabled in 1647 to build a church which was dedicated to the Blessed Sacrament and the Virgin, and the same year they exchanged the black scapulary of their Order (Cistercian) for a white scapulary with a red cross, signifying the Body and Blood of Christ (see Helyot, *Hist. des Ordres Monastiques*, v., 457 ff.). Henceforward the nuns of Port-Royal were known as the "Filles du Saint Sacrement".

P. 194, l. 36. *significative*, "figurative," the word used by Meynier with reference to the Calvinistic doctrine.

P. 194, l. 38. *d'une figure vraye et reelle.* The editors of the *Œuvres de P.*, who let little escape them, say that they cannot find the source of this quotation. But surely it is simply Pascal's expansion and justification of the term "significative".

P. 195, l. 12. *en plusieurs lieux.* Cf. "Dominus noster in caelum sublatus localem corporis sui praesentiam nobis abstulit". Calvin, *Conf. Fidei de Eucharistia.*

P. 195, l. 35. *Theolog. fam.*, i.e. *Théologie familière avec divers autres petits traitez de devotion* by Saint-Cyran (? 1643). Among the *petits traitez* are three to which Pascal refers in this Letter: (1) *L'Explication des Ceremonies de la Messe*, (2) *L'Exercice pour la bien entendre*, and (3) *Les Raisons de la Ceremonie et de l'ancienne coustume de suspendre le Saint Sacrement dans les Eglises au-dessus du grant Autel.*

P. 196, l. 1. *voyagere*, "itinerant here on earth," a rare word, for which Littré quotes Montaigne: "quelque bonne compagnie resseante ou voyagere".

P. 196, l. 1. *De la suspension*, i.e. Saint-Cyran's third *traité*. See above, note on p. 195, l. 35.

P. 196, l. 3. *appuyées.* According to the Aristotelian and Scholastic philosophy, the subject lies below and thus supports the accidents.

P. 196, l. 7. *Heures, dans la prose*, etc. *Heures*, i.e. "de Port-Royal," the name given to a kind of Prymer—*l'Office de l'Eglise*, in Latin and French, with the hymns in French verse, published in 1650 by M. de Saci, under the pseudonym of Jean Dumont.

P. 196, l. 7. *la prose du Saint Sacrement.* This is the famous sequence for Corpus Christi Day, viz. St. Thomas's *Lauda, Sion, Salvatorem.* The verse to which Pascal alludes is No. 7 :—

Sub diversis speciebus,
Signis tantum et non rebus,
Latent res eximiae.

"Mais la substance change en laissant discernable les voiles du dehors." The verse given by Molinier, *ad loc.*, is from Saci's translation of the hymn *Verbum supernum prodiens*, v. 3, and does not correspond to Pascal's quotation. The editors of the *Œuvres de Pascal* wrongly refer to the *Office du Saint Sacrement*, which was not published till 1659.

P. 196, l. 25. *Defense du Chapelet*, etc., i.e. *Reponse aux Remarques d'un Theologien contre le Chapelet du tres Saint Sacrement*, by Saint-Cyran (1634). For *Chapelet* see above, note on p. 193, l. 33.

P. 196, l. 32. *Comme l'Escriture parle.* Cf. 2 Cor. v. 15.

P. 196, l. 32. *Ib., p. 153*, i.e. in the *Explication des Ceremonies de la Messe*, one of the treatises in the *Theolog. Fam.*

P. 197, l. 15. *Mestrezat.* Jean Mestrezat (1592-1657), for forty-two years minister of the "temple" at Charenton.

P. 197, l. 17. *que c'est un mensonge*, etc., quoted from Arnauld's *Seconde Lettre.*

P. 197, l. 24. *Controverses*, i.e. the short title of *Traité qui contient la Methode la plus facile et la plus asseurée pour convertir ceux qui sont separez de l'Eglise, par le Cardinal de Richelieu* (1651). This work was found among the Cardinal's papers after his death in 1643. Pascal summarizes a dozen lines.

P. 197, l. 32. *L'Exercice*, etc. See above, note on p. 195, l. 35.

P. 197, l. 34. *Heures de Port-Royal.* See above, note on p. 196, l. 7.

P. 198, l. 15. *qu'on ne doit point donner*, etc. Free summary of the passage in *La Fréquente.*

P. 198, l. 22. *si vous suiviez*, etc. For these words of Brisacier, see above, Letter XV, p. 186, l. 35.

P. 198, l. 25. *Mascarenhas.* Manuel de M., Portuguese Jesuit (1604-1654).

P. 198, l. 27. *Toute sorte de personnes*, etc. From *Tractatus de Sacramentis* (Paris, 1656), Tr. iv. Pascal omits to state that Mascarenhas gives as reason for his opinion the absence of any text forbidding communion or celebration on the part of a truly contrite sinner who has duly confessed.

P. 199, l. 19. *Il n'y a rien de pire*, etc. Cf. Ecclus. x. 10.

P. 199, l. 27. *d'un Ordre tout different.* Cf. the magnificent passage in the *Pensées*, No. 793.

P. 199, l. 41. *p. 33* should be *p. 35.*

P. 200, l. 5. *le livre de Petrus Aurelius : Petri Aurelii Theologi opera* . . . (Paris, 1632). This work was composed by Saint-Cyran (? and his friends) in defence of episcopal jurisdiction against the English Jesuits who objected to the claims of Richard Smith, appointed in 1625 titular bishop of Chalcedon and vicar apostolic. Cf. Stillingfleet, *Discourse concerning idolatry* (1672), pp. 369 ff.

P. 200, l. 10. *de sa memoire*, "from her own memory".

P. 200, l. 16. *trois assemblées generales*, etc., in 1635, 1641, 1645-1646.

P. 200, l. 22. *vos confreres d'Angleterre.* Knott and Floyd. Cf. Bayle, *Dict.*, *s.v.* Knott.

P. 200, l. 32. *que Dieu nous donne*, etc. Arnauld defends himself on the same lines in his *Seconde Lettre.*

P. 201, l. 23. *le Cardinal du Perron.* Jacques Davy Du Perron (1556-1618), cardinal, 1604. He preached the funeral sermon of Ronsard, he engaged in long controversy with Bishop Andrewes, and he was a chief agent in procuring the conversion to Catholicism of Henry IV. His *Traité du Saint Sacrement de l'Eucharistie* (1622) was written to confute Du Plessis Mornay's attack on the Mass.

P. 201, l. 27. *la Manne.* Cf. "C'est ce Sacrement que Saint Jean appelle dans l'Apocalypse une manne cachée". Pascal to Mlle Rouannez, October, 1656.

P. 201, l. 30. *S. Eucher.* Bishop of Lyons, *ca.* 434. The passage here quoted is from his *Liber formularum spiritualis intelligentiae* (*MPL*, l., col. 746). Cf. "La Synagogue ne perissoit point parce qu'elle estoit la figure . . . la figure a subsisté jusqu'à la verité" (*Pensées*, No. 646).

P. 201, l. 37. *c'est le propre de la loy*, etc. Cf. Heb. x. 1.

P. 201, l. 39. *la foy . . . n'est point*, etc. Cf. Heb. xi. 1, Rom. iii. 20-22, Gal. v. 4-6.

P. 202, l. 7. *abhorrer les Calvinistes.* Havet exclaims: "Combien une telle expression nous étonne!" But the editors of *Œuvres de Pascal* point out, quoting Darmsteter and Hatzfeld, that "abhorrer" has also the sense of "avoir un grand éloignement pour," in which sense Pascal uses it in his *Traité sur le Vide.*

P. 202, l. 16. *ce que M. Arnauld a dit*, etc., in *La Fréquente.*

P. 202, l. 27. *Annat.* Cf. *Response à quelques demandes.* For this work, see above, note on p. 32, l. 9.

P. 203, l. 3. *ces termes . . . n'y furent jamais.* Maynard makes a great point of the fact that although the expression "local presence" is avoided in the canons of the 13th session of the Council of Trent, yet the 1st chapter of that session says: "nec enim haec inter se pugnant ut ipse salvator noster semper ad dextram Patris in caelis assideat juxta modum existendi naturalem, et ut multis nihilominus aliis in locis sacramentaliter praesens sua substantia nobis adsit," etc. But Pascal knows this and admits it (see p. 204, l. 5, "miraculeusement en plusieurs lieux à la fois"). He might have shown that Meynïer was a poor scholastic in not recognizing the difference between "esse in loco" and "esse localiter in loco," i.e. according to the conditions by which bodies ordinarily occupy place, or, as he says himself, "dans l'estendue ordinaire des corps en leur lieu". He might have referred Meynier to Du Perron, *Traité de l'Eucharistie*, iv., c. 23, where the question is fully handled. But on the principle that "les impostures ne meritent d'estre refutées qu'en passant," he contents himself with pillorying the

Jesuit's distortion of the canons of Trent and his ignorance of St. Thomas.

P. 203, l. 28. *Rougissez*, etc. Cf. Ecclus. iv. 30.

P. 203, l. 37. *l'estendue*. "L'étendue" is the property of a body to occupy a position in space. So Descartes, *Discours de la Méthode*. See above, note on p. 203, l. 3.

P. 204, l. 19. *Jarrige*. Pierre Jarrige (1604-1670). He abjured not only his Order but his religion in 1647, and published in 1648 a pamphlet, *Les Jesuistes mis sur l'eschafaut pour plusieurs crimes capitaux par eux commis dans la province de Guyenne*. This he retracted two years later. He was received back into the Church and disappeared into a Jesuit house at Antwerp.

P. 204, l. 33. *cœur de pierre*, etc. Cf. Ezek. xi. 19.

P. 205, l. 23. *Filleau*. A Poitiers lawyer, uncle of the good friend of Port-Royal, Filleau de la Chaise (to whom we owe the account of Pascal's plan for his great apology, see Stewart, *Holiness of Pascal*, p. 52), published in 1654 an extravagant story of a conference supposed to have been held at Bourg-Fontaine, near Villers-Cotteret, in 1621, between Jansen, Saint-Cyran, and a number of friends, for the express purpose of destroying Christianity in favour of Deism. A conference no doubt took place, but its object was probably the reform of morals rather than of doctrine.

P. 206, l. 12. *cet ecclesiastique de merite*. The expression is Filleau's.

P. 206, l. 15. *ces six personnes*. These were designated in Filleau's account by initials. Only one of them, said Filleau, was still alive when he wrote, viz. a certain A. A. The Jesuits, who took up the story with avidity, would have liked to expand this into Antoine Arnauld, but he was a child of nine at the date of the conference; so, for want of a better, they fell back on his elder brother, Robert Arnauld d'Andilly, whose initials, on the principle adopted by Filleau, ought to have appeared as R. A. D. A.

P. 206, l. 28. *Valerien*. See above, note on p. 187, l. 31.

P. 206, l. 32. *que ce ne sera point*, etc. Another quotation from Valeriano Magni.

P. 206, l. 35. *Chappelet secret du S. Sacrement*, i.e. *Histoire du chapelet secret*, etc., by la Mère Agnès. See above, note on p. 193, l. 33.

P. 206, l. 41. *la Censure de feu M. l'archevesque*. See above, note on p. 132, l. 2.

P. 207, l. 16. *On l'entend aujourd'huy*. . . . A reference to the miracle of the Holy Thorn. Cf. *Pensées*, No. 841.

P. 207, l. 24. *Dicastillus*, *Gans*, *Penalossa*. See above, note on p. 178, l. 32.

P. 207, l. 30. *I et II Concile d'Arles*. The dates are 316 and 353. The canons dealing with calumny are No. xiv. of the first council and No. xxiv. of the second.

P. 207, l. 30. *Concile de Latran*. I can find no Lateran canon to this effect; but the Fourteen Council of Carthage (A.D. 398) in its

55th canon says, "ut episcopus accusatores fratrum excommunicet. Et si emendaverit vitium recipiat eos ad communionem, non ad clerum". Perhaps Pascal is thinking of this.

P. 207, l. 32. *Les Papes*, e.g. Gregory III. and Adrian I. See *Corp. Jur. Can.* (Decret., Pt. II., Causa, v., q. i., cc. i. and ii.).

P. 207, l. 37. *flagellentur.* The Pope's words are "Qui in alterius famam publice scripturam aut verba contumeliosa confinxerit, et repertus scripta non probaverit, flagelletur" (*Corp. Jur. Can. ad loc. cit.*).

P. 208, l. 7. *s'il n'est en estime d'abhorrer*, trs. "unless he is reported to hate". Cf. "L'estime de modération qu'il avoit" (Bossuet).

P. 208, l. 11. *ces saints et pieux calomniateurs.* The quotation is borrowed from Arnauld (Preface to the *Enlumineures*).

P. 208, l. 22. *avec S. Paul. . . .* Cf. 1 Cor. vi. 9.

P. 208, l. 34. *la verité vous en delivreroit.* Cf. John viii. 31, 32.

P. 208, l. 40. *un prophete.* Cf. Is. xxviii. 15.

P. 208, l. 43. *D'autant . . . que vous avez mis*, etc. Cf. Is. xxx. 12-14.

P. 209, l. 6. *test* = tesson, "potsherd".

P. 209, l. 8. *un autre prophete.* Cf. Ezek. xiii. 22, 23.

P. 209, l. 24. *dans l'Evangile.* Cf. Matth. vii. 1, John vii. 24.

P. 209, l. 32. *Le demon*, etc. Cf. *Introduction à la vie devote*, Pt. III., ch. 29.

P. 209, l. 33. *M. de Genève.* St. François de Sales was still simple bishop. He was not canonized till 1665.

P. 209, l. 35. *Cant. 24*, i.e. *Sermo 24 in Cantica* (*MPL*, clxxxiii., col. 896).

P. 209, l. 41. *Le peu de temps*, etc. The editors of *Œuvres de Pascal* point out that Pascal was anticipated in this famous phrase by Balzac in his *Socrate chretien* (1652).

P. 210, l. 7. *peur des Benedictins.* See above, note on p. 187, l. 30.

P. 210, l. 9. *Auteur de vos Apologies*, viz. Desmarets de Saint-Sorlin; see above, note on p. 190, l. 3. Desmarets was not in the least mollified by this extremely handsome apology, if we may judge by the furious tone of his *Response à l'Insolente Apologie des Religieuses de Port-Royal*, etc., which he published ten years later.

LETTER XVII.

P. 211, l. 1. *Au reverend P. Annat.* For Annat see above, note on p. 32, l. 9.

P. 211, l. 1. *vostre procedé.* Hermant (*Mém.*, t. iii., p. 245) speaks of an armistice between the belligerent parties. But this did not prevent the busy preparation of pamphlets on either side. The Jesuits, however, had good hope of procuring both an embargo on Jansenist publications and "privilèges" for themselves as "defenders of the truth" from the Chancellor Séguier, always their firm friend. The XVIIth Letter was ready on 12 January; it was not issued till 19 February.

P. 211, l. 3. *tant d'escrits.* The latest of these were (1) Nouet's *Response à la quinzieme Lettre.* (2) *Defense de la Verité Catholique touchant les miracles*, written under the pseudonym of Sainte-Foy. (3) *La Bonne Foy des Jansenistes*, by Annat, written in September, which was answered by a *Lettre au R. P. Annat*, which is included with the Provinciales in the edition of 1657, but which is not Pascal's.

P. 211, l. 12. *ce livre*, i.e. *La Bonne Foy des Jansenistes.*

P. 211, l. 18. *assez répondu.* Cf. "Apres ma 8me je croyois avoir assez repondu" (*Pensées*, No. 30).

P. 212, l. 3. *je vous y vas repondre* = je vais vous répondre là-dessus.

P. 212, l. 7. *Charenton.* See above, note on p. 197, l. 15.

P. 212, l. 11. *Constitution.* This is a convenient place to state the distinctive titles of Papal utterance. A papal "Constitution" is a legal enactment from the Pope. It is a generic term. All letters from the Pope are constitutions; they receive specific names according to their form or subject matter. A constitution may be a *Bull*, the form adopted for important and permanent decrees. A bull begins † "Episcopus servus servorum Dei," and has a leaden seal ("bulla") attached to it. In a *Brief* some of the formalities are dispensed with. The direct form of address is used, the document is closed and sealed in red wax with the fisherman's ring. Papal letters addressed to all bishops are termed *Encyclicals;* when they are issued in response to an inquiry they are *Decretal Epistles*, when they are issued *propria motu* they are *Decrees;* when they are directed to individuals and deal with matters of minor importance they are *Rescripts.*

P. 212, l. 12. *ou . . . vous m'entendez bien.* Nicole completes the phrase: "Respondendum est, Pater, aut jam Valeriani Patris intorquebo telum," i.e. "I will reply, mentiris impudentissime". See above, Letter XV, p. 189 f.

P. 212, l. 15. *Que le Port-Royal*, etc. Cf. *Pensées*, No. 929.

P. 212, l. 23. *Que je suis seul*, etc. See above, note on p. 193, l. 2.

P. 212, l. 28. *La Constitution*, i.e. the Bull of Innocent X. condemning the Five Propositions, 30 May, 1653, "Cum occasione".

P. 212, l. 32. *dans la 14.* See above, p. 174, l. 6.

P. 213, l. 1. *je n'ay d'attache*, etc. This is not mere rhetoric or polemical subterfuge. A month or two earlier Pascal had written to the Rouannez: "Nous sçavons que toutes les vertues, le martyre, les austeritez et toutes les bonnes œuvres sont inutiles hors de l'Eglise et de la communion du Chef de l'Eglise, qui est le Pape. Je ne me separeray jamais de sa communion, au moins je prie Dieu de m'en faire la grace: sans quoy je serois perdu pour jamais." Pascal was gradually drawing away from the extreme Jansenist position.

P. 213, l. 17. *Je n'espere rien*, etc. Cf. *Pensées*, No. 920.

P. 213, l. 22. *delogé . . . de Sorbonne.* Some thirty-seven Doctors were lodged within the college. Note the omission of the article. Sorbonne is regarded as a place name.

P. 213, l. 30. *pousser* = "to combat". Cf.

"Et je ne sais pourquoi votre âme ainsi
S'emporte, Madame, a me pousser de cette etrange sorte."
Molière, *Misanthr.*, Act III., sc. 5.

P. 213, l. 40. *P. Mester.* Etienne Mester, Oratorian († 1648), committed suicide at Metz, his mind being distraught, the Jesuits said, by Jansenist teaching. If this be true, Mester is an instance of the danger against which the XVIIth Art. of the Church of England warns; to dwell on the mystery of Predestination may be "a most dangerous downfall".

P. 214, l. 2. *S. Merry.* See above, note on p. 192, l. 5.

P. 214, l. 3. *Prendre . . . a partie* = To make a formal charge against some one. Cf. "Je vous prends à partie pour me payer les 10,000 écus". Molière, *Avare*, Act V., sc. 5.

P. 214, l. 3. *de la Sainte Virginite.* This was a translation of St. Augustine's *De Sancta Virginitate*, by Claude Seguenot of the Oratory (1638), *avec quelques remarques pour la clarté de la doctrine.* These "remarques," which betrayed the influence of Port-Royal, were attributed to Saint-Cyran, and were the occasion of his incarceration for three years in the Bastile. See Sainte-Beuve, *P.R.*, ii., ch. 6, and the *Xme Imposture.*

P. 214, l. 12. *comme je l'ay fait voir.* In Letters IX. and XIII.

P. 214, l. 18. *vos generaux.* See above, note on p. 161, l. 10.

P. 215, l. 7. *qu'on n'a pas la liberté*, etc. Pascal runs together the Third and Fourth Propositions.

P. 215, l. 13. *vos catechismes.* See note on p. 27, l. 8.

P. 215, l. 14. *à S. Louis.* To-day the Church of St-Paul et St-Louis in the Rue St-Antoine.

P. 215, l. 15. *vos petites bergeres*, i.e. dressed up as a shepherd in the Devotion to the Crib.

P. 215, l. 21. *Crasset.* See above, note on p. 181, l. 4.

P. 215, l. 21. *qui en a esté interdit.* "En," in accordance with a common use in the seventeenth century, refers to the whole phrase ("vous les entretenez . . . sermons") and marks the cause of Crasset's disgrace.

P. 215, l. 24. *quand vous commençates*, etc. The first move was in 1649, when Cornet denounced the Propositions to the Sorbonne.

P. 215, l. 29. *M. de Sainte-Beuve.* Jacques de S. B. (1613-1677), regius professor of theology from 1643 to 1656, when he was removed from his chair and forbidden to preach, for having refused subscription to Arnauld's censure. But he signed the Formulary in 1661 "à deux mains," i.e. with alacrity, and was restored to dignity, being commissioned by the Assemblée de Clergé at Mantes to compose a *Théologie Morale.* Pascal adds sting to his sentence by giving to Sainte-Beuve the title which he had just lost.

P. 215, l. 30. *escrits publics*, i.e. his public lectures. Sainte-Beuve wrote no pamphlet in defence of the Propositions.

P. 215, l. 32. *de la Grace Victorieuse.* i.e. *De la Grace Victorieuse de J. C. ou Molina et ses disciples convaincus de l'erreur des Pelagiens et des semi-Pelagiens . . . par le sieur de Bonlieu, docteur en theologie* (Paris, 1651). The author was Noel de Lalane, who in it accuses the Jesuits of having invented the two Propositions out of their own head and of seeking to contrive the ruin of Efficacious Grace in favour of Sufficient Grace. The preface, which Pascal summarizes, contains the passages of St. Prosper quoted.

P. 215, l. 39. *S. Prosper.* St. Prosper of Aquitaine (403-463) embraced the cause of St. Augustine, whom he had never seen, and whom he induced to write two of his most famous anti-Pelagian Treatises. His opponents, unable to confute them by argument, had recourse to calumny, as St. Prosper describes in his *Responsio ad capitula objectionum Vincentianorum*, from the preface to which the following passage is taken. Prosper was a poet as well as a divine, and his anti-Pelagian *Carmen de injustis* was translated by M. de Saci in 1646.

P. 215, l. 40. *les Semipelagiens de France*, i.e. the monks of Southern Gaul (Marseilles and the island of Lerins), whose leaders John Cassian and Vincent of Lerins were imbued with Greek notions concerning Free Will. See Introduction, p. xv ff.

P. 216, l. 10. *La Constitution.* See above, note on p. 285, l. 5.

P. 216, l. 10. *ils la receurent avec . . . respect.* Papal Bulls could not enter France without the King's consent, and it was not at all unusual for him to delay publication or to take exception to their clauses. But Louis XIV., acting under the advice of Mazarin, made no difficulty over the "Cum occasione," which was received by the bishops in the name of the French clergy on 11 July, 1653, and by the Sorbonne immediately afterwards without any opposition.

P. 216, l. 21. *avec passion*, "with hatred ".

P. 216, l. 26. *estre satisfaits de. . . .* See critical note. The reviser remembers that the Letter is addressed to Annat in person.

P. 216, l. 30. *Resp. à quelques demandes*, i.e. *Response à quelques demandes*, by Annat, written in 1655, a few months before Arnauld's *Seconde Lettre.* See above, note on p. 32, l. 9.

P. 216, l. 34. *Si l'on refuse*, etc. The quotation, from St. Gregory's *Registr.*, v., c. 15, is supplied by the *Seconde Lettre.*

P. 216, l. 40. *parce, dit-il, que. . . .* Cf. St. Greg., *Ep.*, vi., 16 (MPL, lxxvii. col. 805).

P. 217, l. 12. *Cavilli*, i.e. *Cavilli Jansenistarum contra latam in ipsos a sede apostolica sententiam a P. Francisco Annati, S.J.* (1654). There is no doubt that Annat strains the truth in saying "totidem verbis," nor, on the other hand, that Pascal labours the point.

P. 217, l. 28. *On vous défia de citer les pages de Jansenius*, etc. Annat, in his reply to the XVIth Letter, gives chapter and verse which, however, only correspond "totidem verbis" to Proposition I.

P. 217, l. 31. *Je rapporte*, etc. Cf. *Pensées*, No. 929.

P. 217, l. 40. *Depuis vous la mites dans le cœur*, i.e. in the Formulary of 1656: "Je condamne de cœur et de bouche le doctrine des cinq Propositions de Jansenius . . . laquelle doctrine n'est point celle de Saint Augustin, que Jansenius a mal expliquée contre le sens de ce saint Docteur".

P. 218, l. 22. *S. Basile et S. Athanase.* The editors of the *Œuvres de Pascal* suggest (*ad loc.*) that Pascal, using Arnauld's *Apologie pour M. de Saint-Cyran*, has confounded the separate incidents. This is not so. Pascal's history is correct. St. Basil believed the current calumny that St. Dionysius of Alexandria had sown the seeds of the Anomœan heresy (viz. the essential unlikeness of the Son to the Father). St. Athanasius, with better knowledge, defended St. Dionysius in a treatise (*de sententia Dionysii*), and established his orthodoxy. Cf. Lumper, *Historia sanctorum patrum*, vol. xiii., pp. 85 ff.

P. 219, l. 15. *que la doctrine*, etc. Cf. *Cavilli*, ch. iv.

P. 219, l. 20. *les Avis des Consulteurs.* The Congregation of the Holy Office, charged with the examination of the Propositions, consisted of five cardinals and thirteen *consultores*. Their "avis" were brought to France by François Bosquet, then Bishop of Lodève, and two years later, of Montpellier. They were published in 1657 and reprinted by Nicole in 1650.

P. 219, l. 25. *le Maistre du sacré Palais.* This was Vincenzo Candido, Dominican, who declared the first three and the fifth propositions to be orthodox; also with some reserve the fourth.

P. 219, l. 25. *le commissaire du saint Office.* Vincenzo de Pretis, Dominican.

P. 219, l. 26. *le General des Augustins.* Filippo Visconti.

The difficulty of the problem set by the Propositions is seen in the guarded language of most of the *consultores*. As Molinier says, they evidently wanted to leave the responsibility of a decision to the Pope.

P. 220, l. 35. *Il est donc seür*, etc. These are the very words which the Pope himself used when the Jansenists, taking leave of him at Rome, expressed their trust that his Bull did not touch the doctrine of efficacious grace. "O! questo è certo!" he replied.

P. 220, l. 38. *une autorité qui est grande*, etc., the Church in a general Council. Cf. "Il n'y a presque plus que la France ou il soit permis de dire que le concile est au-dessus du Pape". *Pensées*, No. 871.

P. 220, l. 42. *Les conciles generaux*, etc. Cf. Bellarmin, *De Romano pontifice*, iv., c. 11.

P. 221, l. 1. *Le Pape comme Pape*, etc. Cf. Bellarmin, *ib.*

P. 221, l. 14. *Il faut se soumettre*, etc. Cf. *Annales ecclesiastici ad an.* 681, No. 39, by Cesaro Baronius, Oratorian and Cardinal (1530-1607), "the father of modern church history".

P. 221, l. 10. *l'Archeveque de Toulouse.* Pierre de Marca, a celebrated Canonist. The two quotations from him which follow are taken from his *De concordia sacerdotii et imperii* (1641). Pascal translates freely.

P. 221, l. 11. *S. Leon et Pelage II.* Cf. Leo, *Ep.*, lxxi. (olim liii.), (*MPL*, liv., col. 895 *seq.*). Pelagius II. (Pope from 578 to 590), *Ep.*, iv. (olim vi.), *MPL*, lxxii., col. 710 *seq.*

P. 221, l. 15. *Tertullien.* Cf. " Fides in regula posita est ". Tert. *De praescriptione*, 14.

P. 221, l. 26. *le IV et le V concile.* The Fourth General Council of Chalcedon (451) allowed the orthodoxy of the Antiochenes in the writings of Theodore of Mopsuestia, Theodoret of Cyrus, and Ibas of Edessa ; the Fifth Council of Constantinople (453) condemned them as Nestorian, i.e. distinguishing two natures in Jesus Christ, see below.

P. 221, l. 29. *certains moines de Scythie. . . .* In 519 certain anti-Nestorian monks (what the designation "Scythian" exactly means is unknown) appeared in Constantinople and endeavoured to insert a new clause into the creed, viz. that one of the Persons of the Trinity had been crucified. Pope Hormisdas pronounced the clause, " unum crucifixum esse ex sancta et consubstantiali Trinitati " to be wholly unorthodox; but the Theopaschites, as they were termed, won the day ten years later, when Pope John II. traversed the ruling of his predecessor.

P. 222, l. 12. *le V Concile general. . . .* The anathematizing of certain propositions of Origen, to which Pascal refers, was most probably not the work of the Council of Constantinople. They are contained in an edict of Justinian issued some time between 538 and 543. The condemnation in question is the ninth out of ten.

P. 222, l. 18. *Pere Halloix.* Pierre Halloix (1571-1656) dedicated his *Origenes defensus* (Liège, 1648) to Innocent XI. It was none the less placed upon the *Index* in 1655, " donec corrigatur ".

P. 222, l. 8. *Pic de la Mirande.* Giovanni Pico della Mirandola (1463-1494), prince, philosopher, and theologian ; author, amongst many other works, of 900 theses, *De omni re scibili* (to which Voltaire added the words " et quibusdam aliis "), and *Heptaplus*, an allegorical treatise, in the manner of Origen, on the Creation.

P. 222, l. 8. *Genebrard.* Gilbert Génébrard (1527-1597), archbishop of Aix, pupil of the great humanist Adrien Turnèbe ; regius professor of Hebrew. He edited the works of Origen in 1574 in an edition which was the best until those of Huet and Delarne.

P. 222, l. 25. *Sirmond.* Jacques Sirmond ; see above, note on p. 117, l. 39. His defence of the orthodoxy of Theodoret may be read in the Life prefixed to his edition of that Father (Paris, 1642).

P. 222, l. 33. *Pape Honorius.* Pope from 625 to 638. The story of Honorius is briefly this : Early in the seventh century an attempt was made to reconcile with the Church and the doctrine of Chalcedon (see above, note on p. 221, l. 26) the Monophysites who held the heresy of only one nature in Christ. The Emperor Heraclius proclaimed, by way of compromise, the theory of two natures, a human and a divine, and one divine-human energy (ἐνέργεια δραστική). To this Honorius, whose opinion was asked, gave a qualified assent, but in his letters on the subject he used the term "una voluntas," thus sanctioning the Monothelite heresy. Honorius's action and language were not viewed with favour at Rome, but it was not till after his death that trouble began. The Sixth General Council (Constantinople, 680) condemned the doctrine and anathematized Honorius "non quidem ut haereticus sed ut haereticorum fautor".

P. 223, l. 5. *deux autres conciles*, viz. the Seventh (Nicaea, 787) and the Eighth (Constantinople, 870).

P. 223, l. 5. *par . . . par*. Cf. Haase, § 145, Rem I.

P. 223, l. 5. *Leon II*. Pope from 682 to 684.

P. 223, l. 5. *Adrien II*. Pope from 867 to 872.

P. 223, l. 9. *Bellarmin*. The passage quoted is from the *De romano pontifice*.

P. 224, l. 9. *par un bref*. Rapin (*Mém.*, ii., 227) tells us that the Pope, pressed on all sides to explain his Bull which was being diversely interpreted, summoned a new Congregation in which he condemned everything that had been written before and after the Bull in defence of Jansenist doctrine, and especially the letters of the archbishop of Sens, the bishops of Angers, Beauvais, and Comminges. The result was the Brief of 29 September, 1654.

P. 224, l. 23. *vous estiez à Rome*. Annat was at the time assistant to the Jesuit General.

P. 224, l. 33. *vous avez trompé le Pape*. Cf. *Pensées*, No. 882.

P. 225, l. 3. *telle qu'elle soit*. Cf. Haase, § 45, B.

P. 225, l. 21. *selon le Pape et les evesques*, etc., i.e. the bishops who received the Bull and the Brief.

P. 225, l. 37. *une confession de foy en blanc*. The expression was actually used by a deputy of the Assembly of Clergy on 4 September. Cf. Hermant, *Mém.*, t. iii., p. 141, quoted in *Œuvres de Pascal, ad loc.*

P. 226, l. 1. *abstrahendo ab omni sensu. . . .* See Letter I., p. 8, l. 39.

P. 226, l. 21. *vostre principal interest*, etc. The theme of Lalane's *De la Grace victorieuse*, see above, note on p. 215, l. 32.

P. 228, l. 37. *des privileges*, see above, note on p. 126, l. 23.

P. 228, l. 38. *jusqu'aux miracles*. Annat's *Defence de la Verité catholique touchant les miracles* had a privilege of 30 December, 1656.

P. 228, l. 42. *d'estre reduit à l'impression d'Osnabrück*, "to be reduced to Osnabrück printing". If any reason is to be sought for the choice of Osnabrück as the supposititious place of the bad printing of Letter XVII., it is perhaps to be found in the interest in the fate of that town and bishopric as decided by the Peace of Westphalia in 1648. Cardinal Wartenberg, who had been bishop all through the Thirty Years' War, managed to prevent the secularisation of his See by the Swedes, but only on condition that after his death (which occurred in 1661) it should be administered alternately by a Protestant and a Catholic bishop. Annat, in his reply to Letter XVII., makes a smart point: "Why," he asks, "go all the way to Osnabrück for your printing? Amsterdam, Leyden, Geneva, are all nearer at hand and more sympathetic."

LETTER XVIII.

P. 229, l. 2. *erreur* = "heresy".

P. 229, l. 5. *des Decrets*, loosely used for the Bulls of 1653 and the Brief of 1654 and the Bull of 1657. See above, note on p. 212, l. 11.

P. 230, l. 27. *que si Jansenius*, etc. See above, Letter XVII., p. 220.

P. 230, l. 32. *p. 21*, i.e. of Annat's *Response à la XVII*^{me} *Lettre.* Pascal summarizes the argument.

P. 231, l. 2. *je n'examine pas icy*, etc. He does so at length on p. 233 ff.

P. 231, l. 22. *le Concile*, i.e. of Trent.

P. 231, l. 42. *effectivement* = "effectually, successfully".

P. 232, l. 8. *un fond malheureux.* Cf. "dans le fond, le vilain fond de l'homme, ce figmentum malum n'est que couvert". *Pensées*, No. 453. figmentum = *πλάσμα.* Cf. "He knoweth whereof we are made". Ps. cii . 14.

P. 232, l. 20. *Dieu change le cœur*, etc. A complete statement of the Augustinian theory of Grace. See Introduction, p. xiii. ff.

P. 232, l. 35. *quod enim amplius*, etc. Cf. Aug., *Epist. ad Gal. expositio*, c. 49.

P. 233, l. 3. *contre l'opinion de Calvin.* Pascal's brilliant dialectic in the pages which follow reposes on a false basis. His distinction between the Jansenist and the Calvinist view of Grace will not stand. He claimed that the Jansenist allows Free-Will to man, whereas the Calvinist denies it, looking upon man as a mere machine moved by an irresistible power. Jansen, following St. Augustine, admitted that man has the power to resist Grace, if he will. But so did Calvin. What Calvin maintained was that man cannot will to resist Grace, since it is Grace itself which determines his will. But this is the position of Alvarez, St. Thomas, and St. Augustine himself. And the Council of Trent in condemning a mechanical theory in the Reformers, condemned a fiction. See Mozley, *Augustinian Doctrine of Predestination* (1855), note xxi., and before Mozley, Pierre Bayle, in his *Dictionnaire* (1695), *s.v.* Jansenius.

P. 233, l. 4. *Clement VIII.* Cf. *Historia congregationum de auxiliis divinae gratiae* (Antwerp, 1709), appendix. Arnauld has already quoted Clement's words in his appendix to the *Seconde Apologie pour Jansenius* (1645). Pascal here simply gives the titles of some of Clement's address to the Congregation.

P. 233, l. 14. *comme dit S. Paul.* Cf. Heb. xiii. 21.

P. 233, l. 15. *comme dit le Concile de Trente*, in Sess. VI., cap. 9.

P. 233, l. 15. *le mesme Concile*, in Sess. VI., canon 4.

P. 233, l. 27 ff. The scriptural passages are from Ecclus. xxvii. 21; Ps.

lxxix. 4, 8, 10; Jer. xxxi. 18; Ezek. xviii. 31; Ps. lxxxiv.; Matth. iii., 8; Is. xxvi. 12; Ezek. xxxvi. 26.

P. 233, l. 36. *est de reconnoistre.* Cf. Haase, § 19, D, Rem. I.

P. 233, l. 37. *nos actions sont nostres . . . les produits.* These lines are not marked as a quotation by Nicole, and they appear indeed to be not a translation of any particular passage of St. Augustine but an accurate summary of his general teaching.

P. 234, l. 6. *Alvarez.* See above, note on p. 6, l. 11.

P. 234, l. 7. *son livre*, i.e. *de auxiliis divinae gratiae*, etc. (1610). Also quoted by Nicole in *Pauli Irenaei disquis. tertia* (26 March, 1657).

P. 234, l. 11. *S. Thomas son Maistre.* Cf. *Summa*, *Ia IIae*, *112*, *a.* 3; *IIa IIae*, *q.* 24, *a.* 11.

P. 234, l. 18. *t. 1*, *p. 602*, i.e. of *Theolog. dogm.*, l. ix. c. 7.

P. 234, l. 23. *C'est la . . . la doctrine constante*, etc. Cf. "I see no substantial difference between the Augustinian and Thomist, and the Calvinist doctrine of Predestination" (Mozley, *op. cit.*, note xxi.).

P. 235, l. 3. *le prix du sang de son Sauveur*, i.e. "bought with her Saviour's blood".

P. 235, l. 38. *assortis à vostre dispute*, "suitable to the dispute".

P. 236, l. 2. *Pour scavoir, dites vous*, etc. Annat's exact words in his *Response à la XVII Lettre* are: "Pour sçavoir donc si la doctrine de Jansenius est à couvert par le profession qu'il fait de defendre le grace efficace par elle-mesme, il faut sçavoir de quelle maniere il la defend: si c'est la maniere de Calvin ou celle des Docteurs Catholiques".

P. 236, l. 9. *qu'on a toûjours le pouvoir*, etc. This first quotation is made up of passages from ch. xx. (quoted by Nicole, *Paulus Irenaeus*), and ch. ix. (quoted by Arnauld).

P. 237, l. 28. *Saint Hierôme . . . à Jean*, etc. Cf. Hier., *Epist. ad Pammachius*, quoted by Arnauld, *Seconde Lettre*.

P. 237, l. 40. *ailleurs*, i.e. in Letter XII., *ad fin.*

P. 238, l. 16. *de citer fidelement.* Cf. *Pensées*, No. 929. But Annat had given chapter and verse in his *Response à la XVIme Lettre* and in his *Response à la plainte que font les Jansenistes*, etc.

P. 238, l. 17. *les Curez de Paris*, in their *Avis aux autres curez de France* of October, 1656.

P. 238, l. 20. *P. L'Amy.* See above, note on p. 78, l. 1.

P. 238, l. 38. *vos Cavilli.* See above, note on p. 217, l. 12.

P. 239, l. 6. *sans marquer le lieu.* Annat gives his references in the *Response à la plainte.*

P. 239, l. 8. *Je sçay . . . le respect*, etc. See above, note on p. 213, l. 1.

P. 239, l. 17. *au commissaire du Saint Office.* See above, Letter XVII., p. 219.

P. 239, l. 24. *Que plus de soixante Docteurs*, etc. See Letter I., p. 28. Cf. *Pensées*, No. 929.

P. 239, l. 33. *qu'ils peuvent calomnier*, etc. See above, Letter XV.

P. 239, l. 33. *dont ils se croient attaquez.* Cf. Haase, § 113.

P. 239, l. 37. *de faire examiner*, etc. Arnauld, in his *Considerationes* (1649), solicited a conference.

P. 239, l. 39. *qu'on assemble*, etc. This passage of St. Basil is quoted by Arnauld in his *Seconde Lettre*.

P. 240, l. 7. *S. Gregoire in Job*, i.e. *Moral.*, viii. 2, in cap. vi. B. Job (*MPL*, lxxv., col. 803).

P. 240, l. 14. *Le Siege apostolique*, etc. This passage had already been cited by Arnauld in his *Seconde Lettre*.

P. 240, l. 20. *ils peuvent estre surpris*. Cf. *Pensées*, No. 882.

P. 240, l. 42. *Ce n'est pas une chose estonnante*, etc. Bernard, *Ep.* 339, *ad Papam Innocentium pro Alviso Atrebatensi episcopo* (*MPL*, clxxxii., col. 544).

P. 241, l. 15. *De Consid.*, i.e. *De Consideratione*, St. Bernard's last work (*ca.* 1148), written at the invitation of his friend and disciple Pope Eugenius III. Already quoted by Arnauld in his *Reflexions sur un Decret de l'Inquisition de Rome* (1651).

P. 241, l. 22. *duquel si vous estes exempt*. Cf. Haase, 29, C.

P. 241, l. 28. *vostre livre*, i.e. *Response a le plainte des Jansenistes*.

P. 241, l. 31. *un nommé Athanase*, a Jacobite patriarch.

P. 241, l. 34. *en faisant le bon valet*. The expression had already been used by St. François de Sales. Cf. *Epîtres spirituelles*, vii., 48.

P. 241, l. 41. *Alexandre III*. Pope from 1159-1181.

P. 242, l. 1. *inseree dans le droit canonique*. Cf. *Decr. Greg.*, ix., lib. i., t. 3 ("de rescriptis"), cap. 5.

P. 242, l. 3. *Si quelquefois*. For this rescript of Alex. III., cf. Kehr, *Regesta Pontif. Rom.*, t. 5, p. 67.

Alexander's letter is quoted by Arnauld, *Seconde Lettre*.

P. 242, l. 13. *S. Pierre et S. Paul*. Cf. 1 Peter v. 2-3; Titus i. 7-8.

P. 242, l. 34. *fides ex auditu*. Cf. Rom. x. 17.

P. 242, l. 37. *S. Thomas remarque*. Cf. *Officium de Festo Corporis Christi* (*Opusc.* v. *al.* lvii.), which contains, *inter alia*, the hymn "Lauda, Sion". Pascal is beginning to appreciate St. Thomas.

P. 243, l. 33. *Genese*. Cf. Gen. i. 16.

P. 244, l. 2. *parce, comme dit S. Augustin*. Cf. *De Gen. ad lit.*, i. 18.

P. 244, l. 23. *un Decret solennel. . . .* This Bull is apocryphal. It may be read in Mansi, *Concil.*, xix., 674, and in Leo, *Opera* (*MPL*, cxliii., col. 791 ff.).

P. 244, l. 42. *Vous obtintes*. Pascal could fairly say "vous" if only for the fact that the great Jesuit Bellarmin, as a member of the Congregation of the Holy Office, had no small share in procuring the condemnation of the Copernican theory. Cf. next note.

P. 245, l. 1. *Ce Decret de Rome*. The Copernican theory that the earth revolves round an immovable sun was condemned by a Decree of the Inquisition of 5 March, 1616. Galileo was not mentioned in the decree, but he was known to hold the theory. Bellarmin, who was his personal friend, conveyed to him news of the condemnation, which, doubtless by his advice, Galileo promised to observe. Notwithstanding this Galileo published in 1632 a *Dialogo sopra i due massimi Sistemi de mondo*, in which he contrasts the Copernican and Ptolemaic systems, to the great disadvantage of the latter. The *Dialogo* was at once condemned by the Inquisition, i.e. in 1633, but the Decree embodying the sentence was not issued until 1634.

It is to be observed (1) that Pascal does not make the mistake into which Protestant critics have often fallen of ascribing to the Pope the Decree against Galileo; (2) that the Decrees of 1616 and 1634 were never received in France, and that in 1711 a Jesuit, Père André, maintained a public thesis, "Systema Copernicanum defendimus tanquam hypothesim ingeniosam si non veram," refusing to adopt the Censor's alteration of *si* into *etsi;* (3) that Pascal does not commit himself on the right or wrong of Galileo's theory. Elsewhere he says: "Je trouve bon qu'on n'approfondisse pas l'opinion de Copernic" . . . (*Pensées*, No. 218), and in his *Lettre au Père Noel* he is ready to give equal weight to the theories of Ptolemy, Tycho Brahe, and Copernicus.

P. 245, l. 7. *Zacharie.* Pope from 741 to 752. Cf. *Epist. Zach. Papae ad Epist. Bonifacii*, 82 (*MPL*, lxxxix., col. 946). A greater than Pope Zachary had denied the existence of the Antipodes. St. Augustine argued that, there having been only one pair of original ancestors, it is inconceivable that such distant regions should have been peopled by Adam's descendants.

P. 245, l. 23. *depuis si longtemps*, i.e. since 1649, when Arnauld wrote his *Considérations sur l'entreprise de M. Cornet.*

P. 245, l. 34. *pro nihilo.* See above, p. 241, l. 21.

P. 246, l. 34. *J'ay de la peine a comprendre*, etc. This seems to shew that Pascal was not at one with Port-Royal.

LETTER XIX.

Pendent opera interrupta. Why did Pascal throw down his pen in the very moment of his intellectual triumph, a triumph which, to judge by this fragment of a nineteenth Letter, he was in no danger of forfeiting? Different answers have been suggested; Monsieur Jovy,[1] to my thinking, supplies the true one. Pascal was touched in two vital articles of his creed—loyalty to the Pope, and loyalty to the King.[2] By this time Rome had spoken, and plainly. The Bull of Alexander VII., March, 1657, left no way of escape, although Arnauld and his friends made desperate efforts to find one. The Pope stigmatized as disturbers of the public peace and as children of iniquity all who denied

[1] Cf. Jovy, *op. cit.*, t. ii., p. 30.

[2] For the former, see above, note on p. 213, l. 1; for the latter, cf. the significant passage in the *Vie de Blaise Pascal* by his sister, affixed to most editions of the *Pensées*, "Il avoit un si grand zele pour la gloire de Dieu . . . ce sont là les sentiments ou il étoit pour le service de roy; aussi étoit-il irreconciliable avec tous ceux qui s'y apposoient".

that the Five Propositions were contained in Jansen's book. On the other hand, the young King's attitude was openly and uncompromisingly hostile. The sentiments of both King and Pope were widely reflected through France in sentences of courts and parlements against writers and printers of Jansenist books, and in Roman decrees against the *Lettres Provinciales.* At last the orders to burn both the original French and the Latin translation, and to sign the Formulary against Jansen (1661). Add to this gradual and increasing external pressure, Pascal's inward movement away from Port-Royal towards a more human system of thought, as indicated in the last two Letters, and you have all the reasons for a weakening of the offensive. But of a weakened offensive Pascal was of all men the least capable. He could not adopt a middle way. It is consonant with his character that he should have ceased writing as abruptly and impetuously as he had begun.

BIBLIOGRAPHY.

A. EDITIONS OF THE "LETTRES PROVINCIALES".

The eighteen *Lettres écrites à un Provincial* were published, without name of place or printer, at intervals between 27 January, 1656, and 14 May, 1657. Each was in quarto form and filled a sheet (8 pp.), or a sheet and a half (12 pp.). Two of them (XVI. and XVII.) were printed in much smaller type than the rest, in order to get the matter into the same limits. They were all printed with the utmost secrecy by different Paris presses, friendly to Port-Royal; the first two probably by Petit, others by Langlois, Savreux, and Desprez; some, it is said, in the cellars of the College d'Harcourt—a stone's throw from the Sorbonne—and even in a water-mill on the Seine between the Pont-Neuf and the Pont-au-Change. The police made repeated but fruitless attempts to discover their birthplace.

In February, 1657, the first seventeen pamphlets were collected and issued in a single volume with four pages of preliminary matter, viz. page 1, a Title, "Les Provinciales ou les Lettres écrites par Louis de Montalte à un Provincial de ses amis et aux RR. PP. Jesuites sur le sujet de la morale et de la politique de ces Pères. A Cologne chez Pierre de la Vallée MDCLVII.;" pages 2-3, "Advertissement sur les XVII Lettres ou sont expliquez les sujets qui sont traitez dans chacune" (this was the work of Nicole, and consists of a summary of the situation when Pascal intervened, together with an analysis of the Letters); page 4, "Rondeau aux RR. PP. Jesuites sur leur morale accommodante". To the volume thus formed were appended the *Avis des Curez de Paris*, the *Requeste des Curez de Rouen*, and other Jansenist pieces (108 pp.). The same year, 1657, saw the publication of two duodecimo editions of the Eighteen Letters, the former of which merely reproduces the original text, while the other introduces a number of alterations and "improvements" into Letters I.-III., and a few trifling ones into the rest of the series. A glance at the critical apparatus will shew the character of these alterations. Their purpose is to soften or modify the sharpness of the original phrase.

In 1658 Nicole translated the Letters into Latin under the pseudonym of "Willielmus Wendrockius, Salisburgensis Theologus". This book bears the imprint of Cologne, "apud Nicolaus Schouten". It is hardly necessary to say that the use of the names Cologne, Schouten, La

Vallée, for this book and for the quarto of 1657, is a mere blind. The real place of printing was probably Amsterdam. Of Nicole's translation there appeared at least four editions within twelve months. It was furnished with elaborate notes and dissertations.

In 1659 the Letters in French were republished, this time in octavo, with a fresh title: "Les Provinciales ou les Lettres escrites par Louis de Montalte à un Provincial de ses amis et aux RR. PP. Jésuites, avec la Theologie Morale desdits Pères et nouveaux Casuistes, representée par leur pratique et par leurs livres; divisée en cinq parties. . . . A Cologne chez Nicholas Schoutte MDCLIX." In this edition the *Avis des Curez* is replaced by the *Theologie Morale*. The verbal changes of 1657 are all adopted and many more (and these more radical) are added; in fact a serious attempt is made to edit Pascal's work.

In 1684 Nicole's translation was reissued, accompanied in parallel columns by the original French (text of 1657), a translation into Spanish by "Gratien Cordero de Burgos," and one into Italian by "Cosimo Brunetti, gentilhomme florentin". It is preceded by an address to the reader on the XVIII. Letters, in all four languages.

In 1699 Mlle de Joncoux (1660-1715), an Auvergnate and evident Jansenist, translated the notes and dissertations of "Wendrockius" into French and issued them, with the text of 1659, in 3 vols. 12mo. This was subsequently and repeatedly reissued in 4 vols. 12mo.

Throughout the eighteenth century and far into the nineteenth century the Letters continued to be reprinted, always in the text of 1659. At length in 1846, when interest had been aroused in the history of Pascal and of his controversy by the publication of Sainte-Beuve's *Port-Royal* (1842) and by Victor Cousin's appeal for a sound text of the *Pensées* (1845), a fervent Pascalisant, M. Basse, began to collect material for a critical edition of the *Provinciales*, which never saw the light. His copy of the original issue, with copious manuscript notes and variants, a monument of careful scholarship, is now in the British Museum (C 53, d. 10).

But the honour of the first critical edition belongs to the Abbé Maynard (2 vols., 8vo, 1851). He follows the text of 1659, which for reasons which will appear immediately, cannot be regarded as satisfactory, but he gives in footnotes the readings of 1656 and 1657. The commentary which accompanies Maynard's text is extremely valuable as reproducing the replies of the seventeenth century Jesuits, brought up to date by an accomplished theologian. But his sympathy with the other side is so strong that it blinds him to Pascal's sincerity and honesty, and conveys an impression of partisanship.

A real attempt to get back to Pascal's true text was made by M. A. H. Lesieur in 1867. His *Texte primitif des Lettres Provinciales d'après un exemplaire in* 4° (Paris, 4°, 1867) is founded on a copy of the original issue in his possession containing, in a contemporary seventeenth century hand, no less than 381 corrections, 285 of which appear in the edition of 1659. The fact that none of the corrections are in Pascal's own writing and that 97 of them were not adopted in 1659 confirms the impression which the instructed reader cannot fail to form, viz. that the edition of 1659 represents not the mind or style of Blaise Pascal, but what his Jansenist friends would have them be.

Yet the next editor of the *Provinciales*, Mr. John de Soyres, who had the chance of consulting Lesieur, deliberately returned to the text of 1659, although he records most of the earlier variants. It is a very great pity, for this work (Cambridge, 1881, 8vo) has sterling merit, and his notes and introduction are marked by wide learning and sound sense. E. Havet praises the book as constituting the first historical commentary on the Letters. Cambridge and England have indeed every reason to be proud of it.

Eight years later E. Havet himself, who had already won distinction by a most valuable edition of the *Pensées*, produced his *Provinciales* (Paris, 1889, 2 vols.). His text is that of the original issue, with selected readings at the foot of the page, an excellent commentary and an illuminating Introduction. Havet claims in his Preface to have refrained throughout from polemic, and he holds the balance evenly between the two parties. But he is sometimes rather less than fair to Christian doctrine and the great truths for which Pascal fought.

Much the same may be said of Auguste Molinier, who also, after the *Pensées* (1879), came on to the *Provinciales* (1891) in the original text. What seems a slight religious bias is indeed the only flaw to be found in an edition which for learning, accuracy, taste, and judgment, is without a rival. His two volumes are as delightful to the eye and touch as they are to the intelligence.

The latest edition of the *Provinciales* is unfortunately buried in the Collected Works of Pascal edited by MM. Brunschvicg, P. Boutroux, and F. Gazier, for the series of the *Grands Ecrivains de la France*. The editors do not provide much help in the way of commentary, but their work is of inestimable value for the history, external and internal, of the Letters, and for the sources from which they were compiled. One signal advantage of this edition is that the student can safely control all Pascal's references, without handling the quartos of Arnauld and the vast folios of the Casuists. One cannot but regret that the chronological system adopted by the editors has practically put their learning outside the reach of readers who have not a long purse or access to a large library; for in their edition the *Provinciales* are scattered over the four volumes which represent Pascal's life during the years 1656 and 1657; and in these volumes (which, however, can be purchased separately) there is much that has only an indirect bearing on the Letters.

A word of gratitude must be added for two editions of the Letters (I., IV., and XIII.) by H. Michel (Berlin, 1881), and by Brunetière (Hachette, 1916, 6th ed.). If either of these critics had done for the other Letters what they did for the selected three, the present edition would not have been needed.

B. ANSWERS TO THE "PROVINCIALES"

1. *Lettre escritte à un Abbé par un Docteur sur les trois Lettres escrittes à un Provincial*, etc. 22 February, 1656, 4to, 18 pp.
2. *Response et Remerciment d'un Provincial à Monsieur E.A.A.B. P.A.P.D.E.P. sur le sujet de ses lettres et particulierement de la cinquiesme où sont remarquées plusieurs differences tres-considerables entre la Morale des Docteurs Casuistes de l'Eglise Catholique et celle des Jansenistes.* (After 30 March, 1656), 4to, 8 pp.
3. *Lettre de Phillarque à un de ses amys sur le sujet des plaisantes Lettres ecrites à un Provincial.* (After 30 March, 1656), 4to, 4 pp.
4. *Lettre d'un Provincial au Secretaire du Port-Royal.* 25 April, 1656.
5. [Claude de Lingendes,[1] or J. Nouet.] *Premiere response aux Lettres que les Jansenistes publient contre les Peres de la Compagnie de Jésus.* (After 18 May, 1656), 4to, 8 pp.
6. [Jacques Nouet.] *Impostures provinciales du sieur de Montalte Secretaire des Jansenistes decouvertes et refutées par un Pere de la Compagnie de Jésus.* s. l. et a. 4to.
7. [J. Nouet.] *Lettre écrite à une personne de condition sur le sujet de celles que les Jansenistes publient contre les Jesuites.* s. l. et a. 4to, 8 pp.
8. [J. Nouet.] *Lettre escrite à une Personne de condition sur la conformité des reproches et des calomnies que les Jansenistes publient contre les Peres de la Compagnie de Jésus: avec celles que le Ministre du Moulin a publiées devant eux contre l'Eglise Romaine, dans son livre des Traditions, imprimé à Genève en l'année 1632.* s. l. et a. 4to, 12 pp.
9. [J. Nouet.] *Response aux Impostures des Lettres que les Jansenistes publient contre les Jesuites.* s. l. et a. 4to.
10. [J. Nouet.] *Continuation des Impostures*, etc. s. l. et a. 4to, 35 pp.
11. [J. Nouet.] *Seconde Partie des Impostures*, etc. s. l. et a. 4to, 88 pp.
12. [J. Nouet.] *Response aux Lettres que les Jansenistes publient contre les Jesuites.* s. l. et a. 4to.
13. [J. Nouet.] *Response à l'onzieme Lettre des Jansenistes.*
    ,, *la douzieme* ,, ,, ,,
    ,, ,, *treizieme* ,, ,, ,,
    ,, ,, *quatorzieme* ,, ,, ,,
    s. l. et a. 4to, 32 pp.
14. [F. Annat.] *Rabat-Joie des Jansenistes ou Observations necessaires sur ce qu'on dit estre arrivé à Port-Royal au sujet de la Sainte Epine, par un docteur de l'Eglise catholique.* s. l. 1656, 4to, 12 pp.

[1] Claude de Lingendes, S.J. (1591-1660), the friend of Condé, who administered the last rites to Mme de Chantal (cf. Bremond, *Sainte Chantal*, pp. 241 ff.).

15. B. Meynier, S.J. *Port-Royal et Genève d'intelligence contre le Très Saint Sacrement de l'Autel dans leurs livres*, etc.
Paris, 1656, 4to, 113 pp.

16. [F. Annat, S.J.] *La Bonne Foy des Jansenistes en la citation des Auteurs reconnue dans les Lettres que le Secretaire du Port-Royal a fait courir depuis Pâques.* Paris, 1656, 4to, 51 pp.

The second edition, 1657, in which Annat's authorship is avowed, is swelled to 76 pp. by the addition of *Response à la plainte que font les Jansenistes de ce qu'on les appelle Heretiques.*

17. [Brisacier, Lingendes, Nouet, and Annat.] *Responses aux Lettres provinciales publiées par le Secretaire du Port-Royal contre les PP. de la Compagnie de Jésus sur le sujet de la Morale des dits Pères.*
Liége, 1657, 12mo, 560 pp.

This volume contains Nos. 5-13 of the above items, and, in addition, *Response à la quinzieme Lettre; Response d'un Theologien aux propositions extraites des Lettres des Jansenistes par quelques Curez de Rouen; Response à la Plainte que font les Jansenistes, Response à la seizieme Lettre, Resp. à la 17 Lettre* (Annat); two "Arrets des Cours" against the Letters, and the Bull of Alexander VII.; and two Episcopal approbations. It was translated into English under the title: *An Answer to the Provincial Letters, published by the Jansenists under the name of Louis Montalt. . . .*
Paris, 1659, 12mo.

18. [G. Pirot, S.J.] *Apologie pour les Casuistes contre les calomnies des Jansenistes . . . par un Theologien et Professeur en Droit Canon.*
Paris, 1657 (Dec.), 4to, 191 pp.

Condemned by Alexander VII. and by the Sorbonne, 1657. Republished with the condemnation in 1659.

19. [H. Fabri, S.J.] (1607-1688). *Notae in notas Willelmi Wendrockii ad Ludovici Montaltii litteras . . . a Bernardo Stubrockio, Viennensi Theologo.* Cologne, 1659, 8vo, 302 pp.

20. [Gabriel Daniel, S.J.] *Entretiens de Cleandre et d'Eudoxe sur les Lettres au Provincial.* Cologne (i.e. Rouen), 1694, 12mo, 406 pp.

The occasion of this belated reply to the *Provinciales* by the distinguished Jesuit historian, G. Daniel (1649-1728), was a passage in the *Parallèle des Anciens et des Modernes* of Charles Perrault (Prem. Dial.), in which the champion of the moderns puts Pascal in the place assigned to him by Boileau, i.e. above all others, ancient or modern, especially in the respect of purity of language, nobility of thought, and art of dialogue. Daniel contests each point (cf. Sainte-Beuve, *P.R.*, t. iii., pp. 51 ff.). The only effect of his book, which fell flat ("La Reponse aux *Provinciales* par le Pere Daniel," writes Bayle in 1694, "a disparu quasi avant de naître") was to send readers to the original of the passages he quotes from the Letters, and to provoke Mlle de Joncoux's translation of Wendrock. Daniel was answered by Dom Petit-Didier in his *Apologie des Lettres Prov. de L. de Montalte contre la derniers*

response des PP. Jesuites, intitulée Entretiens de Cleandre et d'Eudoxe. Rouen, 1697.
21. J. de Maistre. *Traité de l'Eglise Gallicane* (ch. ix.). Paris, 1829.
22. Maynard, Abbé. *Les Provinciales et leur réfutation.* Paris, 1851, 2 vols.

C. HISTORICAL WORKS USEFUL FOR THE UNDERSTANDING OF THE "PROVINCIALES".

(*a*) *Contemporary*—

Antoine Arnauld, *Œuvres completes.* Lausanne, 1775-1783, 43 vols.
L. Ellies Dupin, *Histoire ecclesiastique du XVII*^e^ *siecle.* Paris, 1714, 4 vols.
Fontaine, G. N., *Mémoires pour servir à l'histoire de Port-Royal.* Utrecht, 1736, 2 vols.; Cologne, 1753, 4 vols.
Hermant, G., *Mémoires*, ed. A. Gazier. Paris, 1905, 6 vols.
Racine, J., *Abrègé de l'histoire de Port-Royal*, ed. A. Gazier. Paris, 1908.
Rapin, *Mémoires*, ed. Aubineau. Paris, 1865, 3 vols.
To which must be added the documents published by E. Jovy in *Pascal inédit*, 5 vols., Vitry-le-François, 1908-1912.

(*b*) *Later*—

Sainte-Beuve, *Port-Royal*, 6th edition. Paris, 1901, 6 vols. and Index.
Lavisse, *Histoire de France*, vol. vii. Paris, 1906.

D. WORKS ON THE THEOLOGICAL AND MORAL QUESTIONS AT ISSUE.

a) *on Grace*—

St. Augustine, *De conceptione et gratia: Enchiridion; Ep. 217, ad Vitalem; De spiritu et littera; De Gratia et libero arbitrio; De libero arbitrio, MPL*, xxxii.-xlvii.
St. Thomas, *Summa I*^a^ *II*^ae^.
Bethune-Baker, J. F., *Introduction to the Early History of Christian Doctrine.* London, 1903.
Catholic Encyclopedia, s.v. "Grace".
De Meyer, A., *Les premiers controverses jansénistes en France.* Louvain, 1919.[1]
Hastings's *Encyclopedia of Religion and Ethics, s.v.* "Grace".
Montagne, C. L., *De Gratia* (*Migne, Theol. Cursus completus*), t. i.

[1] This work which only appeared when my pages were already in print is of first-rate importance for the whole subject, and especially for the period 1640-1649.

Mozley, J. B., *A Treatise on the Augustinian Doctrine of Predestination.* London, 1855.
Paquier, J., *Le Jansénisme.* Paris, 1909.

(*b*) *on Casuistry and Probabilism, etc.*

Blanchet, L., "L'attitude religieuse des Jésuites," in *Revue de Métaphysique et de Morale*, July and September, 1919.
Döllinger-Reusch, *Geschichte der Moralstreitigkeiten in der römisch-katholischen Kirche seit dem 16ten Jhdt.* Nördlingen, 1889, 2 vols.
D'Hulst, Mgr., "Une nouvelle appreciation des Provinciales," in the *Correspondant*, September, 1896.
Lea, H. C., *A History of Auricular Confession . . . in the Latin Church.* Philadelphia, 1896, 2 vols.
Lehmkuhl, *Theologia Moralis*, 3rd ed., 1886.
Matignon, A., "Le Probabilisme," in *Études religieuses*, 1866, 4.

E. MODERN STUDIES.

Bertrand, J., *Blaise Pascal.* Paris, 1890.
Boutroux, E., *Pascal.* Paris, 1900.
Brou, A., *Les Jésuites de la légende.* Paris, 1906-1907, 2 vols.
Brunetière, F., "Des Provinciales," in *Études critiques*, vol. iv.
Fawkes, A., *Studies in Modernism* (art. xiv.). London, 1913.
Giraud, V., *Pascal, L'homme, l'œuvre, l'influence*, 3rd ed. Paris, 1905.
Hatzfeld, A., *Pascal.* Paris, 1901.
Lanson, G., "Pascal," in *Grande Encyclopédie.*
Saint-Cyres, Viscount, *Pascal.* London, 1909.
Stewart, H. F., *The Holiness of Pascal.* Cambridge, 1915.
Strowski, F., *Pascal et son Temps* (vol. 2). Paris, 1907-1909, 3 vols.
Tilley, A., *From Montaigne to Molière* (ch. x., xi.). London, 1908.
Tulloch, *Pascal.* Edinburgh, 1888.

The only English translations of the Provincials known to me are the following :—

Les Provinciales, or the Mysteries of Jesuitism discovered in certain letters written upon occasion of the present differences at Sorbonne . . . faithfully rendered into English. London, 1657, 12mo.

The Life of Mr. Paschal with his Letters relating to the Jesuits. Translated into English by W. A[ndrews].[1] London, 1774, 2 vols., 8vo.

Jovy, E., *Pascal et Montalte.* Paris, 1895.
Quelques notes sur Pascal. Paris, 1905.

[1] W. Andrews, Non-Juror (1759). Cf. Lathbury, *History of the Non-Jurors*, (1845), p. 406.

DIARY OF THE PROVINCIAL LETTERS.

(Where no date is placed against an entry, only an approximate date is intended.)

1649, July 1.	Nic. Cornet discovers seven heretical Propositions in the *Augustinus*.
1651.	Père Brisacier attacks Callaghan at Blois.
1653, May 31.	Bull of Inn. X., "Cum occasione" . . . condemning five Propositions.
,, June 9.	Bull published.
1654.	*Enlumineures du fameux almanach des Jesuites* (Saci).
,, May	French bishops condemn the five Propositions.
,, Nov. 23/4.	Conversion of Pascal.
1655, Jan. 31.	The Duc de Liancourt is refused absolution by M. Picoté.
,, Feb. 24.	Arnauld's First Letter ("à une Personne de condition").
,, July 10.	Arnauld's Second Letter ("à un Duc et Pair").
,, Nov. 4.	The Sorbonne appoints commission to examine Arnauld's Second Letter.
,, Dec. 1.	Report on Second Letter.
,, ,, 10.	First vote in the Sorbonne on the "question de fait".
,, ,, 20.	Intervention of Chancellor Séguier.
1656, Jan. 14.	Final vote on the "question de fait".
,, ,, 17.	First vote on the "question de droit".
,, ,, 23.	FIRST PROVINCIAL LETTER (published Jan. 27).
,, ,, 27.	Arnauld's "acte notarié".
,, ,, 29.	SECOND LETTER (published Feb. 5).
,, ,, 31.	The Sorbonne's censure on Arnauld announced.
,, Feb. 2/3.	Arrest of the printer Savreux and raid on Petit.
,, ,, 9.	THIRD LETTER (published Feb. 12).
,, ,, 22.	*Lettre à un abbé sur les 3 Prov.* Arnauld's censure published.
,, ,, 25.	FOURTH LETTER.
,, ,, 26.	Expulsion of Sainte-Beuve.
,, Mar. 10.	Arnauld's *1re Lettre apologétique*.
,, ,, 19.	Dispersion of "les petites Ecoles" and the Solitaries.

1656, Mar. 20.	Fifth Letter (published March 30).
„ „ 24.	Arnauld's *2de Lettre apologétique.* Miracle of the Holy Thorn.
„ „ 30.	Raid on the printer Langlois.
	Response et Remerciment d'un Provincial à Monsieur E.A.A.B.P., etc. (after March 30).
	Lettre de Phillarque . . . sur le sujet des plaisantès Lettres écrites à un Provincial.
„ April 10.	Sixth Letter.
„ „ 14.	Doctors attest the Miracle.
„ „ 15.	Arnauld's *3ième Lettre apologétique.*
„ „ 25.	Seventh Letter.
	Lettre d'un Provincial au Secretaire de Port-Royal.
	C. de Lingendes's *Premiere Response aux Lettres*, etc.
„ May 12.	Paris Curés decide to examine the Casuists.
„ „ 28.	Eighth Letter.
	Nouet's *Lettre à une Personne de condition.*
„ „ 30.	The abbé d'Aulnay preaches at Rouen against the Casuists.
	Nouet's *Lettre sur la conformité des Jansenistes avec du Moulin.*
„ Aug. 2.	Tenth Letter.
„ „ 3.	Arnauld's works placed on the Index.
	Nouet's 6 *Premières Impostures ; Response à l'XIe Lettre ; Response aux autres Lettres.*
„ „ 7.	Paris Curés combine with those of Rouen.
„ „ 18.	Eleventh Letter.
	Annat's *Rabat-Joie des Jansenistes.*
„ Sept. 1.	Formulary drawn up by the Assembly of Clergy.
„ „ 9.	Twelfth Letter.
	Meynier's *Port-Royal et Genève d'intelligence.*
„ „ 13.	*Avis des Curez de Paris aux autres Curez de France.*
„ „ 30.	Thirteenth Letter.
	Response au Rabat-Joie.
	Pascal's Letters 1 and 2 to the Rouannez.
„ Oct. 16.	Bull of Alex. VII., "Ad sacram sedem," confirming Bull of Inn. X.
„ „ 22.	Sentence of the Vicars-General of Paris on the Miracle.
„ „ 23.	Fourteenth Letter.
	Requête des curez . . . contre les casuistes.
	Pascal's 3rd and 4th Letters to the Rouannez.
„ Nov. 24.	*Requête* presented to the Assembly of the Clergy.
„ „ 25.	Fifteenth Letter.
	Pascal's 5th, 6th, and 7th Letters to the Rouannez.
„ Dec. 4.	Sixteenth Letter.

	Annat's *La bonne foy des Jansenistes.*
	Pascal's 8th and 9th Letters to the Rouannez.
1657, Jan. 15.	*Lettre au Père Annat sur la bonne foy.*
,, ,, 23.	SEVENTEENTH LETTER (published Feb. 19).
,, ,, 26.	Reconciliation of Brisacier and d'Aulnay.
,, Feb. 1.	The Assembly orders St. Charles Borromeo's Instructions to be reprinted.
,, ,, 9.	The Parlement of Aix condemns the *Provinciales.*
	Nouet's *Responses aux L. P. publiées par le Secr. du Port-Royal contre les RR. PP. de la Compagnie de Jesus . . .* (including *Resp. à la XVII*[e] by Annat).
	Nicole's *Disquisitiones Pauli Irenaei I.* and *II.*
,, Mar. 11.	Bull of Alex. VII. conveyed to the King.
,, ,, 17.	New Formulary drawn up by the Assembly.
,, ,, 24.	EIGHTEENTH LETTER (published May, 6-14).
,, ,, 26.	Nicole's IIIrd *Disquisitio.*
,, April-May.	NINETEENTH LETTER begun.
,, April 12.	Bull of Alex. VII. published at Paris.
,, May.	Imprisonment of the publisher Vendôme.
,, June 8.	Imprisonment of the publisher Desprez.
,, ,, 15.	Congregation of the Index examine the *Provinciales.*
,, Sept. 6.	Congregation of the Index condemn the *Provinciales.*
,, Oct. 18.	Condemnation of the *Provinciales* placarded in Paris.
,, Dec. 19.	Bull of Alex. VII. registered by the Parlement.
,, ,, 27.	Pirot's *Apologie pour les Casuistes.*
,, ,,	Pirot's *Apologie* censured by the Vicars-General.
1658-1659.	Legal proceedings against Jansenist printers and publishers.
1659 Aug. 26.	Pirot's *Apologie* condemned by the Inquisition.
1660, Sept. 23.	The Council orders *Monaltii Litterae* to be burnt.
,, Oct. 8.	Nicole's Translation of the Letters burnt at Paris.
1661 Mar.-Apr.	Suppression of the Novices at Port Royal; expulsion of the Solitaries.

INDEX.

Italic figures refer to the pages of the notes.

PRINTED IN GREAT BRITAIN BY
LOWE AND BRYDONE PRINTERS LTD. LONDON, N.W.10